V&R

F. STANLEY JONES

„Freiheit" in den Briefen des Apostels Paulus

Eine historische, exegetische und religionsgeschichtliche Studie

VANDENHOECK & RUPRECHT
IN GÖTTINGEN

GÖTTINGER THEOLOGISCHE ARBEITEN

Herausgegeben von Georg Strecker

Band 34

CIP-Kurztitelaufnahme der Deutschen Bibliothek

Jones, F. Stanley:
„Freiheit" in den Briefen des Apostels Paulus : e. histor.,
exeget. u. religionsgeschichtl. Studie / F. Stanley Jones. –
Göttingen : Vandenhoeck u. Ruprecht, 1987
(Göttinger theologische Arbeiten ; Bd. 34)
Zugl.: Göttingen, Univ., Diss.
ISBN 3-525-87387-5
NE: GT

© 1987 Vandenhoeck & Ruprecht, Göttingen
Printed in Germany. – Das Werk einschließlich aller seiner Teile
ist urheberrechtlich geschützt. Jede Verwertung außerhalb
der engen Grenzen des Urheberrechtsgesetzes ist ohne
Zustimmung des Verlages unzulässig und strafbar.
Das gilt insbesondere für Vervielfältigungen, Übersetzungen,
Mikroverfilmung und die Einspeicherung und Verarbeitung
in elektronischen Systemen.
Druck und Bindearbeit: Hubert & Co., Göttingen

VORWORT

Lord Acton, der den Plan für die "Cambridge Modern History" gefaßt
hatte, aus der sodann u.a. die "Cambridge Ancient History" erwuchs,
hatte eigentlich ein übergeordnetes Ziel im Auge: eine umfassende Geschichte der Freiheit. Während jene "Vorarbeiten" inzwischen in mehreren Abteilungen und Auflagen erschienen sind, sind bei dem letztgenannten Unternehmen noch einige Aufgaben offen. Die vorliegende Studie will einen Beitrag zu dieser auch von namhaften deutschen Gelehrten, wie z.B. M.Pohlenz, betriebenen Freiheitsforschung leisten, indem
sie historisch, exegetisch und religionsgeschichtlich nach dem Freiheitszeugnis des urchristlichen Missionars Paulus fragt. Zwar ist diese Abhandlung nicht die erste, die sich diesem Problem widmet, aber der nach-
stehende Forschungsüberblick deckt auf, daß es an der Zeit ist, diese
Frage von Grund auf neu zu stellen und die Stichhaltigkeit nicht hinter-
fragter exegetischer Standardauskünfte kritisch und systematisch zu
überprüfen. In dieser Arbeit wird von der Überzeugung ausgegangen,
daß der wichtigste Schlüssel zum Verständnis der paulinischen Schriften,
wie auch des übrigen Frühchristentums, die historische Kenntnis der damaligen Welt ist. Im Lichte der großen hellenistischen Freiheitstradition
dürfte daher diese Untersuchung nicht nur für die weitere Behandlung
der Freiheitsthematik von Interesse sein, sondern auch für diejenige
Richtung der Forschung, die das seit ungefähr 1913 aus verschiedenen
Gründen vernachlässigte Problem des Verhältnisses zwischen dem frühen
Christentum und dem Hellenismus wieder aufgenommen hat.

Meine Forschungen wurden von mehreren Seiten her gefördert. Ökumeni-
sche Stipendien von der Württembergischen, Hannoverschen und Lippi-
schen Landeskirche erlaubten mir ein dreijähriges ungestörtes Studium.
Die Bibliotheken in Tübingen, Göttingen und Nashville (USA) stellten ihre Schätze bereitwillig zur Verfügung. Professoren und Kommilitonen in
Nashville, Göttingen und Chicago nahmen meine Thesen über die Freiheit
bei Paulus zur Kenntnis und reagierten durch anregende Diskussion.
Teile der unvollendeten Arbeit wurden gelesen von Professor Dr. H.D.
Betz (Chicago). Professor Dr. D.Nestle (Karlsruhe) hat nicht nur das
Manuskript gelesen und mit zahlreichen Anmerkungen versehen, sondern
auch sein persönliches Forschungsmaterial zur antiken Freiheit zur Ver-
fügung gestellt. Die mühselige Aufgabe, mein Deutsch zu verbessern und
verständlich zu machen, übernahmen in freundschaftlicher Güte Jürgen
Wehnert M.A. und Dipl.-Theol. Susanne Schmauks. Professor Dr. G.
Strecker stand mir seit der ersten Besprechung des Themas bis zur Ein-
reichung als Dissertation stets mit Rat und Tat bei. Er und Professor
Dr. G.Lüdemann schufen äußere Bedingungen, die die Durchführung der
Untersuchung ermöglichten, machten auf Literatur aufmerksam und lasen
die Arbeit in den verschiedenen Stadien ihrer Entstehung mit gelehrtem
Urteil. In Lehrveranstaltungen und Gesprächen, als ihre Hilfskraft sowie

durch ihre Schriften und ihr persönliches Vorbild habe ich von beiden Wertvolles gelernt. Ihnen wie auch den anderen oben Genannten sei an dieser Stelle mein herzlicher Dank ausgesprochen.

Göttingen, den 25. Juni 1984

In der Zwischenzeit sind Anregungen von mehreren Seiten eingetroffen. Soweit sie gedruckter Art sind, wurde versucht, auf sie expressis verbis Rücksicht zu nehmen. Im August und November 1985 wurden Teile der Arbeit im Rahmen der Society of Biblical Literature bei der internationalen Zusammenkunft in Amsterdam und der nationalen Konferenz in Anaheim, Kalifornien vorgetragen. Allen, die brieflich oder mündlich auf meine Studie oder Vorträge reagiert haben, sei hier öffentlich gedankt - auch meinen Studenten hier in Göttingen, die herausfordernde Bereitschaft zum Mitdenken und Mitarbeiten in diesen und verwandten Angelegenheiten bewiesen haben. Nicht zuletzt fand ich mich selbst vor die Aufgabe gestellt, die textkritische Grundlage der Arbeit weiter zu erforschen und abzusichern.

Für die Aufnahme der Abhandlung in die Reihe Göttinger Theologische Arbeiten bin ich dem Herausgeber Professor Strecker verpflichtet, ebenso der Theologischen Fakultät der Georg-August-Universität für die Vermittlung eines generösen Druckkostenzuschusses durch das Niedersächsische Ministerium für Wissenschaft und Kunst. Schließlich ist zu bemerken, daß eine Reihe kleiner Unebenheiten beim Setzen des Manuskripts eingeflossen ist, die nicht mehr bereinigt werden sollte.

Institut für Spezialforschungen   F. St. Jones
Abteilung für frühchristliche Studien
Göttingen, den 11. Februar 1986

INHALT

ABKÜRZUNGEN

Die herangezogene Literatur wird durchweg mit Verfassernamen und Erscheinungsjahr des betreffenden Titels zitiert. Die vollständigen bibliographischen Daten sind dem Literaturverzeichnis zu entnehmen. Die verwendeten Abkürzungen entsprechen: Siegfried Schwertner, Internationales Abkürzungsverzeichnis für Theologie und Grenzgebiete. Zeitschriften, Serien, Lexika, Quellenwerke mit bibliographischen Angaben (Berlin und New York: Walter de Gruyter, 1974). Außerdem und außer dem allgemein Verständlichen wird wie folgt abgekürzt:

von Arnim SVF	Hans von Arnim, Hg., Stoicorum veterum fragmenta
Blass	Friedrich Blass und Albert Debrunner, Grammatik des neutestamentlichen Griechisch, bearbeitet von Friedrich Rehkopf
BGU	Ägyptische Urkunden aus den staatlichen Museen zu Berlin, Griechische Urkunden
BSGRT	Bibliotheca scriptorum Graecorum et Romanorum Teubneriana
CIRB	Corpus inscriptionum regni Bosporani
JSNT	Journal for the Study of the New Testament
Paton und Hicks	W.R.Paton und E.L.Hicks, Hg., The Inscriptions of Cos
RIJG	R.Dareste, B.Haussoullier und Th.Reinach, Hg., Recueil des inscriptions juridiques grecques, 2. Serie
SCBO	Scriptorum classicorum bibliotheca Oxoniensis
SGDI	H.Collitz, Hg., Sammlung der griechischen Dialekt-Inschriften
Str-B	Hermann L.Strack und Paul Billerbeck, Kommentar zum Neuen Testament aus Talmud und Midrasch

1 EINFÜHRUNG IN DAS THEMA

1.1 Überblick über die bisherige Forschung

1.1.1 Die Arbeit von Johannes Weiß und drei darin reflektierte Grundprobleme

Überblicken wir die vielfältige Literatur zum Problem der Freiheit bei Paulus, so stellen wir fest, daß dessen Thematisierung auf einen 1901 in Stockholm gehaltenen Vortrag von Johannes Weiß zurückzuführen ist. "Die christliche Freiheit nach der Verkündigung des Apostels Paulus"[1] ist nicht nur die erste wissenschaftliche Abhandlung[2] zum Thema; sie stößt bereits auf die Grundprobleme, mit denen sich auch die zahlreichen nachfolgenden Studien beschäftigen. Wir wollen diesen Fragen zunächst in ihrem Zusammenhang bei Weiß nachgehen.

Dem ersten Grundproblem begegnen wir in Weiß' einleitenden Erörterungen zu Luthers Schrift "Über die Freiheit eines Christenmenschen", die zugleich als Rechtfertigung für sein Vorgehen dienen: "Der Gedanke der Freiheit kommt in den Briefen garnicht so häufig vor. Es bedurfte schon eines tieferen und eindringenderen Verständnisses, um zu erkennen, daß in der That in dieser Idee die Hauptgedankenströmungen des Apostels zusammengefaßt werden können" (S.6). Der erste Satz macht auf eine Tatsache aufmerksam, die gut erklärt, wieso das Thema nicht schon früher von der kritischen Wissenschaft behandelt wurde: Freiheitstermini begegnen in den paulinischen Briefen nicht eben häufig[3]. Dagegen bleibt im zweiten Satz die Aussage unklar, daß die "Hauptgedankenströmungen" des Paulus in der Idee "Freiheit" zusammengefaßt werden können. Mit diesem zweideutigen "können" ist weder gesagt, daß Paulus selbst seine Hauptgedanken in der Idee "Freiheit" zusammengefaßt hat bzw. zusammenfassen würde, noch eindeutig zugegeben, daß eine solche Zusammenfassung ein nützliches hermeneutisches Prinzip ist, das von Luther oder modernen Auslegern eingeführt wird. Was also ist der Inhalt "eines tieferen und eindringenderen Verständnisses"? Das historische Problem, um das es hier geht, ist wie folgt zu formulieren: 1. Welche Stellung nimmt der Freiheitsgedanke innerhalb der paulinischen Theologie ein und welche Bedeutung kommt ihm zu? Diese Frage bildet ein grundlegendes Problem, das sich durch die Forschungsgeschichte bis hin zu den neuesten Beiträgen zieht und das hier bei Weiß implizit, aber gerade so in beispielhafter Art und Weise zur Sprache kommt. Wenn Weiß' Lob für Luthers "wahrhaft congeniales Verständnis des Apostels" (S.6) auch verrät, daß Weiß Luther in der Hervorhebung der Wichtigkeit des Freiheitsgedankens zustimmt, so verkennt er nicht, daß Luthers Vorgehen historisch abgesichert werden muß. Dementsprechend stellt sich Weiß die Frage "nach den verschiedenen Beziehungen und Verbindungen, durch die der Gedanke mit dem übrigen Gefüge seiner Anschauungen zusammenhängt" (S.7).

Als zweite und wichtigere Aufgabe für ein wirklich geschichtliches Verständnis der Freiheitsidee des Apostels nennt Weiß die Frage nach ihrer Herkunft (S.7). Weiß zieht zunächst das AT, die Schriften des antiken Judentums und das nichtpaulinische frühchristliche Schrifttum heran und kommt zum folgenden Schluß: Obwohl die Freiheitsidee diesen Schriften nicht völlig unbekannt sei, könne eine Abhängigkeit des Paulus hiervon an keiner Stelle aufgezeigt werden (S.7 mit A 1 auf S.34-35). Vielmehr habe Paulus dieses Schlagwort, wie auch andere Elemente seines Denkens, von der ihm schon in der Schule vertrauten griechischen (stoischen) Popularphilosophie entliehen (S.7-9). Die Briefe des Paulus bezeugen ja "die besondere Rede- und Stilgattung, in welcher er geübt" wurde (nämlich die Form der Diatribe), und "unter den Mustern und Vorlagen, die ihm bekannt geworden sind, werden ethische Traktate und Predigten aus der stoischen Schule nicht gefehlt haben" (S.9). Freilich sei die Idee der Freiheit von Paulus "in einen ganz anderen Zusammenhang verpflanzt" worden und habe "eine völlig neue Gestalt gewonnen" (S.33)[4]. Daß Paulus dieses Wort von anderen übernommen habe, zeige sich aber besonders daran, daß Paulus "Freiheit" nicht in einheitlicher Weise verwende. Der Begriff der Freiheit hat bei Paulus "etwas Schillerndes; je nach dem Zusammenhange wird er hin und her gewandt, bald in dieser, bald in jener Bedeutung gebraucht" (S.11). Man könne aber im wesentlichen drei Zusammenhänge identifizieren, in denen Paulus von der Freiheit rede: Freiheit vom Gesetz, Freiheit von der Sünde und Freiheit von der Welt und ihren Freuden und Leiden (S.11).

Ist in dieser zuletzt genannten Dreiteilung des paulinischen Freiheitszeugnisses, deren Explikation der Rest der Weißschen Schrift dient, versucht, die Stellung und Bedeutung des Freiheitsgedankens innerhalb der paulinischen Theologie weiter zu klären, so spielen bei den vorangehenden Bemerkungen zwei weitere Grundprobleme mit: 2. Wie verhält sich die paulinische Lehre von der Freiheit zur übrigen urchristlichen Theologie? 3. In welchem Zusammenhang steht die paulinische Idee von der Freiheit mit der antiken Religions- und Geistesgeschichte? Hinsichtlich der ersten Frage (2.) rechnet Weiß einerseits damit, daß die paulinische Freiheitslehre für manche Nachklänge dieser Idee in den urchristlichen Schriften verantwortlich ist, und andererseits damit, daß Anklänge an die Freiheitsidee in dieser Literatur zum Teil "demselben Einflusse entstammen, der in viel stärkerem Maße auf Paulus gewirkt hat" (S.7; vgl. S.34). Dieser Einfluß ist, wie gesagt, der der stoischen Popularphilosophie, so daß die Antwort auf letztgenannte Frage (3.) wie folgt lauten muß: Religionsgeschichtlich ist der paulinische Freiheitsgedanke als eigenartige Mischung stoischer und urchristlicher Ideen aufzufassen.

Während es im Anschluß an Weiß sofort eine gewisse Entwicklung in der Untersuchung der paulinischen Freiheit gab - vor allem in den von dem Altphilologen A.Bonhöffer aufgestellten Gegenthesen[5] -, so daß es sinnvoll wäre, eine Forschungsgeschichte für diese Periode zu schreiben[6], gehen die nach dieser Zeit geschriebenen Arbeiten eigene Wege, ohne den anderen zum Thema verfaßten Studien systematisch Rechnung zu tragen[7]. Daher empfiehlt es sich, die bisherige Forschung durch einen thematisch geordneten Forschungsüberblick, statt in einer Forschungsgeschichte darzustellen. Dieser wird den Lösungen nachgehen, die in der wissenschaftlichen Behandlung des Themas zur Beantwortung der drei oben beschriebenen Grundfragen vorgeschlagen worden sind[8]. Dabei wird sich zeigen, daß diese Grundfragen einander überschneiden und daß die Beantwortung einer der Fragen oft eine bestimmte Antwort auf die anderen Fragen impliziert. Doch bleiben die drei Fragebereiche eigenständig genug, um uns einen lehrreichen Einblick in die bisherige Diskussion zu vermitteln. Im Anschluß an diese Darstellung fassen wir die Punkte zusammen, an denen weiterzuarbeiten ist, und ziehen die sich aus dem Überblick ergebenden methodologischen Konsequenzen für das Vorgehen unserer Untersuchung.

1.1.2 Thematischer Überblick über die bisherige Forschung

1.1.2.1 Stellung und Bedeutung des Freiheitsbegriffs innerhalb der paulinischen Theologie

Mehrere Forscher, z.B. R.Bultmann und K.Niederwimmer, betrachten die paulinische Lehre von der Freiheit als einen ausgeformten und wichtigen Bestandteil eines größeren Systems der paulinischen Theologie, der sich neben anderen Hauptbegriffen, wie z.B. Glaube, Gnade und Gerechtigkeit, ohne weiteres abhandeln läßt[9]. In diesen Darstellungen wird die paulinische Freiheit zumeist anhand einer wohl auf Weiß zurückgehenden Dreiteilung beschrieben: (1) Freiheit von der Sünde, (2) Freiheit vom Gesetz und (3) Freiheit vom Tode[10]. Von einer Uneinheitlichkeit des paulinischen Zeugnisses von der Freiheit wird aber - gegen Weiß (s.o.) - nicht mehr gesprochen. Vielmehr wird alles diesem dreiteiligen Schema lückenlos untergeordnet. Daher findet sich in diesen Arbeiten meist keine Diskussion darüber, bei welcher Stelle der paulinischen Briefe eine Analyse am besten einzusetzen habe[11].

Doch fragen einige dieser Ausleger nach dem Zentrum, Ursprung oder Werden der paulinischen Freiheitslehre (sie diskutieren also das Problem der Stellung des Freiheitsgedankens in der paulinischen Theologie). So schreibt H.Wedell: Paulus' Freiheitsbegriff "is a product of the main trend in his whole theology. And this is not so much justification by faith as the idea of union with Christ, his conviction of being in Christ. We can take this as the now unanimous opinion of scholars"[12]. B.Reicke drückt diesen Gedanken vielleicht etwas anders aus; er geht in seiner Untersuchung von Röm 6,18 aus und vermutet einen engen Zusammenhang zwischen Freiheit und Taufe: "Auch wenn der Ausdruck 'Freiheit' im jeweils vorliegenden Zusammenhang nicht direkt vorkommt, ist dieser Begriff bei Paulus zweifellos immer vorhanden, sobald von der Taufe die Rede ist"[13].

W.K.Grossouw erwähnt die von Bultmann und Niederwimmer gebotene
Synthese, will sie aber bewußt überbieten, indem er die Frage stellt,
ob es möglich sei, "de wording van zulk een synthese na te gaan en de
vermoedelijke genese van dit idee op te sporen [dem Werdegang von einer solchen Synthese nachzugehen und die vermutliche Genese dieser
Idee aufzuspüren]"[14]. Grossouw unternimmt diesen Versuch, indem er
Gal als Ausgangspunkt vorzieht. Die Gründe dafür, mit Gal statt etwa
1Kor oder Röm anzufangen, seien zweierlei: (1) Gal sei wahrscheinlich
der erste Brief, in dem Paulus auf die christliche Freiheit eingeht (d.h.,
Gal wird von Grossouw 1Kor chronologisch vorgeordnet), und (2) Gal
werde mit Recht als die Magna Charta der christlichen Freiheit beschrieben[15]. Vom ersten Beleg (Gal 2,4) ausgehend, konstatiert Grossouw
zwei Dinge: (1) Freiheit werde als Freiheit vom Gesetz verstanden, und
(2) diese Freiheit sei ein prinzipieller Bestandteil des paulinischen Glaubens[16]. Grossouw definiert also den Freiheitsbegriff des Paulus zunächst
vor dem Hintergrund des paulinischen Gesetzesverständnisses. Da nun
das Gesetz seine vollständigste Behandlung in Gal und Röm erfahre, könne bei der Erklärung dieses Freiheitsbegriffs auch Röm herangezogen
werden[17]. Die Korintherbriefe, die aufzeigten, wie diese Freiheit in der
Gemeinde funktioniere, werden dann am Ende von Grossouws Artikel ab-
gehandelt[18].

Auch E.G.Gulin, E.Krentz, A.Güemes Villanueva, F.Mußner und P.
Richardson nehmen Gal als Ausgangspunkt. Während Gulin und Krentz
eine klare Erklärung für ihre Bevorzugung des Gal nicht bieten[19], ziehen die anderen Gal aus dem einen oder anderen von Grossouw vorgebrachten Grund vor. Richardson nimmt mit Grossouw die chronologische
Priorität des Gal an[20]. Güemes Villanueva behandelt Gal am Anfang, anscheinend weil Gal für ihn die Magna Charta der christlichen Freiheit
ist[21]. Ähnlich zieht Mußner Gal vor, weil Paulus dort und nicht in den
Korintherbriefen seine Freiheitsidee in erster Linie entwickle[22].

Bei der Bestimmung des Zentrums des paulinischen Freiheitsgedankens
gehen aber selbst die Meinungen dieser von Gal ausgehenden Forscher
auseinander. Gulin meint, "die eigentliche Unterlage für das rechte Verständnis des Freiheitsbegriffes des Apostels" im "eschatologischen Äondenken" in Gal 4,21-31 gefunden zu haben[23]. Dagegen findet Mußner
"das Signalwort für das, was er [Paulus] unter christlicher Freiheit versteht", im gemeinsamen Essen von Judenchristen und Heidenchristen[24].
Paulus habe seinen Begriff von Freiheit "aus der Erkenntnis dessen,
was Tod und Auferstehung Jesu für die Welt bedeuten", empfangen[25].
Güemes Villanueva meint, die erste Offenbarung Jesu Christi habe Paulus seine Freiheitsidee vermittelt; sie sei also vor allem als Freiheit vom
mosaischen Gesetz zu verstehen[26].

Während die genannten Autoren bei ihrem Versuch, den Ursprung bzw.
das Zentrum der paulinischen Freiheitsidee zu bestimmen, innerhalb der
Gruppe von Forschern bleiben, die die paulinischen Briefe als ziemlich
einheitliches Zeugnis paulinischen Denkens ansehen, heben andere die
Differenzen im Freiheitszeugnis der verschiedenen Briefe hervor. So se-

hen J.W.Drane und H.D.Betz einen erheblichen Unterschied zwischen den Freiheitsaussagen des Gal und jenen des Röm. Beide meinen, daß Paulus im Gal "beinahe wie ein Gnostiker"[27] oder fast wie ein Libertinist[28] spreche und daß im Röm ein anderer Geist wehe, wo Paulus die Vokabel "sparsely and with careful interpretation" benutze[29]. Um diesen Unterschied zu erklären, verweisen beide Forscher auf eine Positionsänderung, die Paulus aufgrund seiner Auseinandersetzungen mit den korinthischen Libertinisten vorgenommen habe[30]. Hier wird also eine Entwicklung gesehen, die von Gal über die Korintherbriefe und weiter zu Röm läuft.

Auch C.H.Buck sieht eine Entwicklung im Freiheitsbegriff des Paulus. Allerdings beginnt Buck mit den von ihm chronologisch vorgeordneten Korintherbriefen. In diesen Briefen werde Freiheit unter Anwendung der Kategorien "Fleisch" und "Geist" (2Kor 3,17) besprochen. Während dies auch Gal 5,13.16 geschehe, seien im Gal die Kategorien "Glaube" und "Werke" zur Explikation des Freiheitsbegriffs zusätzlich herangezogen[31]. Buck sieht also die paulinische Freiheitsidee einbezogen in die Entwicklung der paulinischen Lehre von der Gerechtigkeit aus Glauben, die zuerst im Gal formuliert worden sei[32].

All diesen Forschern gegenüber behauptet D.Nestle, daß Paulus Freiheit "nirgends zu einem Zentralbegriff seiner Theologie gemacht hat". "Deswegen gibt es auch keine paulinische Lehre von der F[reiheit]"[33]. Die Belege seien vielmehr jeweils für sich auszulegen, ohne daß man nach ihrer Einheit oder einer Entwicklung suchen sollte.

Damit kommen wir zum Problem der Bedeutung der Freiheitsidee innerhalb der paulinischen Theologie. Mit seiner Beurteilung des paulinischen Freiheitsgedankens steht Nestle nicht allein. Auch O.Schmitz und W.Brandt meinen, Freiheit habe keine entscheidende Rolle in der Missionsverkündigung des Apostels gespielt[34]. Dennoch ist Brandt der Ansicht, daß ein klares und eindeutiges Freiheitszeugnis im NT hervortrete[35].

Gulins Urteil über die Bedeutung der Freiheit in der paulinischen Theologie erinnert an die oben S.11 zitierte Aussage von Weiß: "Obgleich Paulus den Hauptinhalt seines christlichen Erlösungserlebnisses nicht durch das Wort 'Freiheit', sondern durch die Worte 'Glaube' und 'Gerechtigkeit' ausdrückt, die ihn zugleich eng mit dem AT. und dem Spätjudentum verbinden, gibt jedoch auch das ins Griechentum zurückführende Wort 'Freiheit' einen Begriff wieder, der in seinem Kern den Inhalt des religiösen Lebens des Paulus trifft"[36].

Andere schreiben dem Freiheitsgedanken eine wichtigere Funktion in der paulinischen Theologie zu. Bultmann und Wedell meinen, der Freiheitsgedanke spiele "eine entscheidende Rolle" bei Paulus[37]. Auch J.-M.Cambier schreibt, Freiheit stelle "une valeur centrale" der paulinischen Theologie dar[38]. Noch weiter gehen H.Schürmann sowie Mußner: "So ist die Idee der 'Freiheit' kein 'Nebenkrater' in der paulinischen Theologie, sondern steht in ihrem Zentrum, und sie kann, von Paulus her gesehen, geradezu als 'die Mitte des Evangeliums' angesprochen werden"[39]. Freilich wollen die beiden letztgenannten Forscher keineswegs die Rechtfertigungsbotschaft durch die Freiheitsbotschaft als Mitte des paulinischen Evangeliums ersetzen (deswegen kommen sie wieder auf das von Weiß erstmals verwendete zweideutige "können" zurück). Sie fragen hauptsächlich aus einer von der Gegenwart her bestimmten Perspektive: "Wenn aber die Verkündigung der 'Rechtfertigung des Sünders aus Glauben' heute keine zündende Wirkkraft mehr zu haben scheint - ob man nicht vielleicht das damit Gemeinte in der heutigen Welt unter dem Formelaspekt der Freiheit einigermaßen gültig zur Sprache bringen könnte?"[40]

1.1.2.2 Theologiegeschichtlicher Ort der paulinischen Lehre von der Freiheit im Urchristentum

Sahen wir schon eine relativ große Uneinigkeit in der bisherigen Forschung, so sieht es bei der bisherigen Bestimmung des theologiegeschichtlichen Orts der paulinischen Freiheitslehre im Urchristentum nicht anders aus. Es gibt im Grunde drei zu dieser Frage vertretene Positionen[41]:

Die erste Position repräsentieren diejenigen Forscher, die Paulus die Verantwortung für die Einführung der Vokabel (und somit des Begriffs) "Freiheit" ins Urchristentum zuschreiben. So urteilen - neben Weiß[42] - Bultmann und Nestle[43] sowie der Altphilologe M.Pohlenz[44]. Diese Forscher setzen voraus, daß Paulus einen dem Urchristentum fremden Begriff einführt, der durch die Vermischung mit der urchristlichen Tradition seine spezifische Gestalt erhält[45].

Vertreter der zweiten Position räumen zwar ein, daß Paulus entweder für die Einführung der Vokabel in den christlichen Wortschatz oder für die eigentliche Ausbildung einer christlichen Freiheitstheologie verantwortlich ist, meinen aber doch, daß der Begriff "Freiheit" schon in der urchristlichen Tradition implizit vorhanden war. So denkt H.-W.Bartsch, daß die vorpaulinische Christenheit Freiheit konkret lebte, ohne einen theoretischen Begriff dafür zu kennen. Diese urchristliche (vorpaulinische) Freiheit korrespondiere mit der marxistischen Definition der Freiheit[46]. Erst Paulus habe den hellenistischen Begriff ἐλευθερία eingeführt und damit "die Entwicklung für eine Ideologisierung der Freiheit geöffnet"[47]. Ähnlich weist Grossouw Paulus die Verantwortung dafür zu, das Thema der christlichen Freiheit in das älteste Christentum eingeführt zu haben, erwägt aber die Möglichkeit, daß Paulus hierbei an hellenistisch (nicht palästinisch) christliche Tradition angeknüpft habe[48]. Cambier schreibt, die paulinische Theologie der Freiheit sei nicht in den Evangelien zu finden, doch seien die fundamentalen Elemente dieser Theologie praktisch da[49].

Gegenüber den ersten und zweiten Positionen denken die Vertreter der dritten Forschungsrichtung, daß die Wirklichkeit (und zuweilen auch der Begriff) der Freiheit nicht nur in der urchristlichen Tradition vorhanden war, sondern auf Jesus selbst zurückgeht. So schrieb zuerst der Altphilologe A.Bonhöffer, daß J.Weiß "keinen glücklichen Gedanken gehabt hat, wenn er in seinem Vortrag über die christliche Freiheit die Annahme vertritt, daß Pl mit anderem auch seine I d e e   v o n   d e r

F r e i h e i t aus der griechischen Philosophie, speziell der stoischen,
herübergenommen habe"[50]. Stattdessen meint Bonhöffer, Jesus sei eigentlich freier vom Gesetz als Paulus und hierbei sei stoischer Einfluß sicherlich nicht anzunehmen[51]. Die Explikation dieser Andeutungen überließ
Bonhöffer anderen. Die Herleitung des Freiheitsgedankens von Jesus wurde sodann in einer großen Fülle von Darstellungen vertreten.

Zunächst versuchte W.Lütgert eine Begründung für diese Ableitung zu
liefern. Er schreibt:

> Das Freiheitsbewußtsein ist keineswegs dem Apostel Paulus allein eigen,
> es gehört vielmehr zu den Stücken der christlichen Frömmigkeit, wel-
> che für die ganze Gemeinde charakteristisch sind. Es stammt aus dem
> Leben Jesu, und der Hauptbeweis dafür, daß es zur Frömmigkeit der
> ganzen Gemeinde gehört, liegt darin, daß dieser Zug in keinem der
> Christusbilder der Evangelien fehlt. Nach ihnen allen ist die Freiheit
> Jesu vom Gesetz ein Grundzug seines Wirkens, der aufs engste mit
> dem Gang seines Lebens verbunden ist[52].

Ohne den Punkt weiter zu diskutieren, begnügt sich Lütgert mit dieser
Herleitung des paulinischen Freiheitsgedankens, räumt aber ein, daß
Paulus die Freiheit vom Gesetz allerdings nicht vom Leben, sondern vom
Tod Jesu ableite[53]. Andererseits gab es laut Lütgert andere Urchristen,
die dieselbe urchristliche Freiheitsfrömmigkeit geltend gemacht hätten.
Bei Stephanus komme die Freiheit vom Tempel, die bereits Jesus vertreten habe, zum ersten Mal in der Gemeinde zur Sprache[54]. "Das Bild des
Johannes" in Joh 8,35 "drückt auch das Freiheitsbewußtsein des Paulus
aus", das in Röm 8 bezeugt sei[55]. Noch wichtiger als Vertreter der urchristlichen Freiheit seien die korinthischen Gegner des Apostels. "Sie
entstammen einer Richtung, die aus der urchristlichen Freiheitspredigt
entstanden ist"[56]. "Sie glauben in derselben Richtung wie der Apostel
weit über ihn hinausgegangen zu sein"[57]. Weitere Zeugnisse von diesem
libertinistischen Christentum lieferten die Pastoralbriefe, Phil, 1 und
2Thess, die johanneischen Schriften, 1. und 2. Klemensbrief, die Briefe
des Ignatius, Röm und Gal[58]. Lütgert hebt hierbei wiederum hervor: "Die
Vertreter dieses freien Evangeliums sind nicht etwa Schüler des Paulus"[59], so daß klar ist, daß wir nach Lütgert mit einer nichtpaulinischen,
aber aus der urchristlichen Tradition schöpfenden Freiheitsbewegung zu
tun haben. Doch trotz der vielen Zeugnisse (sie zu sammeln war sozusagen Lütgerts Lebensaufgabe als Neutestamentler[60]) dieser Gruppe, bleibt
ihre Herkunft noch immer geheimnisvoll.

Einen Versuch, dieser libertinistischen Tradition weiter auf die Spur zu
kommen, unternahm M.Smith. Smith schreibt: "What has not generally been
realized is that Paul as an exponent of Christian liberty was neither unique
nor extreme"[61]. Da aber alle Schriften dieser Libertinisten zerstört worden seien, sei ihre Tradition nur auf Umwegen zu erheben[62]. Die Verfolgung der frühchristlich-palästinischen Gemeinde sei aufgrund dieser libertinistischen Tradition zu erklären[63]. Die erhebliche Bedeutung dieser
Tradition zeige aber besonders die Polemik gegen die Libertinisten auf,

die in fast jedem Buch des NT laut werde[64]. Diese Zeugen bewiesen, daß die libertinische Tradition auf die Taufpraxis Jesu zurückgehe[65]. Daß die Schriften des Gesetzesvertreters Jakobus ebenso wie die der Libertinisten verloren gegangen seien, während die des Paulus erhalten blieben, lasse sich wie folgt erklären: "Paul represents the safe and sane and socially acceptable compromise" zwischen den Judaisten und den Libertinisten[66].

Diese Ableitungsversuche von Lütgert und Smith zeigen, daß eine Untersuchung der Freiheit bei Paulus Konsequenzen auch für die Darstellung der Geschichte des Urchristentums haben kann, basieren ihre Versuche doch auf historischen Beobachtungen und Erwägungen. Daneben gibt es andere Forscher, die aufgrund historisch weniger abgesicherter oder gar pauschaler Aussagen die Freiheit von Jesus ableiten[67]. Brandt arbeitet anhand des Schemas Freiheit und Gebundenheit und findet es im Leben Jesu ebenso wie bei Paulus dokumentiert[68]. Schürmann meint, ohne weitere Begründung sagen zu können: "Das Freiheitsproblem wird überall im Neuen Testament, freilich in recht unterschiedlicher Ausformung und Akzentuierung, sichtbar. Ohne Zweifel gründet die neutestamentliche Freiheitsbotschaft in der Evangelienbotschaft Jesu"[69]. Ähnlich ist das Vorgehen von C.Spicq. Als Beweis, daß Jesus seine Mission als die eines "Libérateur" verstanden habe, erwähnt Spicq lediglich Joh 8,31ff[70].

Niederwimmer räumt ein, Paulus habe den Begriff der christlichen Freiheit geschaffen, meint aber, die Wirklichkeit der Freiheit sei schon in der Lehre Jesu vorhanden[71]. Er findet diese Wirklichkeit - und hier stimmt ihm Mußner zu - (1) in Jesu Verkündigung des kommenden Reiches und (2) in Jesu Stellung zum Gesetz[72].

1.1.2.3 Der Zusammenhang des paulinischen Freiheitsgedankens innerhalb der antiken Religions- und Geistesgeschichte

Aus dem Gesagten ergeben sich die verschiedenen Möglichkeiten für die religionsgeschichtliche Einordnung des paulinischen Freiheitsbegriffes.

Den "hellenistischen" Ursprung der Vokabel "Freiheit" haben - außer Weiß, der die Vokabel direkt aus der (stoischen) Popularphilosophie ableitet[73] - Gulin, Bultmann, G.Bornkamm, L.Cerfaux und Bartsch bejaht[74]. A.Deissmann meint, den Ursprung noch weiter spezifizieren zu können, und sieht den Hintergrund sämtlicher Freiheitsworte bei Paulus in der hellenistisch-volksrechtlichen Terminologie der sakralen Sklavenbefreiung[75].

Stoische Ableitung wird dagegen verneint von Bonhöffer, E.Bismark, Schmitz, M.Müller, Wedell, J.N.Sevenster, Cambier und Niederwimmer[76]. Diese Forscher kümmern sich zumeist nicht weiter um die Herkunft des paulinischen Freiheitsbegriffs, und wenn danach gefragt wird - wie etwa bei Niederwimmer, der Berührungspunkte mit dem Freiheitsbegriff der Gnosis und Apokalyptik und den neutestamentlichen Freiheitsbegriff im AT "prästrukturiert" findet[77] -, bleiben ihre Auskünfte über das religionsgeschichtliche Problem zweideutig. So schreibt z.B. Niederwimmer: "Die Freiheit, von der das NT redet, stammt, ihrer wesentlichen Bestimmtheit nach, nicht aus der apokalyptischen Hoffnung des Judentums, auch nicht aus Sophia und Gnosis, aus der 'Einsicht' in das Mysterium des Pleroma und des göttlichen Geistes, sondern aus der Offenbarung in Christus"[78].

Zwischen diesen beiden Extremen steht lediglich K.Berger, der besonders unter Hinweis auf Philo meint, daß die paulinische Konzeption von Freiheit "ihren Ursprung in der theologisierenden Rezeption griechischer Vorstellungen durch das hellenistische Judentum hat"[79].

Einige Forscher erwähnen, daß hinter den in 1Kor auftauchenden Problemen ein gnostischer Freiheitsbegriff steht[80]. Doch wird hier nicht weiter gefragt, ob Paulus möglicherweise seinen Freiheitsbegriff von diesen Korinthern oder aus der Gnosis übernommen hat[81].

1.2 Die Aufgabe der vorliegenden Studie zur Freiheit bei Paulus

Im folgenden wollen wir die Aufgabe unserer Studie im Lichte der drei oben beschriebenen Grundprobleme bestimmen. Dabei nehmen wir jeweils die sich aus dem Forschungsüberblick ergebenden Perspektiven auf und versuchen, unsere Aufgabe so zu formulieren, daß sie sowohl die größeren Probleme im Auge behält als auch ein auf den Wegen der historischen und exegetischen Einzelarbeit durchführbares und verifizierbares Vorgehen festlegt.

Schon die bisherige mannigfaltige Bestimmung der Stellung und Bedeutung des paulinischen Freiheitsbegriffs gebietet methodologische Vorsicht bei unserem Herangehen an das Problem der Freiheit bei Paulus. Ziehen wir nur die oben referierten Meinungen in Betracht, so sind wir mit der Aufgabe konfrontiert, festzustellen, ob der Ursprung (bzw. das Zentrum) des paulinischen Freiheitsbegriffs in der Bekehrung (Güemes Villanueva), im ἐν Χριστῷ-Gedanken (Wedell), in der Tauflehre (Reicke; vgl. Smith), in der Freiheit vom Gesetz (Grossouw), in der Rechtfertigungslehre (Bultmann und die meisten), im "Zusammen-Essen" der Judenchristen mit den Heidenchristen, das auf Erkenntnis über die Bedeutung von Tod und Auferstehung Jesu basiert (Mußner), oder im Äondenken (Gulin) liegt, oder ob der paulinische Freiheitsbegriff überhaupt kein Zentrum hat (Nestle). Auch muß die Frage berücksichtigt werden, ob möglicherweise eine Entwicklung in den paulinischen Freiheitsaussagen vorliegt (Drane, Betz, Buck).

Es wäre denkbar, diese Aufgabe so in Angriff zu nehmen, daß wir zunächst eine Reihe von Voruntersuchungen anstellen. So könnte z.B. eine (noch fehlende) religionsgeschichtliche Untersuchung sämtlicher Freiheitsbelege in antiken jüdischen Schriften Aufschlüsse über das Freiheitsverständnis des Paulus in seiner vorchristlichen Zeit ermöglichen. Daneben wäre die ungelöste Frage nach der Schulbildung des Paulus, die für Weiß' Abhandlung über die paulinische Freiheit eine entscheidende Rolle spielte, zu erörtern. Sodann wären die Zeugnisse über die Wendung des Paulus zu Christus daraufhin zu prüfen, ob sie etwas zum Thema der Freiheit bei Paulus beizutragen haben. Danach und zum selben Zweck könnten sämtliche von Paulus empfangene Traditionen sowie sein Taufverständnis und die Wendung ἐν Χριστῷ gesichtet werden. Weiterhin ließe sich das Wesen und Werden seines Gesetzesverständnisses und seiner Rechtfertigungslehre sowie seines eschatologischen oder apokalyptischen Denkens untersuchen. Schließlich könnte man fragen, was der früheste erhaltene Brief des Paulus, 1Thess - der ja keinen Freiheitsbeleg enthält -, zum Thema beizutragen hat.

Daß wir diesen Weg hier nicht einschlagen, hängt nicht nur damit zusammen, daß die Darstellung solcher Voruntersuchungen eine kaum ertragbare Belastung der Arbeit (und des Lesers) bedeuten würde, sondern ist auch sachlich begründet: Den in den paulinischen Briefen enthaltenen Freiheitsbelegen soll das entscheidende Gewicht zukommen. Nur aus ihnen können wir ermitteln, wo weitergreifende Untersuchungen direkt zum Problem beitragen mögen, und nur aus ihnen können wir erfahren, was sie selbst zu den gerade beschriebenen Fragebereichen beizusteuern haben. Bei diesem Vorgehen (dies gilt übrigens auch für das oben beschriebene Procedere) bedürfen wir allerdings eines Kriteriums, das uns ermöglicht, zu entscheiden, was als ein "Freiheitsbeleg" zu gelten hat. Zu diesem Zweck benutzen wir als heuristisches Prinzip das Vorkommen eines Wortes vom Stamm ἐλευθερ-.

Die Logik dieses Prinzips und seine Anwendung in dieser Arbeit bedürfen einer Erläuterung:

Wird das Wort "Freiheit" heutzutage ausgesprochen, so assoziiert der moderne Mensch eine spezifische Reihe von Gedanken. Man kann von diesen Gedanken ausgehen und die paulinischen Texte befragen, wie sie sich dazu äußern. So will z.B. Mußner in seiner Untersuchung "Theologie der Freiheit nach Paulus" herausstellen, welche Einstellung Paulus zur Lehrfreiheit (Stichwort: akademische Freiheit) hat[82]. Häufiger trifft man auf Arbeiten über die paulinische Freiheit, die die paulinischen Texte unter dem Thema "Willensfreiheit" auswerten. Ein gutes Beispiel hierfür ist M.Goguels Untersuchung "Le Paulinisme. Théologie de la liberté" (1951). Hier werden die Willensfreiheit Gottes, Christi und des Menschen nacheinander besprochen, ohne daß je ein paulinischer Text zitiert wird, der das Wort "Freiheit" enthält. Diese Methode, antike Texte anhand moderner Freiheitsvorstellungen zu überprüfen, hat H.Muller in seiner Untersuchung der antiken Freiheit bewußt aufgenommen und am klarsten formuliert. Im Vorwort lehnt Muller verschiedene Definitionen von Freiheit ab, führt seine eigene Begriffsbestimmung an und sucht dann nach dieser "Sache" in der antiken Welt[83]. Diese Methode hat ihre Berechtigung, sofern sie bewußt und konsequent angewendet wird.

Fragt man dagegen, was Paulus unter ἐλευθερία verstanden hat, so ist
die Unzulänglichkeit jener Methode augenfällig. Vielmehr müßte man
sich in diesem Falle zumindest vorerst an den Textpassagen orientieren, in denen von "Freiheit" eigentlich die Rede ist. Soll darüber hinaus der "Sache" Freiheit in den paulinischen Briefen nachgegangen
werden, so muß diese Suche von Indizien im Text (und nicht von
Assoziationen in den Gedanken des Auslegers) ausgehen. Vor allem
können Beobachtungen zum semantischen Umfeld[84] von Freiheitswörtern diese Suche leiten. Sodann kann die Analyse des Gedankengangs
in den Freiheitspassagen den Zusammenhang der Freiheitsidee im paulinischen Denken beleuchten. Den methodologischen Punkt, der hier
zur Debatte steht, sollte jeder Forscher, der die antike Freiheit untersucht, im Auge behalten und sich vor einer Vermischung der zwei
oben beschriebenen, grundverschiedenen Methoden hüten. So können
wir an dieser Stelle nur nachdrücklich vor einer voreiligen Gleichsetzung der paulinischen Freiheitslehre etwa mit der Erlösungslehre war-
nen[85].

Nun zeigt ein Überblick über die in den paulinischen Briefen enthaltenen Belegstellen der ἐλευθερ-Wortgruppe (s.o. A 3), daß Paulus diese
Wörter in zweifachem Sinne verwendet. Das Substantiv ἐλευθερία und
das Verbum ἐλευθεροῦν tauchen durchweg im Kontext der Erörterung
des christlichen Heils auf. Freiheit ist hier eine religiöse Bestimmung
des christlichen Heilszustands. Auch das Adjektiv ἐλεύθερος kann den
Heilsstand eines Christen beschreiben. Andererseits gebraucht Paulus
das Adjektiv zuweilen in einem der Antike allgemein bekannten rein
sozial-politischen Sinn: der ἐλεύθερος steht dem Sklaven gegenüber.
Daß das christliche Heil beiden, Sklaven und Freien gilt, war Paulus
wohl in der Tradition vorgegeben (Gal 3,28; 1Kor 12,13)[86]. Ist ferner aus Phlm klar, daß der zum Christus bekehrte Sklave weiterhin
ohne Bedenken Sklave bleiben kann (daß also dieser Stand an sich
nicht im Widerspruch zur christlichen Existenz steht), so läßt sich
aus 1Kor 7,22 schließen, daß der bekehrte Sklave ohne Nachteil an
der christlichen Freiheit partizipiert. Da an keiner Stelle in den paulinischen Briefen sozial-politische Konsequenzen direkt aus der Freiheitslehre gezogen werden, kann zwischen sozial-politischer Freiheit
und christlicher Freiheit im Denken des Paulus unterschieden werden.
Unsere Arbeit will "Freiheit" als eine Beschreibung des christlichen
Heils untersuchen. Dabei kann auf eine ausführliche Untersuchung zum
paulinischen Verständnis von sozial-politischer Freiheit (d.h. z.B., was
er als konstitutive Merkmale des sozial-politisch Freien im Gegensatz
zum Sklaven versteht - ein Thema, das er in seinen Briefen nie direkt
anspricht) und zum Stand des Sklaven in den paulinischen Gemeinden
verzichtet werden[87]. Weil aber Paulus Bilder aus dem sozial-politischen
(und zuweilen auch juristischen) Bereich benutzt, um die religiöse
Freiheit zu explizieren[88] (was wiederum sein Verständnis von der sozial-politischen Unterscheidung zwischen Sklaven und Freien als etwas
Eigenständiges und Vorgegebenes ausweist), müssen wir auch die so-

zial-politische Dimension berücksichtigen, insofern dies zur Aufhellung des Sinns der sozial-politischen Analogien für das Thema der christlichen Freiheit dient.

Diese Spezifizierung der Aufgabe auf die religiöse Freiheit ist in der Erforschung der Freiheit bei Paulus keineswegs neu. In fast allen bisherigen Untersuchungen wird die religiöse Freiheit eigenständig behandelt, ohne daß eine eingehende Diskussion über das sozial-politische Verständnis des Paulus vom Sklaven und Freien stattfindet[89]. Was wir hier beabsichtigen, ist eine methodologische Klärung des Rechtes dieses in der Forschung allgemein geübten Vorgehens. Hierbei wird freilich vorausgesetzt, daß die paulinische Freiheitslehre nicht aus der Stellung des Paulus zum Sklaven heraus entwickelt ist. Nur die weitere Untersuchung kann die Richtigkeit dieser Voraussetzung im einzelnen bestätigen. Doch sollte die Eigenständigkeit der religiösen Freiheit gegenüber der sozial-politischen Freiheit bei Paulus niemanden überraschen, der mit der Geschichte der Freiheit in der antiken Welt einigermaßen vertraut ist. Ein Charakteristikum der hellenistischen Zeit war eben die Ausbildung der schon in klassischer Zeit begonnenen Verinnerlichung der Freiheit. Diese "Freiheit" wurde weitgehend von dem sozial-politischen Bereich abgelöst und konnte dem Sklaven ebensogut wie dem Freien zugesprochen werden[90].

Da damit nicht entschieden ist, bei welchem Freiheitsbeleg wir einsetzen sollen, wollen wir auf eine Voruntersuchung nicht verzichten. Aus dem obigen Forschungsüberblick ergab sich, daß die Frage nach der chronologischen Reihenfolge von Gal und 1Kor eine wichtige Rolle in der Untersuchung der paulinischen Freiheit spielt. Um festzustellen, ob wir bei den Freiheitsbelegen des Gal oder 1Kor einzusetzen haben, wollen wir vorab diese chronologische Frage erörtern (Kap. 2). Diese Bestimmung der Reihenfolge der Briefe im voraus schafft uns die notwendige Grundlage für die Beantwortung der wichtigen Frage, ob eine Entwicklung des paulinischen Freiheitsgedankens in den Briefen reflektiert ist. Insofern diese Voruntersuchung uns ermöglichen wird, die Freiheitsbelege in ihrer chronologischen Reihenfolge zu untersuchen, werden wir während der Exegese tastende Versuche anstellen können, den Ursprung, die Stellung und die Bedeutung der paulinischen Freiheitslehre zu bestimmen. Allerdings wird wegen der Unterlassung der anderen oben genannten Vorarbeiten, bis sie durch einen Freiheitsbeleg hervorgerufen werden, folgendes in Rechnung zu stellen sein: Gemäß unserem Vorgehen wird es möglich sein, daß auch spät in der Untersuchung ein früh im Denken des Paulus anzusetzendes Freiheitsverständnis entdeckt werden könnte. Jedes neu zu untersuchende Vorkommen eines Freiheitsbegriffs wird also das Potential in sich tragen, die bisher erreichten Ergebnisse in ein vollkommen neues Licht zu rücken. Daher wird eine historische Gesamtdarstellung der Stellung und Bedeutung des paulinischen Freiheitsgedankens erst im Schlußkapitel möglich sein.

Bezüglich der Frage nach dem theologiegeschichtlichen Ort der paulinischen Freiheitslehre im Urchristentum gebietet wiederum die Mannigfaltigkeit von Vorschlägen in der bisherigen Forschung methodologische
Vorsicht. Angesichts der dürftigen nichtpaulinischen Freiheitszeugnisse
in den urchristlichen Schriften scheint uns auch hier der beste Weg zu
sein, von einer genauen Auswertung der paulinischen Belege auszuge-
hen. Wir werden zu fragen haben, ob sich an diesen Stellen Indizien dafür finden lassen, daß andere (nichtpaulinische) Gruppen im Urchristentum "Freiheit" als Heilswort verwendet haben (Lütgert, Smith). Ist dies
der Fall, so wollen wir diese Indizien auswerten, um die Herkunft dieser
Gruppen - also ihren historischen und theologiegeschichtlichen Ort im Urchristentum - soweit wie möglich zu bestimmen. Ob wir daraus weiterrei-
chende Konsequenzen für die Geschichte des Urchristentums oder sogar
für die Frage nach der "Freiheit" bei Jesus ziehen können, muß im Lichte des Befundes vorsichtig geprüft werden. Dabei wird aber, wie gesagt,
diese Untersuchung am Begriff der "Freiheit" orientiert bleiben; die Frage nach einer "libertinistischen Tradition" im Urchristentum wird also hier
nur in bezug auf das Vorkommen dieses Wortes behandelt. Folglich erzielen wir nur einen konkreten Einzelbeitrag, nicht aber einen alles umfassenden Vorschlag zur Lösung jener größeren die gesamte Geschichte des
Urchristentums betreffenden Frage.

Wir haben oben (S.18) angedeutet, daß mehrere Forscher "Freiheit" bei
Jesus anhand historisch wenig abgesicherter Kriterien dokumentieren. In
diesen Arbeiten scheint die Frage, ob etwa Jesus in "Freiheit" lebte oder
Stephanus die "Freiheit" predigte, vorwiegend ein semantisches oder hermeneutisches Problem zu sein[91]. Sollte man ein aus dem paulinischen Vokabular entliehenes Wort heranziehen, um Jesus bzw. Stephanus zu beschreiben[92]? Soweit dies ein hermeneutisches Problem ist, kann historisch
orientierte Exegese - also auch diese Untersuchung - nur erste Hinweise,
nicht aber eine letztgültige Antwort auf diese Frage geben.

Bei der religionsgeschichtlichen Frage wäre einerseits die Bestimmung
des Ursprungs des paulinischen Freiheitsgedankens entscheidend. Wüßten
wir, in welchem Zusammenhang Paulus zuerst oder normalerweise von der
Freiheit geredet hat, hätten wir einen festen Ausgangspunkt für die religionsgeschichtliche Analyse. Andererseits können die Freiheitsbelege je
für sich durch Parallelen aus der Religionsgeschichte beleuchtet werden.
Gerade die Arbeit von Deissmann zeigt, wie die religionsgeschichtliche
Frage - wo zumeist grob zwischen einem Konstatieren des "hellenistischen
Ursprungs" und einer Verneinung der "stoischen Ableitung" entschieden
wird - durch sprachliche Untersuchungen präzisiert werden kann. Aber
auch hier spielt - wie bei der theologiegeschichtlichen Frage - ein semantisches Problem mit: Soll man z.B. von "Freiheit" im AT sprechen,
oder orientiert man sich besser an den Schriften, in denen das Wort
"Freiheit" tatsächlich vorhanden ist? Wiederum wollen wir uns aus den
oben genannten methodologischen Gründen zunächst nur an solchen Texten orientieren, in denen das Wort "Freiheit" wirklich erscheint.

Fassen wir zusammen: Unsere Untersuchung stellt sich erstens die Aufgabe, den Ursprung und Ort des Freiheitsgedankens innerhalb der paulinischen Theologie zu bestimmen. Wir gehen dieser Aufgabe nach, indem wir die erhaltenen Freiheitsbelege in ihrer mutmaßlichen chronologischen Reihenfolge untersuchen. In der Ausführung dieser Aufgabe wollen wir eine konkrete Grundlage zur Beantwortung des theologiegeschichtlichen Problems, nicht aber eine umfassende Lösung erarbeiten. Zu diesem Zweck sammeln wir zunächst Indizien aus den paulinischen Freiheitsstellen. Was die religionsgeschichtliche Frage betrifft, soll sich unsere Untersuchung an den sprachlichen Parallelen zu den einzelnen Freiheitsstellen orientieren.

Als Textvorlage[1] arbeiten wir hier mit den sieben relativ gesichert genuin paulinischen Briefen: Röm, 1 und 2Kor, Gal, Phil, 1Thess und Phlm. Die chronologische Reihenfolge dieser Briefe bildet ein großes und umstrittenes Problem in der Paulusforschung. Unsere Bemühungen um diese Frage lassen sich durch folgende Beobachtung leiten: ἐλευθερ-Wörter kommen lediglich in Röm, 1 und 2Kor und Gal vor; daher geht zunächst nur die Bestimmung der chronologischen Abfolge dieser vier Briefe unsere Arbeit direkt an. Wir fragen also vorab nur nach der Reihenfolge dieser Briefe.

Darüber, daß Röm der jüngste dieser vier Briefe ist, besteht nahezu ein Konsens der Forschung. Wir dürfen daher diese chronologische Stellung von Röm hier voraussetzen[2]. Ebenfalls herrscht mit Recht breite Übereinstimmung, daß 2Kor später als 1Kor anzusetzen ist. Dagegen ist es äußerst unklar, wie sich 2Kor, der wohl zu teilen ist, zu Gal chronologisch verhält. Für die Lösung dieses Problems gibt es keine äußeren, sondern nur unsichere innere Kriterien, und ein einen hohen Wahrscheinlichkeitsgrad erreichendes Argument für eine spezifische Reihenfolge ist nicht aufzustellen[3]. Diese Situation scheint aber für unsere Untersuchung wenig gravierend zu sein, da - wie aus dem Forschungsüberblick deutlich wurde - entscheidende Bedeutung für die Untersuchung der Freiheit bei Paulus nicht diesem Problem, sondern vor allem der chronologischen Einordnung von 1Kor und Gal zukommt. Denn daran entscheidet sich, ob in der Untersuchung der paulinischen Freiheitsbelege bei Gal oder 1Kor einzusetzen ist. Aus diesen Gründen wollen wir die anschließende Diskussion der chronologischen Frage auf die für diese Arbeit entscheidende Einordnung von 1Kor und Gal begrenzen. Dabei suchen wir nach äußeren Kriterien und verzichten bewußt auf die Verwendung innerer Kriterien, die Resultate ergeben, die sich nur zu leicht auf den Kopf stellen lassen[4].

Richtungweisend für die Frage nach der chronologischen Reihenfolge dieser zwei Briefe ist die einzige Bemerkung in 1Kor und Gal, die Ereignisse in Galatien und Korinth koordiniert. 1Kor 16,1 schreibt Paulus: "Was aber die Sammlung für die Heiligen angeht, sollt auch ihr tun, genau wie ich den Gemeinden Galatiens angeordnet habe." Aus dieser Aussage ergibt sich als sicher, daß Paulus schon zur Zeit des 1Kor den Galatern Informationen über das Einsammeln der Kollekte vermittelt hatte. Da die Formulierung der Anweisung 1Kor 16,1 ein gutes Verhältnis zu den Galatern voraussetzt (Galater als gutes Beispiel), ist entweder zu folgern, daß sich die Probleme in Galatien noch nicht erhoben hatten, oder, daß sie schon beseitigt worden waren[5]. Bei der zweiten Möglichkeit bleiben wir im rein Hypothetischen, finden nichts weiteres zur Abstützung und müssen wiederum unterstellen, daß Paulus seine galatischen Gemeinden (relativ schnell; s. das Folgende) zurückgewonnen hat, was nicht sicher ist. Daß die galatische Kollekte Röm 15,26 (vgl. 2Kor 9,2) nicht erwähnt wird, muß hingegen zumindest als ein indirektes Zeugnis dafür, daß

Galatien keine Kollekte geliefert hat, und also gegen diese zweite Möglichkeit ausgewertet werden[6].

Demgegenüber findet die erste Möglichkeit eine Stütze in Gal 2,10. Hier schreibt Paulus, daß er und Barnabas mit den Jerusalemer Säulen übereingekommen waren und daß die Säulen Paulus nichts weiteres auferlegt hatten, "nur daß wir an die Armen denken sollten, worum ich mich auch eifrig bemüht habe". Dieser Vers enthält zwei Hinweise darauf, daß die Galater zur Zeit des Gal schon mit der Kollekte vertraut waren. 1. Die Flüchtigkeit, mit der Paulus hier die Kollekte erwähnt, sowie die Tatsache, daß Paulus keinen Beweis für seinen Eifer erbringt, setzen voraus, daß diese Angelegenheit den Galatern bekannt war[7]. 2. Der Verweis des Paulus auf sein eifriges Bemühen, die Kollekte zu sammeln, deutet darauf hin, daß Paulus sofort nach der sogenannten "Apostelkonferenz" mit den Vorbereitungen für die Sammlung begann. Da nun Gal - wegen 2,1-10 - eindeutig nach dieser "Konferenz" geschrieben wurde, ist auch deswegen die Bekanntschaft der Galater mit der Sammlung vorauszusetzen. Wenn das letztere zutrifft, dann ist die Möglichkeit, daß sich die galatischen Probleme in der Zeit zwischen der Anordnung der Kollekte in Galatien und der Abfassung des 1Kor erhoben und erledigt haben, deswegen unwahrscheinlich, weil Paulus die Kollekte wohl überall zu ungefähr dem gleichen Zeitpunkt organisiert hat[8]. Daher erklärt sich 1Kor 16,1 am leichtesten, wenn dieser Vers vor dem Auftauchen der galatischen Probleme geschrieben wurde.

> Andere Aspekte der Briefe lassen sich gut verstehen, wenn diese chronologische Ordnung stimmt. Der Gal 4,20 ausgesprochene unerfüllbare Wunsch nach einem Besuch wird verständlich, wenn man annimmt, daß Paulus zur Zeit der Abfassung des Gal in die nach 1Kor zu dokumentierenden Ereignisse tief verwickelt war (z.B. Abschluß der Kollekte, Mission in Troas)[9]. Auch der in Gal zu findende Hinweis des Paulus auf die Malzeichen Jesu an dessen Leib (Gal 6,17) paßt gut in die Zeit nach dem Aufenthalt in Ephesus, wo Paulus "mit wilden Tieren gekämpft" (1Kor 15,32) und große Bedrängnisse erlitten hatte (2Kor 1,8-9)[10]. Kommt diesen letzten Beobachtungen auch keine Beweiskraft zu, so passen sie doch gut zu der oben als am wahrscheinlichsten herausgestellten chronologischen Einordnung von 1Kor vor Gal.

Allein dieses Argument zeigt, daß 1Kor höchstwahrscheinlich vor Gal geschrieben wurde. So gehen wir im folgenden von dieser Reihenfolge aus. Wegen fehlender (äußerer) Indizien lassen wir offen, ob Gal vor, nach oder gleichzeitig mit 2Kor abgefaßt wurde[11].

3 ἐλευθερία in den Korintherbriefen

3.1 Sprachlicher Befund

Wörter vom Stamm ἐλευθερ- kommen neunmal in den Korintherbriefen vor; sie lassen sich wie folgt aufgliedern: Dreimal bezeichnet ἐλεύθερος einen sozialen Stand (1Kor 7,21.22; 12,13). Einmal wird ἐλευθέρα im profanen Sinne benutzt (1Kor 7,39; dazu s.u. S.119-122). In den anderen fünf Fällen werden ἀπελεύθερος (1Kor 7,22), ἐλεύθερος (1Kor 9,1.19[?]) oder ἐλευθερία (1Kor 10,29; 2Kor 3,17) zur Beschreibung des Heilsstandes verwendet. Hier wird von Freiheit gesprochen in bezug auf (1) die Sklavenfrage (1Kor 7,22), (2) die Frage des geweihten Fleisches (1Kor 9,1[?]; 10,29) und (3) das paulinische Apostolat (1Kor 9,1[?].19; 2Kor 3,17 [unter Einschluß von Christen im allgemeinen]). Wir wollen die letztgenannten Stellen der Reihe nach durchgehen, um zu sehen, ob sie Licht auf unsere Frage nach dem Ursprung bzw. dem Werden oder der Entwicklung des paulinischen Freiheitsgedankens werfen. Wir setzen mit dem Beleg ein, der das erste erhaltene Zeugnis – sowohl bei Paulus als auch im übrigen Urchristentum – für ein Verständnis von christlichem Glauben als ein Freiheit einschließendes Bekenntnis ist: 1Kor 7,22.

3.2 1Kor 7,22: Der christliche Sklave ist ein Freigelassener des Herrn

Mitten in seinen Ausführungen über die Sexualitätsfragen der Korinther (1Kor 7)[1] kommt Paulus in V 17-24 zu einer eingehenden Explikation seines schon V 7b angedeuteten Grundsatzes[2]: "Nur führe jeder sein Leben so, wie es der Herr ihm zugemessen, wie Gott einen jeden berufen hat" (V 17a). Paulus lehre ja diesen Grundsatz in allen Kirchen (V 17b). Er expliziert ihn hier anhand zweier Beispiele: (1) Beschnittener und Unbeschnittener (V 18-19) und (2) christlicher Sklave und Freier (V 21-23). Zwischen und nach den Beispielen wird der Grundsatz nochmals herausgestellt (V 20.24). Da der knappe Parallelismus des ersten Beispiels im zweiten fehlt, läßt sich erkennen, daß dieses "Beispiel" wohl aktueller für die Korinther war als das erste[3]. Was uns an diesem umstrittenen Passus interessiert, ist vor allem V 22:

ὁ γὰρ ἐν κυρίῳ κληθεὶς δοῦλος ἀπελεύθερος κυρίου ἐστίν,
ὁμοίως ὁ ἐλεύθερος κληθεὶς δοῦλός ἐστιν Χριστοῦ.

Die Aussageintention dieses Verses läßt sich feststellen, ohne zu entscheiden, ob V 21b empfiehlt, die Freiheit zu ergreifen oder lieber im Sklavenzustand auszuharren. Denn im Falle der zweiten Möglichkeit ist V 22 als Begründung von 21b und dementsprechend als Trost des christlichen Sklaven aufzufassen[4]. Ein ähnliches Verständnis von V 22 ergibt

sich aber auch aus der ersten Möglichkeit. Gemäß dieser Auslegung ist
V 21b als Parenthese, die analog etwa 7,11a eine Ausnahme vorbringt,
V 22 als Begründung von V 21a und dementsprechend wiederum als
Trost zu verstehen[5]. Versuche, V 21b entsprechend der ersten Möglichkeit und V 22-23 als Begründung für diese Empfehlung zu interpretieren, scheitern am Text. Eine solche Auslegung müßte wie folgt lauten:
"Ihr alle gehört dem Herrn und sollt es vermeiden, Sklaven von Menschen zu werden, da ihr euch als Freie total zu Sklaven Christi machen
und nicht nur als Befreite ihm gegenüber verhalten könnt". Das ὁμοίως
sperrt sich aber gegen diese Auslegung[6].

Paulus will hier aber eindeutig mehr als die Gleichgültigkeit des sozialen
Standes von christlichen Sklaven und Freien ausdrücken. Dazu hätte eine Aussage wie οὐκ ἔνι δοῦλος οὐδὲ ἐλεύθερος ἐν Χριστῷ ausgereicht. Vielmehr
redet er hier zielbewußt den christlichen Sklaven an (die direkte Anrede
an den Sklaven setzt mit V 21 ein). Paulus teilt ihm ein ἐλευθερ-Wort zu
und macht ihn - in Kontrast dazu - ausdrücklich auf den Sklavenstand
des christlichen Freien aufmerksam. Da Paulus offensichtlich auch das Umgekehrte hätte sagen können, ist klar, wie sehr der Sinn dieses Satzes
lediglich von seiner Formulierung abhängt. So billig es auch klingen mag,
so soll doch dieses Wortspiel[7] den Sklaven trösten[8].

Aufgrund dieser Beobachtung wird man geneigt sein, hier eine Ad-hoc-
Formulierung (oder möglicherweise ein öfter gebrauchtes Paradoxon, dessen Verwendung zunächst auf die Sklavensituation begrenzt war), nicht
einen grundlegenden Bestandteil der paulinischen paränetischen Logik zu
sehen. Es kann aber immerhin gefragt werden, welche Gedanken Paulus
zu dieser Aussage veranlaßt haben. Die Beispiele Beschnittener/Unbe-
schnittener und Sklave/Freier in V 18-22 erinnern an Gal 3,28 und 1Kor
12,13 - wohl vorpaulinisches formelhaftes Gut[9] und jedenfalls ein Spruch,
den Paulus besonders mit der Taufe verbindet[10]. Als spezifische Parallelen zu V 22, wo sowohl die Freiheit als auch die Versklavtheit bestimmter
Christen herausgestellt werden, sind ferner Röm 6,18 und 22 heranzuziehen[11], ebenfalls Verse, die die Taufe theologisch explizieren:

ἐλευθερωθέντες δὲ ἀπὸ τῆς ἁμαρτίας ἐδουλώθητε τῇ δικαιοσύνῃ.
ἐλευθερωθέντες ἀπὸ τῆς ἁμαρτίας δουλωθέντες δὲ τῷ θεῷ.

Hat Paulus 1Kor 7,22 den Röm 6,18.22 formulierten zweigliedrigen Gedanken einfach geteilt und das erste Glied auf den Sklaven, das zweite auf
den Freien bezogen? Daß einiges für diese Vermutung spricht, läßt sich
nicht leugnen: 1. Der Auslegung von der 1Kor 7,22 zur Sprache kommenden Freiheit als "Freiheit von der Sünde"[12] steht auf den ersten Blick
nichts im Wege. Sie ist jedenfalls wahrscheinlicher als die Deutung auf
"Freiheit vom Gesetz", die m.W. - und merkwürdigerweise - in keinem
Kommentar vertreten wird[13]. 2. Dieser Hintergrund erklärt gut, wieso
Paulus die Annahme seines Wortspiels (γάρ) erwarten kann. 3. Röm 6,18.22
erklären auch, wie Paulus auf seine Formulierung gekommen sein könnte.

Eine Zahl von wichtigen Gründen spricht allerdings gegen eine solche
Verbindung. 1. In unserem Zusammenhang ist von der Sünde nirgendwo
die Rede[14]. Der einzige sich im Zusammenhang findende Hinweis auf den
Inhalt der dem Sklaven zugesprochenen Freiheit ist die Warnung in V 23b,
nicht Sklaven von Menschen (δοῦλοι ἀνθρώπων) zu werden. Von dieser Warnung her ist eher anzunehmen, daß Paulus V 22a Befreiung von der Sklaverei unter Menschen (d.h. Sklaverei unter menschlichen Urteilen[15]) im
Sinne hatte. Freiheit - definiert gerade als Freiheit gegenüber anderen
Menschen und ihren Urteilen - war offenbar, wie wir unten sehen werden,
ein wichtiges Thema für die Korinther (1Kor 9; 10,29; s.u. S.44-61).
2. Der soeben skizzierte Hintergrund reicht aus, um zu erklären, weswegen Paulus die Annahme seiner Beschreibung des christlichen Sklaven
als eines "Befreiten des Herrn" durch die Korinther erwarten konnte.
Ähnlich ist auch das zweite Glied des Satzes, die Beschreibung des
christlichen Freien als δοῦλος Χριστοῦ, nicht gerade eine gewöhnliche Ausdrucksweise des Paulus. An keiner anderen Stelle benutzt er δοῦλος
Χριστοῦ als eine allgemeine Beschreibung des Christen[16]. Wird einerseits
das Verhältnis der Christen zu Gott bzw. Christus mit dem Verb δουλεύειν
bzw. δουλοῦν mehrfach beschrieben (1Thess 1,9; Röm 6,22; 12,11; 14,18;
vgl. Röm 16,18; 7,6), so daß dies als Verstehenshorizont für die Formulierung in V 22b ausreicht[17], so ist andererseits die ungewöhnliche Ausdrucksweise ein weiteres Indiz dafür, daß dieser Vers ad hoc gebildet
wurde, um dem Sklaven nachdrücklich seine Freiheit und demgegenüber
die Versklavtheit des Freien vor Augen zu stellen. 3. Nirgendwo im Neuen
Testament außer Röm 6,18-22 wird ein ἐλευθερ-Wort mit der Taufe verbunden[18]. Daher ist es unwahrscheinlich, daß Röm 6,18-22 in diesem Punkt
traditionellen Wortgebrauch reflektieren. Unten, S.110-117, werden sich
sogar Indizien dafür ergeben, daß dieser Text von Paulus absichtlich so
formuliert wurde und daß das Vorkommen der ἐλευθερ-Wörter situationsbe-
dingt zu erklären ist.

Ist also die Erklärung von ἀπελεύθερος κυρίου aus Tauftexten nicht gesichert oder gar unwahrscheinlich, so gilt es, nach anderen Erklärungen
für das Auftauchen dieser Bezeichnung zu suchen. Wir können dabei von
dem Wort ἀπελεύθερος ausgehen, das in der Antike Terminus technicus für
den freigelassenen Sklaven war. Es war nicht zuletzt das Vorkommen dieses Wortes an dieser Stelle, das A.Deissmann veranlaßt hat, den Hintergrund sämtlicher Freiheitsworte bei Paulus in den sogenannten sakralen
Freilassungen der Antike zu suchen[19]. Deissmanns These erfreute sich
zunächst mehrfacher Zustimmung[20]. Selbst J.Weiß, gegen den Deissmann
seine These aufgestellt hatte, hat dessen Hinweise in seinen Kommentar
übernommen[21]. Weiß machte allerdings darauf aufmerksam, daß man immerhin die Stoiker auch heranziehen muß, um 1Kor 7,22 völlig zu erklären, denn dort ist nicht von rein rechtlicher, sondern von innerlicher
Freiheit die Rede[22]. Wichtige sachliche Einsprüche gegen Deissmanns
Vorgehen als Ganzes kamen aber erst später. W.Elert untersuchte die
betreffenden paulinischen Texte und kam zu dem Schluß, daß "von Einheitlichkeit der Analogien aus dem Sklavenverhältnis nicht die Rede sein
kann"[23]. Noch tiefgreifendere Einwände gegen Deissmanns Beweisfüh-

rung, besonders hinsichtlich der Inschriften, erhob sodann F.Bömer in seinen Untersuchungen über die Religion der Sklaven in Griechenland und Rom, deren zweiter Teil die sakrale Freilassung ausführlich behandelt[24]. Die heutige Forschungslage, zumindest in der neutestamentlichen Wissenschaft, ist dadurch charakterisiert, daß Deissmanns These seit Bömers Kritik als "widerlegt" gilt (Conzelmann)[25]. Es wird sogar behauptet, daß die Freilassungsurkunden nichts zur Erklärung der paulinischen Freiheitsaussagen beizutragen haben. So schreibt R.Gayer bezüglich 1Kor 7,22: "Ein bestimmter Rechtsbrauch trägt hier zu Erhellung des paulinischen Gedankens nichts bei"[26].

Es gibt aber manche Gründe, diesen modernen Konsens der Forschung anzuzweifeln und ihn als etwas voreiligen Versuch anzusehen, dieses hochkomplizierte Problem als "hoffentlich endgültig erledigt"[27] aus der Welt zu schaffen. Denn es ist erstens merkwürdig, daß die oben genannten Forscher die Kritik Bömers an Deissmanns Ableitung von der delphischen Freilassungspraxis zitieren, aber verschweigen, daß Bömer selbst in den darauf folgenden Seiten "eine andere Erklärung"[28] bietet, und zwar anhand der orientalischen Institutionen des sakralen und profanen Freikaufs sowie der sakralen Stiftung. "Diese orientalischen Gewohnheiten bilden den Ausgangspunkt sowohl für Paulus als auch für manche Einzelheiten im Bereich des griechischen Mutterlandes"[29]. Zweitens ist ἀπελεύθερος eindeutig juristischer Terminus technicus für den freigelassenen Sklaven. Daher muß irgendeine Beziehung zur antiken Freilassungspraxis bestehen. Daß dieses Problem nicht erledigt ist, zeigt die Studie von F.Lyall, wo ohne Erwähnung von Deissmann und dessen "Widerlegern" versucht wird, die paulinische Vorstellung von Sklaverei und Freiheit, insbesondere in 1Kor 7,22, anhand des römischen Freilassungsgesetzes zu erläutern[30].

Aus diesen Gründen scheint es geraten, die Debatte seit Deissmann nochmals zu überprüfen. Vor allem ist es erforderlich, Inhalt und Zweck der Kritik Bömers zu präzisieren. Im folgenden gehen wir so vor, daß wir zuerst Deissmanns Argumente und danach die dagegen erhobenen Einwände zusammenstellen. Sodann überprüfen wir Bömers "andere Erklärung". Schließlich wenden wir uns wieder dem spezifischen Problem von 1Kor 7,22 zu. Für den mit diesem Problem wenig Vertrauten sei hier vorerst ein von Deissmann gegebenes Beispiel für sakrale Freilassung wiederabgedruckt:

Datum. ἐπρίατο ὁ Ἀπόλλων	Datum. Es kaufte Apollon
ὁ Πύθιος παρὰ Σωσιβίου	Pythios von Sosibios
Ἀμφισσέος ἐπ' ἐλευθερίαι	aus Amphissa zur Freiheit
σῶμ[α] γυναικεῖον, ἇι ὄνομα	einen weiblichen Sklaven, deren Name
Νίκαια, τὸ γένος Ῥωμαίαν, τιμᾶς	Nikaia und die von Geburt Römerin ist, um einen Preis
ἀργυρίου μνᾶν τριῶν καὶ	von dreiundeinhalb Silber-
ἡμιμναίου. προαποδότας κατὰ	minen. Bürge nach
τὸν νόμον Εὔμναστος	dem Gesetz: Eumnastos
Ἀμφισσεύς. τὰν τιμὰν	aus Amphissa. Den Preis
ἀπέχει. τὰν δὲ ὠνὰν	hat er empfangen. Den Kauf

ἐπίστευσε Νίκαια τῶι   aber hat Nikaia dem Apollon
Ἀπόλλωνι ἐπ᾽ ἐλευθερίαι.   anvertraut, zur Freiheit.

Folgen die Zeugen usw. [31]

Deissmanns Argumentation besteht im wesentlichen aus folgenden fünfzehn
Punkten: Nach Paulus' Auffassung waren Christen (1) von Natur aus
Sklaven (S.275). Diese Situation ändert sich, wenn (2) Christus sie
kauft (S.275), nämlich (3) um einen Preis (τιμῆς; S.275 mit A 10) und
(4) zur Freiheit (ἐπ᾽ ἐλευθερίᾳ; S.275f mit A 13), so daß (5) sie tun kön-
nen, was sie wollen (S.276). Vor diesem Hintergrund erklären sich der
Gebrauch (6) des Nomens ἀπολύτρωσις (S.277f) und der Verben (7)
ἐλευθεροῦν in Gal 5,1 (S.276f mit A 10) und (8) καταδουλοῦν in Gal 2,4
(S.276 mit A 3 und 4) und (9) die Mahnungen in Gal 5,1 und 1Kor 7,23
(S.276). Der Ausdruck (10) δοῦλος Χριστοῦ sei zwar nicht durch dieses
Bild entstanden, füge sich aber ausgezeichnet in dasselbe ein (S.277
A 1). Und "wie bei jedem anderen sakralen Kauf durch einen Gott ist
der Christussklave zugleich frei, ja er ist Freigelassener des Herrn"
(11), ein Ausdruck, der wiederum möglicherweise Entsprechungen in den
sakralen Freilassungen habe (S.277 mit A 3). 1Kor 7,24 spiele sodann
auf die (12) παραμονή (S.277) an, und jüdische Freilassungsurkunden
aus Kertsch erklärten, (13) weswegen die Paramone (Pflichten des Freigelassenen) bei Paulus dem neuen Herrn gegenüber gilt (S.277). Auch
diese Paramone müßte (14) wohlanständig und unabgezogen sein (1Kor
7,35; S.277). Endlich (15) benutze Paulus σῶμα manchmal doppelsinnig
(Röm 6,6; 8,23), so daß die Bedeutung "Sklave", wie üblich in den Freilassungsinschriften, mitklinge (S.275 A 4).

Bömers Kritik[32] betrifft insbesondere die Punkte 2 und 11. Zu Punkt 2
bemerkt er mit Recht (S.134f A 9), daß das von Paulus gebrauchte Verb
ἀγοράζειν "auf dem Markt kaufen", nie aber "freikaufen", bedeutet[33].
Zu Punkt 11 schreibt Bömer, daß die in den Inschriften Freigelassenen
nicht Freigelassene des Gottes, sondern die von Privatpersonen sind. Sie
sind nicht gleichzeitig Freigelassene und Sklaven (S.136). Zwar findet
man auch den Ausdruck "Freigelassener eines Gottes", aber dieser bezeichnet freigelassene Tempelsklaven[34]. Desgleichen kommt δοῦλος θεοῦ,
Punkt 10, in den delphischen Freilassungsurkunden nicht vor (S.136).

Bömer stimmt Deissmanns Punkten 3 (S.134f A 9) und 4 (S.137 A 2) zu.
Dagegen wendet Elert zu Punkt 3 ein, däß es nach Auskunft der In-
schriften normalerweise der Sklave selbst war, der das Geld dem Gott
(Apollon) für den Freikauf anvertraute, was mit der paulinischen Analo-
gie schlecht zusammenpaßt[35]. Auch gegen Punkt 4 bemerkt Elert, daß
Paulus lediglich von einer Berufung ἐπ᾽ ἐλευθερίᾳ spricht, nicht von einem
Loskauf[36].

Bömers Einwände gegen die Punkte 12 und 13 verlangen eine etwas ausführlichere Behandlung. Bömer meint, 1Kor 7,24 spreche nur von einem
Bleiben ἐν ᾧ ἐκλήθη (S.135 A 1). Jedoch muß das rätselhafte παρὰ θεῷ
gedeutet werden, und die von Deissmann angebotene Erklärung ist in

der Tat so gut wie jene, die sich in den Kommentaren finden[37]. In seinen Untersuchungen zeigt Bömer zwar sehr beeindruckend, daß die Paramone "ein nahezu lückenloses System der Erpressung" darstellte (S.41), und meint, Paulus wäre "wirklich schlecht beraten gewesen", wenn er u.a. die Paramone als Analogie gewählt hätte (S.139). Doch war laut Paulus das christliche Leben kein leichter Weg. Mußte z.B. der freigelassene Sklave manchmal das Gebotene νυκτὸς καὶ ἀμέρας tun (SGDI 1723 Z 11), so hat Paulus im Auftrag seines Herrn auch νυκτὸς καὶ ἡμέρας gearbeitet (1Thess 2,9) und vieles mehr erleiden müssen (vgl. etwa 2Kor 11,24-27).

Was Punkt 13 betrifft, legt Bömer die Inschriften aus Kertsch etwas anders aus als Deissmann. Bömer sieht in dem umstrittenen Satz χωρὶς ἱς τ[ὴ]ν προσευχὴν θωπείας τε καὶ προσκα[ρτερ]ήσεω[ς][38] lediglich einen einmaligen Besuch des Bethauses, um sich "den Priestern" zu zeigen (S.103). Abgesehen von der Frage, ob die προσευχή in Kertsch Priester hatte[39], ist zu sagen, daß sich Bömers Argumente unzutreffenderweise auf die angebliche Analogie in Lk 17,14 stützen (S.113-114, wo außerdem seine Rekonstruktion der Bedeutung von CIJ 731 - erhalten sind nur die Wörter γενόμενος ἐλεύθερος - höchst unsicher ist)[40]. Da ferner die Freilassung in der προσευχή selbst stattfand, dürfte der Freigelassene zu diesem Zeitpunkt bereits im Bethaus gewesen sein[41]. Deshalb und wegen des Wortes προσκαρτερήσεως ist es mit Deissmann und anderen Auslegern wahrscheinlicher, daß hier eine Verpflichtung zum regelmäßigen Besuch des Bethauses vorliegt[42]. Daß das Vorkommen einer normalen Paramone etwa in CIJ 684 die von Deissmann postulierte Ähnlichkeit ausschließt (so Bömer S.135 A 1), ist kein stichhaltiges Argument, da die Verpflichtung zum Besuch des Bethauses eine Bestimmung für die Zeit nach dem Ablauf der normalen Paramone ist (CIJ 684 Z 16-21).

Die Punkte 14 und 1 erwähnt Bömer lediglich, ohne näher darauf einzugehen (S.135 A 1, 134). Vermutlich meint Bömer, daß diese Übereinstimmungen zu den Punkten gehören, die zu allgemein sind, um eine Abhängigkeit zu konstatieren. So urteilt er jedenfalls über die Punkte 5 und 8 (S.137 A 2), und dieses Urteil soll wohl auch für Punkt 9 gelten (von Bömer nicht erwähnt). Bezüglich Punkt 7, wie schon bei den Punkten 3 und 4, konzediert Bömer Übereinstimmungen sprachlicher Art (S.137 A 2). Dagegen stellt er mit Recht in Abrede, daß eine Verbindungslinie zwischen dem delphischen und paulinischen Gebrauch des Wortes σῶμα besteht (Punkt 15; S.137 A 2)[43]. Was Punkt 6 anbelangt, bezweifelt Bömer, daß es sich in der betreffenden Inschrift (Paton und Hicks 29) um eine sakrale Freilassung handelt (S.116, 133 A 3). In der Tat ist die Inschrift zu fragmentarisch erhalten, um auf eine sakrale Freilassung schließen zu können. Außerdem hat Paulus offensichtlich nicht die Vorstellung einer sakralen Freilassung oder eines Loskaufs im Sinn, wenn er von der ἀπολύτρωσις spricht[44].

Ganz im Gegensatz zur gängigen Einschätzung seines Beitrages in der neutestamentlichen Wissenschaft (s.o.) schreibt Bömer am Ende seiner Kritik: "Es wird sich nicht leugnen lassen, und es ist auch nicht die

Absicht dieser Untersuchungen zu leugnen, daß manche Verbindungen sachlicher und auch sprachlicher Art zwischen den Vorstellungen paulinischer und griechischer Freilassungspraxis bestehen" (S.137). Laut Bömer ist aber Deissmanns Versuch hauptsächlich deswegen verfehlt, weil dieser zu einseitig auf die delphischen Inschriften zurückgreift, nicht weil Deissmann überhaupt juristische Analogien (Freilassungsurkunden) zur Auslegung des Paulus heranzieht.

Bömer meint, die sakrale Freilassung stamme aus dem Osten, und will Paulus vor diesem Hintergrund erklären (S.139-140). Freilich bietet er dafür nicht noch einmal zahlreiche Textparallelen dar, sondern begründet seine Meinung lediglich mit dem folgenden Satz: "Der paulinische Gedanke, daß die δουλεία θεοῦ die wahre ἐλευθερία sei, ist mit griechischen Vorstellungen unvereinbar, entspricht aber genau den Vorstellungen der Freilassungsurkunden der orientalischen Kulte" (S.140). Diese Aussage ist aber in zweifacher Hinsicht falsch: 1. Paulus setzt δουλεία θεοῦ und ἐλευθερία an keiner Stelle in seinen Briefen gleich[45]. 2. Die von Bömer erwähnten orientalischen Freilassungsurkunden erwähnen δοῦλοι θεοῦ, die offensichtlich Freie sind, setzen aber δουλεία θεοῦ nicht mit ἐλευθερία gleich. Daher kann Bömer keine Freilassungsurkunden anführen, in denen sowohl ein δουλ- als auch ein ἐλευθερ-Wort als Bezeichnung des neuen Standes auftaucht[46]. Aber selbst wenn Paulus δουλεία θεοῦ mit wahrer ἐλευθερία gleichgesetzt hätte, wäre es nicht nötig, auf Freilassungsurkunden als Parallelen zu verweisen. Man könnte einfach Apuleius Metamorphoses 11,15 zitieren: nam cum coeperis deae seruire, tunc magis senties fructum tuae libertatis[47]. Ferner ist gegen Bömer zu sagen, daß, wie Deissmann schon erkannt hat, "der Ausdruck δοῦλος Χριστοῦ bei Paulus ... nicht erst durch das Bild von der Freilassung entstanden, sondern älter" ist[48]. Paulus selbst steht hier in ganz anderen Traditionen als in denen der Freilassung[49].

Ist aus den obigen Bemerkungen (z.B. zu ἀγοράζειν) und aus einem Passus wie Gal 4,1-7 klar, daß die Analogien aus den Sklavenverhältnissen keinen einheitlichen Hintergrund haben, sondern häufig wechseln und sich untereinander vermischen[50], so darf dennoch nicht der Schluß gezogen werden, daß Rechtsbräuche nichts zur Erhellung des paulinischen Denkens an diesem Punkt beizutragen haben[51]. Da Paulus offensichtlich juristische Analogien samt ihrer Termini technici verwendet, muß vielmehr jeweils geprüft werden, welche Analogie an der jeweiligen Stelle seine Logik stützt. Im folgenden wollen wir fragen, ob eine juristische Analogie gefunden werden kann, die den Ausdruck ἀπελεύθερος κυρίου näher beleuchtet.

Oben wurde Bömers Kritik zitiert, daß die in den delphischen Inschriften Freigelassenen nicht Freigelassene des Gottes (Apollons), sondern die von Privatpersonen sind. ἀπελεύθερος plus Genitiv von Personen bezeichnet in der Regel den Freigelassenen in seinem Verhältnis zu seinem bisherigen Herrn. Deswegen schreibt auch H.Lietzmann: "Der ἀπελεύθερος κυρίου ist nicht (analog Cai libertus) ein aus der Sklaverei des Herrn von diesem entlassener, sondern durch den Herrn aus der Sklaverei

befreit: korrekt wäre ἀπ. ἁμαρτίας"[52]. Daß "die Ausdrucksweise nicht
ganz passend" ist, stellt auch Gayer fest und folgert daraus, daß der
Apostel "dabei die ursprüngliche Rechtsvorstellung total verbiegt"[53].
Ist das der Fall, dann verwundert, warum Paulus diesen Terminus
technicus überhaupt herangezogen hat.

Nun schreibt Th. Thalheim in seinem Artikel "Freigelassene" in Paulys
Real-Encyclopädie: "Natürlich konnte auch ein Dritter den Sklaven loskaufen und galt dann als Freilasser"[54]. Sollte das stimmen, dann hätten
wir einen rechtlichen Hintergrund, um ἀπελεύθερος κυρίου in 1Kor 7,22 zu
erklären: Der κύριος (Christus) ist der Dritte, der den Sklaven loskauft
und dementsprechend als Freilasser dieses Sklaven gilt. Als Belege für
seine These listet Thalheim Demosthenes 59,32, Hypereides 5,5 (Contra
Athenogenes), Athenaeus 13,590d und Plutarch Vitae decem oratorum
(Moralia) 849d auf.

Auf den ersten Blick sind diese Stellen für unsere Zwecke etwas enttäu-
schend. Denn wir finden an keiner den von uns gesuchten Ausdruck
ἀπελεύθερος plus Genitiv des Freikäufers. In allen Fällen handelt es sich
um Freikäufe (πρᾶσις ἐπ' ἐλευθερίᾳ)[55] von Sklaven und Sklavinnen durch
ihre Liebhaber. Welche Pflichten die Freigelassenen gegenüber ihren
Freikäufern haben, wird nicht explizit angeführt. Allerdings gibt es auch
unter den delphischen Inschriften Fälle, wo ein Dritter einen Sklaven freikauft und wo der Freigelassene παραμονή-Pflichten gegenüber diesem Dritten erfüllen muß (SGDI 1694, 1723). Aber auch hier wird der Freigelassene nicht mit dem Ausdruck ἀπελεύθερος des Dritten bezeichnet. Hypereides
(Contra Athenogenes 5-7) läßt sogar erkennen, daß Zweifel über die Identität des Freilassers in Fällen von Freikäufen entstehen können. Dort wollte ein Mann drei Sklaven (Vater und zwei Söhne) von Athenogenes freikaufen. Die Sklaven hatten große Schulden, von denen der Dritte bis
dahin nichts wußte. In betrügerischer Absicht sagt Athenogenes dem Dritten, er wolle - angeblich um dem Dritten seine Güte zu beweisen - den
Sklaven nicht nur die Freiheit geben, sondern sie ihm sogar zum selben
Preis verkaufen. Dadurch, versichert Athenogenes, könne der Dritte sicher sein, daß sich der geliebte junge Sklave nicht gegen ihn wende oder
durch andere verdorben würde. Ferner, fährt Athenogenes fort, wenn
der Dritte die Sklaven bloß freikaufte, könnten sie denken (ἂν δόξειαν),
daß sie durch Athenogenes und nicht durch den Dritten frei geworden
seien. Vielmehr könnte also der Dritte die Sklaven kaufen, später frei-
lassen und dadurch doppelten Dank der Sklaven erwerben. Der Dritte
geht auf diesen Vorschlag ein, kauft die Sklaven und erfährt erst später, daß die von Athenogenes kursorisch erwähnten Schulden eine Summe
von fünf Talenten ausmachen. Erschreckt wendet er sich an Hypereides,
um einen Prozeß gegen Athenogenes zu führen. Doch Athenogenes war
gesetzlich gut gegen die Anklage geschützt: Wenn der Dritte die Sklaven
nur freigekauft hätte, dann wäre es vielleicht unklar (ἂν δόξειαν), wer der
Verantwortliche war, d.h. wessen ἀπελεύθεροι die Sklaven waren. Nun
aber hatte der Dritte die Sklaven gekauft und mündlich zugesagt, die
Schulden zu übernehmen.

Dieses Beispiel zeigt, daß im Falle von Freikäufen Zweifel darüber entstehen konnten, wessen ἀπελεύθερος der Freigelassene war. Die anderen
obengenannten Beispiele bestätigen diese Beobachtung. (Pseudo-)De-
mosthenes' 59. Rede enthält eine lange Erzählung über Neaira, die von
einem gewissen Phrynion freigekauft wurde, unter der einzigen Bedin-
gung, daß Neaira nicht mehr als Prostituierte in Korinth arbeitete. Daß
aber sowohl Phrynion als auch Neaira dabei von einer Bindung der Freigelassenen an den Freikäufer ausgehen, zeigt der Rest der Erzählung,
wo Phrynion Neaira nach Athen mitführt und sie allen Befehlen Phrynions
nachkommen muß. Da sie diese Situation wegen der extremen Unsittlich-
keit der Befehle nicht mehr aushalten kann, läuft sie (mit Gütern aus
Phrynions Haus) nach Megara fort. Als Phrynion Neaira später mit Gewalt
wieder nach Hause nehmen will, wird er von einem gewissen Stephanos
gehindert, der behauptet, daß Neaira frei sei, und der sich zum Bürgen
(ἐγγυητής) Neairas beim Polemarch erklärt[56]. Phrynion verstand Neaira anscheinend als seine ἀπελευθέρα. Stephanos wurde jedoch Neairas Liebhaber
und fand einen gesetzlichen Weg, sie gegen den Anspruch ihres Freikäufers zu schützen. Hier ist also wiederum der Stand der Freigelassenen
nicht ganz eindeutig.

Etwas weiter führen die Zeugnisse über Hypereides, der selbst anscheinend mehrere Sklavinnen freigekauft hatte, um sie als seine Liebhaberin-
nen zu behalten (davon wird berichtet in Athenaeus 13,590d und Plutarch
Moralia 849d; zu einem ähnlichen Fall s. Demosthenes 48,53). Es wird
auch berichtet, daß Hypereides einer dieser Frauen ἀπροστασίου vorgeworfen hat (Hypereides Fr 16), "ex quo patet illum non tantum feminæ ama-
torem sed etiam patronum fuisse"[57]. Galt Hypereides als προστάτης der
Frauen, die er freigekauft hatte, so wäre es nur ein kleiner Schritt, diese Frauen als seine ἀπελεύθεραι zu bezeichnen. Doch ist diese Bezeichnung
hier nicht belegt.

Wir kommen anhand dieser antiken griechischen Belege also nicht über
eine Möglichkeit hinaus. Es scheint nicht ausgeschlossen, daß der durch
einen Dritten Freigekaufte als der Freigelassene dieses Dritten bezeichnet
werden konnte. Dies ließ sich aber bisher an keiner Stelle positiv bestätigen[58].

Es gibt nun aber einen meines Wissens bisher unbeachteten Passus, der
von Freilassung durch einen Dritten spricht: Philo Quod deus sit immutabilis 48 beschreibt, wie Gott die menschliche Seele von der bösen und
schlimmsten Herrin, der ἀνάγκῃ, befreit hat. Daher verdiene die Seele
wirklich einen Vorwurf, wenn sie τὸν ἐλευθερώσαντα οὐ περιέπει· τοιγάρτοι τὴν
κατ᾿ ἀπελευθέρων ἀχαρίστων ἀπαραίτητον δίκην ὀρθότατα τίσει ("dem nicht
nachfolgte, der sie befreite; so würde sie denn auch die für undankbare
Freigelassene bestimmte unerbittliche Strafe mit vollstem Recht erhalten"
[Cohn]). Hier ist also Gott der Befreier, Menschenseelen aber die Freigelassenen, die ihrem Befreier, nicht ihrer früheren Herrin, gegenüber
dankbar sein sollen. Zwar fehlt auch an dieser Stelle ἀπελεύθερος plus
Genitiv des Befreiers (des Dritten), aber die Parallelität zu 1Kor 7,22
ist vollkommen klar: die ἀπελεύθεροι werden auch hier als ἀπελεύθεροι

Gottes verstanden, denn sie schulden ihm Dank, nicht ihrer früheren Herrin.

Weniger wichtig ist die Entscheidung, ob Paulus an dieser Stelle römisches oder griechisches Gesetz im Sinn hatte. Lyall plädiert für römische Vorstellungen, da dort obsequium, operae und munera zeitlich unbegrenzte Verpflichtungen waren, wogegen die griechische Paramone den Sklaven nur für eine bestimmte Zeit verpflichtete[59]. Aber wenn die griechische Paramone auch manchmal nur für eine begrenzte Zeit aufgestellt oder vorzeitig durch zusätzliche Bezahlung abgebrochen wurde, so war das Paramone-Verhältnis normalerweise für die Dauer des Lebens des Freilassers angeordnet. Im Falle von Christus oder Gott würde dies für Paulus ebenfalls ein unbegrenztes Paramone-Verhältnis bedeuten. Außerdem mußte der Freigelassene einem verbreiteten griechischen Gesetz entsprechend einen Patron oder προστάτης haben (normalerweise seinen früheren Herrn), dem gegenüber er sein Leben lang bestimmte Verpflichtungen einging[60]. So läuft das attische Gesetz der ἀποστασίου δίκη auf etwas hinaus, das der römischen Verpflichtung zum obsequium nahekommt[61]. Die Verbindung von ἀπελεύθερος mit dem Genitiv κυρίου an unserer Stelle zeigt, daß Paulus an ein solches Verhältnis zwischen dem Freigelassenen und seinem Patron denkt (vgl. oben A 58).

Somit ist der juristische Inhalt des Ausdrucks ἀπελεύθερος κυρίου bestimmt. Liegt der Ton in unserem Vers auf der Freiheit des christlichen Sklaven (s.o.), so ist vor dem juristischen Hintergrund klar, daß ein Moment des Verpflichtetseins mitschwingt. Vor dem Hintergrund dieses juristischen Materials gewinnt die Exegese eine historisch begründete Stütze für die Annahme, daß sich Paulus den κύριος hier als den Befreier und, noch spezifischer, als den Freikäufer, gegenüber dem die Freigelassenen zu Dank verpflichtet sind, vorstellt. Statt Rechtsvorstellungen total zu verbiegen (so Gayer, s.o. S.34), hat Paulus vielmehr eine spezifische Rechtsanalogie vor Augen gehabt. Der κύριος, der wegen des Parallelismus in V 22b wohl mit Christus gleichzusetzen ist, ist der Dritte, der freikauft. Wie in dem Beispiele aus Philo, schulden die Freigelassenen ihrem Freikäufer Dank. Aufgrund der antiken griechischen Beispiele ist ferner wahrscheinlich, daß Christus hier als der προστάτης, patronus oder ἐγγυητής der Freigelassenen gilt. Die Freigelassenen sind jedenfalls seine ἀπελεύθεροι. Wenn V 23 eine andere Analogie aus den Sklavenverhältnissen vorbringt - wie oben S.31 gesagt, bedeutet das Verb ἀγοράζειν nie "freikaufen" -, so ergibt sich eine weitere Stütze für die obigen Argumente (S.28-29), daß wir es in V 22 mit einer ad hoc gebildeten Formulierung zu tun haben.

In welcher Weise beleuchtet dieser Vers das Problem der Stellung des Freiheitsgedankens in der paulinischen Theologie? Als wir fragten, ob V 22 Traditionen oder Gedanken über die Taufe reflektiert, kamen wir zu einem negativen Ergebnis. Wir konnten lediglich feststellen, (1) daß 7,22 ein Wortspiel und daher (sowie wegen der anderen vorgebrachten Gründe) wahrscheinlich eine ad hoc gebildete Formulierung, nicht aber ein grundlegendes Stück der paulinischen Paränese ist, (2) daß Christus offensichtlich als der Freikäufer gedacht wird und (3) daß der einzige Hinweis auf den Inhalt der dem Sklaven zugesprochenen Freiheit die Mahnung in V 23b ist. Dementsprechend scheint die Freiheit des Sklaven in einer Freiheit von menschlichen Urteilen zu bestehen.

Stimmt dieser letzte Punkt, dann ist die paulinische Aussage über die Freiheit in V 22 durchaus vor dem Hintergrund der hellenistischen Tradition zu verstehen. Hatte schon Euripides hervorgehoben: "Bei vielen Sklaven ist der Name schändlich, aber der Geist ist freier als bei denen, die nicht Sklaven sind" (Fr 831), und "Denn der Name verdirbt einen edlen Sklaven nicht; viele aber sind besser als die Freien" (Fr 511; vgl. Ion 854-856; Helena 730-731; vgl. auch Sophokles Trachiniae 52-53, 62-63; Fr 940), so wurde in hellenistischer Zeit dieser Gedanke ein Stück des Alltagslebens (vgl. oben S. 22 mit A 90). Bei den Stoikern etwa wurde immer wieder der Gedanke geäußert, daß politisch-soziale Freiheit bzw. Sklaverei noch lange nicht darüber entscheide, wer eigentlich frei sei (vgl. z.B. Bion bei Stobaios 3,2,38, Philo Quod omnis probus liber sit, Seneca Epistulae morales 47,1.17, Dion Chrysostomos 14.15, Epiktet 4,1). Berühmtestes Beispiel für den "freien" Sklaven in der Antike war natürlich Diogenes. Obwohl er (nach der Legende) als Sklave verkauft wurde, erzählen zahlreiche Anekdoten, wie er trotzdem frei lebte (vgl. Philo Quod omnis probus liber sit 121-124, Epiktet 3,24,66, Musonius Fr 9 [Hense 49,7-9], 34. Brief des Krates, Diogenes Laertios 6,29-32.74). Wenn Paulus dem christlichen Sklaven Freiheit zuspricht, steht er ohne Zweifel in den Bahnen dieser hellenistischen Tradition über innere Freiheit, die auch Sklaven besitzen konnten. Insofern hatte Weiß mit seinen Einschränkungen der Position Deissmanns recht (vgl. oben S. 29 mit A 22). Andererseits zeigt die soeben dargestellte juristische Analogie, daß Paulus diese christliche Freiheit von menschlichen Urteilen in Christus begründet. Dadurch unterscheidet er sich z.B. von den Epikuräern, die ihre Freiheit in Epikur, den sie für einen Gott hielten (vgl. z.B. Lukrez 5,8-10), begründeten (vgl. z.B. Cicero Tusculanae disputationes 1,48: liberatos enim se per eum dicunt; Lukian Alexander 47, 61), und von den Kynikern, die ihre Freiheit auf Diogenes zurückführten (vgl. z.B. 8. Brief des Krates, Lukian Vitarum auctio 8). Der Unterschied zwischen Paulus und diesen hellenistischen Philosophien bestand an diesem Punkt lediglich im jeweils anderen Stifter der von ihnen propagierten Freiheit.

Wir wollen uns jetzt den übrigen Freiheitsbelegen der Korintherbriefe zuwenden und fragen, ob dort unsere drei obigen Beobachtungen in einen größeren Zusammenhang gestellt werden und so eine gewichtigere Aussagekraft bekommen.

3.3 1Kor 8,1-11,1: ἐλευθερία und geweihtes Fleisch, dazwischen der ἐλεύθερος ἀπόστολος

Als Beschreibung des christlichen Heilsstandes kommen Vokabeln der ἐλευθερ-Wortgruppe erst wieder innerhalb einer längeren Diskussion zur Frage des geweihten Fleisches (1Kor 8,1-11,1) vor. Zweimal taucht das Adjektiv ἐλεύθερος (9,1.19) auf, einmal das Substantiv (10,29). Um uns einen geeigneten Zugang zu diesen Stellen zu verschaffen, wenden wir uns zuerst der umstrittenen Frage nach der literarischen Einheitlichkeit und Gliederung dieses Abschnittes zu.

3.3.1 Literarkritische Fragen zu 1Kor 8,1-11,1

Im wesentlichen sind es zwei Argumente, die literarkritische Operationen an 1Kor 8,1-11,1 hervorgerufen haben: (1) Die Auffassung von 10,1-22 (rigoroser Standpunkt, wo vor Götzendienst gewarnt wird) widerspreche der von 8,1-13; 10,23-11,1 (laxerem Standpunkt, wo geweihtes Fleisch Adiaphoron ist)[62]. (2) 9,1 setze plötzlich und mit einem anderen Thema ein; somit erwiesen sich 9,1-18 bzw. 9,1-23 oder 9,1-27 als am falschen Ort stehend[63]. Wir prüfen zunächst das zweite Argument.

Gesteht man zu, daß in Kap. 9 nicht mehr von geweihtem Fleisch die Rede ist, so muß immerhin gefragt werden, ob Übergangszeichen vorhanden sind, die Kap. 9 einen sinnvollen Platz im Kontext zuweisen. Das ist in der Tat der Fall, denn der unerwartete Wechsel zur ersten Person Singular in 8,13 bereitet deutlich auf das exkursartige Beispiel in Kap. 9 vor: Paulus spricht in 8,13 für sich selbst (οὐ μὴ φάγω), und an diese Aussage knüpft dann glatt die Frage an, ob er denn nicht frei ist[64]. Diese Frage leitet aber zugleich zu dem von Paulus gewählten Beispiel über, das sein Verhalten begründen und gleichzeitig als Apologie gegenüber seinen Kritikern (9,3) dienen soll[65].

Thematisch sind die beiden Kapitel insofern verwandt, als beide um Verzicht auf die Inanspruchnahme eines Rechtes kreisen. Besonders auffällig ist in dieser Hinsicht die Parallele zwischen 8,13c und 9,12d:

ἵνα μὴ τὸν ἀδελφόν μου σκανδαλίσω (8,13c)
ἵνα μή τινα ἐγκοπὴν δῶμεν τῷ εὐαγγελίῳ τοῦ Χριστοῦ (9,12d)[66].

Aus 9,12a (ὑμῶν) und 9,12c (στέγομεν, Präsens) geht hervor, daß in 9,12d Rücksicht nicht nur auf den Nichtchristen, sondern auch auf den Mitchristen (hier konkret: die korinthischen Christen) Grund des Verzichts ist. Das Motiv des Verzichts auf die Inanspruchnahme eines Rechtes um des Mitchristen willen ist also beiden Kapiteln gemeinsam.

Daß die in 8,9 genannten "Schwachen" Paulus auch in Kap. 9 vor Augen stehen, ergibt sich aus 9,22a. Denn dort wird die außerhalb der Essensthematik selten (wenn überhaupt) vorkommende Gruppe der "Schwachen" (s. die Konkordanz) wieder erwähnt, und zwar am Ende einer Liste von verschiedenen Menschengruppen, so daß deutlich ist, daß Paulus hiermit das Ziel seines ausführlichen Beispiels erreicht. Auch das merkwürdige

Fehlen des ὡς in diesem letzten Glied zeigt, daß Paulus auf diese Gruppe besonderen Nachdruck legen will.

Weniger beweiskräftig, aber immerhin beachtenswert sind die Stichwörter, die Kap. 8 und 9 verbinden: Vollmacht (8,9; 9,4.5.6.12[zweimal].18) und Essen (8,8[zweimal].10.13; 9,4.7[zweimal].13).

Das oben als (1) bezeichnete Argument verlangt eine ausführlichere Behandlung. Es wäre erheblich gewichtiger, wenn Paulus nicht selbst auf den oben genannten Widerspruch hingewiesen hätte. Der rhetorisch erhobene Einspruch in 10,19 ("Was will ich nun damit sagen? Daß das Götzenopferfleisch etwas ist? Oder daß der Götze etwas ist?"[67]) weist aber wie von selbst auf 8,4-8 zurück, wo sich Äußerungen über die Nichtigkeit der Götzen und die Unwichtigkeit sämtlicher Speisen befinden[68]. Wie die warnenden Beispiele aus dem Alten Testament zeigen (2. Mose 32,6: goldenes Kalb; 4. Mose 25,9: Götzendienst mit dem Baal-Peor), soll der Christ lieber absichtlichen und von sich aus gewählten Götzendienst (wie in den beiden Beispielen) vermeiden, wenn er die Eifersucht des Herrn nicht erregen will (10,22)[69].

Ein weiteres Argument für die literarische Einheitlichkeit von 1Kor 8,1-11,1 - und also für die Zugehörigkeit von 10,1-22 zu dieser Einheit - liefert die parallele Abhandlung in Röm 14,1-15,13. Folgende Abschnitte haben Entsprechungen in Röm 14-15:
    1Kor 8,1-6 ∿ Röm 14,1-9
      (bes. 8,3b und 14,3c; 8,6d und 14,8)
    1Kor 8,7-13 ∿ Röm 14,13-23
      (Man beachte bes. die ähnlichen Anspielungen auf das Zerstören in 8,11 [ἀπόλλυται] und 14,15b [ἀπόλλυε].20 bzw. den Fall des Bruders in 8,9 [πρόσκομμα].13 und 14,13 [πρόσκομμα].21.)
    1Kor 9,19-23 ∿ Röm 15,1-9
      (Der Unterschied zwischen diesen Passagen liegt hauptsächlich darin, daß Paulus in 1Kor sich selbst, dagegen in Röm Christus als Beispiel anführt. Die Parallelität ist aber unübersehbar. Sowohl Paulus als auch Christus versklaven sich zugunsten der Juden und Heiden. Beide sollen als Vorbild dienen.)
    1Kor 10,23-24.31-33 ∿ Röm 15,1-9
      (bes. οἰκοδομή/εῖν: 10,23; 15,2).

Wenn auch der Grad der Exaktheit dieser Parallelen verschieden hoch ist, so treten sie doch deutlich hervor. Allerdings wird in den oben genannten Parallelen nicht der ganze Text von 1Kor 8,1-11,1 abgedeckt, insbesondere nicht der uns interessierende Passus 1Kor 10,1-22. Wir dürfen darauf verzichten, die sprachlichen und sachlichen Parallelen zwischen den übrigen Teilen von 1Kor 8,1-11,1 und Röm 14-15 im einzelnen darzustellen[70], und zur Hauptfrage fortschreiten, ob 1Kor 10,1-22 Entsprechungen in Röm 14,1-15,13 hat.

Hans von Soden schrieb zu 1Kor 8-10: "Die Gliederung: Exposition, Schriftbeweis, Resolution kehrt ... in dem sachlich parallelen Abschnitt Röm. 14,1-15,13 wieder: Exposition Röm. 14 parallel 1. Kor. 8, Schriftbeweis und Resolution Röm. 15 parallel 1. Kor. 10"[71]. Anscheinend versteht von Soden 10,1-11 in 1Kor 10 und 15,3-4 in Röm 15 als Schriftbeweis. Hierbei fällt aber auf, daß der "Schriftbeweis" in Röm 15 sehr viel kürzer als in 1Kor 10 ist. Es fragt sich also, ob der aus zwei Versen bestehende "Schriftbeweis" wirklich als zweiter Schritt der Gliederung in Röm 14,1- 15,13 bezeichnet werden darf[72], zumal sich an anderer Stelle in Röm 14,1-15,13 noch längere Schriftbeweise finden: 14,10c-12; 15,8-12 (1Kor 8,1-11,1 hat auch den Schriftbeweis in 9,8-11). Es scheint also geraten, dieses von von Soden vorgebrachte Argument auf sich beruhen zu lassen und besser nach inhaltlichen Entsprechungen zu suchen.

Hierbei können wir mit dem soeben genannten Schriftbeweis anfangen, denn der Beweis wird jeweils durch auffällig ähnliche Aussagen einge- leitet:

ἐγράφη δὲ πρὸς νουθεσίαν ἡμῶν (1Kor 10,11b)
εἰς τὴν ἡμετέραν διδασκαλίαν ἐγράφη (Röm 15,4b).

Diese Ähnlichkeit könnte darauf hindeuten, daß Paulus in 1Kor 10 und Röm 15 sehr gleichartige Gedankenbewegungen durchläuft[73]. Doch ist der Inhalt der Schriftbeweise zu verschieden, um diese Möglichkeit zum Grad der Wahrscheinlichkeit zu erheben. Wichtiger ist dagegen, daß die 1Kor 10,12 begegnende Vorstellung vom Stehen und Fallen Röm 14,4b wieder- kehrt. Auch die gleich daran anschließende Zusicherung, daß Gott einen Ausweg aus der zum Fall führenden Versuchung schaffen wird (1Kor 10,13), hat ihre Entsprechung in Röm 14,4c.

Man kann diese Parallelen nicht als schlagenden Beweis für die Zusammen- gehörigkeit von 1Kor 10,1-22 und dem Rest von 1Kor 8,1-11,1 ansehen. Doch stützen sie das obige Argument der literarischen Einheitlichkeit von 1Kor 8,1-11,1[74].

Ein weiteres und gewichtigeres Indiz liefert die Gliederung dieses Briefab- schnitts, die 8,1-11,1 als sinnvolle Einheit und so die Funktion von 10,1- 22 in dieser Einheit aufweist:

Gliederung von 1Kor 8,1-11,1[75]

I. Themenstellung und Grundprinzipien 8,1-6
II. Qualifikationen der Grundprinzipien im Licht des Gewissens 8,7-12
III. Vorläufiges Resultat (aufgestellt als Regel für das eigene Leben des Paulus) 8,13
IV. Erste Begründung des neuen Prinzips: Beispiele aus dem Leben des Paulus 9,1-27
    A. Erstes Beispiel 9,1-23
       1. Übergang und Einleitung zum ersten Beispiel 9,1-5
          a) Übergang 9,1a
          b) Einleitung 9,1b-5
       2. Themenstellung und Ausführung des Beispiels 9,6-23
          a) Themenstellung 9,6
          b) Argumente für das Recht des Paulus auf Unterhalt 9,7-10

Gemäß der Gliederung lautet das neue Prinzip: Verzicht auf das Essen von Fleisch aus liebevoller Rücksicht auf den (schwachen) <u>Bruder</u> (8,13). Vom Bruder ist nun aber in 10,1-22 nirgendwo die Rede[76]. Hier soll auf Götzendienst verzichtet werden wegen der Gefahr für <u>das eigene Heil</u>. Wieso kann 10,1-22 als zweite Begründung für das in 8,13 aufgestellte neue Prinzip bezeichnet werden? Gibt es eine Erklärung für diesen Befund im Ablauf der Argumentation von Kap. 9-10?

Bei der ersten paulinischen Aussage über den Verzicht und ihre Begründung (9,12b-c; s.o. IV.A.2.d) ist Rücksicht auf den Bruder noch das maßgebende Prinzip. Bei der Begründung der zweiten Aussage über den Verzicht (9,15-23; IV.A.2.f) kommt hingegen ein Doppeltes zur Sprache. Der Verzicht dient hier sowohl anderen als auch Paulus selbst und seinem eigenen Heil: Einerseits werden andere durch den Verzicht des Paulus gerettet (9,19-23a), andererseits erhält Paulus durch seinen Verzicht sein καύχημα und seinen Lohn (9,16-18)[77] und verzichtet, <u>damit</u> er am Evangelium teilhaben wird (9,23b: man beachte den Aorist γένωμαι). Noch klarer wird diese zweite Begründung in 9,24-27 ausgedrückt. Vom Bruder ist hier nicht mehr die Rede. Paulus verzichtet, damit er selbst nicht verworfen werde (9,27). Der Übergang zu 10,1-22 wird also im vorherigen - nicht nur in 9,24-27, sondern auch schon in 9,15-23[78] - inhaltlich gut vorbereitet. Rein formal wird dieser Übergang markiert durch den Wechsel zwischen 1. Person Singular, 1. Person Plural und 2. Person Plural in 9,24-27, der geschickt vom Beispiel aus dem eigenen Leben des Paulus (9,1-23) zur direkten Anweisung an die Korinther (Kap. 10) überleitet[79]. In 10,1-22 wird also jene zweite Begründung für Verzicht weiter ausgeführt. Es kommt aber nicht zu einer neuen Regelung der Frage des geweihten Fleisches, was wiederum darauf hindeutet, daß diese Ausführungen nur als ausgebreitete Begründung für das in 8,13 aufgestellte Prinzip zu verstehen sind[80]. Diese Argumentation aufgrund der Gliederung von 8,1-11,1, wo stufenweise zu 10,1ff übergeleitet wird, schlägt also durch und stellt erst recht die Frage nach der Logik dieses größeren Briefabschnittes[81].

3.3.2 1Kor 9: ἐλεύθερος ἀπόστολος

3.3.2.1 Zur Gliederung von 1Kor 9

Gemäß der obigen Gliederung ist Kap. 9 als Explikation des 8,13 aufgestellten neuen Prinzips aufzufassen. Darüber besteht ein Konsens unter den Forschern, die an der Einheitlichkeit von 8,1-11,1 festhalten[82]. Strittig ist nur die genaue Aufgliederung des Kapitels. Wir besprechen zunächst die bisher gemachten Vorschläge und erläutern daran unsere eigene Gliederung.

J. Jeremias sieht in diesem Kapitel eine chiastische Struktur. Die erste Frage: "Bin ich nicht frei?", werde erst in V 19ff weitergeführt: freiwilliger Verzicht auf christliche Freiheit. Die zweite Frage: "Bin ich nicht ein Apostel?", leite einen anderen Gedanken ein und werde in V 1c-18 ausgeführt: die Vorrechte des Apostolates und der Verzicht des Paulus auf sie[83]. Bei dieser Gliederung bleibt aber das γάρ in V 19 unberücksichtigt, das einen engeren Zusammenhang zwischen V 18 und V 19 wahrscheinlich macht[84].

Auch W.Schmithals erblickt in Kap.9 einen Chiasmus, wobei sein Aufriß den soeben genannten Einwand gegen Jeremias' Gliederung beseitigt: 9,1a hänge mit 9,4-23 zusammen. Dieser Teil demonstriere die Bewahrung christlicher Freiheit am Beispiel des paulinischen Verzichts auf das apostolische Unterhaltsrecht. 9,1b.1c-3 antworte auf einen zweiten Vorwurf, nämlich den, daß Paulus kein Apostel sei[85]. Aber in diesem Fall sind die Glieder des Chiasmus von sehr ungleicher Länge, besonders da V 3 wegen der Endstellung von αὕτη wohl mit dem Folgenden zusammengezogen werden soll. Können die Fragen in V 1c-d und die Aussagen in V 2 als Apologie gegen einen zweiten, "getrennten"[86] Vorwurf gelten? Der Vorwurf gegen das Apostolat des Paulus ist vielmehr aus dem Vorwurf gegen sein Verhalten entstanden! Daß Paulus zuerst auf eine Nachricht über Zweifel an seinem Apostolat kurz eingeht und dann sich der diesem Vorwurf zugrunde liegenden Ursache zuwendet, ist von Schmithals richtig gesehen. Nur braucht man nicht von Chiasmus zu reden, sondern lediglich von einer Einleitung zum spezifischen Problem. Dasselbe Verfahren kommt am Anfang von Kap.8 vor. Dort erwähnt Paulus zuerst das Problem (εἰδωλόθυτα), macht dann allgemeine Aussagen über Gnosis an sich (V 1b-3) und wendet sich anschließend erneut dem spezifischen Problem zu, wobei wiederum von allgemeinen Prinzipien zur eigentlichen Frage übergegangen wird (erst spricht er über die Götter [V 4b-6], dann über geweihtes Fleisch [V 7-12]). Ähnlich in Kap.9: V 1a wird das Problem erwähnt. V 1b-2 macht Paulus allgemeine Aussagen über sein Apostolat. V 3-5 setzen diese Einleitung fort, indem dem spezifischen Problem nähergetreten wird.

G.Dautzenberg hat das annähernd erkannt und dementsprechend geschrieben: "Die Gedanken schreiten fort und lösen einander ab"[87]. Er möchte das Kapitel wie folgt gliedern: "1. Exposition: das Recht auf Unterhalt (9,1-6); 2. Begründung des Verzichts (9,7-12.13-15a.15b-18.19-23.24-27)"[88]. Diese Gliederung trifft aber deswegen nicht zu, weil V 7-14 hauptsächlich aus Argumenten für das Recht auf Unterhalt bestehen[89]. Das hat nun R.Hock erkannt und daher das Kapitel folgendermaßen gegliedert: V 6-14 richten das Recht des Paulus auf Unterhalt auf; V 15-18 erklären, weswegen Paulus sich lieber durch Handarbeit sein Geld verdient[90]. Diese Gliederung übersieht aber die erste Aussage über den Verzicht mit ihrer Begründung (V 12b-c)[91].

Etwas weiter bringt uns die Gliederung von J.Bauer. Bauer sieht richtig, daß V 6 für die folgenden Verse zentral ist. Er schreibt, die Digression in V 7-23 beziehe sich allein auf V 6 (apostolischen Unterhalt). V 4-5 hingen mit V 24-27 zusammen. In V 4-5 nehme Paulus apostolische und christliche Freiheit "in ganz umfassender Weite" zum Ausgangspunkt des

Beweisgangs[92]. Diese Verse verteidigten das Recht des Apostels wie des Christen, "zu essen, zu trinken und zu freien"[93]. Damit korrespondieren teilweise unsere Beobachtungen, daß V 1-5 Einleitungscharakter, V 24-27 Überleitungscharakter tragen. Bauers Gliederung und Auslegung hängt hauptsächlich davon ab, daß "auf Kosten der Gemeinde" - gegen das allgemeine Vorgehen der Forschung[94] - nicht zu den Fragen in V 4-5 ergänzt wird[95]. In diesem Zusammenhang weist Bauer auf Ph.Bachmann hin, der m.E. mit Recht bemerkt hat, daß "Essen und Trinken" hier ohne nähere Bestimmung steht und deswegen nicht mit "auf Kosten der Gemeinden" ergänzt werden darf[96]. Ähnlich schreibt H.Conzelmann, daß "die Ergänzung 'auf Kosten der Gemeinden' den Gedanken des Paulus verengern würde"[97]. Anstatt hierin eine eigene Thematik zu sehen[98], tut man besser daran, die Unklarheit bzw. Doppeldeutigkeit der Fragen einfach zuzugeben. Zu V 4 schreibt Conzelmann mit Recht: "Das scheint das Thema von Kap.8 weiterzuführen. Aber nur scheinbar!"[99] Diese Frage nimmt ein paar Stichwörter (ἐξουσία, φαγεῖν) von Kap.8 auf und dient gerade durch ihre Doppeldeutigkeit als Überleitung von Kap.8 zum ersten Beispiel in Kap.9 (9,6-23)[100]. Dementsprechend lassen sich V 1-5 als Übergang und Einleitung zum ersten Beispiel einleuchtend erklären.

3.3.2.2 Der Freiheitsbegriff in 1Kor 9 und sein religionsgeschichtlicher Hintergrund

Wir können uns jetzt dem eigentlichen Problem des in 1Kor 9 vorgetragenen Freiheitsverständnisses zuwenden. Stimmt es, daß 9,1a Überleitungscharakter trägt, so ist es nicht geraten, bei diesem Vers einzusetzen. Zwar ist klar, daß die Bestimmung "frei" in irgendeinem Zusammenhang mit dem Problem des geweihten Fleisches steht, aber der spezifische Inhalt dieser Bestimmung ist an dieser Stelle zunächst dunkel und wird erst aus den folgenden Erörterungen erhellt.

Zutreffend macht J.Weiß auf "die schwebende Unklarheit des Satzes" aufmerksam und schreibt: "Von was für einer F r e i h e i t ist die Rede? Unabhängigkeit v o n M e n s c h e n (9,19: ἀπὸ πάντων) kann hier nicht gemeint sein, auch nicht Freiheit vom Gesetze (Gal 2,4; 5,1.13), sondern nur eine spezielle ἐξουσία ... Es kann nur entweder von der ἐξουσία Götzenopfer zu genießen (8,9; 10,29) oder von dem Recht auf Gemeindeverpflegung die Rede sein; wer von Kap.8 kommt, denkt an jene, wer Kap.9 im Auge hat, an dieses"[101]. Ähnlich J.Héring: "On ne sait pas du tout à quelle espèce de liberté l'auteur veut faire allusion (de la liberté de manger de la viande, il n'en est plus question)"[102]. Andere meinen, den Inhalt genau spezifizieren zu können, aber die Verschiedenheit der Meinungen zeigt nur wieder die Unbestimmtheit des Ausdrucks auf. C.F.G. Heinrici beispielsweise versteht ἐλεύθερος in V 1a als "frei, von keinem Menschen abhängig. Vgl. V.19"[103]. Für E.-B.Allo dagegen geht es um "la liberté, l'ἐξουσία (VIII, 9) de ceux qui ont la 'gnose'"[104]. P.Schmiedel will ἐλεύθερος weder aus 8,4-6 noch aus

9,19, sondern aus 9,1b erklären: "frei von Unterordnung in meinem Amte"[105]. Andere meinen, daß es um "the freedom of a Christian" geht, ohne aber diese Freiheit näher zu spezifizieren[106].

Daher empfiehlt es sich, vorab den anderen Teil des Vergleiches näher in
Betracht zu ziehen (nämlich den Teil, in dem Paulus auf seine Freiheit
als Missionar eingeht), um nachher zur Explikation von ἐλεύθερος in 9,1a
zurückzukehren.

Um was für eine Freiheit geht es in 9,19? Um diese Frage zu beantworten,
müssen wir etwas ausholen und den Zusammenhang von V 19 untersuchen.
Hierbei setzen wir mit V 15 ein und zeichnen den Gedankengang bis zu
V 19 nach.

9,15 sagt Paulus zum zweiten Mal (vgl. 9,12b) aus, daß er sein Recht
nicht in Anspruch genommen hat, noch es in Anspruch nehmen will. Dies
ist sein Ruhm, den er nicht hätte, sollte er nur seine Pflicht, das Evangelium zu verkündigen, erfüllen (V 15b-16). Predigte_er aus eigener
Initiative, verdiente er sich eine Belohnung (V 17a). Da aber Verkündigen ἀνάγκη für Paulus ist, muß er predigen und erhält dafür keinen
Lohn. Aber selbst wenn er nicht aus freien Stücken verkündigt, sondern
als einer, der mit einem Dienst betraut ist, meint Paulus einen Lohn zu
erhalten[107]. Sein Lohn besteht darin, daß er durch sein kostenloses
Verkündigen seine Autorität im Evangelium nicht "aufbrauchen"[108] muß.
Wieso aber ist das ein Lohn?

Über diese Frage wird in der Forschung viel spekuliert. Nach A.Robert-
son und A.Plummer ist der Lohn "the delight of preaching without
pay"[109]. Nicht wesentlich anders Allo, der Sickenberger folgend, den
Lohn wie folgt beschreibt: "'La récompense réside dans l'œuvre elle-
même', dans la qualité spéciale qu'il a conscience de donner à son
œuvre; exemple de noblesse et de désintéressement héroïque!"[110] Dagegen will E.Käsemann das Moment des Schicksals stärker betonen und
sieht das Grundproblem des Abschnittes in der folgenden Frage: "Wie
kann der vom Evangelium geradezu schicksalhaft zum Dienst [G]ezwun-
gene zugleich der Liebende sein und bleiben?"[111] Der Lohn besteht anscheinend darin, daß sein Schicksal ihn zugleich aktiv in den Gehorsam
und in die Liebe stellt[112]. W.Pesch versteht den Lohn, analog καύχημα
in V 15, darin, daß sich Paulus als Beispiel des Verzichts vor der Gemeinde rühmen kann; Pesch bestreitet dabei jegliche Beziehung auf das
Endgericht oder auf eine besondere göttliche Belohnung[113].

Gegen all diese spekulativen Erklärungen schreibt Conzelmann trocken:
"Da Paulus in dem ἵνα-Satz seinen Lohn erschöpfend definiert, kann man
nicht abseits dieser in sich geschlossenen Aussage nochmals fragen, worin
er seinen Lohn finde"[114]. Doch versteckt sich implizit in der negativen
Aussage (εἰς τὸ μὴ καταχρήσασθαι) eine positive Aussage: "damit ich meine
Autorität aufbewahre". Es ist nun deswegen erlaubt, weiterzufragen, wozu Paulus seine Autorität aufbewahrt, weil V 19 eben diese Frage beantwortet: Er bewahrt sie auf, damit er mehr Menschen[115] als im anderen
Falle gewinnt. Wir wissen auch von anderen Stellen, daß es Teil der paulinischen Missionsstrategie war, keine finanzielle Last bei den Gemeinde-

gründungen zu sein (2Kor 11,9-10; 12,13; 1Thess 2,6-9; vgl. Phil 4,15-16)[116]. Daß eine größere Zahl von standhaften Bekehrten im Sinne des Paulus einen "Lohn" für ihn ausmacht, kann ferner im Lichte von Texten wie 1Kor 3,8.14, wo sogar das Wort μισθός wieder gebraucht wird, und 1Thess 2,19 nicht bezweifelt werden.

Dementsprechend ist also V 19 - worauf schon das oft übergangene γάρ hindeutet - nicht von V 18 zu trennen. Der Sinn von ἐλεύθερος ist demgemäß "finanziell frei bzw. unabhängig"[117]. Der Gedanke ist: Ich lege das Evangelium anderen kostenlos vor, so daß ich meine Autorität aufbewahre. Denn als einer, der frei (finanziell unabhängig) von allen ist, habe ich mich allen zum Sklaven gemacht. Mit völlig intakter Autorität und Unabhängigkeit kann ich mehr Leute gewinnen[118]. Auf dieser finanziellen Freiheit gründen aber andere Arten von Freiheit, wie eben V 20-22 ausführen. Indem Paulus seine finanzielle Unabhängigkeit bewahrt, ist er frei, allen alles zu werden (V 22).

Nun ist Paulus nicht der einzige Vertreter dieser Gedanken in der antiken Welt gewesen. Berühmtestes Beispiel für Verzicht auf Belohnung in der Antike war Sokrates, und solcher Verzicht war seit Sokrates "ein bekannter Topos", der besonders unter einem Flügel der Kyniker gepflegt wurde[119]. Was auffällt, wenn man von 1Kor 9 herkommt, ist, daß auch in dieser sokratischen Tradition Freiheit mit finanzieller Unabhängigkeit verbunden wird. So schreibt Xenophon Memorabilia 1,2,5-7:

οὐ μὴν οὐδ' ἐρασιχρημάτους γε τοὺς συνόντας ἐποίει. τῶν μὲν γὰρ ἄλλων ἐπιθυμιῶν ἔπαυε, τοὺς δὲ αὐτοῦ ἐπιθυμοῦντας οὐκ ἐπράττετο χρήματα. τούτου δ' ἀπεχόμενος ἐνόμιζεν ἐλευθερίας ἐπιμελεῖσθαι· τοὺς δὲ λαμβάνοντας τῆς ὁμιλίας μισθὸν ἀνδραποδιστὰς ἑαυτῶν ἀπεκάλει διὰ τὸ ἀναγκαῖον αὐτοῖς εἶναι διαλέγεσθαι παρ' ὧν [ἂν] λάβοιεν τὸν μισθόν. ἐθαύμαζε δ' εἴ τις ἀρετὴν ἐπαγγελλόμενος ἀργύριον πράττοιτο καὶ μὴ νομίζοι τὸ μέγιστον κέρδος ἕξειν φίλον ἀγαθὸν κτησάμενος, ἀλλὰ φοβοῖτο μὴ ὁ γενόμενος καλὸς κἀγαθὸς τῷ τὰ μέγιστα εὐεργετήσαντι μὴ τὴν μεγίστην χάριν ἕξοι.

Auch geldgierig machte er seine Anhänger nicht, denn er brachte sie von den Begierden überhaupt ab. Wer aber Wert auf den Umgang mit ihm legte, von dem nahm er kein Geld. Dadurch glaubte er unabhängiger zu sein. Er nannte Männer, die aus ihrer Lehrtätigkeit ein Geldgeschäft machten, Verkäufer der Freiheit ihrer Person, weil sie sich gezwungenermaßen mit allen unterreden müßten, von denen sie Geld genommen hätten.
Er fand es auch sonderbar, daß jemand, der Unterricht in der Tugend ankündige, dafür Geld nähme und nicht wisse, daß er den größten Gewinn habe, wenn er sich einen tüchtigen Freund gewinne, vielmehr fürchte, der herangebildete Schüler werde für seinen größten Wohltäter nicht die wärmste Dankbarkeit hegen (Bux).

Wir haben diesen Passus ausführlich zitiert, da er eine Fundgrube für einen Vergleich mit 1Kor 9 darbietet. Folgende Parallelen sind auffällig:

(1) Sowohl für Paulus als auch für Sokrates mündet die Ablehnung der Belohnung in die Freiheit. (2) Diese Freiheit besteht für beide darin, umgehen zu können, mit wem sie wollen. (3) Der Gewinn (κέρδος) liegt für beide in den neuen Genossen (für Sokrates: φίλοι; für Paulus: Christen)[120]. Dasselbe Freiheitsverständnis findet sich wiederholt z.B. bei Xenophon Apologia 16, wo Sokrates fragt: τίνα δὲ ἀνθρώπων ἐλευθεριώτερον, ὃς παρ᾽ οὐδενὸς οὔτε δῶρα οὔτε μισθὸν δέχομαι; "Wer von den Menschen ist so frei wie ich, da ich von niemand Geld oder Lohn nehme?" (Bux). Ein Zeugnis für diese Tradition zur Zeit des Paulus bietet Musonius Fr 11 (Hense 59,9-11): ἐλευθεριώτερον αὐτὸν αὑτῷ μηχανᾶσθαι τὰ ἀναγκαῖα ἢ παρ᾽ ἑτέρων λαμβάνειν; "Ist er [der Mensch] nicht mehr wie ein Freier, wenn er sich selbst das Lebensnotwendige erwirbt, als wenn er es von anderen empfängt?" (vgl. auch Fr 11 [Hense 58,7-9]). Ferner gibt uns Lukian De mercede conductis eine ausführliche, beeindruckende Darstellung des Verlustes der ἐλευθερία durch die Annahme eines μισθός. Diese Parallelen ermöglichen uns, sowohl im allgemeinen als auch im Hinblick auf die Freiheitsaussagen in 1Kor 9 den in letzter Zeit wiederholt vorgetragenen Schluß zu bestätigen, daß Paulus an diesem Punkt seiner missionarischen Arbeit (nämlich seinem Streben nach finanzieller Selbständigkeit) von der sokratischen Tradition abhängig ist[121].

Nun gleicht aber im obigen Zitat nicht alles den Aussagen des Paulus. Vor allem findet sich in dieser "sokratischen Tradition" keine Parallele zur paulinischen Aussage in V 19: "Ich habe mich zum Sklaven aller gemacht". Sokrates meinte, er sei der freieste aller Menschen, da er keinen Lohn und keine Geschenke annehme[122]. Nicht er, sondern andere, die einen Lohn akzeptieren, seien Sklaven (Xenophon Memorabilia 1,2,6; vgl. 1,5,6: "Er meinte nämlich, wer von dem ersten Besten Geld nehme, setze einen Herrn über sich und begebe sich in eine Knechtschaft [δουλεύειν δουλείαν], die schimpflicher sei als jede andere" [Bux]; vgl. noch 1,6,5). Wie ist dieser paulinische Gedanke religionsgeschichtlich zu erklären?

Fragte man Paulus, woher dieser Gedanke stamme, so hätte er höchstwahrscheinlich auf das Beispiel des Christus hingewiesen, denn genau das tut er in 11,1, nachdem er in den vorangehenden Versen (10,32-33) dieselben Gedanken wie in 9,19-22 wiederholt:

> Ob ihr nun eßt oder trinkt oder was ihr auch tut, das tut alles zu Gottes Ehre. Gebt keinen Anstoß, weder den Juden noch den Griechen noch der Gemeinde Gottes, so wie auch ich jedermann in allem zu Gefallen lebe und nicht suche, was mir, sondern was vielen dient, damit sie gerettet werden. Folgt meinem Beispiel, wie ich dem Beispiel Christi! (10,31-11,1; Lutherbibel)

Daß wir 11,1 zu Recht mit 9,19 in Zusammenhang bringen, wird ferner durch die parallele Stelle in Röm (15,3; vgl. die Analyse oben S.39) bestätigt. Dort wird direkt auf das Beispiel des Christus als Maßstab für die Rücksicht der Starken auf die Schwachen verwiesen. 2Kor 8,9 ist ein weiteres Zeugnis für die Wichtigkeit dieser Nachahmungsidee im

Denken des Paulus. Sind diese Stellen auch später entstanden als 1Kor 11,1, so bezeugt 1Thess 1,6, daß die Nachahmung des Christus schon ein Stück der früheren paulinischen Theologie bildete. Da also der Imitatio-Gedanke fester Teil[123] der paulinischen Theologie zur Zeit des 1Kor war und da Paulus auch spezifisch von einem Sich-Versklaven des Christus (Phil 2,7) weiß, könnte 1Kor 9,19-22 die Aufnahme eines offenbar aus der sokratischen Tradition stammenden Freiheitsverständnisses in den Nachahmungsgedanken reflektieren. Jedenfalls stehen beide Gedanken an dieser Stelle in enger Verbindung miteinander.

Aber selbst in jenem als möglich hingestellten Fall bleibt die Frage noch immer bestehen, wieso Paulus gerade Freiheit mit einem Sich-Versklaven bzw. mit der Selbstopferung Christi in Verbindung setzen konnte[124]. Bildet diese Verbindung den Kern von dem, was man nicht ohne Recht die Dialektik[125] bzw. Paradoxie[126] des paulinischen Freiheitsverständnisses nennen kann, so wird die Wichtigkeit dieser Frage noch weiter erhöht. Die Freiheit konkretisiert sich hier für Paulus im Dienst am anderen[127]. Ist diese Vorstellung irgendwie aus der Bedeutungsgeschichte der Vokabel "Freiheit" zu erklären?

Überblickt man die Geschichte der Vokabel "Freiheit" in der Antike, so ist zuweilen ein gewisses Unbehagen an diesem Begriff zu bemerken; in diesen Fällen findet der Aspekt des Dienstes stärkere Betonung. Bekanntlich hat Platon manchmal mit Skepsis von der Freiheit gesprochen[128]. Für ihn war "Freiheit nicht das letzte Wort, sondern Zwischenbestimmung für das eigentliche Sein der Polis, ihr Durchwaltetsein vom göttlichen Nous, wie es in ihren Nomoi zum Ausdruck kommt. Platon hat den Anspruch der Sophisten, in der Herausforderung der Freiheit den Ruf Gottes zu vernehmen, als gottlos bestritten und den göttlichen Anspruch im ewigen Führen des Geistes behauptet" (Nestle)[129]. "Dem politischen Freiheitsideal seines Volkes stand also Plato mit unverhohlener Abneigung gegenüber" (Pohlenz)[130]. Statt "Freiheit" wollte Plato ἡ θεῷ δουλεία als Ideal einführen, wo θεός gleich νόμος ist[131].

Sieht man also bei Platon die Tendenz, einen Überdruß an Freiheit durch einen neuen Dienst zu ersetzen (wo also Freiheit nicht das letzte Wort blieb), so wurde von dem älteren Zeitgenossen Platons Euripides der Versuch unternommen, Freiheit und Dienst zu einer dialektischen Einheit zu verbinden. So betont Euripides z.B. in Heraclidae und Supplices die mit der athenischen Freiheit verknüpften sozialen und politischen Pflichten. In Heraclidae wird dargestellt, wie Athen allein die von Ort zu Ort geflohenen Iolaos, Alkmene und Kinder vor der rohen Macht von Argos schützt. Gibt Athen dieser Macht (βία) nach, so ist Athen nicht mehr ein freies Land (243-246, 197-198). Das Bewahren der Freiheit verlangt also laut Euripides den Mut, solch roher Macht zu widerstehen. Eine ähnliche Darstellung der mit Freiheit verbundenen Pflichten bringt Supplices, diesmal aber mit einer ausführlichen Diskussion der Schwäche und Stärke der athenischen Demokratie (399ff)[132]. Euripides legt dar, daß Athen verpflichtet ist, zu kämpfen, um das panhellenische Gesetz aufrechtzuerhalten (τὸν Πανελλήνων νόμον σῴζων; 526-527, vgl. 538), auch wenn die Übertretung dieses Gesetzes Athen nicht direkt angeht.

Auch auf andere Weise hat Euripides die mit der Freiheit verbundene Pflicht illustriert. Besonders eindrucksvoll sind die Darstellungen, wie sich Personen freiwillig und um der Freiheit willen in den Tod geben. Wenn auch die Wendung ἐλευθέρως θανεῖν nur einmal in den erhaltenen Werken des Euripides auftaucht (Heraclidae 559)[133], so schreibt aber trotzdem D.Nestle nicht ohne Recht: "Das Motiv dieses ἐλευθέρως θανεῖν hat Euripides unaufhörlich beschäftigt"[134].

Nun ist die Motivation des freiwilligen Todes bei Euripides nicht immer dieselbe. Es kann zwischen freiwilligem Tod aus persönlichen und aus patriotischen Gründen unterschieden werden[135]. In Hecuba (550-552), Troades (301-303) und Orestes (1169-1171) machen sich Menschen bereit zu sterben, weil sie nicht als Sklaven sterben (oder weiterleben) wollen. In Heraclidae, Iphigenia Aulidensis und Phoenissae dagegen geschieht die freiwillige Wahl des Todes (hier immer Opfertodes) aus rein patriotischen Gründen. So kann nur Makarias freiwilliger Opfertod sowohl die Forderung der Götter nach einem Opfer erfüllen (und dadurch den Sieg für Athen sichern) als auch das Gesetz aufrechterhalten (Heraclidae 411-424)[136]. Ähnlich sichert der freiwillige Opfertod der Iphigenie die Freiheit Griechenlands (1273, 1384). Auch Menoikeus will sich - trotz des Flehens seines Vaters - freiwillig töten, um durch sein Opfer seinem Land die Freiheit zu schenken (Phoenissae 1009-1014).

Die Forschung hat gezeigt, daß Euripides selbst für die Einführung bzw. Fortentwicklung des Motivs des freiwilligen Opfertodes verantwortlich ist[137]. Euripides hat nämlich alte Sagen aufgenommen, die von einem verlangten Menschenopfer erzählten, und sie insofern umgewandelt, als er die psychologische Entwicklung der zu opfernden Person auf die freiwillige Annahme des eigenen Todes hin in den Mittelpunkt seiner Schauspiele gestellt hat. Dadurch werden die Opfer (Jungfrauen und junge Knaben) zu Helden, und so "wird die heldenmütige Aufopferung ganz besonders gesteigert"[138]. Der Zweck dieser Szenen ist didaktischer Art: Euripides vermittelt seinen Zuschauern darin Beispiele von Tapferkeit. So schreibt Nestle zu Heraclidae mit Recht: "Makaria ist nicht heroische Ausnahme, sondern Typos, Typos des Menschen, der dem Dikaion folgt, des Politen also"[139].

Betreffs des Ursprungs dieser Gedanken scheint Alcestis - eines der frühen Schauspiele des Euripides (438 v.Chr.)[140] - aufschlußreich zu zu sein. Hier war der Entschluß der Alkestis, stellvertretend für ihren Mann zu sterben, Euripides schon in der Vorfabel vorgegeben[141]. In diesem früh geschriebenen Schauspiel steht nun nirgendwo ein ἐλευθερ-Wort in Verbindung mit Alkestis' freiwilligem Tod. Gerade das Umgekehrte ist der Fall. Euripides hebt ausdrücklich hervor, daß im Unterschied zu allen Blutsverwandten des Admetos nur seine Frau Alkestis bereit ist, für Admetos zu sterben (644-647). Der Vater, Pheres, argumentiert, daß er für Admetos nicht sterben will, gerade weil er frei und griechisch ist:

Weißt du denn nicht, daß ich Thessaler bin, echtbürtig
und frei [γνησίως ἐλεύθερον], und daß mein Vater auch Thessaler war?
....
Ich zeugte dich als Herrn des Hauses, zog dich auf,
doch brauche ich für dich zu sterben nicht; denn von
den Ahnen übernahm ich nicht den Brauch, daß Väter
für ihre Kinder sterben, auch nicht von den Griechen.
....
Du sollst für mich nicht sterben - ich auch nicht für dich!
(Alcestis 677-678, 681-684, 690 [Ebener])

Dieser Kontrast zu einer angeblich griechischen Freiheit ist kaum zufällig. Vielmehr ist anzunehmen, daß Euripides hier gegen eine populäre
Auffassung kämpft, die Freiheit individualistisch verstand. Da der freie
Entschluß der Alkestis in der Fabel vorgegeben war, ist es sehr wohl
möglich, daß Alcestis den Ursprung des euripideischen Motivs vom
"freiwilligen Opfertod" verrät: Es ist aus dem Kampf gegen eine individualistisch verstandene Freiheit entstanden.

Was uns hierbei besonders interessiert, ist die enge Verbindung zwischen
diesen Aufopferungen und der Freiheit. Die Aufopferungen sind nicht nur
freie Taten, sondern vermitteln auch anderen die Freiheit (Iphigenia Aulidensis 1273, 1384; Phoenissae 1012). Zusammenfassend läßt sich sagen,
daß Euripides die höchste Tat der Freiheit gerade in der freiwilligen Aufgabe des eigenen Rechtes auf Leben zugunsten anderer sieht. Besteht also hierin eine Parallele zu den paulinischen Ausführungen in 1Kor 9, wo
Paulus die Aufgabe der Inanspruchnahme seiner Rechte zugunsten anderer
anführt, um seine Leser zu überzeugen, daß er wirklich frei sei, so bleibt
dennoch zu fragen, ob es zutreffend ist, überhaupt von euripideischen
Einflüssen auf Paulus zu reden.

Wir können von den folgenden allgemeinen Feststellungen ausgehen: "Euripides hat in Hinsicht auf Themen, Motive und Problematik die hellenistische Literatur wie kein anderer beeinflußt und bestimmt" (Köster)[142].
"Die gebildeten Römer des ersten Jahrhunderts vor und nach Christus
führten Euripidesverse im Mund" (Schmid und Stählin)[143]. Fragen wir,
ob das Motiv des freiwilligen Opfertodes Nachwirkungen gehabt hat, so
gibt F.Schwenn Auskunft:

> Mag man auch die Euripideischen Menschenopfer häufig als bloße
> Äußerlichkeiten, als Aufputz ansehen, Tatsache ist jedenfalls, daß
> sie in ihrer Wirkung außerordentlich groß waren ...
> Seine Behandlung des Menschenopfers [hat] auf die Dichter der
> Nachwelt eingewirkt: die späteren haben sich nicht nur seiner
> Motivierung angeschlossen, sondern haben auch neue Menschen-
> opfer erdichtet[144].

J.Schmitt hat die Nachwirkungen der einzelnen sich mit freiwilligem Opfertod befassenden Dramen dokumentiert und dadurch das Urteil von Schwenn
völlig bestätigt[145]. Als Beispiele für die uns interessierende Zeit seien hier

Ovid und Seneca erwähnt. "Eine vollkommene Nachbildung der euripideischen Polyxenaszene gibt Ovid in den Metamorphosen XIII 428ff."[146]
(hier mit zusätzlichem Nachdruck auf dem freiwilligen Tod; vgl. Z 467-
469, die keine Parallele in Euripides haben). "Unverkennbar ist auch
der eurip. Einfluß in Senecas Troades"[147]. Um Paulus ein bißchen näher zu kommen, können wir auf Philo Quod omnis probus liber sit 116
verweisen, wo die entscheidenden Zeilen über die Selbstopferung der
Polyxena zitiert werden. Ob Paulus das Theater besuchte, wissen wir
freilich nicht.

> Überhaupt besitzen wir nur wenige Zeugnisse über jüdische Teilnahme
> am Theater. So haben wir von dem Theater in Milet eine aus der Kai-
> serzeit stammende Sitzplatzinschrift, die lautet: "Platz der Juden, die
> auch Gottesfürchtige heißen"[148]. Von euripideischem Einfluß auf die
> Juden ist Ezechiel der Tragiker Zeuge. Aus den erhaltenen Fragmen-
> ten seines Werkes wissen wir, daß es Euripides war, "quem in dramate
> componendo Ezechiel praecipue imitatus est"[149].

Wichtiger für uns ist folgender Augenzeugenbericht Philos, der die be-
geisterte Reaktion der Zuschauer beschreibt, als die Schauspieler bei der
Aufführung eines euripideischen Dramas an eine Stelle kamen, wo die Freiheit gelobt wird:

> Vor einiger Zeit führten Schauspieler eine Tragödie auf, und als
> sie die Euripideischen Trimeter sprachen: "Der Name der Freiheit
> wiegt alles auf, und hat einer wenig, soll er glauben, Großes zu
> haben", sah ich, daß alle Zuschauer vor Begeisterung aufsprangen.
> Sie übertönten mit ihren Stimmen die Schauspieler, riefen fortwäh-
> rend Beifall und verbanden damit das Lob dieses Spruches und auch
> das Lob des Dichters, der nicht nur die Freiheit auf Grund ihrer
> Werke, sondern sogar ihren Namen verherrlichte.
>
> (Quod omnis probus liber sit 141 [Cohn];
> vgl. Nauck Fr 275,3-4)[150]

Man wird sich kaum des Eindrucks entziehen können, daß zur Zeit des
Paulus das euripideische Freiheitsverständnis höchst aktuell war.

Es gibt aber auch einen anderen Grund, mit (mittelbarem oder unmittel-
barem) euripideischem Einfluß auf Paulus zu rechnen. In letzter Zeit ist
gegen E.Lohse und H.-W.Surkau u.a.[151] von S.K.Williams überzeugend
dargelegt worden, daß in der jüdischen Tradition erst im 4.Makkabäer-
buch von stellvertretendem Sterben zugunsten anderer gesprochen werden kann, wobei griechisch-hellenistische Ideen, so wie wir sie in Euripides' Dramen gefunden haben, "an essential catalyst for the interpretation of the martyrs' deaths" waren[152]. An dieser Stelle brauchen
wir nicht alle Einzelheiten seiner Argumentation zu wiederholen, wie z.B.,
daß Jesaja 53 in der jüdischen Tradition vom 5.Jahrhundert v.Chr. bis
zum Ende des 1.Jahrhunderts n.Chr. anscheinend nie als Darstellung
stellvertretenden Leidens verstanden wurde[153], oder daß, entgegen einer
verbreiteten Meinung[154], die Idee eines stellvertretenden Todes dem Judentum vor dem Jahre 70 nicht geläufig war[155]. Wir wollen nur ein paar

weitere Stützen für diese These liefern[156]. Paulus hat nämlich die Freiwilligkeit der Selbstopferung des Christus besonders betont: "Obwohl er
reich war, wurde er doch arm um euretwillen, damit ihr durch seine Ar-
mut reich werdet" (2Kor 8,9). "Denn auch Christus hat nicht für sich
selbst gelebt" (Röm 15,3). Zu vergleichen ist ferner Phil 2,6-11, wo gesagt wird, daß Christus die Gestalt eines Sklaven angenommen hat. In
dieser Tendenz zur Betonung der Freiwilligkeit der Selbstopferung des
Christus besteht also eine Ähnlichkeit zum Vorgehen des Euripides (und
seiner Nachahmer). Eine weitere Parallele zu Euripides ist möglicherweise
in dem Verständnis von Christus als einem Schöpfer der Freiheit zu finden. Genau wie Iphigenie durch ihre freiwillige Selbstopferung Griechenland befreit (Iphigenia Aulidensis 1273, 1384) oder Menoikeus durch seine
freiwillige Selbstopferung sein Land befreit (Phoenissae 1012), so wird
auch Christus als ein Befreier verstanden (1Kor 7,22; Gal 5,1), wobei
im Lichte dieses religionsgeschichtlichen Hintergrundes vielleicht der Tod
Christi als die freimachende Tat zu begreifen ist. Dieser Hintergrund[157]
macht also verständlich, warum Paulus versuchen konnte, seine Freiheit
unter Hinweis auf sein Sich-selbst-Versklaven zugunsten anderer zu illustrieren und verherrlichen, und warum er gerade dabei das Beispiel des
Christus im Auge hatte (11,1).

Blicken wir jetzt auf die vorangehenden Erörterungen zum Freiheitsverständnis in 1Kor 9 zurück! Wir haben gesehen, daß sich Paulus Topoi
aus der sokratischen Tradition bedient, die er mit einem auf Euripides
zurückgehenden Freiheitsverständnis verbindet: Paulus sichert seine Freiheit ab, indem er sich finanziell unabhängig von anderen hält (sokratische Tradition). Seine Freiheit ist aber um so hervorragender, da er sie
benutzt, um sich selbst zugunsten anderer zum Sklaven zu machen (euripideische Tradition mit Hinweis auf das Beispiel des Christus).

In dieser Darstellung der Freiheit des Paulus fällt nun auf, daß die hier
beschriebene Freiheit nicht in Kreuz und Auferstehung Christi oder in
anderen Heilsfaktoren wie Taufe oder Abendmahl gründet. Vielmehr erwirbt Paulus seine eigene Freiheit durch sein Handwerk, obwohl er sicherlich letzten Endes auch diesen Besitz der Gnade Gottes (seinem besonderen χάρισμα?) zuschreiben würde. Merkwürdig ist ferner, daß diese Freiheit in keiner Verbindung mit der Freiheit vom Tode steht. Man wird hier
auch keine Verbindung mit der Freiheit vom Fluch des jüdischen Gesetzes
(etwa im Sinne von Röm 8,2) sehen können. Paulus beschreibt sich selbst
als ἐλεύθερος ἐκ πάντων, nicht etwa als ἐλευθερωθεὶς ἀπὸ τοῦ νόμου. So repräsentieren die Beispiele in V 20-21 nur die Kategorien, anhand deren Paulus sonst die Menschheit unterteilt (vgl. etwa 1Kor 1,22-24; 10,32; 12,13;
Gal 3,28; Röm 1,16; 2,9-12; 3,9; 9,24; 10,12). Paulus versichert zwar,
daß er nicht unter dem Gesetz ist (V 20), gleichwie er nicht ἄνομος ist
(V 21), aber diese Aussagen wollen nur bezeugen, daß Paulus in all diesen Beziehungen von den verschiedenen Menschengruppen (ἐκ πάντων) in-
nerlich frei geblieben ist. Wie Epiktet (4,1,89-90) oder Diogenes laut der
Beschreibung von Maximos von Tyros (36,5-6) weiß sich Paulus allein an
Gott und sein Gesetz gebunden. Epiktets Beschreibung von Diogenes'

φιλανθρωπία paßt fast genau zum Verhalten des Paulus: Διογένης δ' οὐκ ἐφίλει οὐδένα ...; ἀλλ' ἐφίλει πῶς; ὡς τοῦ Διὸς διάκονον ἔδει, ἅμα μὲν κηδόμενος, ἅμα δ' ὡς τῷ θεῷ ὑποτεταγμένος ("Hat Diogenes niemanden geliebt ...? Aber wie hat er geliebt? Als geziemte einem Diener des Zeus: Zugleich bekümmert als auch Gott untertan", 3,24,64-65)[158]. Ja, alles, was Diogenes litt, litt er für das gemeinsame Gute der Menschen (ὑπὲρ τοῦ κοινοῦ τῶν ἀνθρώπων, 3,24,64). Aus dieser Untersuchung des in 1Kor 9 vorgetragenen Freiheitsverständnisses ergibt sich also ein Resultat, das schlecht mit der gewöhnlichen Dreiteilung des paulinischen Freiheitsbegriffs (Freiheit von Gesetz, Sünde und Tod) zusammenpaßt. Wir haben zwar die Quellen erkannt, aus denen Paulus dieses Freiheitsverständnis schöpfte; dabei war eine christliche Begründung dieser Freiheit nicht zu erkennen. Zwar wies Paulus auf das Beispiel des Christus hin, aber nur, um Argumente zu stützen, deren sich jeder Popularphilosoph hätte bedienen können (und einige sich bedient haben).

Nun ist es möglich, daß Paulus einmal so und einmal anders von der Freiheit geredet hat. Vergleichen wir den Freiheitsgedanken in 1Kor 9 mit dem in 1Kor 7,22, so sehen wir sowohl eine Gemeinsamkeit als auch einen Unterschied. Der Unterschied besteht darin, daß 1Kor 7,22 vorauszusetzen scheint, daß Christus der Befreier, der Begründer und Garant der Freiheit des christlichen Sklaven ist. Hier also liegt im Unterschied zu 1Kor 9 eine christologische Begründung der Freiheit vor. Gemeinsam ist den beiden Stellen ein Verständnis der Freiheit als Freiheit von Menschen (d.h. menschlichen Urteilen). Freilich war das für 1Kor 7,22 nicht mit absoluter Sicherheit festzustellen, sondern mußte aus dem folgenden Vers erschlossen werden. Wir haben jedenfalls anhand von 1Kor 9 eine paulinische Verwendungsweise des Begriffs "Freiheit" klar umgrenzt; sie verrät eine tiefergehende Bekanntschaft des Paulus mit hellenistischen popularphilosophischen Diskussionen über Freiheit. 1Kor 9 steht jedoch inmitten einer Diskussion über geweihtes Fleisch. Wir wollen jetzt zu dieser größeren Diskussion zurückkehren, um das dort enthaltene Freiheitsverständnis und sein Verhältnis zu dem in 1Kor 9 (und 1Kor 7,22) zu klären.

3.3.3 ἐλευθερία und geweihtes Fleisch

In der Zusammenfassung seiner Ausführungen zur Frage des geweihten Fleisches kommt Paulus zu einer weiteren Aussage über die Freiheit (10,29). Da diese Aussage, im Gegensatz zu 9,19, unmittelbar mit dem Problem des geweihten Fleisches verbunden ist, steht zu erwarten, daß die Untersuchung dieses Verses Licht sowohl auf den Zusammenhang des in Kap.9 vorgetragenen Freiheitsverständnisses mit der Frage des geweihten Fleisches als auch auf den Übergangsvers 9,1a werfen wird.

Vergegenwärtigen wir uns zuvor kurz den Zusammenhang der Freiheitsaussage in V 27-31 (vgl. die Gliederung oben S.41)! Nachdem Paulus ein allgemeineres Prinzip für den täglichen Umgang mit dem Problem des geweihten Fleisches aufgestellt und begründet hat (V 25-26), führt er zwei spezifischere, hypothetische Situationen vor Augen und gibt jeweils ein auf diese Situationen bezogenes paränetisches Gebot: Wenn Christen von einem Ungläubigen zum Essen eingeladen werden und sie hingehen wollen, dann sollen sie alles essen, was ihnen vorgelegt wird, ohne wegen des Gewissens nachzufragen[159]. Teile ihnen aber jemand mit, daß das Vorgelegte geweihtes Fleisch sei, dann sollen sie es mit Rücksicht auf den Auskunftgeber und das Gewissen nicht essen. Paulus meine aber: nicht mit Rücksicht auf das eigene Gewissen, sondern mit Rücksicht auf das des anderen. Daran schließt sich die Aussage über die Freiheit: "Denn wozu soll meine Freiheit von einem fremden Gewissen gerichtet werden? Wenn ich mit Dank teilnehme, warum sollte ich für das, wofür ich Dank sage, verleumdet werden?"

Um den Sinn dieses Passus richtig zu begreifen, haben die Kommentatoren vor allem versucht, die Identität des Auskunftgebers und des "anderen" zu bestimmen. Unter den Forschern, die hinter beiden Ausdrükken dieselbe Person sehen, sind die Auffassungen aufgrund folgender Argumente geteilt: Einerseits deutet der Gebrauch der Wortes ἱερόθυτον, statt εἰδωλόθυτον wie z.B. in 8,1, darauf hin, daß die gedachte Person ein Heide ist[160]. Andererseits ist es im Lichte des Arguments in 8,10-13, des Stichworts οἰκοδομεῖν in 10,23 und der Parallele in Röm 14,16 wahrscheinlich, daß Paulus Rücksicht auf den schwachen Bruder im Auge hat. Die gedachte Person wäre dementsprechend ein schwacher Christ[161]. Haben also beide Argumente Stützpunkte im Kontext, so sind andere Indizien vorhanden, die uns von einer Entscheidung zwischen diesen Alternativen zurückhalten. Zum einen gebraucht Paulus an dieser Stelle das unbestimmte Personalpronomen τις, das er selbst nicht näher definiert. Zum anderen führt V 32 deutlich über die Rücksicht lediglich auf den Mitchristen hinaus, denn dort gebietet Paulus, weder Juden noch Griechen noch der Kirche Gottes (Mitchristen) Anstoß zu geben. Aus diesen Gründen ist es geraten, die totale Unbestimmtheit des Mitteilenden und des anderen einfach stehenzulassen[162]. Dadurch erübrigen sich ferner die Gründe (nämlich die beiden oben referierten entgegengesetzten Argumente), die eine Unterscheidung zwischen dem Mitteilenden und dem "anderen" nötig machen[163]. Eine solche Unterscheidung ist schon deswegen nicht überzeugend, weil sie die enge syntaktische Verbindung zwischen den beiden letzten Gliedern in V 28 (beide sind durch dasselbe διά regiert) lösen muß.

Das einzige, was wir über den unbestimmten anderen erfahren, und somit die für die Logik des Arguments allein notwendige Information über seine Person erhalten wir aus seiner Aussage: "Dies ist geweihtes Fleisch". Durch seinen Hinweis macht der Mitteilende den Christen klar, daß dieses geweihte Fleisch irgendeine[164] Bedeutung für ihn trägt. Diese Aussage gibt dem bisher als Adiaphoron geltenden Fleisch eine neue Bedeutung (vgl. 10,19-20; 8,7). Essen die Christen dieses Fleisch jetzt, dann essen sie etwas, das in den Augen eines anderen als "geweiht" gilt. Deswegen sollen sie sich des Fleisches enthalten.

Nun ist zu fragen, wie V 29b an das Vorangehende anknüpft[165]. Da V 29a
lediglich eine Spezifizierung des Verbots in V 28 bringt, nämlich eine nähere Bestimmung des dort gebrauchten Wortes συνείδησις, wird man nicht
geneigt sein, zwischen V 28 und V 29a scharf zu trennen. Doch hebt Paulus durch diese Spezifizierung die Begründung für das Verbot deutlich
von dem Verbot selbst ab, so daß es möglich wäre, V 29b lediglich auf
V 29a zu beziehen. So will offensichtlich R.Bultmann V 29b auslegen, da
er paraphrasiert: "Würde ich meinen, um m e i n e s Gewissens willen
verzichten zu müssen, so hätte ich mich dem Urteil eines Anderen unterstellt und meine Freiheit preisgegeben"[166]. Dementsprechend muß das el-
liptische ἱνατί[167] etwa wie folgt ausgefüllt werden: "Denn welchen Zweck
sollte es haben, daß ich meine, meine Freiheit sei durch ein fremdes Gewissen determiniert?" Gegen eine solche Ergänzung spricht aber V 30, wo
der Akt des Essens deutlich als hypothetischer Fall gemeint und ausdrücklich als solcher erwähnt ist (εἰ ... μετέχω). Man wird daher denselben hypothetischen Fall in V 29b sehen und wie folgt ergänzen müssen: "Welchen
Sinn sollte es haben, daß ich esse und dadurch meine Freiheit unter das
Gericht eines fremden Gewissens fallen lasse?" Da das Essen hier als hypothetischer Gegensatz zum Nicht-Essen in V 28 aufgestellt wird, ist die
Begründung in V 29b auf das sich aus V 28-29a ergebende Verbot als
Ganzes zu beziehen: "Eßt nicht mit Rücksicht auf das Gewissen des ande-
ren."

Die Frage nach dem Inhalt und Sinn des Wortes ἐλευθερία in V 29b kann
jetzt gestellt werden. ἐλευθερία wird hier durch μου spezifiziert. Dadurch
erhalten wir ein Indiz für den Inhalt der hier gemeinten Freiheit. Das
μου bezieht sich auf ein "Ich", das geweihtes Fleisch ißt. Dieses "Ich" hat
ein Gewissen (V 29a), das es erlaubt, geweihtes Fleisch zu essen, selbst
wenn das Fleisch als solches bekannt geworden ist. Das "Ich" ist also ein
Christ, der im Gegensatz zu den Schwachen die Erkenntnis (γνῶσις) über
die Nichtigkeit der Götzen besitzt (8,4-7). Ißt er das Fleisch, dann setzt
er laut V 29b seine "Freiheit" dem Urteil eines fremden Gewissens aus.
Dadurch könnte laut V 30 das "Ich" selbst verleumdet werden. Besonders
bemerkenswert sind hier zwei mitschwingende Korrelate dieser Aussagen.
(1) Freiheit ist hier sehr eng mit der Identität der eigenen Person verbunden. Wird die Freiheit des Christen kritisiert, so wird zugleich seine
Person (sein "Ich") kritisiert. (2) Freiheit wird hier vorgestellt als ein
Besitz, nämlich als Freiheit, etwas tun zu dürfen. Noch spezifischer:
Freiheit ist hier das vom eigenen Gewissen gesetzte Dürfen, geweihtes
Fleisch zu essen. Hier ist also eine rein innerliche Freiheit anvisiert, die
im bloßen Wissen über das vom eigenen Gewissen Erlaubte (das Essen von
geweihtem Fleisch) besteht. Diese Freiheit kann sich in äußeren Taten
ausdrücken, besteht aber an sich schon in dem bloßen Wissen (vgl. Röm
14,22).

Nun korrespondiert mit dieser Idee der Freiheit deutlich der in Kap.9
vorgetragene Freiheitsgedanke. Auch dort war von einer innerlichen Freiheit die Rede: Paulus verhält sich äußerlich wie ein Jude, ein unter dem
Gesetz Stehender oder ein Gesetzloser, weiß sich aber dabei stets inner-

lich frei von den entsprechenden Normen. Ja, gerade durch diese radikale Verinnerlichung der Freiheit wird bewiesen, wie herrlich seine Freiheit ist.

Blicken wir jetzt zurück auf den Anfang der Erörterungen über die Freiheit (8,13-9,1a)! In 8,13 sagt Paulus, daß er auf das Essen von Fleisch (um so mehr von geweihtem Fleisch) für immer verzichten würde, damit er seinem Bruder keinen Anstoß gebe. Daraus folgt die Frage, ob denn Paulus nicht frei sei. Fragen wir nach dem Inhalt des Wortes ἐλεύθερος an dieser Stelle, so stellt sich eine Korrespondenz mit dem Freiheitsbegriff in 10,29b deutlich heraus: War hier die Freiheit verstanden als ein Dürfen, geweihtes Fleisch zu essen, so scheint genau von einer solchen Freiheit auch 9,1a die Rede zu sein. Man kann 9,1a wie folgt paraphrasieren: 'Besitze ich nicht das Dürfen, geweihtes Fleisch zu essen? Ist es mir von mir selbst aus nicht erlaubt, geweihtes Fleisch zu essen?' Um seine Freiheit zu bestätigen, führt Paulus sodann einen Freiheitsbegriff ins Feld, der gar nichts unmittelbar mit der Frage des geweihten Fleisches zu tun hat, sondern zunächst seine finanzielle Unabhängigkeit betrifft.

Wir können jetzt nach dem größeren Zusammenhang und dem Ursprung dieser Diskussion über die Freiheit fragen. Hinsichtlich des Ursprungs dieser Erörterungen über die Freiheit in dem Gespräch zwischen Paulus und den Korinthern stehen wir vor vier verschiedenen Möglichkeiten:

(1) Paulus führt hier zum ersten Mal (außer 7,22) das Thema "Freiheit" in sein Gespräch mit den Korinthern ein. Der Grund für die Einführung des Wortes wäre, daß der Begriff "Freiheit" ihm ermöglichte, die Verinnerlichung des Verhaltens darzustellen und zu verherrlichen.

(2) Paulus hat früher etwas über Freiheit gelehrt (beim Gründungsbesuch oder in seinem vorigen Brief) und nimmt hier auf diese früheren Erörterungen Bezug.

(3) Einige Korinther haben ein Wort der paulinischen Verkündigung ("Freiheit") aufgenommen und es mißverstanden oder verdreht. Sie haben dieses Wort in die Diskussion über das geweihte Fleisch betont wieder eingeführt (in ihrem Brief an Paulus).

(4) Einige Korinther haben das Wort "Freiheit" von sich aus oder unter dem Einfluß der von außen gekommenen Prediger neu in die Diskussion gebracht (in dem Brief an Paulus).

Nun war es im Lichte von 10,29b wahrscheinlich, daß ἐλεύθερος in 9,1a "frei, Götzenopferfleisch essen zu dürfen" bedeutet. Das wurde auch durch 8,13 bestätigt. Wie aber die Kommentare zeigen (s.o. S.44-45), ist der Sinn von ἐλεύθερος in 9,1a dem unbefangenen Leser unklar. Das Wort erscheint nur flüchtig und wird von Gedanken abgelöst, die sich nicht direkt mit der Frage des geweihten Fleisches beschäftigen. Diese Beobachtung schließt also die erste Möglichkeit aus, denn Paulus setzt deutlich voraus, daß die Korinther das Wort ἐλεύθερος sofort als ein Prädikat verstehen werden, das auf denjenigen paßt, der geweihtes Fleisch ißt.

Dementsprechend muß jetzt die zweite Möglichkeit etwas präziser formuliert werden: Paulus mußte die Korinther früher etwas über Freiheit in diesem spezifischen Sinn gelehrt haben. Was aber sowohl diese als auch die dritte Möglichkeit wenig wahrscheinlich macht, ist, daß Paulus, wo er näher auf die Freiheit in 9,6-23 eingeht, seine Gedanken aus ganz anderen, mit dem Inhalt seiner christlichen Verkündigung gar nicht zusammenhängenden Quellen schöpft. Diese Gedanken über die Freiheit hängen nicht mit der Frage des geweihten Fleisches zusammen, noch können sie die Quelle für den diese letzte Frage betreffenden Freiheitsbegriff darstellen. Zwar ist einerseits klar, daß Paulus in diesen Versen zu einem Beispiel aus einem anderen Gebiet greift, und zwar zu einem Beispiel, das auch ein aktuelles Thema in Korinth war (Paulus und der Unterhalt des Apostels). Daher ist es auf den ersten Blick nicht gänzlich befremdend, daß hier ein anderer Freiheitsbegriff vorkommt. Andererseits fungiert aber dieses Beispiel anders als nur eine Analogie aus einem anderen Gebiet, denn in V 19-23 ist dieser Freiheitsbegriff (finanzielle Unabhängigkeit) direkt auf die Frage des geweihten Fleisches angewendet (Stichwort: ἀσθενής). Paulus spricht von seiner finanziellen Unabhängigkeit als dem Grund seiner Freiheit: Er kann sich den Gesetzlosen wie auch den Schwachen anpassen. Das ist deutlich etwas anders als die Erkenntnis über die Nichtigkeit der Götzen als Grund, geweihtes Fleisch essen zu dürfen. Machen diese Beobachtungen die Möglichkeiten 2 und 3 wenig wahrscheinlich, so deuten sie auf die vierte Möglichkeit direkt hin: Einige Korinther haben das Wort "Freiheit" in die Diskussion über das geweihte Fleisch eingeführt. Paulus befürchtet sogar, daß einige Korinther ihn als einen Unfreien beurteilen (9,1a; auch das deutet darauf hin, daß Paulus die Korinther diesen Freiheitsbegriff nicht gelehrt hat)[168]. Daher greift er zurück auf die ihm geläufigen Gedanken über die Freiheit und legt seine Apologie dar. Obwohl seine Aussagen über die Freiheit offensichtlich anderen Quellen entstammen als einer Diskussion über das geweihte Fleisch, ist nicht zu übersehen, daß Paulus jene fremden Ideen mit Geschick in diese Frage einführt. Das von Paulus erzielte Endergebnis ist eine radikale Verinnerlichung der Freiheit[169].

3.4 ἐλευθερία in Korinth

Ist es also wahrscheinlich, daß unter einigen Christen in Korinth eine Freiheitslehre verbreitet wurde, so gilt es im folgenden, nach dem Inhalt und religionsgeschichtlichen Hintergrund dieser Lehre zu fragen. Sowohl der obige Forschungsüberblick als auch unsere eigenen Untersuchungen bis zu diesem Punkt haben gezeigt, mit welcher Vorsicht man nach einem solchen Freiheitsbegriff fragen muß. Nur zu leicht läßt sich "Freiheit" zur Floskel machen, mit deren Hilfe alles und jedes beschrieben werden kann. Wir wollen daher in bezug auf die Freiheitslehre jener Korinther entsprechend vorsichtig sein.

Wir gehen von der einzigen uns bekannten Information über die Freiheitslehre dieser Korinther aus: Freiheit war eng mit dem Essen von geweih-

tem Fleisch verbunden. Für diese Korinther war anscheinend, anders als
für Paulus, das Essen von geweihtem Fleisch einfach ein Zeichen der Freiheit und die Enthaltung davon ein Zeichen der Unfreiheit. Jedenfalls ist
es gerade eine solche Einstellung, die Paulus den Vorwurf in 9,1a fürch-
ten läßt[170]. Die nebenbei hinzugefügten Ausführungen des Paulus zur
Verteidigung seiner Verhaltensweise bezüglich des apostolischen Unter-
halts deuten ebenfalls auf diese Art des Denkens auf seiten einiger Korinther hin. Für diese Leute war offensichtlich einfach an den Taten eines Menschen abzulesen, wessen Geistes Kind er sei. Die Kritiker haben
anscheinend an den Taten des Paulus (seinem Verzicht auf Verlangen und
Annehmen des apostolischen Lohns) abgelesen, daß er kein Apostel sei.

Nun gründet sich diese auf das Essen von geweihtem Fleisch bezogene
Freiheit einiger Korinther offenbar auf eine Erkenntnis (γνῶσις), die in
8,4b wiedergegeben wird (οὐδὲν εἴδωλον ἐν κόσμῳ) und die mit dem "monotheistischen" Bekenntnis der Korinther zusammenhängt (8,4c)[171]: Sie waren frei, als sie geweihtes Fleisch aßen, da sie wußten, daß kein Götze
existiert und daß es keinen Gott außer einem gibt.

Ferner läßt sich aus 8,10 mit einiger Sicherheit schließen, daß einige
Korinther ihre Freiheit ἐν εἰδωλείῳ vollzogen haben. Daß dieser Fall nicht
rein hypothetisch ist, zeigt die ausführliche Behandlung einer auffällig
ähnlichen Situation in 10,1-22[172]. Die Umstände der in 8,10 angedeuteten
Situation sind jedoch nicht klar erkennbar. Daß es sich um ein "sacrificial
banquet"[173] handelt, ist nicht gesagt. Es hätte sich auch lediglich um einen rein gesellschaftlichen Besuch des Tempelrestaurants handeln können[174]. Auch die Motivation für diese Verhaltensweise kann nicht mit Sicherheit bestimmt werden. Daß der Besitzer der Erkenntnis das Gewissen
des Schwachen aufbauen wollte[175], ist möglich, aber unwahrscheinlich,
da er rein zufällig von dem Schwachen gesehen wird[176]. Allerdings ist
nicht zu verkennen, daß die Freiheit hier ein Kontrastbegriff zur Befan-
genheit des "Schwachen" ist und so ihre Bedeutung durch diesen Kontrast
erhält. Der Besitzer der Erkenntnis, der geweihtes Fleisch ißt, ist frei im
Gegensatz zu demjenigen, der die Erkenntnis nicht besitzt und geweihtes
Fleisch nicht ohne Schaden essen kann (8,9 bezeichnet solche Christen
als "die Schwachen"). Diese "Schwachen" sind diejenigen Christen, die
aus Gewohnheit geweihtes Fleisch als Götzenopferfleisch essen (8,7). Da
diese wohl nur Heidenchristen sein können[177], ergibt sich, daß diese
Freiheit (zumindest soweit wir sehen können) als Freiheit gegenüber
heidnischen Gewohnheiten verstanden wurde. Resultiert aus dieser Beobachtung also erneut ein kräftiger Schlag gegen die Ableitung dieser Frei-
heit von der "Freiheit vom jüdischen Gesetz"[178] (oder auch von der Frei-
heit vom Tode oder von der Sünde), so stimmt das hier vorliegende Freiheitsverständnis mit den anderen Freiheitsbelegen des 1Kor (7,22; 9,19-
22) überein, insofern allen ein Verständnis der Freiheit als Freiheit gegenüber menschlichen Urteilen gemeinsam ist. Inwieweit diese Korinther
ihr Freiheitsverständnis über die Frage des geweihten Fleisches hinaus
in anderen Lebensbereichen verwirklicht haben, läßt sich nicht feststellen, da wir keine weiteren Freiheitsbelege in 1Kor haben.

Daß sie "Freiheit" nicht auf die Frage des geweihten Fleisches begrenzt haben, ist aufgrund von 7,22 wahrscheinlich: Dort erwartet Paulus Verständnis für ein Freiheitswort, auch wenn es (anscheinend) nichts mit der Frage des geweihten Fleisches zu tun hat. Jedoch müssen Versuche, dieses breitere Freiheitsverständnis zu umgrenzen, zunehmend hypothetisch sein, denn sie müssen (1) "Freiheit" in Passagen finden, wo kein Freiheitswort vorliegt, und (2) daraus Rückschlüsse auf das Freiheitsverständnis einiger Korinther ziehen (also zwei hypothetische Schritte vollziehen). Es dürfte klar sein, daß man dabei kaum über bloße Möglichkeiten hinauskommen wird. Der am besten zu begründende nächste Schritt zur Umgrenzung des Freiheitsverständnisses dieser Korinther wäre wohl folgender: Man nehme mit der opinio communis der modernen Forschung an, πάντα ἔξεστιν (6,12; 10,23) sei ein Schlagwort derselben Gruppe von Korinthern gewesen[179]. Danach könnte wegen folgender Punkte eine Brücke zwischen dieser Formel und dem korinthischen Freiheitsverständnis, wie es in 8,1-11,1 reflektiert ist, aufgerichtet werden: (1) Die Freiheit, die sich im Essen von geweihtem Fleisch vollzieht, wird von Paulus auch als eine ἐξουσία bezeichnet (8,9). (2) πάντα ἔξεστιν taucht im Zusammenhang des Essens von geweihtem Fleisch auf, und zwar in dem Sinne, daß diese Formel eine Begründung für unterschiedsloses Essen von geweihtem Fleisch sei (10,23). (3) An das Vorkommen von πάντα μοι ἔξεστιν in 6,12 schließt sich eine Aussage über das Essen an (6,13). Aufgrund des Argumentationsgefälles in 6,12-14 ist es gut möglich, daß einige Korinther die "Freiheit" in bezug auf geweihtes Fleisch analog auf den Umgang mit der Sexualität übertragen haben[180]. Es ist also möglich (aber nicht wesentlich mehr als das), daß sie auch in diesem Fall von "Freiheit" gesprochen haben.

Wir können jetzt nach dem religionsgeschichtlichen Hintergrund dieses Freiheitsbegriffs fragen. Wir haben gesehen, daß jene Korinther "Freiheit" als Freiheit gegenüber menschlichen Urteilen verstanden haben, und zwar besonders gegenüber verbreiteten Meinungen über die Götter und ihre Kulte, gemäß denen geweihtes Fleisch besondere Bedeutung trug. Ihre Freiheit, dieses Fleisch zu essen, auch wenn es als solches bekannt geworden war, basierte offensichtlich auf ihrer neuen "monotheistisch" orientierten Erkenntnis.

Auffallende Ähnlichkeiten mit diesem Freiheitsbegriff zeigt nun insbesondere das kynische Freiheitsideal der römischen Zeit. Die Kyniker waren Gegner der öffentlichen Meinungen (δόξαι) auf allen Gebieten. Pseudo-Diogenes z.B. schickt seinem Vater folgenden Bericht über sich selbst in der dritten Person: ὀλίγοις ἀρκεῖται ὁ παῖς σου, ἐλεύθερος δέ ἐστι δόξης, ᾗ πάντες δουλεύουσιν Ἕλληνές τε καὶ βάρβαροι ("Dein Sohn ist mit wenig zufrieden und frei von öffentlicher Meinung, unter die alle, sowohl Griechen als auch Barbaren, versklavt sind", 7. Brief des Diogenes 1). Die Kyniker waren ferner Gegner der öffentlichen Meinung auf religiösem Gebiet. Sie haben wohl die von ihnen als Aberglaube beurteilten Religionen menschlichen Meinungen zugerechnet und ihre Freiheit als Freiheit von diesen Urteilen verstanden[181]. Zumindest ein Flügel der Kyniker hat die kynische Kritik an den Kulten - ähnlich wie einige Korinther - mit einer Art "Monotheis-mus" verbunden[182]. So lesen wir z.B. im 4. Brief des Herakleitos 2: ποῦ δ᾽ ἐστὶν ὁ θεός; ἐν τοῖς ναοῖς ἀποκεκλεισμένος; ... ἀπαίδευτοι, οὐκ ἴστε ὅτι οὐκ ἔστι θεὸς χειρόκμητος, οὐδὲ ἐξ ἀρχῆς βάσιν ἔχει, οὐδὲ ἔχει ἕνα περίβολον, ἀλλ᾽ ὅλος ὁ κόσμος αὐτῷ ναός ἐστι ... ("Wo denn ist Gott? Eingesperrt in Tempeln? ... O Unverständige, wißt ihr nicht, daß Gott nicht mit Händen geschaffen wurde, daß er nicht von Anfang an einen Sockel besitzt, daß er nicht ein umgrenztes Gebiet hat, sondern daß die ganze Welt ein Tempel für ihn ist ...?")[183]. Der Vergleich, den Aelius Aristides 3,671 zwischen den Kynikern und den "Gottlosen in Palästina" (wohl Juden und Christen[184]) hinsichtlich ihrer Kritik an den Göttern anstellt, wird von solchen Texten und von der modernen Forschung vollkommen bestätigt[185].

Nun ist "the earliest and best authenticated example of connexion between the Cynics and the Christians" der kynische Christ Peregrinus[186]. Es ist wohl mehr als reiner Zufall, daß Lukian folgende Erklärung für den Bruch des Peregrinus mit den Christen bietet: ὤφθη γάρ τι, ὡς οἶμαι, ἐσθίων τῶν ἀπορρήτων αὐτοῖς ("Ich glaube, er wurde gesehen, als er etwas aß, was ihnen verboten ist", De morte Peregrini 16). Vielleicht wurde Peregrinus beim Genuß von geweihtem Fleisch beobachtet. Jedenfalls zeichneten sich die Kyniker dadurch aus, daß sie alles und jedes gegessen haben. So be-richtet Epiktet 3,22,50, daß ein Charakteristikum des Kynikers nach all-gemeiner Meinung folgendes war: καταφαγεῖν πᾶν ὃ [ε]ἂν δῷς ("Alles zu ver-schlingen, was du [ihm] gibst")[187]. Ferner berichtet Porphyrios, daß ei-nige Kyniker Leute, die ihr Essen vorsichtig aussuchten, als Sklaven der Furcht beurteilten: καὶ ἡμεῖς οὖν, φασίν, ἐὰν εὐλαβηθῶμεν βρῶσιν, ἐδουλώθημεν τῷ τοῦ φόβου παθήματι ("Wi[r] also, sagen sie, wollten wir uns vor Speise scheuen, würden wir Sklaven der Furcht sein!" [Baltzer])[188]. Wenn er gleich danach schreibt, daß sie, statt in einen βυθός der Freiheit (ἀντὶ δ᾽ ἐλευθερίας) zu gelangen, sich dabei in einen βυθὸς κακοδαιμονίας führten, so ist es wahrscheinlich, daß einige Kyniker ihre Freiheit mit unter-schiedslosem Essen verbunden haben[189]. Hier ist also ein Punkt sehr en-ger Übereinstimmung zwischen der Freiheitslehre der Kyniker und der je-ner Korinther.

Fragen wir nach der kynischen Begründung für ihr unterschiedsloses Es-sen, so stellt sich heraus, daß die Verhaltensweise der Kyniker, ähnlich wie die der Korinther, in ihrer monistischen Weltanschauung wurzelt. So berichtet Diogenes Laertios 6,73, daß der Kyniker Diogenes nichts Fal-sches darin sah, etwas von einem Tempel zu nehmen (auch geweihtes Fleisch?) oder das Fleisch von jedem Tier und sogar von Menschen zu essen. In der Begründung für diese Verhaltensweise heißt es ebd. u.a. καὶ τῷ ὀρθῷ λόγῳ πάντ᾽ ἐν πᾶσι καὶ διὰ πάντων εἶναι λέγων ("Und zwar berief er sich auf folgende Betrachtungen als beweisend dafür, daß strenggge-nommen alles in allem enthalten sei und durch alles hindurchgehe" [Apelt])[190]. In dieser Weise haben auch einige korinthische Christen - entweder von sich aus oder unter dem Einfluß der von außen gekomme-nen Prediger - in der Stadt, in der der Tradition nach Diogenes lebte

und begraben wurde[191], ihre "monotheistische" Erkenntnis als Grundlage
für ihre Freiheit vom "Aberglauben" an die Götter verstanden.

Diese zwei auffallend spezifischen Parallelen zwischen dem Freiheitsverständnis einiger Korinther und dem der Kyniker (beide sprechen von Freiheit in bezug auf unterschiedloses Essen, und beide begründen dieses
Freiheitsverständnis mit einem monotheistischen Bekenntnis) machen die
Annahme sehr wahrscheinlich, daß kynische Ideen auf das von diesen
Korinthern vertretene Freiheitsverständnis (im Lichte der Texte: entscheidend) eingewirkt haben[192]. Parallel zur Übernahme dieses kynischen
Lebensideals läuft die Übernahme verwandter kynischer Freiheitsgedanken
auf seiten des Paulus (finanzielle Unabhängigkeit als Grundlage der Freiheit von menschlichen Urteilen).

3.5 ἐλευθερία als παρρησία: 2Kor 3,17

Von Freiheit wird noch einmal in den Korintherbriefen gesprochen (2Kor
3,17), und zwar wiederum in einem Abschnitt, den apologetische Motive
durchziehen (2Kor 2,14-7,4)[193]. Zeichnen wir zunächst den größeren Zusammenhang dieser Freiheitsaussage nach!

Die apologetische Beschreibung des paulinischen apostolischen Dienstes
setzt zunächst 2,14-16b mit einem Bildwort ein: Paulus vergleicht sich und
seine Mitarbeiter mit einem göttlichen Duft, der die Unterscheidung zwischen Leben und Tod unter den Menschen bewirkt. Als rhetorische Spitze
dieses Bildwortes stellt V 16c die Frage, wer denn zu diesem Dienst fähig
sei. Daran knüpft die Aussage in V 17: Der Ernst des Dienstes verlange
totale Lauterkeit des Paulus und seiner Mitarbeiter. Als Beweis für ihre
Lauterkeit brauchen sie aber - im Gegensatz zu anderen - keine Empfeh-
lungsbriefe, denn die Korinther selbst sind ein in ihren Herzen geschrie-
bener Brief, der von allen gelesen werden kann (3,1-2). Dieser Gegensatz zwischen geschriebenem Brief und Brief im Herzen wird sodann von
Paulus in den folgenden Versen erläutert. Verschiedene Begriffe werden
durch Gedankenassoziationen auf jeder Seite des Gegensatzes eingeführt.
So in V 3: πνεύματι θεοῦ ζῶντος, πλαξὶν καρδίαις σαρκίναις einerseits, μέλανι,
πλαξὶν λιθίναις andererseits; V 6 fügt καινῆς διαθήκης (unter Wiederholung
von πνεῦμα und einer Form vom Stamm ζῆν) einerseits, γράμματος und
ἀποκτέννει andererseits hinzu. Hierdurch gleitet Paulus langsam in eine ausführliche a minore ad maius Illustration über[194]. V 7-18 wendet Paulus
die Mosegeschichte 2. Mose 34,29-35 an, um die Herrlichkeit des neuen
Dienstes a minore ad maius aufzuzeigen[195].

Nun haben sowohl diese letzteren als auch die vorangehenden Ausführungen in Kap.3 ein und denselben Zweck, nämlich den Grund der Lauterkeit des Paulus darzulegen. Daß dies der Zweck der Ausführungen ist,
macht nicht nur der einleitende Vers 2,17 deutlich, sondern auch die folgenden Verse 4,1ff: Kapitel 3 ist umrahmt von Anspielungen auf die Lauterkeit des Paulus bei seiner missionarischen Verkündigung.

Auch wo Paulus seine Äußerungen innerhalb des Kapitels zusammenfaßt
- und so gleich am Anfang der uns besonders interessierenden Verse in
V 12 - scheint der leitende Gedanke die apostolische Lauterkeit zu sein:
Im Unterschied zu Moses, der sein Gesicht bedeckte, tritt Paulus mit viel
παρρησία auf. Nun ist freilich seit der Auslegung von H.Windisch die Interpretation von παρρησία an dieser Stelle strittig. Windisch meint gegen
die Auslegung der meisten Exegeten, παρρησία bedeute hier nicht Offenheit in der Enthüllung des Evangeliums, sondern "das Recht dazu, dem
Herrn zu nahen und in ungehindertem A n s c h a u e n mit ihm zu
verkehren"[196]. Windisch stützt diese Auslegung vor allem durch V 18
und meint, die Pointe von V 12 liege "in dem, was die Israeliten nicht
sehen, wohl aber wir Christen, vgl. V.13b-16 und vor allem V.18, also
in dem Schauen der göttlichen Herrlichkeit und in dem Verkehr mit dem
göttlichen Herrn, der den Juden verschlossen ist, aber uns offen
steht"[197]. Diese Auslegung übersieht jedoch, daß gemäß V 13 das, was
die "Söhne Israels" nicht sehen, nicht die göttliche Herrlichkeit, sondern
das Zu-Ende-Gehen[198] des Vergehenden ist. Also ist das, was die Israeliten in V 13 nicht sehen, verschieden von dem, was die Christen in V 18
schauen. An diesem Problem der Auslegung Windischs kommt man auch
nicht vorbei, wenn man - gegen Windisch - annimmt, τέλος bedeute hier
"Absicht, Ziel oder Sinn"[199]: Auch in diesem Fall wäre das, was nicht gesehen wurde (τὸ τέλος τοῦ καταργουμένου: lediglich ein Hinweis auf Christus)
und das, was die Christen schauen (die überwältigende δόξα κυρίου selbst),
nicht identisch. Man wird also bei der üblichen Exegese von παρρησία in
V 12 bleiben müssen, gemäß der die παρρησία (Offenheit gegenüber Menschen) von Paulus der Tat Moses gegenübergestellt wird[200]. Schon wegen
der Voranstellung von Μωϋσῆς nach καθάπερ ist diese Auslegung die wahrscheinlichste[201]. Ferner paßt allein diese Auslegung zu dem größeren Kontext, in dem, wie wir gesehen haben, das leitende Thema das Verhältnis
gegenüber Menschen und nur mittelbar das Verhältnis gegenüber Gott
ist[202].

V 12 besagt nun, daß es die Hoffnung auf die bleibende Herrlichkeit des
neuen Dienstes ist, die Paulus ermöglicht, in aller Offenheit den Menschen
gegenüberzutreten. Wie auch in jüdischen Schriften bezeugt, ist es also
hier das gute Verhältnis zu Gott, das παρρησία gegenüber anderen Menschen ermöglicht[203]. In den folgenden Versen hebt Paulus die Situation
der Christen von der der "Söhne Israels" ab. Warum er gerade an dieser
Stelle die "Söhne Israels" und die Christen im allgemeinen mit in den Blick
nimmt, mag dahingestellt bleiben[204]. Jedenfalls dienen diese Ausführungen dazu, die unmittelbare Beziehung der Christen zum κύριος zu illustrieren: Die mittelbare Beziehung der Israeliten wird aufgehoben "in Christus"
(V 14), also dann, wenn sich einer[205] dem κύριος zuwendet (V 16)[206]. Die
Christen dagegen stehen in einer unmittelbaren Beziehung zum κύριος und
haben Teil an seiner δόξα (V 18). Deswegen (Διὰ τοῦτο) verfahren Paulus
und seine Mitarbeiter in aller Lauterkeit (4,1ff).

Mit der Verbindung von δόξα und Lauterkeit in V 18 und 4,1ff kehrt
Paulus deutlich zu seinem Ausgangspunkt zurück. Denn genau wie V 18
und 4,1ff haben auch schon V 11-12 expliziert, wie die Hoffnung auf die

bleibende δόξα Paulus befähigt, in aller Lauterkeit (παρρησία) gegenüber anderen Menschen aufzutreten. Wir können also sagen, daß es Zweck des Abschnittes V 12-18 ist, die Verbindung zwischen δόξα und Lauterkeit zu illustrieren.

Diese Verbindung zwischen δόξα und παρρησία scheint traditionell zu sein. Vgl. 4. Esra 7,98, wo von den (Seelen der) Gesetzestreuen gesagt wird: "Sie werden mutig sein in Parrhesia (ܚܕܘܬܐ) ... und sie werden von ihm [Gott] verherrlicht werden (ܢܬܗܕܪ)" (Syrisch). Paulus scheint dieses eschatologische Verständnis der Parrhesia (vgl. Weisheit Salomos 5,1) in das gegenwärtige Leben verlagert zu haben.

Es war uns möglich, die Gedanken von V 12-18 nachzuzeichnen, ohne auf den strittigen Vers 17 einzugehen. Die bisherige Diskussion dieses Verses kreist fast ausschließlich darum, zu bestimmen, welches Verhältnis zwischen ὁ κύριος und τὸ πνεῦμα gemeint ist. Dagegen wird das, worauf es uns ankommt, der Inhalt des Wortes ἐλευθερία, meistens nur flüchtig behandelt. Beide Probleme lassen sich in der Tat leicht voneinander trennen, so daß wir hier das erstgenannte Problem zunächst beiseite lassen können[207] und uns dem zweiten zuwenden wollen, um zu sehen, ob wir so unserer Fragestellung gerecht werden können: Was meint Paulus, wenn er schreibt οὗ δὲ τὸ πνεῦμα κυρίου, ἐλευθερία[208]? Vor allem, was bedeutet hier ἐλευθερία? Vergegenwärtigen wir uns die bisherige Diskussion!

In der Auslegung von V 17b fehlt es nicht an Vertretern der Position, Freiheit meine hier "Freiheit vom Gesetz". So schreibt P.Bläser ohne weitere Begründung: "Nach dem Zusammenhang heißt das vor allem die Freiheit vom mos. Gesetz"[209]. Doch ist im Zusammenhang von νόμος - und erst recht von einem knechtenden νόμος - nicht die Rede. Eine etwas bessere Begründung für dieses Verständnis von ἐλευθερία in V 17 bietet D.W. Oostendorp: "The close resemblance between II Cor. 3 and Rom. 7f. (esp. II Cor. 3,6ff. and Rom. 7,6; 8,1f.) makes it necessary to interpret ἐλευθερία in 3,17 in the light of the verb used in Rom. 7,6; 8,2"[210]. Abgesehen von dem irrtümlichen Verweis auf ein ἐλευθερ-Verb in Röm 7,6 hat dieser Vorschlag manches für sich, denn in Röm 7,6 und 8,2 kommen ähnliche Begriffe wie in unserem Abschnitt vor (z.B. πνεῦμα, γράμμα). Allerdings ist es methodologisch zweifelhaft, 2Kor ohne weiteres im Lichte von Röm - einem späteren Brief - zu interpretieren. Für unseren spezifischen Fall ist dieses Vorgehen noch fragwürdiger, weil die aus Röm eingetragene Deutung von ἐλευθερία nicht in den Kontext paßt. Das hat auch W.Schmithals in etwa gesehen; er schreibt: "Damit würde Pls nicht nur einen neuen Gedanken einführen, der dem Zusammenhang fremd ist - nicht von der Knechtschaft, sondern von der vergänglichen Herrlichkeit des Gesetzes war die Rede -, sondern er hätte diesen auch erläutern müssen, wenn man verstehen sollte, was er meint"[211]. Dieser Einwand, besonders der letzte Teil, gewinnt noch mehr an Gewicht, wenn wir uns daran erinnern, daß Paulus von Freiheit im 1Kor in ganz anderem Sinne (Freiheit von menschlichen Urteilen, finanzielle Unabhängigkeit, die Freiheit, geweihtes Fleisch essen zu dürfen) gesprochen hat. Dieselben Einwände bestehen auch dann noch, wenn "Freiheit vom Gesetz" hier etwas breiter gefaßt wird, etwa als Freiheit "von den knechtenden Mächten dieser Welt"[212].

Dem Kontext angemessener ist jedenfalls die Deutung der ἐλευθερία von H.Lietzmann: "die Freiheit, mit erhobenem, unverhülltem Haupt Gott zu schauen"[213]. Für diesen Freiheitsbegriff bietet Lietzmann allerdings keine religionsgeschichtlichen Parallelen. Wenn Paulus solch einen relativ fest umrissenen Freiheitsbegriff nicht vor Augen hatte, dann ist es nicht ersichtlich, warum er hier ἐλευθερία als eine Art Schlagwort einführen kann. Gegenüber Lietzmanns Erklärung steht auch ein weiterer Einwand von Schmithals: "So, wie der Text jetzt lautet, hängt der Begriff ἐλευθερία in V 17 völlig in der Luft, da er weder zur genauen Erklärung von V 16 dient, dessen Sinn er eher verdunkelt, noch auch irgendeinen einleuchtenden, selbständigen oder den Gedankengang fortführenden Zwischengedanken bringt"[214].

Dieser Satz stellt einen der Gründe dar, die Schmithals sodann für die Ausscheidung von V 17 und 18c als spätere gnostische Glosse anführt[215]. Speziell zur Freiheitsaussage meint Schmithals ferner, folgenden Einwand gegen ihre Authentizität erheben zu können: "Wenn Pls vom κύριος aus auf den Begriff der ἐλευθερία kommen will, warum benötigt er dazu den Umweg über das πνεῦμα ...[?] Warum macht er nicht auch hier die Freiheit direkt von Christus abhängig, wie es sonst stets geschieht (vgl I 7,22f. 39; 9,1; Gal 2,4; 5,1) ...?"[216] Der letzte Teil dieses Einwands ist übertrieben oder gar falsch. 1Kor 9,1.19; 10,29; Röm 8,21 ist Freiheit nicht deutlich direkt von Christus abhängig. Es ist jedoch legitim, mit Schmithals im ersten Teil zu fragen, warum Paulus in V 17 πνεῦμα als Mittelglied benötigt. Auch der vorher erwähnte Einwand von Schmithals, V 17 habe keine deutliche Funktion im Zusammenhang, verlangt eine Antwort. Können wir auf diese Einwände antworten, so gäbe es keinen Grund mehr, V 17 als Glosse anzusehen[217]. Gibt es eine Deutung von ἐλευθερία, die sowohl zum Kontext paßt als auch eine Funktion in der Gedankenführung von 3,12ff erfüllt?

Nun haben wir oben gesehen, daß V 12ff die Verbindung zwischen δόξα und Lauterkeit - hier unter dem Stichwort παρρησία (V 12) - illustrieren wollen. Fragen wir nach den Bedeutungen und der Geschichte der Vokabel παρρησία[218], so stellt sich heraus, daß dieses Wort außerordentlich eng mit der ἐλευθερ-Wortgruppe zusammenhängt. Ist schon aus dem Sprachgebrauch der antiken griechischen Tragiker zu schließen, daß der Weg für das Wort παρρησία gewissermaßen durch das Wort ἐλευθεροστομία/εῖν vorbereitet wurde[219], so tritt auch unter den ersten erhaltenen Zeugnissen dieses im späten fünften Jahrhundert populär gewordenen Wortes[220] eine enge Verbindung mit ἐλευθερία hervor. Das vielleicht älteste erhaltene Zeugnis dieses Wortes, Demokritos Fr 226 (Stobaios 3,13,47)[221], lautet: οἰκήιον ἐλευθερίης παρρησίη, κίνδυνος δὲ ἡ τοῦ καιροῦ διάγνωσις ("Parrhesia gehört zur Freiheit; das Erkennen der Zeit ist aber eine Gefahr"). Dieselbe Verbindung wird in Euripides Hippolytus 421-422 bezeugt, wo Phaedra den Wunsch äußert, ihre Söhne mögen frei und reich an Parrhesia sein (ἐλεύθεροι παρρησίᾳ θάλλοντες)[222]. Diese Verknüpfung von παρρησία und ἐλευθερία hat sich durch die Zeit erhalten[223]. Beide Wörter wurden insbesondere zu Merkmalen der Kyniker. So schreibt Lukian vom Kyniker Demonax, daß er sich ganz und gar der Freiheit und Parrhesia hingegeben hat (ὅλον δὲ παραδοὺς ἑαυτὸν ἐλευθερίᾳ καὶ παρρησίᾳ, Demonax 3)[224]. Nach Lukian De morte Peregrini 18 war Peregrinus überall als der Philosoph bekannt, der aus Rom wegen seiner Parrhesia und Freiheit vertrieben wurde (ὁ φιλόσοφος διὰ τὴν παρρησίαν καὶ τὴν ἄγαν ἐλευθερίαν ἐξελασθείς). Für die Verbreitung der Verbindung dieser Wörter zeugt auch Philo, der, nachdem er ein Beispiel hervorragender Freiheit bzw. Parrhesia angeführt hat (die Antwort des Kalanos auf Alexander), schreibt: ἆρ' οὐ γέμων μὲν παρρησίας ὁ λόγος, πολὺ δὲ μᾶλλον ἐλευθερίας ὁ νοῦς ("Ist diese Antwort nicht gänzlich durchdrungen von Freimütigkeit, und ist nicht noch mehr sein Geist erfüllt von Freiheit?" [Cohn])[225].

Diese Zitate belegen also, daß ἐλευθερία und παρρησία manchmal als Synonyme aufgefaßt werden konnten. So finden wir auch bei Diogenes Laertios folgende zwei Aussagen über den Kyniker Diogenes: Ἐρωτηθεὶς τί κάλλιστον ἐν ἀνθρώποις, ἔφη, „παρρησία" ("Gefragt, was unter Menschen das Schönste sei, antwortete er: 'Das freie Wort'" [Apelt], 6,69); ... μηδὲν ἐλευθερίας προκρίνων ("... er zog nichts der Freiheit vor", 6,71). Diese Zitate lassen ferner erkennen, daß παρρησία ein moralischer Begriff war[226]. Es ließe sich leicht eine weitere Reihe von Zitaten anführen, die z.B. eine enge Verbindung zwischen παρρησία und ἀλήθεια bezeugen[227]. Weist Paulus auch auf sein Verhältnis zur ἀλήθεια in 2Kor 4,2 hin, so ist für unsere Untersuchung ferner wichtig, daß παρρησία in der Antike als öffentliche Lebensführung im Gegensatz zu einer geheimen[228] verstanden wurde, wobei eine Reihe von Begriffen, die Paulus in 4,2 verwendet, dort ebenfalls in Verbindung mit παρρησία auftauchen. Zum Beispiel sagt Demosthenes in 6,31: τἀληθῆ μετὰ παρρησίας ἐρῶ πρὸς ὑμᾶς καὶ οὐκ ἀποκρύψομαι ("Ich werde euch offen die Wahrheit sagen und sie nicht verstecken"). In Philo De specialibus legibus 1,321 ist παρρησία Gegensatz zu ἐπικρύπτεσθαι und αἰσχύνεσθαι[229]. Isokrates 2,3 verbindet παρρησία mit dem Adverb φανερῶς. Sprüche Salomos 10,10 LXX ist μετὰ δόλου das Gegenteil von μετὰ παρρησίας. Wenn Paulus sagt, daß er sich jedem Gewissen empfiehlt, so hat auch das Parallelen in jüdisch-hellenistischen Texten, insofern diese παρρησία mit einem guten Gewissen verbinden[230].

Fassen wir diese Beobachtungen zusammen! Wir haben gesehen, (1) daß in der antiken Welt παρρησία Synonym von ἐλευθερία sein konnte und (2) daß eine Reihe von Begriffen, die Paulus in 4,2 vorführt, engere Beziehungen zum παρρησία-Begriff hat. Diese beiden Beobachtungen ermutigen uns, die Möglichkeit zu erwägen, daß ἐλευθερία in V 17 einfach παρρησία im selben Sinne wie παρρησία in V 12 bedeutet. Um diese Möglichkeit zu prüfen, unterziehen wir sie der Kontrolle der zwei oben genannten, auf Schmithals' Einwänden fußenden Fragen. Die Deutung von ἐλευθερία muß demgemäß sowohl zum Kontext passen als auch eine Funktion in der Gedankenführung von 3,12ff erfüllen. Ferner soll sie erklären, weswegen Paulus den Umweg über das πνεῦμα benötigt.

Aus unseren Ausführungen folgt, daß die Deutung von ἐλευθερία in V 17
als παρρησία zum Kontext paßt, denn wir haben oben gesehen, daß V 12-
18 die Verbindung zwischen δόξα und Lauterkeit illustrieren wollen, und
zwar unter dem in V 12 vorgebrachten Stichwort παρρησία. Ja, noch mehr:
Diese Deutung von ἐλευθερία paßt nicht nur zum Kontext, sondern gibt
V 17 eine wichtige Rolle. So schreibt W.C. van Unnik zu V 17 mit Recht:

> This is the joyful: "Quod erat demonstrandum". He had set out to
> prove that he, a minister of the new covenant, was entitled to use
> παρρησία freedom of speech. In the Old Covenant there was no
> "open[n]ess of face", as is shown in the person of Moses himself;
> but in contact with the Spirit who reigns in the new covenant this
> uncovering of the face, this liberation takes place and has Paul
> received the freedom of speech[231].

Auch R.Bultmann interpretiert ähnlich: "Die ἐλευθερία, die V.17 als für
die Christen eigentümlich erwiesen hat, ist ja zugleich die παρρησία von
V.12 ..."[232]. Bedeutete ἐλευθερία in V 17 παρρησία, so würde V 17-18
die Rolle zufallen, wiederum die Verbindung zwischen παρρησία und δόξα
herzustellen (vgl. V 11-12). Somit paßt diese Deutung von ἐλευθερία ausgezeichnet zum Kontext und läßt auch V 17 eine wichtige Funktion in der
Gedankenführung von V 12ff zukommen.

Nun bleibt allerdings noch die von Schmithals erhobene Frage offen, warum
Paulus den Umweg über das πνεῦμα benötigt. Gibt es eine Erklärung für
diesen Sachverhalt? Einerseits ist eine Verbindung zwischen πνεῦμα und
ἐλευθερία zumindest für den Paulus der späteren Briefe - gegen Schmithals
(s.o.) - nichts Unerhörtes. Auch in Röm 8,2 und Gal 4,29-5,1 kommen die
beiden Begriffe im jeweils gleichen Zusammenhang vor. So schreibt H.D.
Betz zu diesem Befund: "There must have been a history of connections
between freedom and spirit, but no investigation is known to me"[233]. Gal
4,29-5,1 und Röm 8,2.21 scheinen es wahrscheinlich zu machen, daß eine
Verbindung zwischen πνεῦμα, "Sohnschaft" (vgl. auch Röm 8,15) und
ἐλευθερία irgendwie geläufig war (s.u. S.130, aber auch Kap.4 A 232).
Doch ist von Sohnschaft in unserem Zusammenhang nicht die Rede, und
die Arten von Freiheit in Röm 8,2.21 und Gal 4,29-5,1 passen offensichtlich nicht zum Kontext von 2Kor 3,17.

Fragen wir andererseits, ob eine Verbindung zwischen πνεῦμα und παρρησία
(der von uns eruierten Bedeutung von ἐλευθερία in V 17) besteht, so tritt
zumindest ein Passus im Neuen Testament hervor, wo genau dieselbe Verbindung, die wir in 2Kor 3,17 finden, bezeugt ist. Apg 4,29 richten die
versammelten Christen folgende Bitte an Gott: δὸς τοῖς δούλοις σου μετὰ
παρρησίας πάσης λαλεῖν τὸν λόγον σου. Wie der bebende Versammlungsort in
V 31 aufzeigen soll, wird das Gebet erhört. Die Antwort auf das Gebet
beschreibt Lukas wie folgt: καὶ ἐπλήσθησαν ἅπαντες τοῦ ἁγίου πνεύματος καὶ
ἐλάλουν τὸν λόγον τοῦ θεοῦ μετὰ παρρησίας. Es ist also hier genau wie 2Kor
3,17 das πνεῦμα, das παρρησία gegenüber anderen Menschen ermöglicht.
Man wird allerdings gegenüber dem Versuch von D.Smolders skeptisch
bleiben müssen, aufgrund des Zeugnisses der Apostelgeschichte diesen

Gebrauch des Wortes παρρησία unter "les formules les plus primitives du kérygme, les schémas de prédication et les structures de pensée les plus anciennes"[234] zu zählen. Vielmehr zeigt der lexikalische Befund (vgl. etwa die berühmten Schlußworte der Apostelgeschichte, Apg 28,31, und darüber hinaus die Konkordanz), daß Lukas selbst ein Sonderinteresse sowohl an πνεῦμα als auch an παρρησία hatte. Daß vor allem Apg 4,31 lukanische Komposition ist, wird sich kaum leugnen lassen[235]. Doch selbst dann könnte die Verbindung zwischen πνεῦμα und παρρησία, wie sie hier und in Apg 18,25-26 vorkommt, vorlukanisch sein. Daß sie bei Paulus tatsächlich vorhanden war, ergibt sich aus einem anderen Passus in den paulinischen Briefen. Phil 1,19-20 schreibt er über seine Gefangenschaft: "Denn ich weiß, daß dies zu meinem Heil ausschlagen wird durch euer Gebet und die Unterstützung des Geistes (τοῦ πνεύματος) Jesu Christi gemäß meiner Erwartung und Hoffnung, daß ich in nichts zuschanden werde, sondern wie auch immer, so auch nun Christus in aller Offenheit (ἐν πάσῃ παρρησίᾳ) an meinem Leib verherrlicht wird". Hier ist es also das Gebet der Philipper und der Geist Jesu Christi, die es Paulus ermöglichen, auch im Falle seines Martyriums in aller παρρησία zu handeln[236]. Wir treffen hier folglich dieselbe Verbindung zwischen παρρησία und πνεῦμα an, die wir in 2Kor 3,17 finden. Es war daher diese Verbindung, die den Umweg über πνεῦμα in 3,17 hervorgerufen hat.

Haben wir somit den Sinn von ἐλευθερία in V 17 bestimmt als παρρησία = Offenheit gegenüber anderen Menschen, so erhebt sich die Frage, weswegen Paulus hier nicht einfach den Begriff παρρησία verwendet hat. Es ist möglich, daß Paulus einfach synonyme Begriffe austauscht, ohne daß er dabei etwas Besonderes bezweckte. Sind unsere bisherigen Beobachtungen zu ἐλευθερία im 1Kor auf der richtigen Fährte, so läßt sich jedoch vermuten, daß Paulus hier das strittige Wort bewußt wieder aufnimmt, um es für sich nochmals zu beanspruchen[237]. Festzuhalten ist jedenfalls, daß Paulus auch hier von ἐλευθερία in einem gewöhnlichen hellenistischen Sinne spricht (ἐλευθερία als παρρησία gegenüber Menschen, eine Tradition, die besonders unter den Kynikern gepflegt wurde) und daß ἐλευθερία auch hier nichts mit Freiheit vom Gesetz, von der Sünde oder vom Tode zu tun hat.

3.6 Rückblick

Werfen wir jetzt einen kurzen Blick über das in diesem Kapitel Erarbeitete, so ist es als ein wichtiges Ergebnis, das über die bisherigen exegetischen Resultate hinausführt, anzusehen, daß wir konkrete religionsgeschichtliche Hintergründe für die Freiheitspassagen identifizieren konnten. Wir brauchten diese Passagen nicht mit vagen und ad hoc erfundenen Definitionen von ἐλευθερία zu erklären, sondern konnten stattdessen jeweils auf in der antiken Welt geläufige Freiheitsbegriffe zurückgreifen. So fanden wir 1Kor 7,22 eine im Lichte antiker Freilassungspraxis verständliche juristische Analogie, die dem christlichen Sklaven - ganz im Sinne der hellenistischen Tradition - innerliche Freiheit von menschlichen

Urteilen zusprach. Spezifisch christlich an diesem Vers war lediglich, daß
Christus statt etwa Epikur oder Diogenes als Begründer dieser Freiheit
angesehen wurde. Zu 1Kor 9,19 konnten wir feststellen, daß Paulus in
seinem Verständnis von Freiheit in sokratischer Tradition stand, wo finanzielle Unabhängigkeit Grundlage der Freiheit war. Paulus hat offensichtlich dieses Freiheitsverständnis mit dem euripideischen verflochten und
so eine paradoxe, verinnerlichte Freiheit verherrlicht. 1Kor 9,1 und 10,29
reflektierten einen Freiheitsbegriff, der nahe Parallelen mit dem Kynismos
aufzeigte: Freiheit in bezug auf unterschiedsloses Essen, das sich auf eine Art Monotheismus gründet. In 2Kor 3,17 war, wie verbreitet im Hellenismus und besonders bei den Kynikern, ἐλευθερία gleichbedeutend mit
παρρησία.

Auch bezüglich des Ursprunges des paulinischen Freiheitsverständnisses
ergaben sich wichtige Erkenntnisse. Wo Paulus auf sein eigenes Freiheitsverständnis erstmals ausführlich zu sprechen kam (1Kor 9,19), bediente
er sich eines Topos aus der sokratischen Tradition. Auffällig hierbei war,
daß eine christliche Begründung seiner finanziellen Freiheit fehlte. Vielmehr erlangte er selbst durch seinen Verzicht diese Freiheit. Dieser Befund ist im Lichte der bisherigen Forschung deswegen von Wichtigkeit,
weil er eine feste Brücke zwischen dem Freiheitsverständnis des Paulus
und dem des Hellenismus aufrichtet. Schrieb schon J.Weiß: "Bei dem
Stoiker beobachten wir eine subjektive Umstimmung durch Überredung
und Aufklärung, bei dem Apostel eine Umwandlung, die er selber als eine
von Gott an ihm vollzogene betrachtet; dort eine sittliche Veränderung,
hier ein plötzliches umwälzendes religiöses Erlebnis"[238], und kam er deswegen zu dem Schluß, daß die Idee der Freiheit bei Paulus "in einen ganz
anderen Zusammenhang verpflanzt"[239] wurde, so fand in der nachfolgenden Forschung dieser angebliche Unterschied immer wieder als der Hauptpunkt Erwähnung, worin Paulus grundsätzlich vom Hellenismus divergie-
re[240]. Ein solcher Unterschied besteht aber bei diesem Vers gar nicht,
denn, wie wir gesehen haben, benutzt Paulus hier Argumente, die auch
andere Philosophen verwendet haben (Ablehnung eines μισθός als Grund
der Freiheit). Es war nicht zuletzt dieses von Paulus angeführte rein hellenistische Freiheitsverständnis, das uns zu der Vermutung führte, der
andere in 1Kor 8,1-11,1 vorkommende "christlich" begründete Freiheitsbegriff stamme nicht von Paulus, sondern von einigen Korinthern. Diese
Vermutung wurde dadurch bestätigt, daß 1Kor 9,1 ein Verständnis von
Freiheit als Freiheit, geweihtes Fleisch zu essen, bei den Korinthern voraussetzte und daß 1Kor 7,22 Indizien einer Ad-hoc-Formulierung deutlich
aufzeigte. Andererseits zeigten 1Kor 7,22 und 2Kor 3,17, daß Paulus dieses christlich begründete Freiheitsverständnis selbst vertreten bzw. aufgenommen hat. Aber auch dort verrät Paulus, wie sehr er Freiheit in hellenistischen Kategorien versteht (Freiheit von menschlichen Urteilen, Freiheit als Parrhesia). Somit dürfte erwiesen sein, daß Paulus mit hellenistischen Vorstellungen von Freiheit durchaus vertraut war.

Das im Lichte der bisherigen Forschung wohl bedeutendste Ergebnis des
Kapitels ist aber, daß an keiner Stelle ein Verständnis von ἐλευθερία als
Freiheit vom Gesetz, von der Sünde oder vom Tode gefunden wurde. Dieser Befund könnte auf einem Zufall beruhen (etwa auf der Situationsbe-
zogenheit der Korintherbriefe). Doch ist im Lichte der fünf verschiedenen,
deutlich anderslautenden Freiheitsbelege diese Möglichkeit schon jetzt als
unwahrscheinlich zu beurteilen. Jedenfalls ist klar, daß die Korintherbriefe als Zeugnisse dafür, wie sich Freiheit vom Gesetz usw. in den Gemeinden konkretisierte, gegen die allgemeine Tendenz der Forschung nicht
beansprucht werden dürfen[241]. Die Freiheitsbelege in 1 und 2Kor sper-
ren sich dagegen, unter das in der Forschung zum Habitus gewordene
Schema "Freiheit vom Gesetz, von der Sünde und vom Tode" subordiniert
zu werden. Folglich liegt uns eine Reihe von Freiheitsbelegen vor, die
sich nicht aus der Erfahrung bei der "Bekehrung" (verstanden als Befreiung vom Gesetz) ableiten lassen[242]. Dem bisherigen Ergebnis zufolge
stellt sich eher die Frage, ob "Freiheit vom Gesetz" usw. aus den in den
Korintherbriefen untersuchten Freiheitsbelegen abzuleiten ist. Das wird im
folgenden, zunächst anhand des Galaterbriefes, zu prüfen sein.

4 ἐλευθερία im Galaterbrief

4.1 Sprachlicher Befund und Bestimmung der Aufgabe

Im Gal kommen Wörter aus der ἐλευθερ-Wortgruppe elfmal vor (2,4; 3,28; 4,22.23.26.30.31; 5,1 [zweimal]; 5,13 [zweimal]). Unter diesen Belegen bezeichnet ἐλεύθερος 3,28 einen sozialen Stand, der unter den Getauften nicht mehr gilt. Diese wohl traditionelle Formulierung, wo nur das damals allgemein akzeptierte Verständnis vom Freien (wie auch das vom Sklaven, vom Juden, vom Griechen, vom Mann und von der Frau) vorausgesetzt wird, braucht daher von uns - es sei denn, es ergeben sich andere Gesichtspunkte - nicht behandelt zu werden[1]. 3,28 stellt in Abrede, daß diese Kategorien für die Teilhabe am Heil in Christus von Bedeutung sind, und liefert sowenig eine neue Definition von "Freiheit" wie eine vom Wort "Frau". Auch 4,21-31 bezeichnen die ἐλευθερ-Wörter zumeist einen rein sozialen Stand (4,22.23.30), aber im Unterschied zu 3,28 wird hier diese soziale Kategorie durch "Allegorese" für die Explikation des christlichen Glaubens positiv ausgewertet (4,31; vgl. 4,26). Folglich gehört die Behandlung dieser Stellen zu den Aufgaben der vorliegenden Arbeit. Deutet schon die Erschließung der christlichen Freiheit durch "Allegorese" darauf hin, daß eine inhaltliche Bestimmung der hier gemeinten Freiheit nur sehr behutsam vorgenommen werden kann, so gebieten die restlichen Belege ebenfalls große Vorsicht bei dieser Aufgabe, denn dort (2,4; 5,1.13) wird von der christlichen Freiheit auf absolute Art und Weise gesprochen, ohne daß durch den Wortlaut der Sätze unmittelbar klar ist, was diese Freiheit eigentlich beinhaltet[2].

Nun ergibt die Betrachtung des semantischen Umfeldes, daß jedesmal dann, wenn unsere Wortgruppe auftaucht, auch Wörter vom δουλ-Stamm vorkommen: 2,4; 4,24.25; 5,1.13; vgl. ferner 3,28. 4,21-31 vertritt offensichtlich das in Anlehnung an die Septuaginta vorgezogene Wort παιδίσκη weitgehend den δουλ-Stamm. Mit Ausnahme von 5,13 hat das δουλ-Wort stets negative Bedeutung und fungiert als Kontrastwort bzw. als die Folie für Freiheit. Diese sprachliche Beobachtung ermutigt uns, bei der Bestimmung der Freiheit im Gal unser Augenmerk auch der Verwendung der δουλ-Wörter zuzuwenden.

Die Aufgabe dieses Kapitels besteht erstens darin, die einzelnen Belege exegetisch und religionsgeschichtlich auf ihr Freiheitsverständnis hin zu überprüfen, zweitens, nach möglichen Übereinstimmungen mit bzw. Unterschieden zu den Freiheitsbelegen der Korintherbriefe zu fragen und somit den historischen Zusammenhang zwischen den Freiheitsbelegen des Gal und denen der Korintherbriefe zu beleuchten und drittens, ein Gesamtbild des Freiheitszeugnisses des Gal zu konstruieren. Wir setzen mit der Exegese des ersten Belegs, Gal 2,4, ein.

4.2 Gal 2,4: Berichterstattung über Spione "unserer Freiheit, die wir in Christus Jesus haben"

Im Gal spricht Paulus von Freiheit zuerst in dem Abschnitt, dem die Bezeichnung "apologetisch" im eigentlichen Wortsinn zukommt. Der antike Brieftheoretiker Pseudo-Demetrios beschreibt diese Briefgattung wie folgt: "Apologetisch (Ἀπολογητικός) ist der Brieftyp, der Gegenargumente mit Beweisen gegen die (erhobenen) Vorwürfe einführt." In dem von Pseudo-Demetrios für diesen Brieftyp gebotenen Beispiel findet sich folgender Satz: "Zu der Zeit, in der sie sagen, daß ich dieses getan habe, war ich schon mit dem Schiff unterwegs nach Alexandrien, so daß ich ihn, wegen dessen ich angeklagt bin, weder sah noch traf" (Pseudo-Demetrios Formae epistolicae Nr.18).

Die Übereinstimmung dieser Beschreibung mit zumindest den 2,4 umgebenden Versen (1,13-2,10) mit ihren Angaben über Orte, Ereignisse und Zeiten ist offensichtlich[3]. Ob es Vorwürfe gegen Paulus gegeben hat und, wenn ja, wie sie genau lauteten, ist allerdings nicht mit Sicherheit festzustellen. Wir wissen z.B. nicht, ob eine andere Version der Ereignisse der sogenannten Jerusalemer Konferenz unter den Galatern verbreitet wurde, deren Inhalt uns freilich unbekannt ist. Im allgemeinen kann jedoch mit Sicherheit gesagt werden, daß sich Paulus vor der Auffassung schützt, er habe sein Evangelium von Menschen bekommen (1,12). Da viele Details in 1,15-2,10 darum kreisen, die Beziehungen des Paulus zu den Jerusalemern und somit seine Eigenständigkeit ihnen gegenüber aufzuzeigen, kann auch gefolgert werden, daß sich Paulus gegen die Annahme verteidigt, er habe sein Evangelium von den Jerusalemern empfangen und sei ihnen untergeordnet. Der Eid 1,20 läßt ohne weiteres vermuten, daß dies in der Tat ein umstrittener Punkt war. Aber auch wenn Paulus mit seinen Aussagen aus der Offensive spricht (etwa: mein Evangelium ist im Unterschied zu ihrem nicht von Menschen abhängig), ist 1,13ff immer noch als "apologetisch" zu bezeichnen, weil Paulus in diesem Fall selbst den Vorwurf erhebt, um ihn sofort zurückzuweisen (d.h., um seine Apologie zu liefern). Was wir mit Sicherheit von den "Aufwieglern" der Galater wissen, ist lediglich, daß sie die Beschneidung als Teil des Evangeliums einführen wollen (6,12-13)[4].

In den uns interessierenden Versen stehen sowohl die Beschneidung als auch die Frage nach den Beziehungen des Paulus zu den Jerusalemern zur Diskussion. Paulus berichtet, daß er nach 14 Jahren wieder nach Jerusalem "hinaufgestiegen" ist. Er stellt dar, daß er von den als Säulen geltenden Personen Anerkennung für sich und sein Evangelium gewonnen hat und daß ihm dabei nichts bezüglich der Beschneidung auferlegt wurde. Nähern wir uns V 4, so stehen wir vor einer Reihe von Verständnisproblemen, die sich hauptsächlich aus dem undurchsichtigen Satzgefüge bzw. dem unsicheren Text von V 4-5 ergeben. Wir besprechen zunächst das textkritische Problem.

Der kurze im Westen bezeugte Text (ohne οἷς οὐδέ am Anfang von V 5) läßt sich nun nicht so leicht beiseite schieben, wie viele moderne Kommentatoren meinen. Textkritisch ist die Regel zu bedenken, daß Zeugen abgewogen und nicht einfach gezählt werden sollen[5]. In diesem Fall folgt aus der genannten Regel eine Gegenüberstellung von einer verbreiteten, gut bezeugten und sehr frühen westlichen Tradition und der östlichen Tradition. Beide sind letzten Endes gleichgewichtig[6].

Um einige Mißverständnisse bezüglich der Auslegung des westlichen Textes aus dem Weg zu räumen, ist erstens zu betonen, daß der kürzere Text nicht unbedingt aussagt, Titus wurde beschnitten[7], und zweitens, daß die frühesten Zeugen für diesen Text die Beschneidung des Titus eben nicht darin impliziert sahen[8]. Es ist eher anzunehmen, daß dieser Text besagt, Paulus habe wegen der falschen Brüder nachgegeben, nach Jerusalem zu fahren, um sein Evangelium anderen zur Beurteilung vorzulegen, damit die Wahrheit für die Galater bestehen bleibt[9]. Diese Auslegung erhält eine gewichtige Stütze in V 2, wo Paulus deutlich in der Sprache der Unterordnung redet: Paulus legt sein ihm von Gott zugeteiltes Evangelium zeitweilig dem Urteilsspruch anderer vor[10]. Auch die Auslegung von τῇ ὑποταγῇ wird durch die westliche Lesart erheblich erleichtert, denn der Artikel deutet in diesem Fall natürlich auf die soeben erwähnte Unterordnung hin[11]. Bei dieser Auslegung gewinnt ferner die unmittelbar an V 5 anschließende Bemerkung des Paulus, daß das, was die Säulen eigentlich seien, ihm eigentlich gleichgültig war, einen guten und klaren Sinn[12]. Nicht seinetwegen hat er die Reise nach Jerusalem unternommen und sein Evangelium vorgelegt, sondern nur wegen der falschen Brüder, für die anscheinend die Säulen in Jerusalem etwas bedeuteten. Die derart verstandene westliche Lesart paßt zum Kontext so gut[13], daß die Annahme, es handele sich um eine nachträgliche Korrektur, um ein Anakoluth zu eliminieren[14], an Überzeugungskraft verliert. Ferner zeigen Stellen wie Gal 2,6-9, daß die Schreiber nicht immer unter großem Druck standen, Anakoluthe zu korrigieren[15]. Vielmehr spricht schon die Tatsache, daß dies der kürzere Text ist, für diese Lesart.

Freilich ist es auch möglich, diesen Text so aufzufassen, daß er die Beschneidung des Titus impliziert[16]. Diese Deutung ist aber aus folgenden Gründen wenig wahrscheinlich: (1) "Nicht die Person des Titus, sondern die Verneinung, daß Zwang an ihm geübt wurde, mußte hervorgehoben, und nicht an seine Eigenschaft als Nichtjude, sondern an die Tatsache, daß er beschnitten wurde, mußte erinnert werden. Von den möglichen Formen, den angeblichen Gedanken des Pl auszudrücken, wäre z.B. eine: ὁ μὲν οὖν Τίτος ... περιετμήθη, ἀλλ᾽ οὐ κατ᾽ ἀνάγκην ἀλλὰ κατὰ ἑκούσιον"[17]. (2) In diesem Fall hätte Paulus den Galatern ein Beispiel der Nachgiebigkeit gerade in dem Punkt gegeben, wo er später absolute Unnachgiebigkeit verlangt (unter Drohung des Verlusts des Heils, 5,2-4)[18]. Es war allerdings vielleicht dieses mögliche Mißverständnis, das die Änderungen im Text hervorgerufen hat[19].

Andererseits läßt sich auch der frühalexandrinische Text nicht leicht beiseite schieben. Bei dieser Lesart ist nur eines klar: Titus wurde nicht beschnitten. Wie der Text darüber hinaus auszulegen ist, ist aber alles andere als deutlich, und zwingende Gründe für oder gegen die eine oder die andere vorgeschlagene Ergänzung lassen sich kaum vorbringen. Um dieses Problem zu veranschaulichen, seien im folgenden einige von diesen Möglichkeiten angeführt.

Wenig wahrscheinlich, wenn auch nicht ganz auszuschließen, ist die Auslegung, die die Verse auf eine spätere Zeit als die der sogenannten Konferenz bezieht[20]. Der Text selbst bietet freilich für diese Interpretation keinen Anhaltspunkt. Vielmehr sind die Verse von der Beschreibung von Ereignissen, die unmittelbar vor bzw. während der sogenannten Konferenz geschehen sind, umgeben und daher höchstwahrscheinlich auf dieselbe Zeitperiode zu beziehen.

Alte Ausleger[21] sowie F.Sieffert u.a.[22] wollen das δέ (V 4a) glätten. Sieffert will die Partikel als erklärendes δέ auffassen[23]. Damit ist das Anakoluth eliminiert. Dagegen spricht, daß Paulus sonst mit dem erklärenden δέ ein zu erläuterndes Wort wiederholt[24]. Aber selbst in diesem Fall ist, wie Sieffert ausführt[25], der Text nicht ganz klar, sondern es muß entschieden werden zwischen einem Bezug auf nur die letzten zwei Wörter von V 3 und einem Rückverweis auf den ganzen Vers: Nicht einmal Titus wurde beschnitten in freundlicher Rücksicht auf die falschen Brüder, oder die Beschneidung des Titus wurde nicht von der Jerusalemer Gemeinde verlangt, um den prinzipiellen Angriff der falschen Brüder auf die Heidenchristen ihrerseits in keinem Punkt zu unterstützen.

Andere möchten den διά-Satz auf οὐδὲ ... εἴξαμεν beziehen[26] oder ergänzen οὐ περιέτεμον αὐτόν·[27], was auf ungefähr denselben Sinn hinausläuft. Letztere Möglichkeit vertritt H.Lietzmann und zieht folgenden konsequenten, aber nicht unproblematischen Schluß: "Die Frage, ob er unter anderen Umständen den Titus beschnitten haben würde, bejaht Pls damit indirekt ..."[28]. Dabei beruft er sich zu Unrecht auf R.A.Lipsius, der die soeben aufgeführte Konsequenz als unmöglich ansieht[29]. Nach Lipsius ist der Gedanke der, daß "um des Auftretens jener falschen Brüder willen der Streit um die Beschneidung des Titus die principielle Bedeutung erhielt, die den Apostel zur kräftigsten Behauptung seiner Selbständigkeit herausforderte"[30]. Man sieht schon hier nicht nur, wie kompliziert die vorgeschlagenen Ergänzungen sein können, sondern auch, aus welchen Gründen die Kommentatoren sich dazu gedrängt sehen. Eine passende Ergänzung ist nicht leicht zu finden und wird deswegen überall gesucht. So möchte J.B. Lightfoot den διά-Satz mit "the leading Apostles urged me to yield" vervollständigen[31]. F.Mußner möchte einen noch weiter hergeholten Gedanken ergänzen: (Wegen der Falschbrüder) "besteht Paulus nun auch auf einer offiziellen Abmachung zwischen den Führern der Urgemeinde und ihm"[32]. Aufgrund der offensichtlichen Kompliziertheit solcher Ergänzungen wollen andere wie M.-J.Lagrange ein einfaches "Dies ist passiert" ergänzen[33]. Doch sind damit die Schwierigkeiten nicht erledigt, denn in dieser Formulierung sind alle möglichen Deutungen eingeschlossen, und man muß von neuem anfangen zu fragen, was "dies" bedeutet.

Es ist auch vorgeschlagen worden, das "dies" so zu bestimmen, daß es auf die Jerusalemreise und das Vorlegen des paulinischen Evangeliums zu beziehen sei[34]. Nach den bisherigen Ausführungen erscheint diese Ergänzung ebenso wahrscheinlich wie die anderen oben erwähnten und läßt sich gleichfalls nicht mehr, aber auch nicht weniger vom Text her begründen[35]. Kommt nun aber den Lesevarianten zu V 5 jeweils nur gleichgewichtige Wahrscheinlichkeit zu, so ist diese Deutung des διά-Satzes am wahrscheinlichsten, weil sie allein zu beiden Lesarten paßt. Daher wird im folgenden von dieser Auslegung des διά-Satzes als der wahrscheinlichsten ausgegangen.

Demgemäß hat V 4 folgende Bedeutung: "Wegen der eingeschlichenen falschen Brüder, die eindrangen, damit sie unsere Freiheit in Christus Jesus ausspionieren könnten, um so uns zu versklaven, ging ich nach vierzehn Jahren wieder nach Jerusalem und legte mein Evangelium vor." Damit wird Licht auf ein weiteres exegetisches Problem geworfen, nämlich die Frage nach dem Ort des Spionierens. Während manche Exegeten an Jerusalem als den Ort der hier beschriebenen Tätigkeit der falschen Brüder denken[36], schließt unsere Deutung des διά-Satzes diese Möglichkeit aus.

> Damit fällt auch die Möglichkeit hin, daß Gal 2,4 besagt, die falschen Brüder seien in die Verhandlungen in Jerusalem eingeschlichen[37]. D.W.B.Robinson vertritt diese Auslegung und versteht "Freiheit" vor dem Hintergrund von 1Kor 9,19-23. Demgemäß ist "Freiheit" die Freiheit des Paulus zu handeln, als ob er unter dem Gesetz wäre, damit er den Juden gefällig sein konnte[38]. Paulus habe Titus beschnitten, und die falschen Brüder haben diese Freiheit ausspioniert: "Their 'spying' had the intention of tying Paul down and of binding him to circumcise all Gentile converts as an obligation of the gospel."[39] Ist diese Auslegung unwahrscheinlich, (1) weil 2,4 eine Situation in einem anderen Ort als Jerusalem beschreibt und (2) weil Paulus Titus wohl nicht beschnitt (s.o.), so ist sie jedenfalls ein nennenswerter Versuch, das Freiheitszeugnis des Gal in Beziehung zu dem der Korintherbriefe zu setzen und so das zur Gewohnheit gewordene Verständnis von ἐλευθερία als "Freiheit vom jüdischen Gesetz" im Lichte der Texte zu nuancieren. Daß die Freiheitsbelege der Korintherbriefe ein wichtiges Wort bei der Deutung von ἐλευθερία in Gal 2,4 mitzureden haben, ist wegen der Verwendung desselben Begriffs vorauszusetzen. Unten ist zu zeigen, ob wir in dieser Hinsicht einen besseren Vorschlag als Robinson machen können.

Wo aber diese Szene darüber hinaus zu lokalisieren ist, läßt sich kaum sagen. Oft wird an Antiochien gedacht[40]. Zur Begründung kann nur auf Apg 15,1-4 hingewiesen werden[41]. Argumente für "Antiochien und Umgebung"[42] lassen sich ebenfalls kaum vorbringen. Freilich befinden sich Paulus und Barnabas in der 2,11ff beschriebenen Szene in Antiochien, aber das ermöglicht kaum eine spezifische Antwort auf die Frage nach dem Ort des V 4 beschriebenen Spionierens[43]. Da Paulus allerdings 2,2 berichtet, er sei nach Jerusalem gegangen, um das Evangelium vorzulegen, das er unter den Heiden verkündigt, ist anzunehmen, daß diese "falschen Brüder" irgendwo waren, wo die Predigt des Paulus direkt oder indirekt von Einfluß gewesen ist[44].

Nun können wir unser eigentliches Problem formulieren: Was bedeutet hier ἐλευθερία? Die unmittelbare Qualifizierung dieses Wortes durch ἡμῶν ἣν ἔχομεν ἐν Χριστῷ Ἰησοῦ zeigt einerseits, daß ἐλευθερία an dieser Stelle als christliches Heilsgut verstanden wird. Genau wie in 1Kor 7,22 der κύριος für die Freiheit christlicher Sklaven verantwortlich ist, so ist auch hier Christus Jesus (d.h. wohl das Heilsgeschehen durch Jesus Christus[45]) der Grund "unserer" Freiheit. An welchen besonderen Aspekt dieses Heilsgeschehens Paulus denkt, ist nicht sofort klar und muß, wie bei 1Kor 7,22, aus den näheren Bestimmungen im Kontext erschlossen werden. Das Präsens ἔχομεν zeigt, daß diese Freiheit auch zur Zeit des Gal gegenwärtiger Besitz ist. Die Frage, wer eigentlich hinter diesem "wir" und dem ἡμῶν bzw. ἡμᾶς steht, wird in der Forschung unterschiedlich beantwortet. Es wird manchmal spezifisch auf Paulus und seine Mitarbeiter gedeutet[46]. Andere denken an "paulinische Christen"[47]. Noch andere an Christen überhaupt, einschließlich jüdischer Christen[48]. Um diese Frage zu beantworten und somit eine nähere Bestimmung der ἐλευθερία zu ermöglichen, müssen wir unsere Darstellung etwas ausweiten.

Es ist bisweilen beobachtet worden, daß Paulus 2,4 ein ausgesprochen politisches Bild verwendet[49]. So hat der Wortstamm κατασκοπ- einen unüberhörbaren politisch-militärischen Klang. Spionieren ist eine Tätigkeit, die auf politische Veränderungen oder Krieg zielt[50]. Wenn Paulus ausführt, daß es die ἐλευθερία war, die ausspioniert wurde, so entspricht die Verwendung dieses Wortes durchaus seinem politischen Bildwort, denn seit Herodot war ἐλευθερία überaus weitverbreitete Bezeichnung für das Objekt bzw. Ziel des Krieges. Herodot beschreibt den Krieg zwischen Griechenland und Persien als einen Freiheitskrieg und hebt gleichfalls mit Nachdruck hervor, daß die ersten Perser, die Griechenland besucht haben, Spione waren[51]. Bei der Schlacht von Marathon stellt Herodot dar, worum es damals ging: um ἐλευθερία oder καταδούλωσις[52]. Das von Herodot geförderte Verständnis von diesem Krieg als einem Freiheitskrieg erlebte eine reiche Nachgeschichte. In diesem Zusammenhang dürfte es genügen, an die lebhafte Darstellung des peloponnesischen Krieges als eines Freiheitskrieges durch Thukydides[53], an die Reden des Demosthenes, der sich auf die griechische Freiheit beruft, um Widerstand gegen Philipp zu wecken[54], an die Rolle der libertas in der Geschichtsdarstellung von Tacitus[55] und an ähnliche Darstellungen des makkabäischen Aufstandes[56] und des jüdischen Krieges gegen die Römer[57] zu erinnern. Vindicatio libertatis war "a household phrase in the political struggle of the closing period of the Republic"[58]. Dabei sind δουλ-Wörter und besonders καταδουλ-Wörter zu Termini technici für den Verlust von ἐλευθερία geworden[59]. Auch die Verben παρεισέρχεσθαι und εἴκειν haben ihren festen Platz in der Kriegsterminologie[60], und ähnliches gilt wohl für παρείσακτος bzw. seinen Wortstamm[61].

Daß Paulus dieses politisch-militärische Bild hier einführt, dürfte eines klar machen: Dies ist eine höchst polemische Beschreibung der Situation. Diese "Gegner" sind nach Paulus eigentlich gar keine Christen, sondern nur Leute, die vorgeben, Brüder zu sein[62]. Sie sind nicht Christen, wollen aber heuchlerisch als Christen handeln und so Einfluß auf "uns" gewinnen.

Durch die in V 4 mittels dieses Bildes entworfene Gegenüberstellung der falschen Brüder und "uns" dürfte nun auch klar sein, daß das "wir" in diesem Satz als Gegensatz zu den falschen Brüdern zu bestimmen ist. Das "wir" meint also die echten Brüder und schließt somit diejenigen ein, die nach der Meinung des Paulus Christen sind, d.h. auch z.B. die Mitglieder der Kirchen in Judäa (vgl. 1,22 sowie die oben A 48 genannten Vertreter dieser Auffassung). In die gleiche Richtung deuten ja auch die Wörter ἐν Χριστῷ Ἰησοῦ, denn für Paulus sind sowohl heidnische als auch jüdische Gläubige "in Christus" (vgl. z.B. 3,28). Paulus hat wohl die weitere Bestimmung der Freiheit (ἣν ἔχομεν ἐν Χριστῷ Ἰησοῦ) angehängt, um eine Engführung in der Deutung von ἐλευθερία zu verhindern[63]. Durch diese Ergänzung macht Paulus deutlich, daß die Freiheit, die die falschen Brüder ausspioniert haben, nicht etwa außergewöhnliche libertinische Ausschweifungen in diesen unter dem Einfluß seiner Predigt stehenden Gemeinden, sondern eben die allgemeine christliche Freiheit war.

Nun sind wir in der Lage, den konkreten Inhalt der hier gemeinten ἐλευθερία zu bestimmen. In der Regel findet sich als Definition dieser Freiheit etwa folgendes: "Freiheit (sc. vom jüdischen Gesetz)"[64]; "(Gesetzes)freiheit"[65]; "Gesetzesfreiheit"[66]; "freedom from the Mosaic Law"[67]; "freedom of the Christian from bondage to the law"[68]; "Freiheit vom Gesetze"[69]; "l'indépendance vis-à-vis de la Loi"[70]; "vom Mosaismus"[71]; "die Freiheit der paulinischen Gemeinden vom Gesetz"[72]. Ist unser Verständnis der 2. Person Plural in V 4 richtig, so ist die nähere Bestimmung der Freiheit im letztgenannten Zitat ("der paulinischen Gemeinden") nicht legitim. Sollte diese Deutung aufrecht erhalten werden, müßte mit A.Oepke und J.Rohde gesagt werden: "die Gesetzesfreiheit der Gläubigen im allgemeinen"[73].

Unsere bisherigen Beobachtungen schließen manche der anderen vorgeschlagenen Deutungen der ἐλευθερία aus. So die oben erwähnte Auslegung von D.W.B.Robinson (s.o. S.74) sowie die ähnliche Interpretation von E.Kühl als die "Freiheit des Apostels, an Titus eventuell die Beschneidung vollziehen zu lassen"[74]. Hinfällig ist auch die Deutung von R.A.Lipsius, nach der Freiheit hier die Freiheit des Paulus und seiner Mitarbeiter, "den Heiden ein gesetzesfreies Christenthum zu verkündigen"[75], ist, sowie die Auslegung von W.Ramsay, der "the relations of Paul and Barnabas to Titus" angesprochen sieht[76].

Fragt man, was diese "Gesetzesfreiheit" für diese Forscher bedeutet, so kann wohl H.Schlier stellvertretend für alle formulieren: "konkret die Freiheit vom Beschneidungsgebot, darüber hinaus aber auch die Freiheit vom Gesetz im ganzen als dem Mittel zum Heil ..., damit endlich die Freiheit von der Gesetzesleistung als dem Weg zum Leben"[77].

Da dieses Verständnis von ἐλευθερία in V 4 einen so ehrenvollen Platz in der Auslegung erlangt hat, ist es angebracht, unseren Anlauf zur Lösung des Problems so zu nehmen, daß wir nach den Prämissen dieser Deutung fragen. Es ist wohl die Hauptvoraussetzung dieser Auslegung, daß Paulus zu dieser Zeit ein festes Verständnis von ἐλευθερία als Freiheit vom jüdischen Gesetz (etwa: ἐλευθερία ἀπὸ τοῦ νόμου τῶν Ἰουδαίων) hatte. Daher könne Paulus einfach ἐλευθερία schreiben und es den Kommentatoren überlassen, "vom jüdischen Gesetz" in Klammern zu ergänzen. Diese Hauptvoraussetzung der gewöhnlichen Exegese ist aber vor allem deswegen kritisch zu hinterfragen, weil wir in den Korintherbriefen eine Reihe von Freiheitsbelegen gefunden haben, wo ἐλευθερία eben kein solch fest umrissenes Verständnis verrät. 1Kor 7,22 war die angedeutete Freiheit des christlichen Sklaven als Freiheit von menschlichen Urteilen zu definieren. Wenn auch diese Deutung nicht mit Sicherheit zu etablieren war, so waren jedenfalls keinerlei Texthinweise zu entdecken, die für eine Auslegung als "Freiheit vom jüdischen Gesetz" sprachen. Ähnliches ist zu den Freiheitsbelegen in 1Kor 8,1-11,1 und 2Kor 3,17 zu sagen. Hier konnten wir jedoch den Sinn des Wortes ἐλευθερία mit größerer Sicherheit bestimmen. 1Kor 9,1 und 10,29 meinen offensichtlich "Freiheit von heidnischem 'Aberglauben' bezüglich der Götter" und im besonderen "Freiheit, geheiligtes Fleisch essen zu dürfen". 1Kor 9,19 steht die finanzielle Unabhängigkeit des Paulus im Vordergrund; 2Kor 3,17, die Freiheit des Apostels, alles offen sagen zu können. Gemeinsam ist diesen Stellen ein Verständnis von Freiheit nicht als Freiheit vom jüdischen Gesetz (dieses Verständnis vertritt keine von ihnen), so daß wir hier in Gal 2,4 diese Bestimmung ohne weiteres ergänzen könnten, sondern höchstens als Freiheit von menschlichen Urteilen und Maßstäben. Man wird also von den Korintherbriefen her eher fragen müssen, ob dieses Freiheitsverständnis auch in Gal 2,4 vorliegt.

Nun haben wir oben bemerkt, daß die δουλ-Wörter im Gal zum Wortfeld der ἐλευθερ-Wörter gehören und als Folie für diese verstanden werden können. Dementsprechend wäre der Inhalt von ἐλευθερία in 2,4 sozusagen an dem Wort καταδουλώσουσιν abzulesen, und man würde unter der Hauptvoraussetzung der üblichen Exegese erwarten, daß die Verwendung dieses Wortes das fest geprägte Verständnis von ἐλευθερία als "Freiheit vom jüdischen Gesetz" impliziert. In der Tat bezieht die herkömmliche Deutung von ἐλευθερία als "Freiheit vom jüdischen Gesetz" eine Stütze aus dem Verb. So schreibt E.Burton zu καταδουλώσουσιν: "i.e., to the law, implying an already possessed freedom"[78]. Diese Auslegung von καταδουλώσουσιν bildet somit eine zweite Voraussetzung der oben beschriebenen Interpretation von ἐλευθερία in V 4.

Dazu ist festzustellen, daß der Text diese Auslegung von καταδουλώσουσιν nicht deutlich unterstützt. Was mit καταδουλώσουσιν konkret gemeint ist, ist fast ebenso undeutlich wie der Inhalt von ἐλευθερία. Th.Zahn sieht richtig, daß das Verb zunächst nicht mehr besagt, als daß die Eindringlinge "sie unter irgend ein Joch zwingen wollten"[79].

Wäre nun allerdings mit dem Mehrheitstext καταδουλώσωνται zu lesen, so lautete die Antwort auf diese Frage aber eindeutig anders als in der herkömmlichen Exegese: Die falschen Brüder wollen die Christen zu ihren Sklaven machen. Nach der Lesart der ältesten Zeugen ist diese Auslegung immer noch möglich, wenn auch nicht absolut notwendig. Schlagen wir die Konkordanz auf, so ergibt sich, daß καταδουλοῦν bei Paulus sonst nur 2Kor 11,20 vorkommt: ἀνέχεσθε γὰρ εἴ τις ὑμᾶς καταδουλοῖ. Das Verb hier "suggests most naturally 'enslaves you to himself'"[80] und so auch der Rest des Verses, wo von Eigennützigkeit geredet wird. Der in diesem Vers beschriebene Mensch beutet die Korinther aus, fängt sie ein, sieht auf sie herab, schlägt sie ins Gesicht und macht sie zu seinen Sklaven[81]. Spricht schon diese Parallele für ein ähnliches Verständnis von καταδουλοῦν in Gal 2,4, so erhält diese Auslegung eine weitere Stütze in V 5: Liest man dort den längeren Text, dann ist deutlich von einem (Nicht-)Untertan-Sein unter Menschen (οἷς) die Rede; liest man hingegen den kürzeren Text, dann ist ὑποταγῇ auch auf ein Untertan-Sein unter Urteilen von Menschen zu beziehen: "die Unterstellung unter die Entscheidung der Urgemeinde und ihrer Häupter als Autoritäten"[82]. Für diese Auslegung spricht ferner, daß von der von Paulus verwendeten Kriegsanalogie her καταδουλώσουσιν auch als eine Unterwerfung unter Menschen aufzufassen ist, denn bei den Geschichtsschreibern bezeichnet dieses Wort (vgl. oben A 59) regelmäßig Unterwerfung unter eine fremde Herrschaft (paradigmatisch: unter den Perserkönig, dann unter die Athener, unter den König von Mazedonien oder unter die Römer). Endlich, selbst wenn diese Unterwerfung etwas mit dem Gesetz zu tun hätte (wie es der Fall zu sein scheint), ist wegen der pejorativen Bezeichnungen dieser "Brüder" seitens Paulus anzunehmen, daß Paulus ihr Reden vom Gesetz als nur vordergründig beurteilte und dahinter Eigennützigkeit erblickte (vgl. den ähnlichen Fall bei den galatischen Gegnern: 4,17; 6,12-13). Es kommt also der Deutung erheblich mehr Wahrscheinlichkeit zu, die in καταδουλώσουσιν eine Versklavung unter Menschen (nicht unter das jüdische Gesetz) erblickt. Das Zeugnis der Korintherbriefe stellt also nicht nur die Hauptvoraussetzung der gängigen Exegese von ἐλευθερία als Freiheit vom jüdischen Gesetz in Frage, nämlich daß dieses Verständnis von ἐλευθερία Paulus zur Zeit des Gal geläufig gewesen und also hier ohne weiteres zu ergänzen sei, sondern auch die zweite Voraussetzung, nämlich daß das zum Wortfeld gehörende Wort καταδουλώσουσιν diese Auslegung unterstütze.

Eine dritte Voraussetzung der üblichen Deutung der ἐλευθερία als Freiheit vom jüdischen Gesetz ist, daß sich Paulus seine Wortwahl nicht (nur) von dem von ihm gewählten politischen Bild vorgeben ließ. Das heißt, Paulus habe wohl die Wörter παρεισῆλθον, κατασκοπῆσαι, καταδουλώσουσιν und wohl auch παρείσακτους und εἴξαμεν dieser politischen Sprache entlehnt, nicht aber ἐλευθερία. Dieses Wort stamme aus seiner normalen Predigt über "Freiheit vom Gesetz". Diese Vermutung ist aber deswegen zweifelhaft, weil - wie wir gesehen haben - ἐλευθερία seit Herodot zu den Standardtopoi in der Beschreibung von Kriegen gehörte. Vielleicht bedürfen wir wieder eines Thukydides, der uns lehrt, daß ἐλευθερία zum Vokabular der Propaganda[83] gehört. Paulus zeichnet die in V 4 gemeinte Gruppe absichtlich in schwärzesten Farben: Sie haben sich unter die Christen eingeschlichen; sie sind Heuchler; sie sind Spione; sie zielen auf unsere Versklavung; und sie sind Gegner der Freiheit.

Sollte ἐλευθερία hier Propagandaterminus sein, so wäre sein Inhalt entsprechend weit zu fassen: ἐλευθερία bedeutete eine bestimmte πολιτεία, die Paulus durch ἣν ἔχομεν ἐν Χριστῷ Ἰησοῦ näher beschreibt, also die christliche πολιτεία[84]. D.Nestle, der das zugrunde liegende politisch-militärische Bild erkannt hat, schreibt: Freiheit "bezeichnet so das Sein der Glaubenden in Christus. Damit kommt der alte Polissinn des Wortes neu zur Geltung"[85]. Wohl ist H.D.Betz auf dem richtigen Wege, wenn er schreibt, ἐλευθερία bezeichne hier den "'indicative of salvation' as Paul understands it"[86], und danach einen Punkt setzt. Die dritte Voraussetzung der herkömmlichen Exegese ist also zweifelhaft - nicht nur, weil die ersten zwei Voraussetzungen nicht zu begründen sind, sondern auch, weil sie das von Paulus gewählte Bildwort vernachlässigen muß.

Freilich ist zu konstatieren, daß das Wort ἐλευθερία besonders gut in die von Paulus beschriebene Situation paßt. Obwohl der Text es uns nicht ermöglicht, die Wünsche der "falschen Brüder" sowie die Orte, wo sie geäußert worden sind, genau zu bestimmen[87], ergibt sich aber einigermaßen deutlich, daß es sich um einen Streit über das jüdische Gesetz und seinen Geltungsbereich handelte (vgl. V 3 und das Resultat der Konferenz, V 6ff). Das Wort ἐλευθερία paßt deswegen gut in diese Situation, weil in ihm die Idee der Gesetzlosigkeit immer wieder mitklang.

So betont Xerxes in einem berühmten Gespräch mit Demaratos über seine Chancen, Griechenland zu erobern, daß alle Griechen frei (ἐλεύθεροι) sind und daß es darum zu erwarten ist, daß sie alle nach ihrem Belieben (ἀνειμένοι δὲ ἐς τὸ ἐλεύθερον) kämpfen werden. Deswegen werden die Griechen keinem großen Heer widerstehen können. Demaratos entgegnet: "Sie sind zwar frei, aber nicht in allem. Über ihnen steht nämlich das Gesetz als Herr" (Herodot 7,103-104 [Feix])[88].

Platon schreibt in seinen Leges 875c-d: Wenn ein Mensch mit einem wahrhaften freien (ἀληθινὸς ἐλεύθερος) Verstand (νοῦς) geboren wäre, bedürfte er keines Gesetzes (νόμων οὐδὲν ἂν δέοιτο).

Ferner kreisen stoische Traktate über ἐλευθερία immer wieder darum, zu zeigen, daß der wahrhaft Freie in Übereinstimmung mit dem Gesetz handelt. Sie wollen beweisen, daß ἐλευθερία - trotz ihrer Definition (s.u. S.80 mit A 94) - nicht mit Gesetzlosigkeit gleichzusetzen ist. So sagt Diogenes laut Epiktet: ὁ νόμος μοι πάντα ἐστὶ καὶ ἄλλο οὐδέν ("Das Gesetz, und nichts anderes, ist mir alles"). Und Epiktet fügt hinzu: ταῦτα ἦν τὰ ἐλεύθερον ἐκεῖνον ἐάσαντα ("Es war dies, das ihm ermöglichte, frei zu sein")[89].

Finden wir hier die Ablehnung einer Verbindung zwischen ἐλευθερία und Gesetzlosigkeit, so hören wir von anderen den Vorwurf der Gesetzlosigkeit gegen Menschen, die sich auf ἐλευθερία berufen haben. Vgl. Tacitus Dialogus de oratoribus 40,2: Licentiae, quam stulti libertatem vocant; vgl. Isokrates 7,20. Den Römern schien griechische ἐλευθερία licentia zu sein. So schreibt Cicero: Si vero populus plurimum potest, omniaque eius arbitrio geruntur, dicitur illa libertas, est vero licentia[90]. Der religionsgeschichtliche Hintergrund von

"Freiheit vom Gesetz" wird unten S.92-96 noch weiter zu erläutern sein.

Wir haben das Problem der Sinnbestimmung von ἐλευθερία in Gal 2,4 so angegangen, daß wir die übliche Auslegung als Freiheit vom jüdischen Gesetz kritisch hinterfragt haben. Unsere Einwände gegen diese Exegese waren drei: (1) Wir haben keine Zeugnisse in den Korintherbriefen, die ein solches fest umrissenes Verständnis von ἐλευθερία verraten. (2) καταδουλώσουσιν ist wohl nicht auf "Unterwerfung unter das Gesetz" zu deuten; im Lichte von 2Kor 11,20, Gal 2,5 und der üblichen Bedeutung von καταδουλοῦν bei den Geschichtsschreibern ist vielmehr an eine Unterwerfung unter Menschen zu denken. (3) Das Wort ἐλευθερία kommt mitten in einem politisch-militärischen Bildwort vor und ist daher eher diesem Kontext entsprechend zu interpretieren. ἐλευθερία ist ein Wort der politischen Propaganda ebenso wie eine Reihe anderer Begriffe in V 4. Unter Aufnahme dieser Einwände wollen wir nun zur positiven Bestimmung des Sinnes von ἐλευθερία in Gal 2,4 übergehen.

Kommt hier, wie D.Nestle meint (s.o.), der alte Polissinn des Wortes ἐλευθερία neu zur Geltung, so ist daran zu erinnern, daß der Kern der Freiheit einer Stadt darin bestand, eigene Entschlüsse ohne Einfluß von außen zu fassen. Wo wir das Substantiv ἐλευθερία zum ersten Mal antreffen, bei Pindar Fr 77, bezeichnet es "'freien Raum' und zwar Hellas als den freien Raum, innerhalb dessen die heimatlichen Poleis sich entfalten können"[91]. War der Perserkrieg ein Kampf für die Freiheit und folglich gegen den von außen kommenden Einfluß der Perser, so wurde der peloponnesische Krieg ebenfalls unter diesem Stichwort gekämpft, wobei der Ruf nach ἐλευθερία Aufstand gegen den von außen gekommenen Einfluß der Athener bedeutete, damit die einzelnen Städte und Gebiete ihre unabhängige Existenz fortsetzen könnten[92]. So ist auch bei Euripides Heraclidae 243-246 Athen ein freies Land nur, solange es sich nicht unter die Macht (βία) von außen beugt. In diesem Sinne sagt Demophon zu Kopreus: οὐ γὰρ Ἀργείων πόλει ὑπήκοον τήνδ᾽ ἀλλ᾽ ἐλευθέραν ἔχω ("Meine Stadt ist nicht dem Staate der Argeier unterworfen, meine Stadt ist frei!" [Ebener], Heraclidae 286-287; vgl. Maximos von Tyros 23,3b). αὐτονομία und ἐλευθερία bildeten "die feste zweigliederige Formel für die volle Souveränität und die Freiheit, die in allen Bündnisverträgen Gleichberechtigter zugesichert wurde"[93].

Innerhalb der freien Stadt erwuchs sodann der Gedanke des freien Individuums. So sagt Theseus über Athen in Euripides Supplices 404-405: οὐ γὰρ ἄρχεται ἑνὸς πρὸς ἀνδρός, ἀλλ᾽ ἐλευθέρα πόλις ("Denn hier gebietet nicht ein einzelner; die Stadt ist frei" [Ebener]). Auch Platon spricht von der Stadt "voll von Freiheit", wo jeder die Macht hat, "zu tun, was er will" (Respublica 557b). Auf diese Weise kam es zur folgenden allgemein hellenistisch-römischen Definition der Freiheit: ἐλεύθερός ἐστιν ὁ ζῶν ὡς βούλεται, ὃν οὔτ᾽ ἀναγκάσαι ἔστιν οὔτε κωλῦσαι οὔτε βιάσασθαι ("Frei ist, wer lebt, wie er will, wer unter keiner Notwendigkeit, unter keiner Gewalt, unter keinem Zwange lebt", Epiktet 4,1,1 [Mücke]). Besonders der erste Teil dieser Definition erlangte weite Verbreitung[94].

Diese allgemein hellenistische Definition von Freiheit scheint nun auch in Gal 2,4 vorzuliegen: Von außen gekommene Spione wollen die Christen unterwerfen und sie dadurch der Freiheit berauben, so zu handeln, wie sie es ἐν Χριστῷ für richtig halten. Für diese Deutung von ἐλευθερία sprechen folgende Punkte: (1) Sie korrespondiert mit dem von Paulus gewählten politisch-militärischen Bild, denn der Kern der Freiheit einer Stadt bestand darin, Beschlüsse zu fassen, wie sie wollte. (2) Sie entspricht der Bedeutung des zum semantischen Umfeld gehörenden Wortes καταδουλώσουσιν, das als eine Versklavung unter Menschen bzw. menschliche Urteile zu deuten ist. ἐλευθερία besteht hier in der Freiheit von diesen Menschen und ihren Meinungen. (3) Sie paßt auf frappante Weise zum größeren Kontext: Gal 1,11ff will beweisen, daß das paulinische Evangelium nicht nach Menschenart ist (1,11) noch von Menschen stammt (1,12); so besteht die christliche Freiheit darin, daß sie (nichtchristlichen) menschlichen Urteilen nicht untergeordnet ist, sondern allein der Wahrheit entspricht.
(4) Ferner gewinnen wir von hier aus eine deutliche Brücke zu den Freiheitsbelegen in den Korintherbriefen. War dort von Freiheit von (nichtchristlichen) menschlichen Meinungen die Rede, so auch hier: Die falschen Brüder wollen die Christen sich selbst und ihren Meinungen unterwerfen. Sie wollen die Christen zu Sklaven von Menschen (vgl. 1Kor 7,23) machen. In diesem Fall betreffen die von außen aufdrängenden Meinungen freilich nicht die Götter, wie in 1Kor 9,1; 10,29, sondern offensichtlich den Geltungsbereich des jüdischen Gesetzes (hier speziell wohl des Beschneidungsgebotes). Aber diese Differenz scheint keineswegs gravierend zu sein, (1) weil, wie wir unten noch sehen werden, Paulus das jüdische Gesetz mit heidnischen Göttern auf eine Ebene stellen kann, und (2) weil Paulus an dieser Stelle im Unterschied zu 1Kor 9,1; 10,29 von ἐλευθερία im umfassenderen Sinne spricht. 1Kor 9,1; 10,29 war ἐλευθερία geradezu definiert als Freiheit von heidnischen Urteilen über geweihtes Fleisch und als Freiheit, dieses Fleisch essen zu dürfen. Hier dagegen bedeutet ἐλευθερία generelle Freiheit, das zu tun, was man will. Während diese Freiheit sicherlich "Freiheit" von den Forderungen der falschen Brüder sowie des jüdischen Gesetzes (Beschneidungsgebot) einschließt, wird sie dadurch nicht definiert. Vielmehr sind jene nicht mehr als zwei unter vielen anderen möglichen Gefahren für eine umfassender verstandene Freiheit.

Inwieweit "Freiheit vom jüdischen Gesetz" ein fest geprägter Begriff für Paulus war bzw. wurde, läßt sich nicht allein anhand dieser Stelle - hier war das Ergebnis negativ - feststellen, sondern kann nur nach der Untersuchung der anderen im Gal (oder auch im Röm) vorkommenden Freiheitsbelege bestimmt werden. Doch können wir jetzt schon sagen: Wenn dieser Begriff für Paulus ein fest geprägter war, dann ist er als Unterbegriff einer breiteren Vorstellung von Freiheit aufzufassen. Schon an dieser Stelle ist die begründete Vermutung aufzustellen, daß "Freiheit vom jüdischen Gesetz" nicht der Ursprung des paulinischen Freiheitsgedankens ist, sondern nur eine Ausformung einer breiteren, in den Korintherbriefen bezeugten Idee bzw. eines dort bezeugten Komplexes von Ideen.

Können wir diese Vermutung im folgenden näher begründen und spezifizieren, so wäre ein weiterer Schritt zur religionsgeschichtlichen Erklärung des paulinischen Freiheitsgedankens gemacht. Schon der Ansatz zu diesem Schritt erscheint wichtiger als die bisherigen Ergebnisse, weil der Begriff "Freiheit vom Gesetz" die bisherige Forschung so stark beherrscht hat und weil diese Forschung bei der religionsgeschichtlichen Bestimmung dieses Gedankens fast völlig schweigt. Wie wir oben im Forschungsüberblick gesehen haben, halten viele Forscher diesen Begriff für religionsgeschichtlich unableitbar und können nur auf die Offenbarung bei der "Bekehrung" zu seiner Erklärung verweisen (s.o. S.18-19 mit A 78). Nachfolgend ist daher zu untersuchen, ob wir die obige Vermutung weiter begründen können, indem wir weitere Bausteine des paulinischen Freiheitsverständnisses aufdecken und religionsgeschichtlich einordnen.

Bevor wir diese Stelle verlassen, sei nochmals an eine wichtige Beobachtung erinnert: Das Einführen des Wortes ἐλευθερία sowie des ganzen politisch-militärischen Bildes in V 4 dient polemischen Zwecken und ist als bewußt rhetorische Leistung des Paulus zu beurteilen. Es wird daher im folgenden auch zu fragen sein, ob die anderen Freiheitsbelege des Gal ebenfalls diese Eigenschaften aufweisen.

4.3 Gal 4,21-31: Christlicher Glaube ist Freiheit

Paulus nimmt das Thema "Freiheit" erst wieder am Ende mehrerer Argumentationsgänge auf, die die Galater überzeugen sollen, dem Einfluß der "Agitatoren" und somit den Forderungen des jüdischen Gesetzes nicht nachzugeben (3,1ff). Hat er schon einmal von Abraham gesprochen, um zu zeigen, daß diejenigen, die aus Glauben leben, die Söhne Abrahams sind (3,6-9), und daß Christus es den Christen ermöglicht, die Segnung Abrahams zu empfangen (3,10-18), so kommt er in unserem Abschnitt wieder auf das Thema der Nachkommenschaft Abrahams zurück.

Das wiederholte Vorkommen dieses Themas hat oft zu der Vermutung geführt, daß die "Aufrührer" ihr Evangelium in Galatien anhand des Stichwortes "Söhne Abrahams" propagiert haben[95]. C.K.Barrett hat diese Vermutung durch die Annahme erweitert, daß die "Aufwiegler" sogar "an argument based upon the two women, Sarah and Hagar" verwendet haben[96]. Er meint, der Wortlaut der einfachen Formulierungen "von der Sklavin" und "von der Freien" "implies that the story is already before the Galatians; they will know that the slave is Hagar, the free woman Sarah"[97]. Wie wir schon gesehen haben, setzt aber Paulus an mehreren Stellen in seinen Briefen genaue Kenntnis des AT bei seinen Lesern voraus (z.B. 1Kor 10, 2Kor 3). Erwies sich oben (A 194 zu Kap.3) die Annahme, 2Kor 3 beruhe auf einer gegnerischen Vorlage, als unbegründet, so gilt dieses Urteil um so mehr für Barretts Vermutung, auch 1Kor 10 nehme auf einen in Korinth abgefaßten Midrasch Bezug[98]. Barretts These zu Gal 4,21-31 ist also unbegründet. Aber auch die übergeordnete These, Abraham habe eine Rolle bei der

Verkündigung der "Agitatoren" gespielt, hat keinen festen Anhalt im
Text. Daß diese These "nicht zu widerlegen" ist[99], ist nicht schwer-
wiegender als die Tatsache, daß sie im Text nicht zu begründen ist.
Wir wissen nicht einmal, wie Paulus Nachricht von der Situation in Ga-
latien erhalten hat. Daher bewegen sich alle Spekulationen über einen
Brief der Galater[100] (warum nimmt er denn darauf nicht ausdrücklich
Bezug, wie er es in 1Kor tut?) o.ä. im rein hypothetischen Bereich.
Deswegen wird die oben genannte Vermutung im folgenden beiseite ge-
lassen.

Während sich die Kommentare und Studien zu diesem Abschnitt ausführlich mit einer Reihe von exegetischen Einzelproblemen befaßt haben, wird
eine übergreifende und - wie wir sehen werden - unser Thema betreffen-
de Fragestellung zumeist vernachlässigt: Was will Paulus hier überhaupt
mit seinen Erörterungen beweisen? Freilich wird sich thetisch zu dieser
Frage geäußert[101], aber die unterschiedlichen Antworten zeigen, daß dieser Punkt mehr Aufmerksamkeit verdient, als ihm gewöhnlich zukommt.
Um dieses Problem zu veranschaulichen, seien im folgenden zunächst verschiedene angebotene Lösungen vorgeführt.

Am häufigsten wird die Funktion von 4,21-31 bestimmt als ein Beweis dafür, daß Christen frei vom jüdischen Gesetz sind. So schreibt z.B. R.A.
Lipsius, Paulus erweise durch die beiden Typen "die Freiheit der Gläubigen vom mosaischen Gesetz"[102]. Ähnlich schreibt K.Berger, hier werde
"bewiesen, daß die Christen wegen des Besitzes der Verheißung frei sind
vom Gesetz, d.h., weil sie das Pneuma empfangen haben"[103]. "Nicht die
Freiheit vom Gesetz allein ist das Thema, sondern deren Verbindung mit
dem Erbe auf Grund der Verheißung"[104]. Etwas variierend sieht F.Sieffert
hier nicht so sehr einen Beweis der christlichen Freiheit als "eine dem
praktischen Bedürfniss angemessene Vertheidigung" derselben[105]. Wieder
etwas anders, erblickt H.Lietzmann eine "Beweisführung für die Wahrheit
der Freiheitspredigt"[106].

Sind die Unterschiede zwischen diesen Kommentatoren als nicht überaus
groß zu bezeichnen, so gilt das nicht, wenn diese Erklärungen mit den
folgenden verglichen werden. D.Lührmann meint, Paulus will "seine Alternative von Glaube und Gesetz" begründen[107]. Etwas anders schreibt
J.C.O'Neill zu V 24b-27: "The allegory implies that men had to choose
between belonging to Judaism and belonging to the Church"[108]. Weil aber
diese Wahl zur Zeit des Paulus nicht aktuell gewesen sei, will O'Neill diesen Teil des Passus einem nachpaulinischen Redaktor zuschreiben. Die
Pointe der übrigen Verse (ohne V 30) sei folgende: Christen "should be
true to Abraham's faith"[109]. M.-J.Lagrange verneint explizit, daß der
Zweck des Abschnittes 4,21-30 darin besteht, zu zeigen, daß Christen
frei sind und sich dem Gesetz nicht unterordnen sollen. Vielmehr wolle
Paulus aus der Schrift zeigen, daß es nicht nur einen, sondern zwei
Bünde gibt, von denen der eine unvollkommen und auf Zeit begrenzt
ist[110]. Dagegen besteht für P.Bonnard der Zweck des Abschnittes darin, daß die Galater eigentlich der Sklavin nacheilen[111]. Wieder anders
meint H.D.Betz: "This argument demonstrates ... that Gentile Christians,

such as the Galatians, are the offspring of Abraham's freeborn wife Sarah rather than the slave woman Hagar."[112]

Zeigen diese Ausführungen, daß die Bestimmung des Zweckes unseres Abschnittes ein Problem ist[113], das Beachtung verdient, so ist dieses Problem für uns um so wichtiger, weil häufig gerade an diesem Punkt der Inhalt der hier gemeinten Freiheit bestimmt wird. Wir wollen daher vorab versuchen, den Zweck des Abschnittes zu klären.

Nun ist deutlich, daß Paulus in diesem Abschnitt etwas Bestimmtes mit den ἐλευθερ-Wörtern vorhat. Dies zeigt sich vor allem daran, (1) daß er diese Wörter der LXX-Vorlage nicht entnommen, sondern eingeführt hat (Gen 21 LXX wird Sara nicht als ἐλευθέρα bezeichnet) und (2) daß er diese Einfügung konsequent vorgenommen hat (auffällig besonders bei der Einfügung von τῆς ἐλευθέρας in das wörtliche Zitat V 30).

Das Targum Jonathan zu 1.Mose 16 spricht zwar von der Freilassung Hagars durch Sara, bevor Abraham mit ihr Kinder zeugte, aber auch dort wird Sara nicht "die Freie" genannt.

Daß "Paulus den Grundstock in 4,21ff. exegetischer Schultradition entlehnt hat", wird neuerdings angenommen von J.Becker. V 28 und 31 seien eine Dublette, und V 31 schließe sich V 27 gut an, folge aber nicht aus V 28-30. Deshalb und wegen des Wechsels zwischen "ihr" und "wir" im Text sei V 28-30 als paulinischer Einschub zu beurteilen[114]. Da im Lichte von Gal 2 solche Exegese in Antiochien benötigt worden sei, "mag in den Jahren des Paulus in Antiochia diese Exegese als relativ feste Tradition dem Apostel zugewachsen sein"[115].

Bestünde diese Annahme Beckers zu Recht, dann hätte sie nicht nur Folgen für die Bestimmung der Absicht des Paulus in diesem Abschnitt, sondern auch erhebliche Konsequenzen für das übergreifende Problem der Freiheit bei Paulus, denn Becker setzt voraus, daß in dieser Schultradition "die christliche Freiheit mit Hilfe des Alten Testaments gegen eine entgegengesetzte Auffassung ausdrücklich" gerechtfertigt wurde[116]. Das hieße dann, daß Paulus seinen Freiheitsbegriff aus der antiochenischen Tradition schon vor seiner Mission in Griechenland übernommen hätte.

Indessen erweist sich diese These aus den folgenden Gründen als wilde Spekulation. Erstens hat V 31 seinen Platz nur nach V 30, denn die betonte verneinende Aussage: "Daher sind wir nicht Kinder einer Sklavin", fußt auf der erst V 30 durchgeführten strikten Unterscheidung zwischen dem Nachkommen der Sklavin und dem der Freien (erst dort wird gesagt, daß das Kind der ersteren nicht zu den Erben gehört). Ferner ist V 31 keine Dublette von V 28, denn V 28 fehlt noch das Wort ἐλευθέρα. Unverständlich ist m.E. folgende Aussage Beckers: "Wenn zudem V.31 folgert, die Gemeinde gehöre auf die Seite Saras, der Freien, dann bleibt uneinsichtig, wie dies aus der V.29f. geschilderten Verfolgungssituation erschlossen werden kann"[117]. Gehören die verfolgten Christen auf die Seite des verfolgten Isaaks[118], dann gehö-

ren sie doch mit Isaak unter die Kinder der Freien (V 31; vgl. V 22.
23.26-28). Ferner übersieht Becker, wenn er "das briefliche 'Ihr'"
V 28 als Zeichen eines Einschubs auswertet (sonst spricht der Text
- außer V 21 - nur von "wir")[119], daß Paulus 5,1 mit "wir" fort-
fährt[120]. Es gibt neben dem "ihr" auch ein briefliches "wir" (vgl. z.B.
Gal 1,3.4; 3,13.14.24.25; 4,5; 6,9.10.14.18), und Paulus wechselt frei
in der Verwendung dieser Pronomina (vgl. z.B. 4,5-6; 6,7-10). Daher ist es nicht verwunderlich, wenn Becker seinem eigenen Prinzip
widerspricht, indem er 3,26-28 umgekehrt das "ihr" als Hinweis auf
Tradition auswerten will[121]. Endlich ist der Gebrauch von κατὰ σάρκα
V 23 nicht unpaulinisch[122] (vgl. z.B. 1Kor 10,18; Röm 4,1; 9,3.5.8),
und das δι' ἐπαγγελίας V 23 ist deutlich paulinisch (vgl. 3,18).

Somit erweist sich Beckers These als unbegründet[123], und daher brauchen wir seine spekulative Lokalisierung und Datierung dieser angeblichen Tradition nicht zu diskutieren. Im übrigen widerspricht dieser
These der Befund zu ἐλευθερία in den Korintherbriefen. Beckers These
ist aber vor allem deswegen interessant, weil sie versucht, mit konkreten exegetischen und historischen Argumenten zu beweisen, daß
Paulus seine "Freiheitspredigt" (im Sinne von "Freiheit vom Gesetz")
aus der Tradition übernommen habe (vgl. die Besprechung von Vertretern dieser Auffassung oben im Forschungsüberblick S.16-18).
Daß er bessere Argumente nicht bieten kann, zeigt erneut, daß eine
Grundlage für diese Auffassung fehlt.

Zeigt sich hier folglich, daß Paulus - wie in 2,4 - ein ἐλευθερ-Wort in die
Diskussion bewußt einführt, so ist zu fragen, ob er möglicherweise hier
wie dort polemische und rhetorische Absichten hat. Nun dient der Bezug
auf die Schrift V 22-23 Paulus dazu, eine qualitative Unterscheidung zwischen den Nachkommen Abrahams vorzunehmen. Ist für Paulus einerseits
in Christus der Unterschied zwischen Sklaven und Freiem aufgehoben (vgl.
3,28; 1Kor 12,13), so verraten diese Verse andererseits ein der antiken
Welt vertrautes Bewußtsein vom qualitativen Unterschied zwischen dem
Sklaven und dem Freien. Wir haben gesehen (s.o. S.37), daß einige
Denker der antiken Welt die Wichtigkeit dieses Unterschieds heruntergespielt haben. Doch blieb auch die andere Tradition lebendig, nach der es
φύσει δοῦλοι gibt, der Sklave also als schlechtes Wesen beurteilt wird[124].
Es war ja diese Tradition, die die Verinnerlichung der Freiheit und Sklaverei überhaupt erst ermöglichte, denn letztere war nur eine Übertragung von etablierten sozial-politisch orientierten Werten ins Geistige[125].
Diese Grundlage der Verinnerlichung der Freiheit und Sklaverei wird z.B.
bei den Stoikern immer wieder sichtbar, wenn sie in ihren Traktaten
über Freiheit von der sozial-politischen Unterscheidung ausgehen, um ins
Geistige vorzustoßen (vgl. z.B. Dion Chrysostomos 15, Philo Quod omnis
probus liber sit 17-19, Cicero Paradoxa Stoicorum 35, Epiktet 4,1,6ff).
Dies gilt offensichtlich auch hier bei Paulus: Er fängt mit einem sozial-
politischen Unterschied an, um (durch etwas, was er "Allegorese" nennt)
einen geistigen zu etablieren. Paulus bezweckt damit (wie die Stoiker),
den Nachweis eines qualitativen Unterschiedes im Bereich des Geistigen

zu erleichtern. Paulus will einen qualitativen Unterschied zwischen den
Nachkommen Abrahams treffen. Das zeigt sich auch daran, daß er die anderen Söhne Abrahams (1.Mose 25,1-2) einfach nicht erwähnt. Er interessiert sich also für die klare Gegenüberstellung: Freie - Sklavin. Das Interesse an dieser Gegenüberstellung verrät zwar noch nicht den übergeordneten Zweck des Abschnittes, gibt uns aber einen wichtigen (rhetorischen) Schlüssel zu seiner Bestimmung.

Einen ersten Schritt in seiner Argumentation vollzieht Paulus, indem er
durch "Allegorese" die beiden Frauen auf zwei Bünde bezieht. Der erste
Bund ist der am Sinai eingerichtete (V 24c). Der andere wird von Paulus
in unserem Abschnitt nicht explizit beschrieben, kann aber mit einiger
Sicherheit aus 3,17 (διαθήκην προκεκυρωμένην ὑπὸ τοῦ θεοῦ) erschlossen werden[126]. Er ist der Bund mit Abraham, der 430 Jahre vor der Gesetzgebung eingerichtet wurde. Dieser Bund schließt also das Gesetz nicht ein.
Da Paulus schon früher im Gal von dem einen Bund und von dem nachher hinzugekommenen Gesetz gesprochen hat und da er hier die Gleichsetzung der Frauen mit zwei Bünden (αὗται γάρ εἰσιν δύο διαθῆκαι) einfach
am Anfang seiner Ausführungen vornimmt, ohne Argumente dafür zu liefern, ist zu schließen, daß der Zweck des Abschnittes nicht darin besteht,
zu zeigen, <u>daß</u> es zwei Bünde gibt (gegen Lagrange). Das scheint Paulus
einfach vorauszusetzen - wie auch 2Kor 3,6[127]. Selbst wenn er das mit
V 24 beweisen wollte, erreicht er diesen Punkt so früh, daß dies nicht
den Hauptpunkt der Ausführungen bilden kann. <u>Noch will Paulus in unserem Abschnitt wieder beweisen, daß der eine Bund das Gesetz involviere, der andere nicht.</u> Das hat er schon 3,17 anhand historischer Tatsa-
chen gezeigt, und es wird hier vorausgesetzt (vgl. V 24b: αὗται γάρ εἰσιν δύο
διαθῆκαι, μία μὲν ἀπὸ ὄρους Σινᾶ). Vielmehr führt er Sarah und Hagar ein, um
die zwei vorausgesetzten Bünde durch Übertragung des sozial-politischen
Unterschieds zwischen der Freien und der Sklavin zu qualifizieren: Der
eine Bund führt - wie Hagar - in Sklaverei, der andere - wie Sara -
in Freiheit.

Durch diese Qualifizierung etabliert Paulus also einen qualitativen Unterschied zwischen den Bünden, bezeichnet den einen als das unbedingt Gute (wie die sozial-politische Kategorie "Freier") und den anderen als das
unbedingt Schlechte (wie die sozial-politische Kategorie "Sklave") und impliziert somit auch, daß es nur ein Entweder-Oder zwischen diesen Bünden gibt. Daß wir hier auf dem richtigen Wege zur Bestimmung des Zwek-
kes dieses Abschnittes sind, zeigt sich daran, daß die letzte Implikation
des anhand der Bezeichnung "frei" und "Sklavin" eingeführten qualitativen Unterschieds zwischen den zwei Bünden wiederum von Paulus mit einem Schriftwort V 30 begründet wird: Auch die Schrift sagt, daß nur der
Nachkomme der Freien Erbe sein wird[128]. V 31 zieht Paulus den Schluß:
"Nicht sind wir Kinder einer Sklavin, sondern der Freien." <u>Der Zweck
des Abschnittes besteht also darin, anhand des Alten Testaments eine
qualitative und exklusive Unterscheidung zwischen den zwei Bünden
durchzuführen, indem der eine Bund als Sklaverei, der andere als Freiheit qualifiziert wird</u>[129]. Wie einem, der zwischen Freiheit und Sklaverei

entscheiden muß, nur eine Wahlmöglichkeit gegeben ist, so gilt das auch für die Galater - worauf Paulus sodann 5,2-4 explizit eingeht. Die einzelnen untergeordneten Argumente (z.B. der Verweis auf die Verfolgung) sind alle darauf ausgerichtet, abzusichern, daß Paulus die Identifizierung richtig vollzogen hat, d.h., daß der Bund vom Sinai mit der Sklavin, der andere mit der Freien gleichzusetzen ist und nicht umgekehrt.

Diese "Allegorie" ermöglicht Paulus, den Galatern ihre Entscheidung anhand des Gegensatzes "Freiheit - Sklaverei" vor Augen zu führen. Da kaum ein Mensch Sklaverei der Freiheit vorziehen würde (so lautet die unausgesprochene Logik des Abschnittes, der von dem sozial-politischen Unterschied zwischen Sklaven und Freiem ausgeht), haben die Galater nur die eindeutig richtige Wahl zu treffen. Es sollte damit klar sein, welche rhetorische Leistung (oder mindestens Anstrengung) dieser Abschnitt widerspiegelt. Paulus beansprucht das Wort "frei" für sich selbst und läßt den "Agitatoren" nur das Wort "Sklaverei" übrig.

Jetzt können wir uns der Frage zuwenden, was Paulus unter dem Wort ἐλευθέρα versteht. Es ist auch hier merkwürdig, daß Paulus den Begriff nicht näher qualifiziert. Während er V 22-23 offensichtlich sozial-politische Freiheit vor Augen hat, ist zunächst unklar, was für eine Freiheit er sich V 26.30-31 konkret vorstellt. Vermutlich ist ἐλευθέρα hier im übertragenen Sinne gemeint; das Wort empfängt seinen Inhalt also gewissermaßen von der anfangs aufgestellten sozial-politischen Unterscheidung. Aber wie diese Übertragung auszuwerten ist, wird von Paulus an keiner Stelle explizit ausgeführt. Welche Freiheit spricht Paulus den Christen zu, wenn er schreibt, sie seien Kinder τῆς ἐλευθέρας?

Meistens wird freilich die Freiheit des oberen Jerusalems und somit die ihrer Kinder als "Freiheit vom Gesetz" bestimmt[130]. Dafür beruft man sich auf V 25, wo δουλεύει angeblich Sklaverei unter dem Gesetz bezeichnet[131]. δουλεία V 24 wird ebenfalls zumeist auf Sklaverei unter dem Gesetz bezogen[132], und aus diesem Kontrastwort lasse sich schließen, daß Paulus auch sonst in diesem Abschnitt an "Freiheit vom Gesetz" denke. Doch ist hier wieder auffällig, daß Paulus δουλεύει bzw. δουλεία (wie auch ἐλευθέρα) nicht dementsprechend qualifiziert. Sind unsere obigen Beobachtungen zum Gedankengang und Zweck des Abschnittes auf der richtigen Fährte, dann setzt Paulus voraus, daß der eine Bund das Gesetz beinhaltet, der andere hingegen nicht. Doch das will Paulus eben nicht beweisen. Was er durch seine "Allegorie" zeigen will, ist, daß der eine Bund Sklaverei, der andere Freiheit ist. Es wäre eine seltsame Tautologie, wenn Paulus gesagt hätte: Die Teilnehmer an dem Bund mit dem Gesetz vom Sinai sind dem Gesetz untergeordnet; die Teilnehmer an dem Bund, der 430 Jahre vor der Gesetzgebung eingerichtet wurde und daher das Gesetz nicht involviert, sind dem Gesetz nicht untergeordnet. Eine solche Tautologie ist bei der üblichen Auslegung von δουλεία V 24 als Sklaverei unter dem Gesetz unvermeidbar. Somit zeigt sich die Unmöglichkeit, δουλεία hier als Sklaverei unter dem Gesetz zu verstehen. Paulus formuliert hier keine Tautologie. Was er sagt, ist, daß der eine Bund mit dem Gesetz Sklaverei ist und - implizit - daß der andere Bund ohne das Gesetz Freiheit ist.

Als Beweis dafür beruft er sich auf die Geschichte von Sara und Hagar,
die laut Paulus diese Wahrheit verborgen enthält. Wofür Paulus zunächst
expressis verbis argumentiert, ist, daß der Bund vom Sinai (sc. der
Bund mit dem Gesetz) mit Hagar korrespondiert und dementsprechend zur
Knechtschaft gebiert.

Die Wörter εἰς δουλείαν γεννῶσα bilden also den Schlußpunkt, auf den
hin Paulus zunächst argumentiert. Freilich ist das wegen der Voranstellung dieser Wörter und wegen des unsicheren Textes von V 25a
etwas verdeckt. Doch ist auf jeden Fall spätestens mit dem Wort γεννῶσα
klar, daß Paulus die "allegorische" Deutung schon hier vornimmt. Er
beschreibt nicht einfach den Sinai-Bund, den er später mit Hagar
gleichsetzen will, sondern überträgt auf ihn schon jetzt Eigenschaften
Hagars (γεννῶσα paßt nicht zu διαθήκη) - so an dieser Stelle die Aussage εἰς δουλείαν γεννῶσα. Paulus geht deswegen so schnell zu seiner
Schlußfolgerung über, weil er dadurch seine Pointe besonders deutlich
hervorheben kann: Bund vom Sinai ist δουλεία. Erst in V 25a liefert er
das Argument nach, das diesen Schluß eigentlich ermöglicht. Der Vers
lautet: τὸ γὰρ Σινᾶ ὄρος ἐστὶν ἐν τῇ Ἀραβίᾳ[133]. Mit diesem Satz begründet
Paulus (γάρ) die Gleichsetzung des Sinai-Bundes mit Hagar und somit
die Übertragung der Eigenschaft εἰς δουλείαν γεννῶσα von der letzteren
auf den ersteren: Sinai liegt in Arabien; Arabien ist bekanntlich Is-
maels Gebiet, und Hagar ist durch Ismael die Mutter der Araber (vgl.
z.B. Josephus Antiquitates 2,213: Abraham übergab Ismael und seinen
Nachkommen Arabien; Jubiläenbuch 20,13, Origenes bei Eusebius Praeparatio evangelica 6,11,69, pseudoklementinische Rekognitionen 1,33,3
[syrisch]; vgl. 1.Mose 25,6.18 mit den Targumim dazu)[134].

An diesem Punkt bricht Paulus seine Argumentation ab, ohne die entsprechende Analogie zwischen dem anderen Bund und Sara zu etablieren (sc. Sara ist gleich dem anderen Bund, weil ...; er gebiert zur
Freiheit), und geht zu einer anderen Auswertung der biblischen Geschichte über[135]: das jetzige und das obere Jerusalem. Das tut er anscheinend, weil ihm ein entsprechender Grund für die Gleichsetzung
Sara = der andere Bund fehlte, weil "Jerusalem" mit dem Begriff
"Mutter" traditionell verbunden war und weil er durch diese Einführung eine Verbindung zwischen Sara und dem oberen Jerusalem als
der Mutter der Christen aufrichten konnte: Beide sind frei (s.u.).

Hierbei werden allerdings der Begriff "Sklaverei" und der implizit über-
tragene Begriff "Freiheit" in der allegorischen Interpretation nicht explizit ausgewertet und gedeutet. Sie bleiben vage, behalten aber in der
Übertragung ihre Wertung als etwas absolut Schlechtes bzw. etwas absolut Gutes, die sie durch den Grundtext (V 22-23) erhalten haben, der
sozial-politische Freiheit und Sklaverei vor Augen führt.

Doch scheint Paulus an einer Stelle eine genauere Definition von Sklaverei und Freiheit vorzuschweben. V 25b schreibt er, Hagar[136] entspreche
dem jetzigen Jerusalem, da diese Stadt[137] Sklavin ist. Hier ist im Unterschied zum ersten Vergleich der Stand "Sklaverei" der Punkt, der das

jetzige Jerusalem mit Hagar verbindet (γάρ). Daher scheint Paulus hier mit
einem bestimmten Begriff von Sklaverei in bezug auf Jerusalem zu arbeiten. Auf denselben Schluß deutet auch die einfache Aussage in V 26:
Das obere Jerusalem ist frei. Auch hier zielt Paulus nicht auf einen Beweis für die Verbindung von "oberem Jerusalem" und "frei" ab, sondern
argumentiert nur, daß dieses Jerusalem "unsere Mutter" ist (V 27: γάρ).
Die Bestimmung "frei", die er sowohl für das obere Jerusalem als auch
für Sara voraussetzt, ermöglicht Paulus, eine Verbindung zwischen den
beiden herauszustellen. Wenn er sagt, das obere Jerusalem sei frei,
scheint er also mit einem spezifischen Verständnis von "frei" zu arbeiten.

Die Vorstellung des "oberen bzw. himmlischen Jerusalems" hat eine reiche Geschichte in der jüdischen Tradition[138]. Jedoch wird das obere
Jerusalem nirgendwo sonst als ἐλευθέρα bezeichnet. Am nächsten stehen wohl die Stellen, die dem irdischen Jerusalem diese Bezeichnung
zuteilen. So wird 1. Makkabäerbuch 2,11 über Jerusalem geklagt:
ἀντὶ ἐλευθέρας ἐγένετο εἰς δούλην (vgl. auch 15,7; 2. Makkabäerbuch
2,22; 9,14). Sodann ist auf die jüdischen Kriegsmünzen hinzuweisen.
Auf den bronzenen Münzen aus dem 2. und 3. Jahr des ersten Krieges
steht חרות ציון, "Freiheit Zions"; auf Münzen aus dem 3. Jahr des Bar
Kochba Aufstands erscheint לחרות ירושלם, "der" bzw. "für die Freiheit
Jerusalems"[139]. Nun wird besonders in den Untersuchungen zu diesen
Münzen und zu den Berichten des Josephus von M.Hengel und G.Baum-
bach dafür argumentiert, daß "Freiheit" ein verbreiteter religiöser Begriff unter den Rebellen war[140]. Baumbach schreibt, dieser Freiheitsbegriff sollte als "apokalyptischer Freiheitsbegriff bezeichnet werden"[141], und im Lichte des obigen Befundes meint Hengel, auch Gal
4,26 "könnte eine andersartige jüdische Auffassung von der 'Freiheit
Jerusalems' zugrundegelegen haben"[142]. Doch haben wir keine anderen außerpaulinischen Belege, um eine solche "andersartige jüdische
Auffassung" von der Freiheit des oberen Jerusalems aufzuhellen. Daher wurde auch z.B. vermutet: Das obere Jerusalem "gehört auf die
Seite der freien Sara, weil das irdische Jerusalem auf die andere Seite gehört"[143]. Jedenfalls helfen uns diese dürftigen makkabäischen
und zelotischen Traditionen wenig, den Inhalt von ἐλευθέρα in V 26 in
bezug auf das obere Jerusalem zu bestimmen. Dafür sind wir wieder
auf den Kontext und die paulinische Gedankenwelt zurückverwiesen.

Außer dem oben formulierten Haupteinwand gegen die Auslegung von
δουλεία V 24 als "Sklaverei unter dem Gesetz" und die daraus gezogene
Konsequenz, daß ἐλευθέρα hier "frei vom Gesetz" bedeutet, ist jene Auslegung wenig wahrscheinlich, da sie impliziert, daß Paulus Freiheit vom
Gesetz bzw. Sklaverei unter dem Gesetz einer Stadt zugeschrieben hätte.
Setzt Paulus - wie wir gezeigt haben - die Bestimmungen frei bzw. unfrei
für das obere bzw. das jetzige Jerusalem voraus, so ist vielmehr zu erwarten, daß sich der Inhalt der Sklaverei bzw. Freiheit gerade an der
Gegenüberstellung von dem jetzigen Jerusalem und dem oberen Jerusalem
zeigt. Hier wird eine Art "metaphysischer" Unterscheidung getroffen, und
es ist daher mit Th.Zahn zu vermuten, daß es gerade der himmlische Ursprung dieses Jerusalems ist, der hier die Freiheit sichert und somit de-

finiert. Frei-Sein hieße demnach: "von dieser Welt, ihren Stoffen und den in ihr geltenden Ordnungen unabhängig"[144]. Diese von Zahn herausgeschälte Bestimmung von ἐλευθέρα wird also auf vorzügliche Weise aus dem Text selbst gewonnen. Aber nicht nur deswegen scheint diese Auffassung auf dem richtigen Wege zu sein, sondern auch, weil wir einen solchen eschatologischen oder apokalyptischen Freiheitsbegriff an anderer Stelle in den Briefen des Paulus finden. Röm 8,21 schreibt Paulus: αὐτὴ ἡ κτίσις ἐλευθερωθήσεται ἀπὸ τῆς δουλείας τῆς φθορᾶς. In diesem Vers kommt nicht nur ein Freiheitsbegriff, sondern auch eine Auffassung von δουλεία zur Sprache, die beide zu unseren Versen (V 25-26) genau passen: Das jetzige Jerusalem ist eine Sklavin, da es der jetzigen Welt angehört und dementsprechend unter der Vergänglichkeit verknechtet ist; das obere Jerusalem ist frei, weil es der himmlischen Welt angehört und dementsprechend unvergänglich ist. Obwohl wir, wie gesagt, keine jüdischen Zeugnisse dafür haben, daß das obere Jerusalem mit dem Wort "frei" bezeichnet wurde, ist jedoch die Idee, daß das obere Jerusalem seit eh und je existiert und in Ewigkeit existieren wird (also unvergänglich ist), verbreitete jüdische Tradition (vgl. z.B. syrische Baruch-Apokalypse 4,2-6; 32,3-4; Hagiga 12b; 4.Esra 8,52). Ob oder inwieweit Paulus das Wort "frei" als eschatologischen bzw. apokalyptischen Begriff aus der jüdischen Tradition übernommen hat, wird unten bei der Exegese von Röm 8,21 weiter zu prüfen sein. Im Lichte der Struktur der Argumentation Gal 4,25b-26a sollte aber nicht bezweifelt werden, daß ἐλευθέρα schon hier im Sinne von "frei von Vergänglichkeit" gebraucht wird.

> Was die Logik, die diesem Passus zugrunde liegt, anbelangt, kommt ein hermetisches Fragment diesen Versen sehr nahe: "Alles, was im Himmel ist, ist unveränderlich (ἀμετάθετον); alles, was auf der Erde ist, ist veränderlich (μεταθετόν). Nichts, was im Himmel ist, ist versklavt (δοῦλον); nichts, was auf der Erde ist, ist frei (ἐλεύθερον)" (Fr 11,25-26). Auch Paulus ist mit diesem Gedanken vertraut, wenn auch in einer etwas anderen Ausprägung (vgl. ferner 1Kor 15,50: οὐδὲ ἡ φθορὰ τὴν ἀφθαρσίαν κληρονομεῖ; Gal 6,8).

Es ist nunmehr verständlich geworden, warum Hagar dem jetzigen Jerusalem entspricht: Beide sind durch "Sklaverei" (δουλεύει γάρ) miteinander verbunden. Freilich ist die Sklaverei jeweils eine andere, aber der Begriff bietet den von Paulus benötigten Vergleichspunkt, an dem er eine Korrespondenz aufzeigen kann (gekennzeichnet durch das γάρ). Vor diesem Hintergrund wird auch deutlich, warum Paulus ohne nähere Begründung formulieren kann: ἡ δὲ ἄνω Ἰερουσαλὴμ ἐλευθέρα ἐστίν. Durch das Charakteristikum ἄνω wird gesichert, daß dieses Jerusalem frei ist.

> Oben in Kap.1 (S.14) wurde auf die Position E.G.Gulins hingewiesen, wonach Gal 4,21-31 bes. 4,25-26 die eigentliche Basis des paulinischen Freiheitsbegriffs (das eschatologische Äondenken) enthüllen. Auch Gulin beruft sich auf Röm 8,21 als Beleg für diese Tradition bei Paulus[145]. Sowohl er als auch D.Nestle sehen mit Recht in Phil 3,20 Spuren derselben Tradition[146]. Gulin hat wohl Recht darin, daß Paulus diese Gedanken über das obere Jerusalem aus seiner vorchristlichen

jüdischen Erziehung übernommen hat[147], und es ist wahrscheinlich,
wie die Untersuchung von Röm 8,21 zeigen wird, daß Paulus auch den
Begriff Freiheit als ein Charakteristikum der himmlischen Welt aus seiner jüdischen Tradition bezieht. Daher liegt die Vermutung nahe, daß
diese Tradition den Ursprung des paulinischen Freiheitsbegriffes darstellt. Jedoch muß diese Tradition klar umgrenzt werden und darf nicht
zu einer Floskel gemacht werden, der alles und jedes untergeschoben
werden kann (etwa: "Freiheit von dieser Welt"). Die Freiheit in dieser
Tradition bezeichnet spezifisch die Freiheit von der Vergänglichkeit
(Röm 8,21). Aus dieser Tradition (die Freiheit von Vergänglichkeit als
eschatologisches Heilsgut) lassen sich die schon untersuchten Freiheitsbelege 1Kor 7,22; 9,1.19; 10,29; 2Kor 3,17; Gal 2,4 nicht direkt ableiten. Auf keinen Fall wurzelt 1Kor 9,19 in diesem Freiheitsbegriff.
Der Freiheitsbegriff 1Kor 9,1; 10,29 basierte - wie wir gesehen haben - deutlich auf dem monotheistischen Bekenntnis, nicht auf Unvergänglichkeit oder Überweltlichkeit. Am nächsten käme dem wohl 2Kor
3,17[148]. Dort werden δόξα und ἐλευθερία wie in Röm 8,21 miteinander
verbunden. Doch haben wir bereits beobachtet, daß trotz dieser Übereinstimmungen (vgl. die Diskussion oben S.63-67) ἐλευθερία dort nicht
Freiheit von Vergänglichkeit bedeutet, sondern παρρησία, wenn auch
diese παρρησία in der bleibenden Hoffnung bzw. Herrlichkeit wurzelt
(2Kor 3,11-12). Der Freiheitsbegriff in Gal 4,25-26 ist also wahrscheinlich traditionell (Paulus hat ihn aus der jüdischen Tradition und war
mit ihm wohl in seiner vorchristlichen Zeit vertraut), gibt uns aber
nicht den Ursprung des paulinischen Freiheitsbegriffes in dem Sinne
an, daß alle anderen Belege von ihm abgeleitet werden können. Das
ändert jedoch nichts daran, daß dieser Passus uns einen wichtigen
und tiefen Einblick in das Denken des Paulus über ἐλευθερία vermittelt.
Darauf wird im Schlußteil zurückzukommen sein.

Sind somit die Begriffe Sklaverei und Freiheit für V 25-26 näher bestimmt,
so ist eine solche direkt aus dem Text gewonnene Bestimmung für die Begriffe in V 24.30.31 zunächst nicht möglich. Wir können zwar sagen, daß
die den Christen zugesprochene Freiheit Anteil an dem unvergänglichen
oberen Jerusalem involviere und daß sie offensichtlich mit dem Gesetz
nichts zu tun hat, aber diese Freiheit wird dadurch nicht erschöpfend
definiert, sondern bleibt eine vage Bestimmung für die christliche Heils-
ordnung, weil eine explizite Auswertung des aus dem anfangs benutzten
sozial-politischen Bild gewonnenen Begriffs ἐλευθέρα nicht stattfindet.

Daß Paulus diesen Begriff nicht explizit auswertet und somit definiert,
sondern einfach behauptet, daß christlicher Glaube "Freiheit" ist, wird
daraus verständlich, daß ἐλευθερία - wie auch etwa σωτηρία - zu seiner
Zeit ein allgemein anerkanntes Heilsgut war. Kyniker, Stoiker, Epikuräer
(vgl. Kap.3 A 181), Pythagoreer (vgl. Kap.1 A 90), Juden (z.B. Philo),
Anhänger von Mysterienreligionen (vgl. Kap.3 A 7) - um die Geschichtsschreiber und Politiker aller Richtungen erst einmal aus dem Spiel zu lassen - und wohl viele andere uns unbekannte Prediger, Philosophen und
Mystiker haben dasselbe Wort ἐλευθερία für ihren Glauben bzw. ihre Phi-

losophie oder Lebensart beansprucht. Auch sie haben das Wort meistens
gebraucht, ohne es zu definieren (exemplarisch: Apuleius Metamorphoses
11,15), weil eine so große, anerkannte und bedeutungsreiche Tradition an
dem Wort haftete. Welche Traditionen jeweils (bewußt oder unbewußt) mit-
gedacht wurden, kann häufig nur aus dem größeren Zusammenhang der
Aussagen bzw. aus Kenntnis der geistesgeschichtlichen Richtung, aus der
die Aussagen stammen, bestimmt werden. Mit seinem Brief an die Galater
zeigt Paulus, daß er unter die antiken Freiheitsprediger einzureihen ist.
Deswegen kann er von der Freiheit des christlichen Glaubens reden (z.B.
in unserem Abschnitt und in 2,4), ohne sie zu definieren (vgl. DeWitts
Beobachtung oben A 2). Im folgenden wollen wir versuchen - wegen der
gerade beschriebenen Natur unseres Unternehmens wird dieser Versuch im
größeren Maße hypothetisch bleiben müssen -, den mitgedachten größeren
Zusammenhang der Freiheitsaussagen des Paulus in diesem Teil von Gal
zu bestimmen, indem wir seine Aussagen über "Gesetz" und "Freiheit" religionsgeschichtlich beleuchten. Es wird hierbei gleichzeitig versucht, einen Beitrag zum Verständnis der paulinischen Aussagen über das Gesetz
im Gal zu leisten.

Wir gehen von drei Beobachtungen zu "Gesetz" und "Freiheit" im Gal aus.
1. Um den anderen Bund (den er später anhand von ἐλευθερ-Wörtern spezifiziert) zu beschreiben, beruft sich Paulus auf Abraham, also auf die
Urzeit, als das Gesetz noch nicht gegeben worden war. Erst 430 Jahre
später kam das Gesetz hinzu (3,17). Diese Abhebung einer Zeit vor der
Gesetzgebung von der Periode nach der Gesetzgebung sowie die Verbindung von Freiheit mit der ersteren Periode verlangen eine religionsgeschichtliche Erklärung. 2. Paulus distanziert das Gesetz von dem einen
Gott (ὁ δὲ θεὸς εἷς ἐστιν, 3,20). Zwar ist das Gesetz nicht gegen die Verheißungen, aber offenbar im Unterschied zu ihnen stammt es nicht direkt
von Gott, sondern wurde von den Engeln durch die Hand eines Mittlers
(Moses) verordnet (3,19-21). 3. Erst durch Christus wird ermöglicht, zu
dieser urzeitlichen Freiheit Abrahams zurückzukehren (Gal 4,21-31; 5,1).
Im folgenden wird versucht, die These zu begründen, daß diese drei Argumente vor dem Hintergrund des Hellenismus religionsgeschichtlich verständlich gemacht werden können.

Es sei anfangs betont, daß das jüdische Gesetz schon lange vor Paulus in
hellenistischen Kategorien verstanden wurde. Das zeigt sich u.a. daran,
daß Moses sehr früh in dem Gewand eines hellenistischen νομοθέτης dargestellt wurde. Wir finden eine solche Darstellung schon im 4.Jahrhundert
v.Chr. im Bericht des Hekataios von Abdera über die Juden[149]. Die Juden selbst empfanden solche Beschreibungen des Moses nicht als fremd-
artig, sondern ahmten sie in ihren Mose-Darstellungen nach[150]. So zeichnet z.B. Philo Moses als den allerbesten Gesetzgeber (νομοθετῶν ἄριστος
τῶν πανταχοῦ πάντων, De vita Mosis 2,12). Und laut Josephus war Moses
nicht nur der beste Gesetzgeber, sondern auch der älteste (Contra
Apionem 2,154).

Mit der Übernahme dieser Darstellungen kam aber gleichzeitig eine Reihe
von spezifisch hellenistischen Fragen zum Gesetz und Gesetzgeber auf. So

finden wir z.B. Philo mit der Frage des ungeschriebenen Gesetzes und seines Verhältnisses zum geschriebenen Gesetz beschäftigt[151]. Wie Paulus, weiß auch Philo, daß es eine Zeit vor der Gesetzgebung gegeben hat und daß diese Periode ein Problem für das Gesetz darstellt. Allerdings löst Philo das damit gestellte Problem der Beziehung zwischen dieser Urzeit und der Zeit des Gesetzes anders als Paulus. Statt diese beiden Perioden einander konträr gegenüberzustellen, will er sie harmonisieren. So hat nach Philo Abraham zwar dem ungeschriebenen Gesetz gemäß gelebt, aber sein Leben stand keineswegs im Widerspruch zum geschriebenen Gesetz. Vielmehr habe Moses die Lebensgeschichte Abrahams gerade deswegen erzählt, um zu zeigen, daß die geschriebenen Gesetze der Natur (und also dem ungeschriebenen Gesetz) eben nicht widersprechen (De Abrahamo 5). Das jüdische Gesetz steht in vollkommener Übereinstimmung mit der Welt (De opificio mundi 3).

Während nun sicherlich Philo selbst vieles zur jüdischen Ausprägung dieser Gedanken beigetragen hat, war die zugrunde liegende und tragende Logik seiner Ausführungen keineswegs originell. Insofern er das ganze Problem des ungeschriebenen und geschriebenen Gesetzes in die Urzeit überträgt, reflektiert er vielmehr durchaus den Geist seiner Zeit[152]. Dasselbe finden wir z.B. bei Poseidonios, der darstellt, daß es eine Zeit gab, in der die Menschen allein der Natur folgten und kein geschriebenes Gesetz hatten. Habsucht (avaritia) aber habe die menschliche Gemeinschaft zerstört (vgl. Pseudo-Lukian Cynicus 15), und mit dem Aufsteigen der Laster wurden Gesetze nötig. Die Gesetze waren die Arbeit der ersten großen Gesetzgeber: Solon, Lykurgos, Zaleukos, Charondas[153].

Zu denen, die ähnliche Gedanken über eine Urzeit, in der es menschliche Gesetze noch nicht gegeben hat, positiv aufgenommen haben, gehören die Kyniker. Diese erblickten in der Urzeit ein Zeitalter der Freiheit und forderten im Unterschied zu anderen eine Rückkehr zu dieser einfachen Art des Lebens[154]. Obwohl die Kyniker keine klare Definition dieser urzeitlichen Freiheit gegeben haben, war eines sicher: Damals gab es keine menschlichen Gesetze, sondern nur das ungeschriebene göttliche Gesetz[155]. Dieses Gesetz erwirke damals wie heute Freiheit[156]. Solche Gedanken dienten den Kynikern immer wieder bei ihrer Kritik an menschlichen Gesetzen, die sie als willkürlich und ungerecht beurteilten[157]. Die Verknüpfung dieser Kritik an den Gesetzen mit ἐλευθερ-Wörtern ist an sich sehr alt; wir können sie mindestens bis zum Sophisten Antiphon zurückverfolgen. Antiphon schrieb: "Das Zuträgliche ist, soweit es durch die Gesetze festgesetzt ist, Fessel der Natur, soweit dagegen durch die Natur, frei" (ἐλεύθερα)[158].

Nun sind zumindest Elemente dieser Gedanken auch bei Paulus vorhanden. Wenn Paulus 2Kor 3,2ff γράμμα und πνεῦμα gegenüberstellt und das γράμμα dadurch abwertet, so sind diese Ausführungen - wie auch R.Hirzel gesehen hat[159] - nur eine Variation der hellenistischen Gegenüberstellung von geschriebenem und ungeschriebenem Gesetz. Dieselben Vorstellungen kommen mit Deutlichkeit wieder im Röm vor (bes. 2,14f; 7,6), und z.B. G. Bornkamm stellt zu Röm 2,14f mit Recht fest, daß der Text es verbiete, den hellenistischen Ursprung dieser Gedanken zu leugnen[160]. Es ist nun bedauerlich, daß in den vielen größeren Arbeiten zum Gesetz bei Paulus der hellenistische Hintergrund seiner Gedanken weitgehend außer acht gelassen wird[161]. Freilich spricht Paulus hauptsächlich vom jüdischen Gesetz, aber - wie wir gesehen haben - wurde Moses schon seit dem 4. Jahrhundert v.Chr. als hellenistischer νομοθέτης verstanden. Wohl stellt W.C. van Unnik mit Recht fest, daß die Übernahme des νομοθέτης-Begriffes durch das hellenistische Judentum weiterer Untersuchung bedarf[162]. Solche Forschung würde mindestens einen Beitrag zum jüdisch-hellenistischen Gesetzesverständnis leisten können. Wieviel auf diesem Gebiet noch fehlt, war schon I.Heinemann klar, der über den Mangel an Vorarbeiten sowohl für den jüdischen als auch für den hellenistischen Bereich klagte, die die Begründung der Religionsgesetze bei Philo verständlich machen könnten[163]. Auf Paulus bezogen kann nicht gesagt werden, daß seitdem wesentliche Fortschritte gemacht worden sind. Lediglich van Unnik hat auf eine Stelle in Josephus (Antiquitates 4,145-149) aufmerksam gemacht, wo Zambrias das Gesetz des Moses mit spezifisch hellenistischen Gedanken angreift[164]. Zambrias sieht in den Gesetzen des Moses nur dessen Versuch, seine Tyrannei über das Volk zu etablieren. Diese Gesetze bedeuten für die Hebräer nichts anderes als δουλεία (4,146). Moses habe ihren βίον αὐτεξούσιον geraubt, der freien Menschen gehört (ὃ τῶν ἐλευθέρων ἐστί, 4,146). Van Unnik vermutet wohl mit Recht, daß Josephus diese Ideen nicht frei erfunden, sondern von seinen Zeitgenossen, die mit der jüdischen Religion brachen, übernommen hat[165]. Diese Vermutung erhält zumindest eine weitere Bestätigung durch Paulus, der die mosaischen Gesetze ebenfalls mit δουλεία (Gal 4,24) gleichsetzt[166]. Im Rahmen dieser Arbeit kann nicht versucht werden, die noch fehlenden Vorarbeiten zum paulinischen Gesetzesverständnis zu leisten. Dazu wäre m.E. am ehesten bei dem Hintergrund der in Röm 2,14-15 vorkommenden hellenistischen Gedanken einzusetzen. Neben anderen auffälligen Parallelen zwischen Paulus und dem Hellenismus sind die in beiden vorkommende Hervorhebung von ἐπιθυμία als Ursprung alles Bösen (vgl. Röm 7,7 und Maximos von Tyros 24,4a: Μέγιστον ἀνθρώπῳ κακόν ἐπιθυμία; vgl. ferner Pseudo-Lukian Cynicus 15) und die Unterscheidung zwischen einer Urzeit, in der Sünde unbekannt war, und der späteren Zeit charakteristisch (vgl. Seneca Epistulae morales 90,44-46 und Röm 5,13; 7,7; diesen religionsgeschichtlichen Zusammenhang - einschließlich des Bezugs auf das Gesetz - hat Epiphanes bei Klemens von Alexandrien Stromata 3,7 m.E. mit Recht erkannt, wenn auch anders als Paulus ausgewertet). Im folgenden wollen wir lediglich nach dem Hintergrund der paulinischen Freiheitsaussagen bezüglich des Gesetzes fragen.

Erst vor dem oben beschriebenen Hintergrund finden die drei Beobachtungen zu "Gesetz" und "Freiheit" im Gal, von denen wir ausgingen, eine einleuchtende Erklärung. Dieser Hintergrund erklärt erstens, wie Paulus überhaupt auf die Idee gekommen ist, die Urzeit von der Periode nach der Gesetzgebung abzuheben und letztere dadurch abzuwerten. Es darf keineswegs behauptet werden, daß Paulus hierbei nur eine inhärente Spannung in der Geschichte Israels ausnützt[167]. Vielmehr wendet Paulus hellenistische Ideen auf die Geschichte Israels an. Nur dadurch entsteht diese Spannung zwischen einer Urzeit ohne geschriebenes Gesetz und einer späteren Zeit mit geschriebenem Gesetz. Über den hellenistischen Ursprung dieser ganzen Denkweise sollte auch deshalb kein Zweifel bestehen, weil wir vor allem bei Philo ein sehr deutliches Beispiel dafür finden, wie dieselben Gedanken auf einen anderen Juden eingewirkt haben und wie er damit umging. Philo vertritt die optimistische Beurteilung des geschriebenen Gesetzes. Er bemüht sich, geschriebenes und ungeschriebenes Gesetz und somit die Periode nach der Gesetzgebung und die Urzeit zusammenzuhalten. Dagegen steht Paulus an dieser Stelle den Kynikern näher und spielt mit ihnen die (glückliche) Urzeit[168] gegen die Zeit nach der Gesetzgebung aus.

Auch die zweite Beobachtung, daß Paulus das Gesetz von dem einen Gott entfernt, ist vor diesem Hintergrund zu verstehen. Wie wir gesehen haben (oben S.93 mit A 155-157), haben sich auch die Kyniker auf den einen Gott gegen die menschlichen Gesetze berufen. So tadelt Maximos von Tyros sogar Sokrates, weil er sich dem Gesetz des Solon, nicht des Gottes, gebeugt habe (36,6f-g). Andererseits weiß Maximos, daß manche menschliche Gesetze von den Göttern stammen. So hat Zeus Minos die Gesetze während eines Zeitraumes von neun Jahren gelehrt (6,7a). Aber in ihrer Kritik an den Gesetzen können sich die Kyniker immer gerade auch auf das menschliche Moment, daß nämlich die Gesetze von einem Menschen propagiert wurden, berufen (zu Minos vgl. Maximos von Tyros 38,2c, pseudoklementinische Homilien 5,11,1). Dion Chrysostomos kann sogar darauf hinweisen, daß Solon selbst bekannt hat, er habe nur diejenigen Gesetze erlassen, die die Athener akzeptieren würden. Er selbst sei mit ihnen nicht zufrieden (80,3). Auf Moses findet man denselben Gedanken in den pseudoklementinischen Rekognitionen 1,36 angewendet: Moses habe den Israeliten nur diejenigen Gesetze gegeben, die sie zu jener Zeit ertragen konnten. So ist die ambivalente, aber leicht kritische Stellung zum Gesetz (seine Entfernung von dem einen Gott durch Hinweis auf den Mittler) Gal 3,19-20 vor diesem Hintergrund durchaus verständlich[169].

Auch die dritte Beobachtung, daß durch Christus die Freiheit der Urzeit wieder ermöglicht wird, hat ihre Entsprechung bei den Kynikern, die die Urzeit als Periode der Freiheit darstellen und eine Rückkehr zu dieser Freiheit fordern (s.o.). Zahlreiche Anekdoten über Diogenes dokumentieren, wie er diese ursprüngliche Freiheit entdeckt hat; seine Lebensgeschichte fungiert geradezu als Bürge für diese Freiheit (vgl. z.B. Epiktet 4,1,151-152, Maximos von Tyros 36,5). Wie die Kyniker, fordert auch Paulus die Annahme des Angebots der Freiheit.

Unsere streckenweise bewußt hypothetischen Ausführungen über "Freiheit" und "Gesetz" im Gal zusammenfassend, können wir sagen, daß Paulus in seiner Argumentation gegen das Gesetz, in der er sich auf die Urzeit Abrahams beruft und sie mit "Freiheit" in Verbindung bringt, von kynischen Gedanken über das goldene Zeitalter beeinflußt zu sein scheint. Daß Paulus die urzeitliche und jetzt wieder ermöglichte Freiheit nicht als "Freiheit vom Gesetz" definiert, andererseits aber voraussetzt, daß sie Untertan-

Sein unter dem Gesetz ausschließt, ist vor diesem Hintergrund nun vollkommen verständlich: Auch für die Kyniker war Freiheit nicht einfach
"Freiheit vom Gesetz", wenn sie auch Untertan-Sein unter menschlichen
Gesetzen ausschloß; Freiheit war ein höheres Heilsgut, das vor den Gesetzen existierte.

Im Rückblick auf die gesamte Untersuchung zu Gal 4,21-31 ist als wichtiges Ergebnis festzuhalten, daß auch hier die ἐλευθερ-Wörter nicht im
Sinne von "Freiheit vom Gesetz" auszulegen sind. Wir stellten fest, daß
die Logik des Abschnittes diese Auslegung sogar ausschließt. Die Bedeutung der Freiheitswörter ist vielmehr zunächst durch den anfangs von
Paulus aufgestellten sozial-politischen Unterschied zwischen dem Freien
und dem Sklaven bestimmt. In ihrer Argumentationsweise ähneln die Aussagen des Paulus stoischen Traktaten über Freiheit, die ebenfalls von
diesem sozial-politischen Unterschied ausgehen, um einen geistigen aufzurichten. Absicht des Paulus war hierbei, den Bund mit dem Gesetz als
δουλεία und den anderen Bund (ohne das Gesetz) als ἐλευθερία zu qualifizieren. An der einzigen Stelle, wo wir den intendierten übertragenen Sinn
der Freiheitswörter feststellen konnten, 4,26, bedeutete ἐλευθέρα nicht
"frei vom Gesetz", sondern, ähnlich dem Freiheitsverständnis in Röm 8,21,
"frei von Vergänglichkeit". Jüdische Parallelen zu der Vorstellung des in
Ewigkeit existierenden oberen Jerusalems warfen die Frage auf, ob Paulus dieses Freiheitsverständnis aus der jüdischen Tradition übernommen
hat. Diese Frage hoben wir für die Untersuchung von Röm 8,21 auf. Es
gilt nun, die restlichen Freiheitsbelege des Gal zu untersuchen.

4.4 "Zur Freiheit befreit": Gal 5,1

Gal 5,1[170] dient als Überleitung vom vorangehenden zum folgenden Abschnitt. War der Zweck des vorigen Abschnittes, einen qualitativen Unterschied zwischen den zwei Bünden aufzurichten, indem ἐλευθερ-Wörter
für die Christen beansprucht und δουλ-Wörter bzw. das Wort παιδίσκη auf
die Gesetzestreuen bezogen wurden, so spricht 5,1a das in 4,21-31 noch
nicht Ausgedrückte aus: Der andere Bund führt in die Freiheit (vgl. das
Gegenstück V 24: εἰς δουλείαν). Freilich gehört dieser Vers nicht ganz zum
Vorherigen, denn, wenn auch der Gegensatz ἐλευθερία – δουλεία aus diesem
Abschnitt übernommen wird[171], so zeigt die Wiedereinführung von
Χριστός (zuletzt: V 19), daß Paulus nicht mehr "allegorisch" redet. Diese
Einführung verbindet 5,1 mit dem Folgenden, wo von Christus direkt gesprochen wird (vgl. 5,2.4.6)[172]. Anschließend führt Paulus aus, daß die
Galater zwischen Christus und Beschneidung zu wählen haben: Sie sind
mit einem Entweder-Oder konfrontiert. So dürfte klar sein, welche Funktion 5,1 im Zusammenhang besitzt: Hat 4,21-31 das Entweder-Oder anhand
des sozial-politischen Unterschieds zwischen Sklaven und Freiem per "Allegorese" aufgerichtet, so überträgt 5,1 diesen Gegensatz in die gegenwärtige Situation, und 5,2ff führt diesen übertragenen Gegensatz konkret
aus.

5,1 ist also als Drehscheibe zwischen der Allegorie 4,21-31 und der direkten Anrede 5,2ff aufzufassen[173]. Da 5,1 diese spezifische Funktion erfüllt,
wird man sich davor hüten müssen, in diesem Vers etwa eine Zusammenfassung des ganzen Briefes oder der Kapitel 3-4 zu sehen[174]. Freilich
kommt Paulus mit seinem in 4,21-31 allegorisch aufgestellten, in 5,1 ver-
mittelten und in 5,2ff ausgeführten Entweder-Oder zu einem gewissen Hö-
hepunkt in seiner Argumentation, den er bisher in dieser Klarheit nicht
erreicht hatte; dies gelingt ihm durch die Schärfe des Gegensatzpaares
ἐλευθερία - δουλεία im Übergangsvers 5,1.

Problematisch an Vers 5,1 ist vor allem der am Anfang stehende Dativ. Er
ist in der Textüberlieferung anscheinend schon früh (vgl. A 170) als an-
stößig empfunden worden und hat eine bis heute andauernde Diskussion
ausgelöst. Die sich in den Kommentaren findenden unterschiedlichen Meinungen zeigen, daß eine letzte Klärung der Frage noch aussteht. In neu-
erer Zeit hat aber K.H.Rengstorf einen auf bisher unbeachtetem Material
fußenden Beitrag zum Problem geliefert[175], der verbreiteten Nachhall gefunden hat[176]. Wir wollen diesen Versuch daher überprüfen, um zu sehen,
ob Rengstorf wirklich - wie er meint - eine Lösung zu dieser alten crux
interpretum geliefert hat.

Rengstorf geht bei seiner Erklärung von Gal 5,1 von Gittin 4,4 aus, wo es
heißt: "Wenn ein Sklave gefangen wird und man ihn loskauft (פדא) - wenn
zum Sklaven (לשם עבד), so muß er weiter Sklave sein, wenn zum Freien
(לשם בן חורין), so muß er nicht weiter Sklave sein"[177]. Dazu schreibt Rengstorf: "Anders als das hellenistische kennt das jüdische Sklavenrecht einen förmlichen Sklavenkauf und -loskauf mit einer doppelten Möglichkeit"[178]. Es gebe nach jüdischem Recht nämlich einen Loskauf, der nicht
zu Freiheit führt. Paulus aber spreche in Gal 5,1 von der anderen Art,
dem Loskauf, der zur Freiheit führt. Der Dativ τῇ ἐλευθερίᾳ habe in der
Stelle aus der Mischna "nicht allein seine sprachliche, sondern auch seine
sachliche genaue Entsprechung, und zwar mit Einschluß seiner betonten
Voranstellung, die in dem Mischna-Satze nur wegen seiner Verklausulierung nicht so deutlich wie bei Paulus hervortritt"[179].

Nun ist die zweite Hälfte dieser letzten Aussage zumindest zweifelhaft.
Woher weiß Rengstorf mit Sicherheit, wie der Satz ohne seine jetzige
Verklausulierung lauten würde? Ferner würde die einfachste Formulierung des parallelen Satzes wie folgt lauten: פדאוהו לשום בן חרין = "er wurde
losgekauft zur Freiheit", d.h. ohne Voranstellung von "zur Freiheit".
Aber auch wenn dieser Teil von Rengstorfs Aussage nicht stimmt, könnte immerhin Gittin 4,4 den richtigen Hintergrund zum Verständnis von
Gal 5,1 bieten. Überprüfen wir also die anderen Elemente seines Arguments!

Ob die Gittin 4,4 beschriebene doppelte Möglichkeit bei dem Loskauf von
gefangenen Sklaven hellenistischem und römischem Recht wirklich fremd
war, mag zunächst dahingestellt bleiben[180]. Wichtiger für die Beurteilung
von Rengstorfs Vorschlag ist die Beobachtung, daß der Passus aus der
Mischna das Verb in Gal 5,1 nicht erklärt. חרר oder bes. שחרר, nicht פדא,

korrespondiert mit ἐλευθεροῦν. Zudem lautet das griechische Verb für "loskaufen" von Gefangenen λύειν oder ἀπολύειν bzw. ἀπολυτροῦν, nicht ἐλευθεροῦν[181]. Diese Verben, nicht ἐλευθεροῦν, korrespondieren mit פדא. Ferner entsprechen לשום בן חרין (eigentlich: "als freier Mensch") kaum genau τῇ ἐλευθερίᾳ (לחרות wäre zu erwarten). Darüber hinaus hat F.Mußner gesehen, daß die Alternative, Auslösung zur Freiheit - Auslösung zur Sklaverei, Gal 5,1 gar nicht zur Debatte steht[182]. Wenn also Gittin 4,4 auch auf den ersten Blick eine Erklärung für den schwierigen Dativ in Gal 5,1 zu liefern scheint, so wirft die nähere Untersuchung dieser Möglichkeit kaum zu überwindende Schwierigkeiten auf. Wir werden deshalb auf die Versuche zurückverwiesen, den Dativ lediglich im Lichte der griechischen Grammatik zu erklären. Diesen gehen wir jetzt nach.

Häufig wird der Dativ als dativus commodi erklärt[183], d.h. als Dativ, der "bei verschiedenen Verben zur Bezeichnung der Person (oder Sache), zu deren Vorteil ... etwas geschieht"[184], dient. Daß die Forschung mit dieser Erklärung unzufrieden blieb, ist leicht einzusehen, denn was soll es heißen, wenn gesagt wird: "Diese Befreiung geschehe zum Vorteil der Freiheit"? Freiheit ist hier ein abstrakter Begriff (doppelt abstrakt wegen des ἐλευθερ-Verbs), und es ist nicht einsichtig, wie überhaupt ein Dativ des Interesses auf einen solchen abstrakten Begriff bezogen werden könnte.

Wohl daher spricht Mußner von einem "Dativ des Zieles"[185]. Mußner wird darin von H.D.Betz unterstützt, der von einem Dativ "of 'destiny' and 'purpose'" spricht[186]. Für diese grammatische Kategorie verweisen beide Forscher auf die Grammatik von E.Mayser; letzterer führt über den Dativ bei Verben der Bewegung aus: "Bei diesen bezeichnet der Dativ nicht selten die Person oder Sache, auf die sich die Bewegung richtet, teils in wörtlicher (sinnlicher), teils in übertragener Bedeutung"[187]. Ob ἐλευθεροῦν wirklich "durchaus als ein Verbum 'der Bewegung' verstanden werden" kann - wie Mußner meint[188] - ist aber zumindest fraglich. Es ist wahrlich keine Überraschung, daß sich dieses Verb in der Liste Maysers nicht findet[189]. Fraglich ist auch die Bezeichnung des Dativs als "dative of destination", wobei auf Apg 22,25 verwiesen wird[190], denn die Auslegung dieses Verses ist ebenfalls unsicher[191]. Der Hinweis auf Röm 8,24 τῇ γὰρ ἐλπίδι ἐσώθημεν[192] hilft aus demselben Grund nicht weiter[193]. Ratlosigkeit scheint Bonnards Erklärung als "un datif hébraïque de manière" (Intensivierung) zu reflektieren[194].

Beachtliche Gründe gibt es allerdings für die selten vertretene Auffassung dieses Dativs als Dativs der Beziehung[195]:

1. Die nächste Parallele zu Gal 5,1 ist wohl Epiktet 4,1,113-114. Epiktet beschreibt zunächst wahre Freiheit und schreibt dann: τοῦτο γάρ ἐστιν ἡ ταῖς ἀληθείαις ἐλευθερία. ταύτην ἠλευθερώθη Διογένης παρ' Ἀντισθένους καὶ οὐκέτι ἔφη καταδουλωθῆναι δύνασθαι ὑπ' οὐδενός. "Denn dies ist die wahre Freiheit. Zu dieser Freiheit wurde Diogenes von Antisthenes befreit, und er sagte, daß er fortan von überhaupt niemandem mehr versklavt werden könne." ταύτην ist hier als Akkusativ der Beziehung zu verstehen. "Diese altgriechische

Ausdrucksform hat im Hellenistischen viel Gebiet verloren teils durch Dativersatz ... teils durch Präpositionen"[196]. Im Neuen Testament ist der Dativ der Beziehung dem Akkusativ der Beziehung "weit überlegen"[197]. Es ist also möglich, daß Paulus einen Dativ der Beziehung einsetzt, wo Epiktet den Akkusativ der Beziehung verwendet.

2. Ist dies nicht mehr oder weniger als eine Möglichkeit unter anderen, so ist darauf hinzuweisen, daß Paulus in der Tat ἐλευθερ-Wörter mit dem Dativ der Beziehung konstruiert, wenn auch m.W. die Forschung die Relevanz dieses Tatbestands für die Auslegung von Gal 5,1 bis jetzt nicht bemerkt hat. So finden wir Röm 6,20b die Aussage ἐλεύθεροι ἦτε τῇ δικαιοσύνῃ, "ihr waret frei im Hinblick auf die Gerechtigkeit". Die Konstruktion von ἐλεύθερος plus Dativ der Beziehung ist seltsam, und ich kann kaum weitere Belege aus der Antike für sie vorbringen[198]. Doch entwertet das keineswegs die Tatsache, daß ἐλεύθερος Röm 6,20 deutlich mit dem Dativ der Beziehung konstruiert wird. Dieser Beleg unterscheidet sich von Gal 5,1 lediglich in zwei Punkten: (1) Gal kommt das Verb, nicht das Adjektiv, vor. Dieser Punkt ist unwesentlich. (2) Röm 6,20 ist die Beziehung negativ (frei von dem Anspruch der Gerechtigkeit), Gal 5,1 dagegen positiv gemeint (befreit zur Freiheit). Auch dieser Unterschied ist m.E. nicht gravierend (vgl. das Beispiel in A 198). Darüber hinaus kann für ἐλεύθερος plus Dativ der Beziehung im positiven Sinne möglicherweise auf 1Kor 7,39 verwiesen werden. Dort wird von einer Frau, deren Mann gestorben ist, gesagt: ἐλευθέρα ἐστὶν ᾧ θέλει γαμηθῆναι. Während zwar γαμηθῆναι mit dem Dativ konstruiert wird[199], könnte das Ausfallen des Bezugswortes und die Voranstellung des ᾧ (vor γαμηθῆναι) darauf hinweisen, daß auch hier ἐλεύθερος plus Dativ der Beziehung im positiven Sinne ("frei für den Mann ...") vorliegt. Wie dem auch sein mag - Röm 6,20 liefert ohne Zweifel einen Beleg für ἐλεύθερος plus Dativ der Beziehung. Man wird im Lichte dieses Befundes aller Wahrscheinlichkeit nach dasselbe auch für Gal 5,1 annehmen müssen.

Formal ist die Wendung τῇ ἐλευθερίᾳ ... ἠλευθέρωσεν als gewollte Paronomasie zu beurteilen[200]. Dadurch wird ἐλευθερίᾳ nachdrücklich hervorgehoben[201]. Eine ähnliche Paronomasie findet sich Röm 8,21: ἐλευθερωθήσεται ... εἰς τὴν ἐλευθερίαν[202]. Das Wortspiel Gal 5,1 ist ein deutliches Indiz, daß Paulus auch an dieser Stelle - wie schon 2,4 und 4,21-31 - bewußt und rhetorisch geschickt unter Berufung auf die ἐλευθερία operiert.

Was Paulus hier konkret unter ἐλευθερία versteht, ist ebenso schwer zu bestimmen wie bei dem vorigen Abschnitt. Auch hier ist merkwürdig, daß Paulus auf absolute Weise von "Freiheit" spricht. Ja, durch die Wendung "befreit zur Freiheit" wird der offenbar für Paulus absolute Begriff "Freiheit" in seiner Absolutheit doppelt verstärkt. Der Inhalt dieses absoluten Begriffes läßt sich nur mit Mühe aus dem Kontext erschließen.

Mit Sicherheit kann freilich gesagt werden, daß hier wie 1Kor 7,22 Christus als Urheber der Freiheit gedacht ist. Während zuweilen ergänzt wird, daß sich der Aorist ἠλευθέρωσεν auf das Kreuz beziehe[203], bietet der Text selbst kaum Stützen für diese Behauptung. Die einfache Formulierung des Satzes gibt keine zureichende Grundlage für eine sichere Beurteilung solcher Spekulationen; sie werden besser beiseite gelassen.

Daß Paulus hier mit einem Begriff "Freiheit vom Gesetz" arbeite[204], ist auch an dieser Stelle unsicher, vor allem weil Paulus das Wort nicht dementsprechend eindeutig qualifiziert. Definiert er ἐλευθερία mittelbar in diesem Sinne? Die Aussage, daß Christus "uns" zur Freiheit befreit hat, dient als Begründung (οὖν) für die folgenden Aufforderungen. Weil die Galater befreit worden sind, sollen sie nicht wieder einem Joch der Sklaverei untertan sein. Ist es möglich, den Inhalt von ἐλευθερία durch das zum sprachlichen Kontext gehörende Wort δουλεία zu bestimmen?

Einerseits ist klar, daß Paulus hier spezifisch gegen die Übernahme der Forderungen des jüdischen Gesetzes argumentiert[205]. Er hat ja gerade bewiesen, daß der Bund vom Sinai Sklaverei ist, und 5,2 führt er weitere Gründe gegen die Übernahme des Gesetzes an. Andererseits ist wegen der Formulierung ζυγῷ δουλείας, wo ζυγῷ artikellos und δουλείας nicht weiter spezifiziert ist, nicht nur vor Sklaverei unter dem Gesetz, sondern vor jeglicher Sklaverei gewarnt[206]. ζυγός bezeichnet ja keineswegs immer nur das Joch des Gesetzes[207], sondern war im Griechischen schon seit langem Terminus technicus für soziale, politische oder geistige Sklaverei[208]. Auch das πάλιν ist ein Zeichen, daß diese Aufforderung als eine allgemeine Warnung vor Sklaverei aufzufassen ist, denn es erinnert an das πάλιν in 4,9, wo von Sklaverei unter den Elementen die Rede war[209]. Das Fehlen des Artikels sowie das πάλιν, aber auch besonders der absolute Gebrauch von δουλεία deuten also darauf hin, daß δουλεία hier ein allgemeiner Begriff ist: "This 'yoke of slavery' can, of course, take various forms"[210]. Insofern liefert der Gebrauch des Wortes δουλεία in diesem Vers eine Parallele zu seinem Gebrauch in 4,24. Auch dort war δουλεία nicht gleich Sklaverei unter dem Gesetz, sondern ein breiterer, durch die sozial-politische Analogie bedingter Begriff. Fungiert nun δουλεία in 5,1 als Folie für den Begriff ἐλευθερία im selben Vers, so ist auch ἐλευθερία als umfassender Begriff anzusehen, der nicht nur "Freiheit vom Gesetz" bezeichnet, sondern dem umfassenden Begriff δουλεία negativ entspricht.

Nun spricht Paulus in diesem Brief auch ausführlich über besondere Formen von Knechtschaft: in 3,23ff vom Untertan-Sein unter dem Gesetz, in 4,8ff von Knechtschaft unter den Elementen und Wesen, die ihrer Natur nach keine Götter sind. Besonders auffallend im Gal ist, wie Paulus diese zwei Arten von Knechtschaft gleichsetzt. Er sagt nicht nur, daß die Galater unter Wesen, die ihrer Natur nach keine Götter sind, und unter den Elementen versklavt waren (4,8-9), sondern auch, daß sie unter dem Gesetz eingeschlossen waren (3,23ff). Umgekehrt schließt Paulus sich selbst (und damit auch die übrigen Juden) in die Sklaverei nicht nur unter dem Gesetz, sondern auch unter den Elementen ein (4,3)[211]. Indem Paulus das Gesetz von Gott distanziert (3,19-20), kann er Gesetzesdienst mit Stoicheiadienst und somit mit Dienst an Wesen, die ihrer Natur nach keine Götter sind, gleichsetzen. Nur das Vorhandensein dieser Gleichsetzung erklärt, warum Paulus die Galater fragt, wie sie sich durch Übernahme

des Gesetzes <u>nochmals</u> in den Dienst an den Stoicheia begeben können
(4,9). Wenn Paulus 5,1 δουλεία absolut verwendet, können wir also schließen, daß er zumindest diese beiden Arten von δουλεία unter dem umfassenderen Begriff subsumiert. Ist ἐλευθερία 5,1 als negative Entsprechung
zu δουλεία aufzufassen, so schließt diese Freiheit jene Arten von Knechtschaft aus.

Stimmen diese Überlegungen, so zeigt sich nun eine bemerkenswerte Übereinstimmung zwischen diesem Freiheitsbegriff und dem, den wir oben
S.57-59 für einige Korinther isoliert haben. Hatten jene Korinther <u>auf-</u>
<u>grund ihres monotheistischen Bekenntnisses</u> Freiheit gegenüber heidni-
schen Meinungen und Gewohnheiten bezüglich der Götter, so liegen zumindest Elemente dieses Freiheitsverständnisses auch im Gal vor: Durch
das monotheistische Bekenntnis wissen auch die Galater, daß die Wesen,
denen sie früher gedient haben, ihrer Natur nach keine Götter sind
(4,8-9). Hier wie 1Kor 8,1-4 ist es das Erkennen Gottes (γνόντες θεόν,
4,9; vgl. die γνῶσις 1Kor 8,1-7) bzw. das Erkannt-Sein durch ihn
(γνωσθέντες ὑπὸ θεοῦ, 4,9; vgl. 1Kor 8,3: ἔγνωσται [ὑπ' αὐτοῦ]), das die Nicht-
Göttlichkeit der Götter enthüllt. Dieses Erkennen Gottes entblößt beidemal
Dienst an den Göttern als Sklaverei.

Die Bedeutung dieser Übereinstimmung zwischen dem von einigen Korinthern vertretenen Freiheitsverständnis und dem Freiheitsverständnis des
Gal kann auch von einer anderen Seite her geprüft werden, denn, wie wir
gesehen haben, spricht Paulus im Gal von zwei Arten von Knechtschaft:
Knechtschaft unter den Göttern und Elementen sowie Knechtschaft unter
dem Gesetz. Spielt das monotheistische Bekenntnis auch bei der Befreiung von der letztgenannten Knechtschaft eine Rolle? Das ist in der Tat
der Fall: Wie auch immer die Einzelheiten von 3,20a auszulegen sind, ist
deutlich, daß sich Paulus 3,20b gerade auf das monotheistische Bekenntnis (ὁ δὲ θεὸς εἷς ἐστιν) selbst gegen das Gesetz beruft. Eben dieses monotheistische Bekenntnis bildete die Grundlage der "korinthischen" Freiheit
(1Kor 8,4: ὅτι οὐδεὶς θεὸς εἰ μὴ εἷς; s.o. S.58 mit A 171).

Diese an zwei Stellen belegbare Übereinstimmung zwischen dem Freiheitsbegriff einiger Korinther und dem des Gal erweist sich somit als kaum zufällig. Vielmehr scheint sie den Schlüssel zum Verständnis größerer Abschnitte sowie mancher Freiheitsaussagen des Gal zu liefern, denn sie erklärt, wieso Paulus Knechtschaft unter dem Gesetz mit Knechtschaft unter
den Elementen und Göttern gleichsetzen kann: Laut Paulus verstoßen beide gegen das monotheistische Bekenntnis. Sie erklärt ferner, wie Paulus
überhaupt auf die (auffallende und bei ihm nicht wiederkehrende) Idee gekommen ist, das monotheistische Bekenntnis gegen das Gesetz auszuspie-
len: Einige Korinther haben sich auf das monotheistische Bekenntnis als
Grundlage ihrer Freiheit gegenüber den Göttern berufen; so geht Paulus
hier lediglich einen Schritt weiter, indem er sich ebenfalls auf das monotheistische Bekenntnis als Grundlage für die Beurteilung des Gesetzes als
Sklaverei beruft. Somit zeigt sich, daß das Freiheitszeugnis des Gal vor
dem Hintergrund des Streites über Freiheit mit einigen Korinthern zu verstehen ist. Die Vermutung liegt auf der Hand, daß Paulus im Gal Ele-

mente des Freiheitsverständnisses jener Korinther übernommen und entfaltet hat. Anzeichen dafür, daß Paulus Elemente des Freiheitsbegriffes jener Korinther übernahm, fanden wir ja schon bei der Untersuchung von 1Kor 8,1-11,1. Denn dort, wo Paulus zuerst auf seine eigene Freiheit einging (9,19), verwendete er einen rein hellenistischen Freiheitsbegriff (ἐλευθερία als finanzielle Unabhängigkeit und die sich daraus ergebende Freiheit, umgehen zu können, mit wem er will), dem eine religiöse oder christliche Begründung noch fehlte. Indem er diesen Freiheitsbegriff mit dem an Essen von geweihtem Fleisch orientierten Freiheitsverständnis in Verbindung brachte, übernahm er bereits Elemente jenes Freiheitsbegriffes (9,1; 10,29).

Stellten wir oben am Ende von Kap.3 die Frage, ob "Freiheit vom Gesetz" aus den in den Korintherbriefen isolierten Freiheitsbegriffen abzuleiten sei, so scheint diese Frage nunmehr eine positive Antwort erhalten zu haben. Im Lichte dieses Befundes wird auch verständlich, warum die Wendung "Freiheit vom Gesetz" im Gal nirgendwo vorkommt. Dieser Begriff war nicht der Ursprung des paulinischen Freiheitsverständnisses, sondern scheint sich im Laufe der Zeit entwickelt zu haben. Im Gal kommt der Begriff noch nicht expressis verbis vor. Eine Aufgabe der folgenden Teile der Untersuchung wird es sein, weitere Indizien zum Werdegang dieser Wendung zu sammeln.

4.5 "Zur Freiheit berufen": Gal 5,13

Am Anfang der ethischen Ermahnungen im Gal hebt Paulus hervor, daß die Galater zur Freiheit berufen worden sind (5,13)[212]. Das einleitende γάρ weist auf den Zusammenhang mit dem Vorherigen hin. Er besteht zum Teil darin, daß diese Aussage das Urteil über die "Agitatoren" in V 12 rechtfertigt[213], aber auch darin, daß V 13a positiv ausführt, was in V 8 nur negiert wurde: ἡ πεισμονὴ οὐκ ἐκ τοῦ καλοῦντος ὑμᾶς (V 8) ... Ὑμεῖς γὰρ ἐπ' ἐλευθερίᾳ ἐκλήθητε[214]. Indem Paulus 5,13 auch die Themen "Fleisch" und "gegenseitige Liebe" erwähnt, bereitet er bewußt auf die Hauptteile der paränetischen Ermahnung vor (Fleisch: V 16ff; gegenseitige Liebe: 6,1ff). Damit ist gesagt, daß V 13 Überschriftscharakter trägt, wobei die ethischen Mahnungen unter das Stichwort ἐλευθερία gestellt werden.

Ist einerseits klar, daß das ἐπ' das Ziel der Berufung anzeigt[215], so ist andererseits schwer zu bestimmen, ob Paulus bei seiner Aussage ἐπ' ἐλευθερίᾳ ἐκλήθητε eine spezifische Analogie vor Augen stand. Oben (S.31) sahen wir, daß A.Deissmann in ἐπ' ἐλευθερίᾳ eine Stütze für seine Analogie aus der sakralen Freilassung fand. Diese Parallele ist aber - gegen die Meinung H.Lietzmanns - kaum eine "schlagende"[216], nicht zuletzt deshalb, weil an dieser Stelle im Gegensatz zu den Freilassungsinschriften nicht von einem "Kauf", sondern von einer "Berufung" zur Freiheit gesprochen wird (vgl. oben S.31). Ferner ist die Formel ἐπ' ἐλευθερίᾳ nicht Alleineigentum der sakralen Freilassungsformeln, sondern tritt auch bei Abschriften von normalen Freilassungen[217] und in anderem Zusammenhang[218] auf.

Darüber hinaus kann gerade das bei den sakralen und normalen Freilassungsformeln im Vergleich zu Gal 5,13a Fehlende, eine Berufung ἐπ' ἐλευθερίᾳ, anderswo in der antiken Welt dokumentiert werden. Plutarch Sulla 9,457e berichtet, wie Marius in Rom in eine schwierige Situation geriet, und fährt dann fort: ἐκάλει διὰ κηρύγματος ἐπ' ἐλευθερίᾳ τὸ οἰκετικόν, d.h., Marius lud die Sklaven ein, mit ihm zu kämpfen, und versprach ihnen Freiheit, sollten sie gewinnen. Hängt dieses Beispiel noch immer mit der Freilassung rechtlicher Sklaven zusammen, so deutet eine Reihe von Beispielen aus lateinischen Schriftstellern darauf hin, daß eine "Berufung zur Freiheit" eine feste Wendung für den Aufruf zu einem Aufstand war. Tacitus z.B. berichtet, daß Titus Curtisius das Volk um Brundisium ad libertatem vocabat (Annales 4,27,1), d.h. zum Aufstand aufrief. Dieselbe Wendung treffen wir mehrmals bei Livius (24,21,7: simul ad libertatem simul ad arma uocantes; 34,31,11; 34,32,9; vgl. 24,29,8), bei Caesar Bellum Gallicum 8,30 (servis ad libertatem vocatis) und bei Cicero Pro C. Rabirio perduellionis reo 22 (consules ad patriae salutem ac libertatem vocarent). Dabei werden manchmal Sklaven im wörtlichen Sinne zur Freiheit aufgerufen, manchmal aber einfach das Volk im allgemeinen. Gemeinsam haben alle Stellen, daß dieser Ruf zur Freiheit mit einem Umsturz der politischen Verhältnisse verknüpft ist.

Diese Parallelen lassen vermuten, daß hinter Gal 5,13 eine politische Analogie steht. Diese Vermutung könnte möglicherweise weitere Stützen darin finden, daß ἀφορμή ursprünglich ein politischer Terminus für "Operationsbasis" war[219] und daß hier "die σάρξ die Stelle des boshaften Gegners" einnimmt[220]. Damit hätte die politische Analogie 2,4 eine Parallele in unserem Passus. Indessen ist das Vorhandensein dieser Analogie nicht mit Sicherheit zu etablieren. ἀφορμή war seit langem in übertragener Bedeutung gebräuchlich[221] und wird von Paulus in dieser neutralen übertragenen Bedeutung benutzt[222]. Ferner ist die Aussage 5,13 nicht ein Aufruf zum Kampf, um erstmals Freiheit herbeizuführen (wie in den obigen Beispielen), sondern setzt eher voraus, daß die Freiheit von außen kam, daß die Galater dazu einfach eingeladen wurden und daß sie jetzt diese Freiheit lediglich bewahren müssen (μόνον μὴ τὴν ἐλευθερίαν ...). Diese Beobachtungen entkräften die Vermutung, daß Paulus die oben isolierte politische Analogie vor Augen stand (sie stand zumindest nicht allein). Wir wollen daher nach weiteren Erklärungen suchen.

Nun findet sich auch 1Thess 4,7 die Wendung καλεῖν ἐπί: οὐ γὰρ ἐκάλεσεν ἡμᾶς ὁ θεὸς ἐπὶ ἀκαθαρσίᾳ. Da Konstruktion und Inhalt dieses Verses Gal 5,13 sehr ähnlich sind und die Idee einer "Berufung" von Christen Paulus sehr geläufig ist (s. die Konkordanz s.v. καλεῖν, κλῆσις, κλητός), liegt die Vermutung nahe, daß Paulus Gal 5,13 einfach ἐλευθερία in eine ihm geläufige Wendung einsetzt und dabei weniger von ähnlichem politischem oder sozialpolitischem Sprachgebrauch beeinflußt war. Dementsprechend ist Gal 5,13 auf eine Ebene mit den anderen Texten über die Berufung von Christen zu stellen: Wie in 1Thess 4,7 und auch sonst in den paulinischen Briefen (vgl. 1Kor 7,15.17; 1Thess 2,12; Röm 8,30; 9,24) erfolgte diese Berufung zur Freiheit durch Gott. Sie ist mit der Bekehrung gleichzusetzen und

kann darüber hinaus nicht näher spezifiziert werden[223]. Daß Gott hier
für die christliche Freiheit direkt verantwortlich gemacht wird, unterscheidet diesen Text von Gal 5,1 und 1Kor 7,22, wo Christus als Befreier gedacht wird. Ist dieser Gedanke eine eigenständige Leistung des paulinischen Denkens?

Die Idee einer Befreiung durch Gott findet sich in der Antike nicht nur
bei Paulus. Maximos von Tyros 36,5a weiß von Diogenes zu berichten:
ἐλευθερωθέντα ὑπὸ τοῦ Διὸς καὶ τοῦ Ἀπόλλωνος, "er wurde durch Zeus und Apollon befreit"[224]. Denselben Gedanken reflektieren wohl die Briefe des Diogenes 7,1 und 34,3, wo Diogenes als ἐλεύθερος ὑπὸ τὸν Δία beschrieben
wird. Auch Philo - wie wir schon oben S.35 gesehen haben - weiß, daß
Gott den Menschen freisetzt: Gott hat den Menschen zur freien Tätigkeit
freigesetzt (Quod deus sit immutabilis 48; vgl. De migratione Abrahami
25), und durch die Gnade (χάριτι) Gottes wird der Diener Gottes in Freiheit bleiben (De sacrificiis Abelis et Caini 127). Es sind die Freunde Gottes, die frei sind (Quod omnis probus liber sit 42). Daher rufen die Weisen Gott um Befreiung an (De confusione linguarum 93). Wenn Philo
schreibt, daß es nichts Besseres gibt als Zuflucht zu Gott und Dienst an
ihm, um die Gedanken in Freiheit zu setzen (Quis rerum divinarum heres
sit 124), so steht er durchaus in einer ähnlich lautenden hellenistischen
Tradition, wie wir oben Kap.3 A 7 gesehen haben. Auch Epiktet 4,7,17
sagt: ἠλευθέρωμαι ὑπὸ τοῦ θεοῦ, ἔγνωκα αὐτοῦ τὰς ἐντολάς, "Ich bin durch Gott
befreit. Ich kenne seine Gebote"; 1,19,9: ἐμὲ ὁ Ζεὺς ἐλεύθερον ἀφῆκεν, "Zeus
hat mich freigesetzt"; vgl. 4,1,131. Wenn also Paulus Gal 5,13a schreibt,
Gott habe die Galater zur Freiheit berufen, so schließt er sich dieser weit
verbreiteten Tradition an.

Wir wenden uns jetzt der Frage zu, was ἐλευθερία an dieser Stelle bedeutet. Auch hier finden sich viele Kommentatoren, die ἐλευθερία als "Freiheit
vom Gesetz" deuten[225]. Diese Deutung wird allerdings kaum hergeleitet,
sondern wird aufgrund des bisherigen Zeugnisses des Galaterbriefes einfach erschlossen. Daß diese Auslegung unsicher ist, zeigt sich schon daran, daß sich bei den Kommentatoren auch andere Auffassungen finden,
die eine gewisse Unzufriedenheit mit der üblichen Erklärung verraten. So
sieht F.Mußner hier "Freiheit von all jenen Heilswegen, die durch Christus
überholt sind"[226]. Freilich bietet Mußner für diese Deutung keine Argumente. Vielleicht etwas besser im Kontext begründet, wird folgende Deutung von J.Becker vertreten: "Freiheit ist vielmehr ihrem Wesen nach definiert als Möglichkeit von sich frei zu sein, um dem anderen zu dienen"[227]. Diese Erklärung scheint vorauszusetzen, daß ἐλευθερία in V 13c
geradezu definiert wird. So schreibt auch G.Bornkamm: "Die Freiheit der
Glaubenden ist darum eins mit dem Dienst aneinander in der Liebe"[228].
Wenn auch dieser Freiheitsbegriff eine Parallele in 1Kor 9,19 hätte (s.o.
S. 47-53), ist jedoch dagegen einzuwenden, daß V 13c keine deutliche
Definition von ἐλευθερία enthält. Bestenfalls könnte man als Stütze für
diese Erklärung folgende Verbindung zwischen den Aussagen in V 13
konstruieren: 'Ihr aber seid zur Freiheit berufen. Nutzet diese Freiheit
nicht als Anlaß für das Fleisch, sondern um einander zu dienen'. Der

von diesen Auslegern benötigte Gedanke lautet: 'Die Freiheit ist nicht Anlaß für das Fleisch, sondern Dienst aneinander durch Liebe.' Damit dürfte klar sein, daß V 13b-c keine <u>Definition</u> von Freiheit, sondern lediglich
Anweisungen zum Gebrauch der Freiheit liefert. Aus diesem Grund ist die
Deutung der ἐλευθερία bei Becker und Bornkamm fragwürdig.

Zur üblichen Erklärung der ἐλευθερία als Freiheit vom Gesetz ist folgendes
zu sagen: Daß Paulus ἐλευθερία im Gal nirgendwo ausdrücklich als ἐλευθερία
ἀπὸ τοῦ νόμου τῶν Ἰουδαίων bzw. Μωυσέως bezeichnet, ist kein Zufall, sondern muß - trotz des Alters dieser Auslegung - in Rechnung gestellt werden. Nach unseren Darlegungen zu Gal 2,4; 4,21-31; 5,1 dürfte klar sein,
daß sich die Bedeutung von ἐλευθερία in Gal 5,13 als "Freiheit vom Gesetz"
alles andere als aus dem Brief ergibt. 2,4 schien ἐλευθερία diese Bedeutung
nicht zu tragen. 4,21-31 war diese Deutung als unmöglich auszuschließen.
Dort wollte Paulus beweisen, daß der Bund ohne das Gesetz Freiheit ist,
nicht daß der Bund ohne das Gesetz frei vom Gesetz ist. 5,1 war ἐλευθερία
ein umfassenderer Begriff als einfach "Freiheit vom Gesetz", wenn auch
Freiheit hier wie an den anderen Stellen des Briefes ein Untertan-Sein unter dem Gesetz ausschloß. Somit entfallen die Belegstellen für die Gleichsetzung von ἐλευθερία und "Freiheit vom Gesetz", und somit darf dieser
Begriff auch bei Gal 5,13 nicht einfach vorausgesetzt werden.

Gibt es eine textgemäße Erklärung von ἐλευθερία in 5,13? Auf dem richtigen
Wege scheint H.D.Betz zu sein, wenn er schreibt: "Freedom can only mean
what it says if the Christian has a choice; he can allow his existence to
become a basis of operations for the flesh or for the Spirit"[229]. Lobens-
wert an dieser Auslegung ist vor allem, daß Betz die Funktion von V 13b-
c als Ermahnung deutlicher als die oben erwähnten Forscher erkannt hat.
V 13b-c definiere die Freiheit nicht, sondern stelle die beiden Wahlmög-
lichkeiten des Christen dar. "If the Christian allows the flesh to get the
upper hand, the loss of his freedom is the immediate result, because this
freedom is a gift of the Spirit"[230]. Doch wird man gegen diese Ausführungen von Betz sagen müssen, (1) daß - mit Bonnard[231] - der Text hier
nicht vom Geist redet[232] und (2) daß es vom Text her unklar ist, ob
ἐλευθερία als die Wahl zwischen nur diesen beiden Möglichkeiten definiert
wird, d.h., daß ἐλευθερία auf diese zwei Möglichkeiten begrenzt wird. Wie in
Gal 2,10 und 1Kor 7,39 (vgl. Phil 1,27) scheint vielmehr μόνον hier lediglich
<u>eine</u> (freilich hervorgehobene) Anweisung (unter möglichen anderen) zum
Gebrauch der Freiheit hinzuzufügen. Mit W.Bauer wird man wie folgt übersetzen müssen: "Ihr seid zur Freiheit berufen, nur nicht ..."[233].

Wie V 13b darüber hinaus zu übersetzen ist, läßt sich nicht mit Sicherheit
sagen. Daß eine Ellipse vorliegt, ist nicht zu leugnen, wenn auch diese
Art von Ellipse konventionell war[234]. Der Akkusativ zeigt deutlich an, daß
"Freiheit" Objekt in diesem Satz, nicht Subjekt ist, und V 13c legt nahe,
daß die Galater ebenfalls Subjekt von V 13b sind. Ein möglicher Gebrauch
der Freiheit also ist der als Gelegenheit für das Fleisch. Wenn auch möglicherweise bei Paulus Freiheit dann aufhört, Freiheit zu sein (weil das
Fleisch dadurch die Macht über den Menschen ergreift), so muß mit Betz
betont werden, daß dies ein möglicher Gebrauch der hier beschriebenen
Freiheit ist[235].

Gibt es nun eine Deutung der ἐλευθερία, die diesem Befund gerecht wird? Ein alter Ausleger, dessen Exegese in der Katene erhalten ist, erhob dieselbe Frage und antwortete wie folgt: τί δέ ἐστιν, ὅ φησιν; ἀπήλλαξεν, ὑμᾶς ὁ Χριστὸς τοῦ ζυγοῦ τῆς δουλείας· κυρίους ἀφῆκε τοῦ πράττειν ὅ, τι βούλεσθε· οὐχ ἵνα τῇ ἐξουσίᾳ πρὸς κακίαν χρησώμεθα ...[236] ("Was will er damit sagen? Christus hat euch aus dem Joch der Sklaverei entlassen. Er hat euch befähigt, das zu tun, was ihr wollt, nicht damit wir diese Macht zugunsten des Bösen verwenden ..."). In der Mitte dieser Exegese treffen wir die allgemein hellenistische Definition von ἐλευθερία als "Freiheit, das zu tun, was man will" (vgl. oben S.80 mit A 94). Für diese Deutung von ἐλευθερία in Gal 5,13 spricht in der Tat manches. 1. Dieser allgemein hellenistische Sinn des Wortes ἐλευθερία wäre für die Galater leicht - ja am leichtesten - verständlich. 2. Sie paßt ausgezeichnet zum Überschriftscharakter von V 13: Paulus sagt zuerst, daß die Galater durch Gottes Berufung frei sind, das zu tun, was sie wollen. Dann gibt er ihnen seine paränetischen Hinweise, die es ihnen erleichtern sollen, ihre Freiheit zu bewahren und dementsprechend das zu tun, was sie eigentlich wollen. 3. Daß wir diese Deutung von ἐλευθερία in den Text nicht hineinlesen, wo sie nicht vorhanden ist, wird dadurch bestätigt, daß sich eben diese allgemein hellenistische Definition von Freiheit in negativer Form in den folgenden Mahnungen findet. Paulus schreibt V 17, daß Fleisch und Geist einander entgegengesetzt sind und daß sich daraus folgende Situation ergibt: ἵνα μὴ ἃ ἐὰν θέλητε ταῦτα ποιῆτε. Die paränetische Weisung, dem Geist gemäß zu leben, will offensichtlich diese krankhafte Situation auf ein Minimum reduzieren. 4. Diese Deutung paßt auch zum größeren Kontext, denn V 13 dient ferner als Begründung für das Urteil über die Leute, die die Galater aufregen (V 12), d.h. fremden Einfluß auf sie ausüben wollen. 5. Wir fanden bereits Gal 2,4 einen sehr ähnlichen Freiheitsbegriff: Dort wollten die falschen Brüder Christen wohl zu eigenen Zwecken versklaven und dadurch die Christen ihrer Freiheit, zu handeln, wie sie es in Christus für richtig halten, berauben.

Aus diesen Gründen ist das nicht näher spezifizierte Wort ἐλευθερία V 13 am wahrscheinlichsten als "Freiheit, das zu tun, was man will", auszulegen. Dementsprechend gebraucht Paulus das Wort ἐλευθερία hier in seiner allgemein vertretenen hellenistischen Bedeutung. Der Unterschied zwischen Paulus und den meisten übrigen antiken Freiheitsboten liegt an dieser Stelle also nicht im Inhalt, der diesem Wort zugeschrieben wird, noch besteht ein Unterschied zwischen Paulus und vielen von ihnen in der Behauptung, daß Gott dem Menschen diese Freiheit ermöglicht (s.o.). Vielmehr hebt sich die paulinische Freiheitsbotschaft an dieser Stelle von anderen vergleichbaren lediglich durch den größeren Zusammenhang ab, in den Paulus diese Freiheitsaussage einfügt (z.B. sein spezifisches Verständnis von Gott und von dem von ihm durch Christus gebahnten Weg zur Freiheit). Im nächsten Kapitel wird zu zeigen sein, ob diese Definition von Freiheit nochmals bei Paulus vorkommt.

4.6 Rückblick

Die Untersuchung der im Gal enthaltenen Freiheitsbelege hat im Lichte
der bisherigen Forschung zu manchen überraschenden Ergebnissen geführt. Wohl das bedeutendste war die Entdeckung, daß das von uns
schon in den Korintherbriefen vermißte Verständnis von ἐλευθερία als
"Freiheit vom Gesetz" (oder "Freiheit vom Tode oder von der Sünde")
auch im Gal nirgends expressis verbis belegt ist. Ergaben sich schon
bei der Untersuchung von Gal 2,4 berechtigte Zweifel daran, daß "Freiheit vom jüdischen Gesetz" zur Zeit des Gal ein fest geprägter Begriff
im Denken des Paulus war, so war bei der Auslegung der ἐλευθερ-Wörter
Gal 4,21-31 - sollte eine seltsame Tautologie den Aussagen des Paulus
nicht zu unterstellen sein - diese Deutung als unmöglich auszuschließen.
Während "Freiheit" Gal 5,1 ein Untertan-Sein unter dem Gesetz ausschloß,
war Freiheit auch an dieser Stelle umfassenderer Begriff als lediglich
"Freiheit vom jüdischen Gesetz", da sie als Gegenteil zu jeglicher Skla-
verei, auch besonders Sklaverei unter den Elementen, genannt wird.
Auch Gal 5,13 fand die Deutung "Freiheit vom Gesetz" keine Stütze im
Text.

Freilich war für uns eine andere (textgemäße) Deutung von ἐλευθερία
nicht leicht herzuleiten, nicht zuletzt deshalb, weil an allen Stellen von
"Freiheit" ohne jegliche näheren Spezifikationen geredet wird. Was zunächst beobachtet werden konnte, war, daß Paulus mit den Freiheitswörtern rhetorische und polemische Zwecke verfolgt. Gal 2,4 verwendet er
ein politisch-militärisches Bildwort, das äußerst dunkle Schatten auf die
entgegengesetzte Partei wirft. Diesen "eingeschlichenen Angebern" wird
nicht nur Spionage vorgeworfen, sondern sie werden als Gegner des
höchsten griechischen Heilsgutes, der ἐλευθερία, beschrieben. Sahen wir
schon hier eine nicht geringe rhetorische Leistung, so war dasselbe bei
Gal 4,21-31 zu konstatieren. Hier beansprucht Paulus eine Argumentationsweise, die Parallelen in stoischen Traktaten über die Freiheit hat:
Paulus geht vom sozial-politischen Unterschied zwischen dem Freien und
dem Sklaven aus, um eine geistige Unterscheidung zwischen Freiheit und
Sklaverei zu etablieren. Er beschlagnahmt die Freiheit für sich und sein
Verständnis vom Christentum und diffamiert den Weg, den die Galater im
Begriff waren einzuschlagen, als Sklaverei. Diese bewußten rhetorischen
Absichten des Paulus lagen sodann völlig auf der Hand in der Paronoma-
sie Gal 5,1. Auch Gal 5,13 verriet ein bewußtes Operieren mit Freiheits-
wörtern durch Paulus, denn dort wird Freiheit als Überschrift über die
Paränese gesetzt.

Daß "Freiheit" nirgends deutlich definiert wird, führte uns zur Bestätigung von N.DeWitts Meinung (s.o. A 2), daß Paulus das Wort nicht zu
definieren brauchte, weil es zu seiner Zeit anerkanntes Heilsgut war. Insofern ist auch diese Tatsache ein Indiz dafür, daß Paulus unter die anderen antiken Freiheitsboten seiner Zeit einzureihen ist. Er brauchte das
Wort nicht zu definieren, da eine reiche Tradition an dem Wort haftete und
jeweils mitklang. Doch wollten wir den Versuch unternehmen, jeweils den

spezifischen Sinn der Freiheitswörter aus dem Kontext und durch religionsgeschichtlichen Vergleich zu bestimmen.

Dabei ergab sich, daß die Tradition, die in Gal 2,4 vornehmlich mitklang, die Freiheit der Polis war, eigene Entschlüsse ohne Einfluß von außen zu fassen. Wir vermuteten schon an dieser Stelle, daß die allgemein hellenistisch-römische Definition von Freiheit als "Freiheit, das zu tun, was man (hier: in Christus) will", im Denken des Paulus eine Rolle spielte. Im Lichte des Zusammenhangs, in dem von Unterordnung unter andere Menschen die Rede war, und vom Gebrauch des Verbs καταδουλοῦν in 2Kor 11,20 her ergab sich als das Wahrscheinlichste, daß Paulus καταδουλώσουσιν in Gal 2,4 zunächst nicht so sehr als "unter das Gesetz versklaven", sondern als "sich selbst versklaven" verstand. Insofern war eine Übereinstimmung mit dem Freiheitsbegriff in 1Kor 7,22; 9,1.19; 10,29 festzustellen, da alle Stellen ein Verständnis von ἐλευθερία als Freiheit von Menschen und ihren Urteilen gemeinsam haben.

Beim Versuch der Bestimmung der Freiheitswörter in Gal 4,21-31 konnten wir (außer bei dem rein sozial-politischen Gebrauch des Wortes ἐλευθέρα V 22-23) am ehesten den Sinn des Wortes ἐλευθέρα in 4,26 feststellen. Aus der Logik des Abschnittes (der Gegenüberstellung des jetzigen versklavten Jerusalem mit dem oberen freien Jerusalem) ergab sich, daß "frei" hier wie Röm 8,21 offensichtlich "frei von Vergänglichkeit" bedeutet. Wir vermuteten an dieser Stelle, daß Paulus diesen Freiheitsbegriff aus seiner jüdischen Tradition empfing, und folglich, daß dieses Freiheitsverständnis möglicherweise sehr früh im paulinischen Denken anzusetzen ist. Während wir die weitere Behandlung dieser Frage bis zur Analyse von Röm 8,21 aufschoben, konnten wir immerhin schon feststellen, daß die bisher untersuchten Freiheitsbelege aus diesem möglicherweise frühen Freiheitsverständnis doch nicht abgeleitet werden können. Um so wichtiger erschien es nun, daß wir bei der Untersuchung der Konnotationen des Freiheitswortes Gal 5,1 eine auffallende Übereinstimmung mit dem Freiheitsbegriff, den wir für einige Korinther isoliert hatten, feststellen konnten. Hatten diese Korinther ihre Freiheit, geweihtes Fleisch essen zu dürfen, auf das monotheistische Bekenntnis gegründet, so war im Gal zu beobachten, wie Paulus dasselbe Bekenntnis sogar gegen das Gesetz verwendet (Gal 3,20). Da das Moment des Erkennens Gottes bzw. Erkannt-Seins durch ihn im Gal (4,8-9) wie im 1Kor (8,1-7) die Hauptrolle in der Entblößung der Nicht-Göttlichkeit der Götter spielt, war zu vermuten, daß Paulus das Freiheitsverständnis einiger Korinther im Gal übernahm und zunächst wenig mehr tat, als lediglich diesen Freiheitsbegriff auf das Gesetz auszudehnen. Daß einige Korinther das Freiheitsverständnis des Paulus beeinflußt haben, war ja schon bei der Untersuchung der Korintherbriefe festzustellen. Darüber hinaus schien Paulus aus denselben kynischen Quellen wie jene Korinther eigenständig zu schöpfen (wie schon 2Kor 3,17), insofern er Gal 4,21-31 Freiheit und Gesetz dadurch gegenüberstellt, daß er die Freiheit mit einer Urzeit vor der Propagierung des Gesetzes in Verbindung zu bringen scheint.

Bei Gal 5,13 sahen wir, daß sich Paulus erneut auf ausgetretenen hellenistischen Pfaden befindet, wenn er Gott eine befreiende Funktion zu-
schreibt. Als wahrscheinlichste Bedeutung des Wortes ἐλευθερία konnten
wir wieder die allgemein hellenistisch-römische Definition feststellen. Die
Tatsache, daß diese Begriffsbestimmung V 17 in negativer Form vorkommt,
schien sowohl diese Deutung als auch unsere Auslegung von Gal 2,4 zu
bestätigen und warf die Frage auf, ob diese Definition noch anderswo eine Rolle bei Paulus spielt. Wir wollen in der Untersuchung der Freiheitsbelege im Röm u.a. dieser letzten Frage nachgehen.

5 ἐλευθερία im Römerbrief

5.1 Sprachlicher Befund

Freiheitswörter kommen siebenmal, verteilt auf vier Passagen, im Röm vor.
Die Belege befinden sich im lehrhaften Teil des Briefes, und zwar alle innerhalb der Kapitel 6-8: 6,18.20.22; 7,3; 8,2.21 (zweimal). Unter diesen
Stellen kommt das Adjektiv zweimal (6,20; 7,3), das Verb viermal (6,18.22;
8,2.21) und das Substantiv einmal (8,21) vor.

Auch im Röm gehören δουλ-Wörter zum semantischen Umfeld der ἐλευθερ-
Wörter. Sie erscheinen 6,18.20.22; 8,21 und im Zusammenhang von 7,3
(7,6), d.h. an allen Stellen außer 8,2. Waren im Gal die δουλ-Wörter
überwiegend negativ gemeint, so verhält es sich im Röm umgekehrt. Hier
bezeichnen die δουλ-Wörter dreimal etwas Positives (6,18.22; 7,6) und nur
zweimal etwas Negatives (6,20; 8,21). Ob diese Gewichtsverschiebung zwischen dem Sprachbefund des Gal und des Röm von größerer Bedeutung
ist, kann nur die Einzelexegese feststellen.

Die Aufgabe dieses Kapitels besteht erstens darin, die einzelnen Belege
exegetisch und, wenn möglich, religionsgeschichtlich auf ihr Freiheitszeugnis hin auszuwerten, und zweitens darin, die Ergebnisse in den Zusammenhang der bisher gewonnenen Resultate historisch einzuordnen.

5.2   Röm 6,18-22: Christliche Freiheit?

Das sechste Kapitel des Röm wird mit einer Frage eröffnet, die an das
Vorherige anknüpft und für die folgenden Ausführungen bestimmend ist.
Hat Paulus gerade betont, daß das Gesetz die Übertretung vervielfacht
und somit zu einer reichen Vermehrung der Gnade führt (5,20), so stellt
er 6,1 die Frage, ob nicht dementsprechend Christen bei der Sünde bleiben sollen, damit die Gnade vermehrt werde. Der Widerlegung dieser Folgerung dienen nicht nur die unmittelbar folgenden Verse, sondern offensichtlich auch das ganze sechste Kapitel[1], denn fast dieselbe Folgerung
wird nochmals 6,15 ausdrücklich zur Diskussion gestellt und in den folgenden Versen erneut abgestritten. Da Paulus dieser Folgerung so große
Aufmerksamkeit schenkt, ist für uns von Interesse, ob und inwieweit
die Aussagen in V 18-22, wo ἐλευθερ-Wörter erstmals auftreten, durch den
Zweck bestimmt sind, diese Konsequenz zu widerlegen. Um hierfür eine
Antwort zu finden, ziehen wir zunächst die in Frageform gekleidete Folgerung V 15 näher in Betracht.

Sind die durch den Wortlaut verwandten Fragen V 1 und 15 nur "Absurditäten", wie R.Bultmann meint[2], dann wäre wohl zu schließen, daß diese

Scheinprobleme die folgenden Aussagen inhaltlich nicht wesentlich bestimmen. Paulus setzte sich dann nicht ernstlich mit diesen Absurditäten
auseinander; er erwähnte sie lediglich, um seine Gedanken wie ein Testament[3] aufzurollen. Einen äußeren Anlaß, der Paulus zu spezifischen oder
außergewöhnlichen Aussagen führt, hätte es in Wirklichkeit nicht gegeben. Diese von Bultmann und G.Bornkamm vertretene Interpretation der
im Röm vorkommenden fragenden Einwände wird auch in einer neueren,
ausführlichen Untersuchung zum Diatribestil im Röm unterstützt und präzisiert, aber kaum wesentlich modifiziert: Durch solche Fragen stelle sich
Paulus den Römern als Lehrer vor; die Fragen seien nicht viel mehr als
pädagogische Mittel, seine Ideen mitzuteilen, wenn sie auch seine bisherige Erfahrung als Lehrer reflektieren[4].

Es wäre sicherlich schwer, diese Erklärung der Fragen 6,1.15 zu bestreiten, wenn diese Verse keine auffallende Ähnlichkeit mit dem 3,8 erhobenen Einwand aufwiesen. Dort schreibt Paulus: "Stimmt es nicht, wie wir
verleumdet werden und wie einige sagen, daß wir sagen: 'Laßt uns das
Böse tun, damit das Gute kommt'? Jene Leute werden zu Recht verdammt".
Die Auffassung, das Anführen dieses Einwandes sei "not polemical but
pedagogical"[5], hält kaum stand, denn nicht nur die ausdrückliche Erwähnung von "einigen Leuten", sondern auch der polemische Ton der Ver-
dammung dieser Menschen am Ende des Verses sind eindeutige Hinweise
auf eine größere Aktualität dieser Frage. Ferner stammt der in V 8 enthaltene Einwand kaum aus einer Schulsituation[6], sondern vielmehr aus einer Kampfsituation. Aus diesen Beobachtungen ist zu schließen: Paulus
legt seine Ansichten im Röm nicht immer einfach pädagogisch vor, sondern verteidigt sowohl sie als auch seine Person mindestens an dieser Stelle in polemischer Weise.

Insofern enthüllt 3,8 zumindest eine Absicht des Röm. Paulus will sich gegen verleumderische Berichte über seine Lehre verteidigen[7]. Ob solche antipaulinische Propaganda in Rom laut geworden ist, wie z.B. H.D.Betz annimmt[8], läßt sich jedoch nicht mit Sicherheit sagen. Sicher ist allerdings,
daß Paulus denselben Einwand als "Einleitung und Thema einer ausgedehn-
ten großen Haupterörterung des Briefes"[9], nämlich Kap.6, zugrunde
legt[10]. Inwieweit andere Abschnitte des Röm durch ähnliche apologetische
Motive bestimmt sind, mag zunächst dahingestellt bleiben. Wichtig für unsere Untersuchung ist vorerst lediglich die Beobachtung, daß ein tatsächlich gegen Paulus erhobener Einwand Ausgangspunkt für den von uns
untersuchten Passus ist. Die Realität dieses Einwandes legt es also nahe,
daß diese Frage in der Tat für den Inhalt der auf ihn folgenden Verse
bestimmend war, denn Paulus hat diese Folgerung nicht frei erfunden, um
lediglich die Darstellung seiner Lehre zu erleichtern, sondern er will sie
ernsthaft widerlegen. Es stellt sich daher die weitere, oben angedeutete
Frage, bis zu welchem Grad der Inhalt der auf V 15 folgenden Aussagen
durch diesen Ausgangspunkt bestimmt wird. Um dies zu beantworten,
zeichnen wir zunächst die Struktur dieses Abschnittes nach und untersuchen seinen Inhalt.

Nachdem Paulus 6,15 die Frage stellt, ob Christen nicht sündigen sollten, da sie unter der Gnade und nicht unter dem Gesetz sind, greift er - um darauf zu antworten - zu einer Sklavenanalogie. V 16 betont, daß Christen dessen Sklaven sind, dem sie sich unterordnen. Es bestehen offensichtlich nur zwei Möglichkeiten: entweder Sklaven der Sünde oder Sklaven des Gehorsams zu sein. V 17 dankt Paulus Gott dafür, daß die Römer letztere Möglichkeit gewählt haben. V 18 zieht sodann die Konsequenz: Die Römer sind von der Sünde befreit, aber unter der Gerechtigkeit versklavt. Deswegen, wie Paulus V 19-22 ausführt, sollen sie sich sklavisch der Gerechtigkeit hingeben.

Nun ist manchmal mit Recht bemerkt worden, daß Paulus seine Sklavenanalogie hier nur bedingt verwendet. So spricht Paulus einerseits einfach von einem Herrenwechsel, während er andererseits auf eine Weise, die das Bild zu sprengen droht, die Freiwilligkeit der Hingabe betont[11]. Ein Sklave konnte höchstens unter gewissen Umständen um einen neuen Herrn bitten[12]. Nach einem Herrenwechsel stand der Sklave jedoch unter der Gewalt des neuen Herrn und hatte kaum selbst zu entscheiden, ob er diesem neuen Herrn wie ein Sklave dienen würde[13]. Daß die Analogie vom Kontext teilweise verdorben wird, zeigt sich ferner daran, daß die Wendung παραστήσατε τὰ μέλη V 19 deutlich den Wortlaut der dem Bild des Krieges entliehenen Analogie V 13 in die Sklavenanalogie übernimmt. Gerade durch diese Verzeichnung des Bildes erhält jedoch die paulinische Aussage ihre Schärfe. Dadurch kann Paulus nicht nur zum Ausdruck bringen, daß die Römer Sklaven der Gerechtigkeit sind, sondern auch betonen, daß sie sich der Gerechtigkeit total hingeben sollen. Gerade so kommt der paulinische Indikativ in seiner rechten Verbindung mit dem Imperativ zur Sprache. Erst recht dient dieses verzeichnete Bild als Antwort auf die V 15 erhobene Frage. "Paul employs the analogy of slavery for the sake of the idea that a slave is one who 'yields' himself to - and 'obeys' - his one master only"[14].

Wie sehen nun die eigentlichen Freiheitsaussagen des Abschnittes aus? Freiheitswörter kommen in diesem Passus dreimal vor:

ἐλευθερωθέντες δὲ ἀπὸ τῆς ἁμαρτίας	(V 18)
ἐλεύθεροι ἦτε τῇ δικαιοσύνῃ	(V 20)
ἐλευθερωθέντες ἀπὸ τῆς ἁμαρτίας	(V 22).

Mit diesen Aussagen korrespondieren folgende δουλ-Aussagen:

ἐδουλώθητε τῇ δικαιοσύνῃ	(V 18)
δοῦλοι ἦτε τῆς ἁμαρτίας	(V 20)
δουλωθέντες δὲ τῷ θεῷ	(V 22).

Von Gal herkommend, fällt an diesen Aussagen zunächst die jeweilige Spezifizierung der ἐλευθερ- bzw. δουλ-Wörter auf. War dort von Freiheit betont absolut die Rede, so daß wir nur mit Mühe den Inhalt der jeweils gemeinten Freiheit herausschälen konnten, so ist hier das ἐλευθερ-Wort jeweils durch einen nachfolgenden Begriff bestimmt. Zweimal wird das ἐλευθερ-Wort durch ἀπὸ τῆς ἁμαρτίας erläutert, einmal durch den Dativ der Beziehung τῇ δικαιοσύνῃ.

Aber auch inhaltlich scheint unser Passus vom Zeugnis des Gal abzuweichen. Hat Paulus Gal 4,21-31 und 5,1 (μὴ πάλιν ζυγῷ δουλείας ἐνέχεσθε) die Bezeichnung des christlichen Glaubens als δουλεία eindeutig abgelehnt (vgl. aber auch Röm 8,15), so spricht er hier zunächst ohne Hemmung vom Stand der Christen als Sklaven unter der Gerechtigkeit[15]. Ja, das Bild des Herrenwechsels scheint geradezu auszuschließen, daß "Freiheit" dem Christen zugesprochen werden könnte. Ein weiterer Unterschied zum Zeugnis des Gal besteht in der merkwürdigen Aussage ἐλεύθεροι ἦτε τῇ δικαιοσύνῃ. Im Gal gebraucht Paulus nirgends ein ἐλευθερ-Wort als Bezeichnung für die nichtchristliche Existenz. Dort war sein bewußtes Bestreben unübersehbar, ἐλευθερ-Wörter dem Rechtgläubigen vorzubehalten und alle anderen mit δουλ-Wörtern zu apostrophieren. Diesem frappanten Unterschied wollen wir zunächst nachgehen, da - wie wir sehen werden - die Auswertung des Freiheitszeugnisses V 18-22 in der Forschung vor allem von der Auslegung der Aussage ἐλεύθεροι ἦτε τῇ δικαιοσύνῃ bestimmt wird.

Die Auslegungsmöglichkeiten dieser Aussage beschränken sich auf zwei. D.Nestle und K.Berger gehören zu den Vertretern der ersten Auffassung: Paulus "verwendet das Wort 'frei' hier ... neutral, nur im Blick auf den juristischen Sachverhalt, den er als Vergleich benutzt"[16]. War im Gal "Freiheit" etwas absolut Gutes, so verhält es sich hier ganz anders: "Der positive oder negative Sinn von F. u. Knechtschaft ist allein bestimmt durch das Wesen des jeweiligen Herrn."[17] V 18-22 "geht es bei Paulus nicht um die 'wahre Freiheit', sondern dieser Begriff wird lediglich dazu verwendet, den radikal umwandelnden Übergang von der einen Sphäre in die andere zu bezeichnen, der nichts anderes ist als der Übergang von einer Knechtschaft in die andere"[18].

Die andere Auslegungsmöglichkeit von V 20b vertreten z.B. O.Kuss und H.Schlier: "Das 'frei' bekommt hier einen ironischen Klang."[19] "Denn 'frei' in bezug auf die Gerechtigkeit sein ist keine Freiheit, sondern Sklaverei."[20]

Ist nun ἐλεύθεροι ἦτε τῇ δικαιοσύνῃ V 20b wirklich "ironisch" gemeint? Die Ansicht, daß Paulus nicht meine, was er sagt, kann möglicherweise eine Stütze in V 19 finden. Dort schreibt Paulus: Ἀνθρώπινον λέγω διὰ τὴν ἀσθένειαν τῆς σαρκὸς ὑμῶν. Diese Aussage wurde wohl besonders durch die Formulierung ἐδουλώθητε τῇ δικαιοσύνῃ V 18 provoziert[21], ist aber als Erklärung oder Apologie für die Einführung der gesamten Sklavenanalogie aufzufassen[22]. Daraus folgt zunächst, daß diese Verwendung von δουλ- und ἐλευθερ-Wörtern wohl <u>nicht</u> traditioneller Herkunft (etwa Tauftradition) ist. Das heißt, durch seine ausdrückliche Erklärung oder Apologie dieser Redeweise gibt Paulus seinen Lesern bewußt zu verstehen, daß <u>er</u> für das Anführen dieser Analogie in die Deutung christlicher Existenz (und hier wohl spezifischer der Taufe) verantwortlich ist. Diese Beobachtung ist für unsere Untersuchung deswegen von Wichtigkeit, weil sie bestätigt, daß Paulus ἐλευθερ- und δουλ-Wörter - jedenfalls in der hier vorliegenden Form - in Verbindung mit der Taufe <u>nicht</u> aus der Tradition übernommen hat. Oben bei der Auslegung von 1Kor 7,22 kamen wir zu demselben Ergebnis: Dort griff Paulus eine ähnliche Analogie (christlicher Sklave als ἀπελεύθερος κυρίου; christlicher Freier als δοῦλος Χριστοῦ) offensichtlich nur deshalb auf, weil er an jener Stelle dem christlichen Sklaven Trost zusprechen wollte (vgl. die Diskussion oben S.28-29).

Daß Paulus diese Analogie selbst ausgewählt und hier bewußt eingeführt hat, ermutigt nicht gerade zu der Auffassung, die Hälfte der Analogie sei "ironisch" gemeint, wenngleich diese Auslegung dadurch auch nicht zwingend ausgeschlossen wird. Wir gehen ihr deswegen weiter nach. H.Lietzmann vertritt offensichtlich die "ironische" Auslegung, wenn er zu ἐδουλώθητε τῇ δικαιοσύνῃ im vermeintlichen Sinne des Paulus schreibt, daß "vom richtigen Standpunkt aus betrachtet von einer 'Sklaverei' unter der Herrschaft der δικαιοσύνη keine Rede sein kann, weil dies gerade die wahre Freiheit ist", und zur Stütze dieser Meinung auf Röm 8,15.21; 2Kor 3,17; Gal 5,1.13 verweist[23]. Doch begegnet an den genannten Stellen und anderswo in den paulinischen Briefen niemals die Gleichsetzung von Sklaverei unter der Gerechtigkeit und wahrer Freiheit. Ferner, wollte Paulus in unserem Passus eine Aussage über wahre Freiheit machen - wie Lietzmann und die Vertreter der "ironischen" Auslegung offensichtlich meinen -, dann verwundert, warum er das an keiner Stelle tut. Etwa nach V 22 hätte Paulus leicht sagen können: τοῦτο δέ ἐστιν ἡ ἀληθινὴ ἐλευθερία o.ä. Vgl. z.B. Philo Quod omnis probus liber sit 19: τὸν ἀψευδῶς ἐλεύθερον ἀναζητῶμεν ("Laßt uns dem wahrhaft freien Menschen nachforschen"), Joh 8,31-36 (V 36: ὄντως ἐλεύθεροι) und oben Kap.3 A 7.

Deswegen kommen diejenigen Forscher, die den Wortlaut des Passus ernst nehmen, zu dem Schluß, hier gehe es überhaupt nicht um "wahre Freiheit" (s.o.). Wenn Paulus von der vorchristlichen Existenz der Römer sagt: ἐλεύθεροι ἦτε τῇ δικαιοσύνῃ, berechtigt tatsächlich nichts im Text zu der Auffassung, diese Aussage sei "ironisch". Sollte die Analogie ihre Überzeugungskraft erhalten, darf vielmehr dieser Aussage der Ernst nicht entzogen werden. Denn die Logik der Analogie ist folgende: Genauso wie die Römer damals von der Gerechtigkeit frei waren, sind sie jetzt von ihrem früheren Herrn (ἁμαρτία) frei[24]. Sowohl dem Wortlaut als auch dieser Logik nach ist also mit D.Nestle zu konstatieren, daß das Wort ἐλεύθερος hier völlig neutral gebraucht wird und nicht mehr als "nicht zum Gehorsam verpflichtet" bedeutet (s.o.). Ein solch neutraler Gebrauch von ἐλευθερ-Wörtern ist ja keineswegs allein diesem Passus zu eigen, sondern hat Parallelen sowohl bei Paulus (1Kor 7,39) als auch sonst in der Antike, z.B. bei Josephus Bellum Judaicum 3,279: "Dadurch nämlich, daß die Römer zu Fall kamen, konnten sich die Juden aus dem Nahkampfe lösen [τῆς κατὰ χεῖρα συμπλοκῆς ἐλευθερωθέντες] und hatten die Hände frei zum Schießen" (Michel und Bauernfeind); vgl. ferner z.B. 5,23. Genau wie es Josephus hier nicht um die "Freiheit" der Juden geht, so geht es bei Paulus an unserer Stelle nicht um "Freiheit" an sich, sondern lediglich um eine neutrale Aussage, die das Nicht-verpflichtet-Sein in der vorchristlichen bzw. christlichen Existenz der Römer illustriert.

Wenn also die Aussage ἐλεύθεροι ἦτε τῇ δικαιοσύνῃ nicht "ironisch" gemeint ist, sind wir nun erst recht mit dem Problem konfrontiert, wie sich unser

Passus zu den bisher untersuchten Freiheitsstellen in den paulinischen Briefen verhält. Vor allem im Gal hat Paulus unüberhörbar betont, daß christlicher Glaube Freiheit ist. Wie kann er dann ἐλευθερ-Wörter im rein neutralen Sinne sowohl von vorchristlicher als auch von christlicher Existenz gebrauchen?

Eine mögliche Lösung dieses Problems hat D.Nestle geboten. Er schreibt zu Röm 6,18-22: "Hier wird deutlich, daß Paulus selbst nichts daran liegt, das Prädikat ἐλεύθερος für den Glaubenden in Anspruch zu nehmen."[25] Dieser in der Forschung mit Empörung aufgenommene Schluß[26] hat mindestens in bezug auf Röm 6,18-22 einen wahren Kern, denn hier liegt Paulus in der Tat nichts daran, das Attribut ἐλεύθερος dem Glaubenden allein vorzuhalten: Auch der Ungläubige ist ἐλεύθερος, nämlich ἐλεύθερος τῇ δικαιοσύνῃ. Problematisch ist es jedoch, wenn Nestle diesen Befund ohne weiteres für "Paulus selbst", d.h. das Denken des Paulus im allgemeinen, auswerten will. Nestle scheint anzunehmen, daß Röm 6,18-22 das eigentliche Denken des Paulus reflektiert. Da Paulus Röm 6,18-22 das Prädikat ἐλεύθερος nicht allein für den Glaubenden in Anspruch nehme, sei mit anderen Worten daraus zu schließen, daß "Paulus selbst" nichts an einer alleinigen Inanspruchnahme von Freiheitswörtern für die Christen liege. Dieser Schluß stimmt aber - wie wir gesehen haben - keineswegs für den Paulus des Galaterbriefes oder auch den der Korintherbriefe. In den Korintherbriefen argumentiert Paulus ausführlich für das Recht, dieses Prädikat für seine Person zu beanspruchen. Wenn Paulus z.B. fragt: οὐκ εἰμὶ ἐλεύθερος (1Kor 9,1), und dann heftig und ausführlich für die Tatsächlichkeit seiner Freiheit argumentiert, zeigt er doch, daß ihm viel daran liegt, jegliche Bestreitung seiner Freiheit zu entkräften. Was er für sich selbst in den Korintherbriefen tut, tut er im Gal auch für alle Christen. So bestand der Zweck des ganzen Abschnittes Gal 4,21-31 darin, zu zeigen, daß der christliche Glaube Freiheit ist (s. die Analyse oben S.83-87). Freilich ist zu konstatieren, daß die Freiheitsaussagen der Briefe an die Korinther und Galater durch äußere Anlässe provoziert waren. Bei den Korintherbriefen sprachen beachtliche Gründe dafür, daß einige Korinther Nachdruck auf ihre Freiheit gelegt haben und daß die Freiheitsaussagen des Paulus dadurch hervorgerufen wurden. Im Gal hat Paulus Freiheit als Propagandawort in Anspruch genommen, um der Übernahme des jüdischen Gesetzes seitens der Galater entgegenzuwirken. Sind wir aber deswegen berechtigt, mit Nestle Röm 6,18-22 für die eigentliche Meinung des Paulus zu halten? Dagegen spricht deutlich eine von Nestle offensichtlich nicht zureichend beachtete Tatsache: Auch die Freiheitsaussagen Röm 6,18-22 kommen nicht zusammenhanglos vor (so daß sie die "eigentliche" Meinung des Paulus wiedergeben), sondern sind Teil seiner Antwort auf gegen ihn erhobene Einwände (6,15, ein Einwand, der mit der tatsächlichen Blasphemie seiner Person und Lehre, 3,8, zusammenhängt; s.o.). Wir wollen daher die oben offengelassene Frage jetzt wiederaufnehmen, inwieweit und wie die Freiheitsaussagen Röm 6,18-22 durch diesen Einwand bestimmt sind.

Daß es einen Unterschied zwischen den Freiheitszeugnissen des Gal und des Röm gibt, wurde, wie oben im Forschungsüberblick ausgeführt (S.14-15 mit A 30), von u.a. J.W.Drane und H.D.Betz erkannt. Während Drane den Grund für diese Verschiedenheit darin sieht, "that the Corinthians had taken Paul's earlier teaching at its face value, and had applied the logic of Christian liberty to such an extent that an unrestrained liberty could not be tolerated"[27], nimmt Betz zusätzlich antipaulinische Propaganda in Rom als Grund für diese Änderung an. Selbst wenn Gal später als die Korintherbriefe datiert wird (was wir im Unterschied zu Drane und Betz tun), könnte der erstgenannte Grund für die Verschiedenheit des Freiheitszeugnisses der paulinischen Briefe noch immer zutreffen. Paulus schreibt ja Röm wohl von Korinth oder Umgebung aus[28] und hätte sich auch während seines letzten Besuches in Korinth durch "libertinische" Korinther von seiner starken Betonung der Freiheit abschrecken lassen können.

Indessen ist diese Möglichkeit aus den folgenden Gründen wenig wahrscheinlich. Erstens hat Paulus nach unserer oben aufgrund äußerer Kriterien begründeten Ansicht den Freiheit stark betonenden Gal zumindest nach 1Kor geschrieben. Sollte er sich durch einige Korinther von einer Betonung der Freiheit abschrecken lassen haben, dann wäre das wohl schon vor Gal passiert. Zweitens liegt es viel näher, den Grund für die Änderung der Freiheitsaussagen im entsprechenden Kontext des Röm zu suchen, zumal Paulus selbst ausführt, weswegen er so schreibt. Er antwortet nämlich 6,16ff auf den Einwand 6,15, und er nimmt die Sklavenanalogie auf - so sagt er 6,19 - διὰ τὴν ἀσθένειαν τῆς σαρκὸς ὑμῶν. Dächte Paulus besonders an die Schwachheit des Fleisches der Korinther, wäre eher zu erwarten, daß Paulus das ὑμῶν weglassen oder vielleicht ein ἡμῶν gesetzt hätte. Doch Paulus sagt ὑμῶν. Wie ist das zu begründen?

Zur Wendung "wegen der Schwachheit eures Fleisches" schreibt O.Kuss: "Es kann kaum ein besonderer und begründeter Tadel in der Wendung liegen, sondern es wird sich um die Redeweise des mahnenden Lehrers und Seelsorgers handeln, der sich immer auf den - wenigstens prinzipiell - unterlegenen Standpunkt seiner Hörer und Schutzbefohlenen einstellt."[29] In der Tat gibt uns Röm kaum, wenn überhaupt, Anhaltspunkte dafür, daß Paulus eine besondere libertinistische Gefahr bei den Römern voraussetzt[30]. Freilich meinen einige Forscher, daß diese libertinistische Gefahr gerade in unserem Passus reflektiert sei. So schreibt D.Daube in seinen Erörterungen zu V 19a: Paulus "has recourse to it [die Sklavenanalogie] in order to impress on antinomian doctrinaires that, just as formerly they were eager to sin, so now they should be eager to do good, to live saintly lives"[31]. Offensichtlich findet also Daube einen Beweis für die Existenz dieser Antinomisten in Rom - wie es W.Lütgert und M.Smith expressis verbis tun - in den Einwänden 6,1.15 und vor allem 3,8[32]. Doch muß gegen Lütgert (und offensichtlich auch gegen die beiden anderen) gesagt werden, daß 3,8c besagt, das Gericht sei nicht in bezug auf Menschen, "welche wirklich so sprechen, wie dem Apostel vorgeworfen wird"[33], sondern in bezug auf die vorher genannten τινές, die Paulus Libertinismus vorwerfen, gerecht[34].

Wenn auch V 19a seelsorgerlich klingt (als ob Paulus die Römer vor Libertinismus schützen wollte), so zeigt doch V 15 in Verbindung mit 3,8
die Gefahr, vor der Paulus eigentlich Angst hat: Er fürchtet, daß die
Römer seine Lehre für libertinistisch halten. Wenn er schreibt, er spreche auf menschliche Art und Weise wegen der Schwachheit ihres Fleisches, so besteht vom Kontext her gesehen die Schwachheit ihres Fleisches darin, der Tendenz nachzugeben, seine Aussagen im Sinne der
gegnerischen Auslegung zu verstehen. Diese Beobachtung verbietet es
uns also, Röm 6,18ff mit Nestle für die eigentliche Meinung des Paulus
oder mit F.Sieffert als Beispiel für "das stärker hervortretende Interesse
an der Objectivität des Christenthums nach seiner praktischen Seite"[35] zu
halten. Vielmehr wurden diese Freiheitsaussagen ebenso wie die in Gal und
1 und 2Kor vor dem Hintergrund konkreter Anlässe getroffen. Paulus
scheint seine Betonung der christlichen Freiheit bewußt herunterzuspielen oder ihr gar den Boden zu entziehen, indem er ἐλευϑερ-Wörter hier nur
völlig neutral innerhalb der Analogie eines Herrenwechsels vorführt. Dadurch sollen die Römer überzeugt werden, daß Paulus keinen Libertinismus
lehre. Ja, nach Aussage dieses Abschnitts lehre Paulus überhaupt nichts
über Freiheit an sich, sondern nur ein Nicht-verpflichtet-Sein der Sünde
innerhalb eines neuen Sklavenverhältnisses zur Gerechtigkeit bzw. zu Gott.

Ob Paulus voraussetzt, daß die Römer tatsächlich von seiner Freiheitslehre
erfahren haben (etwa durch Gerüchte über den Inhalt des Gal[36] oder
durch Kenntnis der Gemeindezustände in Korinth), ist leider nicht mit Sicherheit festzustellen. Er rechnet aber in der Tat mit der Möglichkeit, daß
sie verleumderische Gerüchte über seine Lehre (wie 3,8) vernommen haben. Seine ausführliche Antwort auf solche Einwände in Kap.6 zeigt wohl,
daß er gute Gründe zu der Annahme hatte, daß ihnen solche Berichte in
der Tat zu Ohren gekommen waren. Zwar enthält der Einwand 3,8 keine
ἐλευϑερ-Wörter, so daß unklar ist, ob Paulus in Rom Gerüchte über seine
Freiheitsaussagen voraussetzt, doch ist im Lichte der Tatsache, daß Paulus 6,18ff bewußt auf ἐλευϑερ-Wörter zurückgreift, um den Einwand 6,15
zu widerlegen, der nächstliegende Schluß der, daß Paulus gerade mit solchen in Rom umlaufenden Gerüchten rechnet. Wir stellen diesen Schluß
zunächst als Hypothese hin. Eine direkte Stütze dafür ist freilich im Röm
nicht zu erwarten, denn ἐλευϑερ-Wörter kommen in keinem der Einwände
vor. Doch wenn Paulus im Röm dieselbe oder eine ähnliche Tendenz in
seinen Freiheitsaussagen verrät, wird das als indirekter Beweis für diese
Hypothese ausgewertet werden müssen. Wenn Paulus hingegen im Röm diese Tendenz nicht mehr vertritt, sondern zu seiner im Gal (und auch in 1
und 2Kor) bezeugten Betonung der gegenwärtigen christlichen Freiheit zu-
rückkehrt, wird das als indirektes Zeugnis gegen diese Hypothese auszuwerten sein. Wir behalten diese Hypothese in Erinnerung, wenn wir uns
jetzt den übrigen Freiheitsaussagen des Röm zuwenden.

5.3   Röm 7,3: Christliche Freiheit?

Wie Paulus 6,16-23 illustriert hat, daß Christen nicht der Sünde, sondern einem neuen Herrn verpflichtet sind, so will er 7,1-6 aufzeigen, daß Christen nicht an das Gesetz, sondern an den neuen Herrn Christus gebunden sind. Dabei nimmt er das 6,14b deutlich angeschnittene Thema (οὐ γάρ ἐστε ὑπὸ νόμον ἀλλὰ ὑπὸ χάριν) wieder auf, um es hier ausführlich zu explizieren[37]. Insofern hängen diese Verse mit Kap.6 zusammen, das durch die oben besprochenen Einwände bestimmt war[38].

Der Ablauf der Gedanken in V 1.4-6 ist an sich klar und relativ unproblematisch. V 1 stellt Paulus den Grundsatz dar, daß das Gesetz über einen Menschen herrscht, solange er lebt. V 4-6 explizieren die Relevanz dieser Grundregel: Da die Christen mit Christus gestorben sind, herrscht das Gesetz nicht mehr über sie. Sie sind also aus der Verbindung mit dem Gesetz gelöst.

Wesentlich schwerer ist die Einordnung von V 2-3 in diesen Gedankengang. Die Probleme für die Auslegung sind bekannt: Das γάρ in V 2 scheint eine Illustration der in V 1 vorgeführten Grundregel einleiten zu wollen. Dafür ist aber V 2 schlecht geeignet, da die in V 1 unbestimmte Person weder mit der Ehefrau noch mit dem Ehemann korrespondiert. Dasselbe Problem taucht V 4 im Anschluß an diese Verse auf. Obwohl ὥστε[39] und καὶ ὑμεῖς die Anwendung des V 2-3 gebotenen Beispieles einzuleiten scheinen, korrespondieren die V 4-6 angesprochenen Personen, die vom Gesetz losgelöst wurden, abermals weder mit der im Beispiel erwähnten Frau noch mit dem Mann. Die vielseitige Auslegungsgeschichte, die diese und andere sich ergebende Schwierigkeiten seit der frühen Kirche hervorgerufen haben, soll im folgenden nicht wieder aufgerollt werden[40]. Durch Allegorese oder sonstige exegetische Feinheiten kommt man nicht daran vorbei, daß eine Inkongruenz vorliegt[41]. Zunehmend wird zwar in der neueren Auslegung versucht, die Unstimmigkeit dadurch auszuräumen, daß behauptet wird: V 2-3 wollen lediglich aufzeigen, "daß Sterben sonst lebenslang gültige Bindungen aufhebt"[42]. Freilich ist dieser von den Auslegern herausgeschälte Punkt das logische Gemeinsame zwischen V 1 und V 2-3. Doch ist dieses blasse, nirgends im Text ausgesprochene Prinzip weder das, was Paulus selbst als Grundregel V 1 vorlegt, noch das, was als Grundlage für V 4-6 benötigt wird. Sowohl V 1 als auch V 4-6 geht es nicht um irgendeinen Tod, der Auswirkungen auf das Subjekt trägt, sondern spezifisch bzw. notwendigerweise um das Sterben des Subjekts selbst. Auch V 2-3 geht es nicht um irgendeinen Tod, sondern spezifisch und notwendigerweise um den Tod des Ehemannes[43].

Kommen wir mit solchen Überlegungen und erst recht mit allegorischen Deutungsversuchen an dieser Inkongruenz nicht vorbei, so ist zu fragen, warum Paulus diese Schwierigkeit heraufbeschwört. Was gewinnt er durch die Einführung der Illustration V 2-3?

Eine erste Antwort auf diese Frage liefert das Material in V 4-6, das oben in unserer Darstellung des Gedankenablaufes in V 1.4-6 nicht abgedeckt wurde. Das Prinzip in V 1 allein, angewendet auf die Situation der Christen, würde folgende Schlußfolgerung ergeben: Das Gesetz herrscht nicht mehr über die Christen. Paulus zieht diesen Schluß in der Tat in V 6a. In V 6b allerdings, wie auch in V 4 (εἰς τὸ γενέσθαι ὑμᾶς ἑτέρῳ), zieht Paulus einen zusätzlichen Schluß: Christen sind nicht nur vom Gesetz losgelöst, sondern auch einem neuen Herrn zugeeignet. Da die diesbezüglichen Wörter in V 4 deutlich an ihre beiden Parallelen in V 3 anklingen[44], liegt es auf der Hand, daß es das Beispiel in V 2-3 war, das Paulus diesen zusätzlichen Schluß ermöglichte. Ein Grund für die Einführung von V 2-3 besteht also darin, daß dieses Beispiel es Paulus erleichterte, zugleich die neue Bindung der vom Gesetz losgelösten Christen aufzuzeigen.

Daß wir hier auf dem richtigen Wege sind, kann auch von einer anderen Seite her bestätigt werden. Über die Herkunft der V 2-3 vorgeführten Illustration sind wir auffallend gut informiert, da 1Kor 7,39 über denselben Fall berichtet, diesmal aber in seinem ursprünglich juristischen Zusammenhang. Um die Parallelität beider Abschnitte als Grundlage sowohl für diesen Punkt als auch für die folgende Diskussion aufzuzeigen, stellen wir zunächst beide Texte nebeneinander.

Die Nummern in Klammern weisen auf parallele Ausdrücke (häufig wörtliche Übereinstimmungen) in beiden Texten hin. Die Großbuchstaben auf dem rechten Rand verweisen auf parallele Elemente innerhalb Röm 7,2-3 selbst.

1Kor 7,39-40		Röm 7,2-3	
		(3) (ἐφ’ ὅσον χρόνον ζῇ;)	
7,39 Γυνὴ	(1)	7,2 (1) ἡ γὰρ ὕπανδρος γυνὴ	
		(4a) τῷ ζῶντι ἀνδρὶ	
δέδεται	(2)	(2) δέδεται	
ἐφ’ ὅσον χρόνον	(3)		
ζῇ ὁ ἀνὴρ αὐτῆς·	(4)		
		νόμῳ·	
ἐὰν δὲ κοιμηθῇ ὁ ἀνήρ,	(5)	(5a) ἐὰν δὲ ἀποθάνῃ ὁ ἀνήρ,	A
ἐλευθέρα ἐστὶν	(6)	κατήργηται	B
		ἀπὸ τοῦ νόμου τοῦ ἀνδρός.	C
		7,3 (4b) ἄρα οὖν ζῶντος τοῦ ἀνδρὸς	
		μοιχαλὶς χρηματίσει	D
		ἐὰν γένηται ἀνδρὶ ἑτέρῳ·	E
		(5b) ἐὰν δὲ ἀποθάνῃ ὁ ἀνήρ,	A
		(6) ἐλευθέρα ἐστὶν	B
		ἀπὸ τοῦ νόμου,	C
		τοῦ μὴ εἶναι αὐτὴν μοιχαλίδα	D
ᾧ θέλει γαμηθῆναι,		γενομένην ἀνδρὶ ἑτέρῳ.	E
μόνον ἐν κυρίῳ.			
7,40 μακαριωτέρα δέ ἐστιν			
ἐὰν οὕτως μείνῃ,			
κατὰ τὴν ἐμὴν γνώμην·			

δοκῶ δὲ κἀγὼ
πνεῦμα θεοῦ ἔχειν.

Im Wortlaut zeigen die beiden Passus vielfache und zum Teil wörtliche
Übereinstimmungen, auf die unten weiter einzugehen sein wird (andererseits beachte man schon jetzt, wie Paulus in Röm 7,2-3 die Gesetzesthematik
seinen Absichten entsprechend in den Wortlaut der Regelung einführt,
z.B. durch den erläuternden Zusatz νόμῳ V 2). Dagegen besteht ein be-
achtlicher gedanklicher Unterschied zwischen den Anliegen beider Texte.
Während Paulus 1Kor 7,39 zwar formelhaft die Möglichkeit eines Wiederheiratens erwähnt[45], preist er im folgenden Vers seiner eigenen Meinung
nach das Bleiben im unverheirateten Stand als seliger. Dagegen ist die
Regelung Röm 7,2-3 wesentlich mehr auf das Wiederheiraten ausgerichtet
(Elemente D und E). Daß Paulus Röm 7,2-3 gegen seine eigene, 1Kor
7,40 ausgedrückte Meinung den Fall des Wiederheiratens in den Vordergrund rückt, erweist sich daher wiederum als Zeichen für sein Bestreben,
durch dieses Beispiel die neue Bindung zu betonen[46].

Diese beiden Beobachtungen unterstützen daher H.Schliers Urteil über
V 2-3: "Paulus hat offenbar schon einen zweiten Gedanken im Sinn, und
so wendet er sich auch schon mit dem Vergleich zu ihm und verdirbt das
Bild"[47]. Diesen zweiten Gedanken, der auf die neue Bindung gerichtet
ist, hat Paulus durch die Einführung der Analogie anhand des Ehegeset-
zes zum Ausdruck gebracht.

Die Einführung der Illustration in V 2-3 ermöglicht Paulus noch weiteres.
Die Parallele 1Kor 7,39 zeigt, daß dieses Gesetz für Paulus mit einem
ἐλευθερ-Wort verbunden war. Dieser Zusammenhang ist - soweit wir sehen
können - Paulus eigentümlich, denn die Mischna scheint - wie es der babylonische Talmud expressis verbis tut - gerade an diesem Punkt einen
Unterschied zwischen der Formel für die Scheidung und der für die Freilassung durchführen zu wollen. Nur letztere enthält ein Freiheitswort
bzw. darf eins enthalten[48]. Auch bei Josephus werden ἐλευθερ-Wörter in
diesem Zusammenhang vermieden[49]. War aber für Paulus dieses Gesetz mit
einem ἐλευθερ-Wort verbunden, so ist wahrscheinlich, daß dieses Beispiel
nicht zuletzt durch das Stichwort "frei" hervorgerufen wurde[50], denn eine Häufung von ἐλευθερ-Wörtern ging unserem Passus unmittelbar voraus.
Ferner: Hier wie dort scheint Paulus die ἐλευθερ-Wörter bewußt herunterspielen zu wollen, denn die Bindung an den neuen Herrn wird hier wie
dort auffallend stark betont. Insofern enthüllt diese Tendenz einen zweiten Zweck des Passus und liefert somit eine indirekte Stütze für die oben
aufgestellte Hypothese, daß Paulus mit der Möglichkeit rechnet, daß die
Römer Verleumderisches über seine Freiheitslehre gehört haben.

Diese beiden Zwecke erfüllt also die Einführung der Eheanalogie in V 2-3.
Nun wenden wir uns dem spezifischen Gebrauch des ἐλευθερ-Wortes zu.
Wichtig für unsere Untersuchung ist vor allem, daß wir hier endlich den
Begriff "Freiheit (oder genauer: Frei-Sein) vom (Ehe-)Gesetz" antreffen.
Die Wörter stehen hier, wie gesagt, in einem vorsichtig aufgebauten Zu-
sammenhang, insofern die neue Bindung der vom Gesetz freien Frau aus-
drücklich erwähnt wird. Da wir diesen Begriff in den bislang untersuch-

ten Stellen nicht gefunden haben und da dementsprechend ein Hauptanliegen unserer Untersuchung darin bestehen mußte, gegenüber verbreiteten Tendenzen in der Forschung das Nicht-vorhanden-Sein dieses Begriffes in 1 und 2Kor und im Gal aufzuzeigen, ist es angebracht, diese Verse daraufhin zu befragen, ob sie etwas über die Herkunft und Entstehung dieser besonders in der modernen Forschung so populär gewordenen Wendung verraten. Wir gehen dabei von den bereits erreichten exegetischen Ergebnissen aus.

Wir haben oben festgestellt, daß man daran nicht vorbeikommt, daß die Analogie V 2-3 eine Inkongruenz mit dem Zusammenhang aufweist. Ein Grund, der offensichtlich immer wieder zu erneuten Versuchen, diese Inkongruenz zu überwinden, Anlaß gegeben hat, wird von W.G.Kümmel präzis formuliert: "Es wäre zum mindesten merkwürdig, daß Paulus mit einem so falschen Bilde den ihm wichtigen Gedanken von der Gesetzesfreiheit der Christen sollte bewiesen haben"[51]. Diese Aussage trifft auf das Problem in der Tat zu. Denn, wenn Paulus schon seit langem (viele meinen: seit der "Bekehrung") immer wieder "von der Gesetzesfreiheit der Christen" gepredigt hat, wäre es wirklich sonderbar, wenn er seine Beweisgänge mindestens mit der Zeit nicht aufeinander abgestimmt hätte[52]. Tatsache ist aber, daß die Argumentation Röm 7,1-6 nicht stringent ist. Da unter Kümmels Voraussetzungen diese Tatsache "zum mindesten merkwürdig" ist, muß gefragt werden, ob der Befund nicht gegen Kümmels Voraussetzungen auszuwerten ist. Mit anderen Worten: Spricht nicht die durch die Einführung dieser Analogie entstandene Inkongruenz dafür, daß Paulus diese Gedanken zu der "Gesetzesfreiheit der Christen" hier vielleicht zum ersten Mal formuliert? Kann die Inkongruenz nicht beseitigt werden, so wird man diese Frage bejahen müssen. Wenn man auch solchen aus dem Text extrapolierten Überlegungen nicht sehr viel Gewicht beimessen kann, muß doch dieser Befund als indirektes Zeugnis für die Richtigkeit sowohl der in dieser Frage implizierten Folgerung als auch der obigen Untersuchungen zu 1 und 2Kor und Gal ausgewertet werden.

In dieselbe Richtung weist aber auch eine andere oben getroffene exegetische Beobachtung zu V 2-3. Wir wissen aus 1Kor 7,39, daß das hier vorkommende ἐλευθερ-Wort für Paulus mit dem hier zitierten Ehegesetz zusammenhing. Der ursprüngliche Zusammenhang dieses Freiheitswortes ist aller Wahrscheinlichkeit nach in 1Kor 7,39 aufbewahrt: ἐλευθέρα ἐστὶν ᾧ θέλει γαμηθῆναι[53]. Seiner Absicht entsprechend, das Problem des Gesetzes zu klären, hat Paulus Röm 7,2-3 nicht nur νόμῳ nach δέδεται hinzugefügt, sondern auch die Wendung mit dem ἐλευθερ-Wort in ἐλευθέρα ἐστὶν ἀπὸ τοῦ νόμου verwandelt. Dabei löst Paulus das ἐλευθερ-Wort aus seinem ursprünglichen Zusammenhang, wo es Freiheit zu einem vom Subjekt gewählten Tun bedeutet, und gibt ihm eine dem ursprünglichen Zusammenhang fremde, aber dem neuen Kontext angemessene neue Bedeutung. Hier bezeichnet das ἐλευθερ-Wort lediglich eine "Freiheit von", nämlich Freiheit von dem (Ehe-)Gesetz[54]. Da das eine Element - das ἐλευθερ-Wort - dieser neuen Wendung deutlich aus einem anderen Zusammenhang stammt, das andere Element - ἀπὸ τοῦ νόμου - hingegen aus dem jetzigen Kontext, liegt die

Vermutung nahe, daß wir in diesem Passus das Entstehen der Wendung "frei vom Gesetz" mitverfolgen können.

Mag diese Vermutung den Forschern, die daran gewöhnt sind, "Freiheit vom jüdischen Gesetz" als Grundstein der paulinischen Theologie und als Thema von Röm 7 anzusehen, etwas mutig klingen, so erhält sie doch eine weitere Stütze in unserem Text. Denn es ist wohl kein reiner Zufall, daß Paulus selbst in diesem Passus nirgends expressis verbis von Freiheit vom jüdischen Gesetz spricht. Statt das ἐλευθερ-Wort aus V 3 in der Anwendung des Beispieles zu wiederholen - wie zu erwarten wäre, wenn ein ἐλευθερ-Wort plus ἀπὸ τοῦ νόμου eine fest geprägte und äußerst gebräuchliche Wendung für Paulus bildete -, läßt er es V 6 beiseite und zieht ein anderes Wort, das Verb καταργεῖν (vgl. schon V 2), vor. Dieser Befund dürfte vielleicht zum Teil der oben besprochenen Tendenz zu verdanken sein, im Röm nur äußerst vorsichtig mit ἐλευθερ-Wörtern umzugehen, bleibt aber selbst dann ein nicht unbeachtlicher Anhaltspunkt für die obige Vermutung, daß Paulus hier die Wendung ἐλευθέρα ἀπὸ τοῦ νόμου zum ersten Mal formuliert.

Die beiden letzten Beobachtungen sowie auch die vorangehenden Überlegungen zur verbliebenen Inkongruenz bei der Einfügung des Beispieles V 2-3 sprechen also dafür, daß die Wendung "frei vom Gesetz" nicht der Grundstein der paulinischen Theologie, sondern eher später Zuwachs war. Dieses allein aufgrund einer Exegese von Röm 7,2-3 als wahrscheinlich etablierte Ergebnis steht in vollkommener Übereinstimmung mit unseren bisherigen exegetischen Untersuchungen zur Freiheit in 1 und 2Kor sowie Gal. Unsere Resultate bestätigen sich also nachträglich gegenseitig.

5.4   Röm 8,2: Befreit von einem Gesetz durch ein Gesetz

Veranlaßte der von uns gerade untersuchte Abschnitt 7,1-6 eine ausführliche Erörterung über die Natur des Gesetzes einschließlich der Beziehung des Menschen zu ihm (7,7-25), so stellt 8,1ff den Abschluß dieser Erörterungen dar. In den Bahnen einer Röm 6,16-22 ähnlichen Gegenüberstellung von alter und neuer Existenz zeichnet Paulus die alte (7,7-25) und sodann die neue Situation (8,1ff) in ihrer Beziehung zum Gesetz[55]. 8,1ff blickt aber nicht nur auf das soeben Gesagte zurück, sondern nimmt darüber hinaus auch Bezug auf andere schon im Brief erörterte Themen. Denn die verneinende Aussage V 1, daß es kein κατάκριμα für diejenigen gibt, die in Christus sind, weist sowohl durch das Wort κατάκριμα als auch durch den Inhalt auf 5,12-21 zurück[56], und die erneute Einführung der Kategorien Geist und Fleisch V 2ff hat ihre Entsprechung zuletzt in 7,5-6[57]. Aber auch der unmittelbare Bezug auf 7,7-25 ist offensichtlich: Er ist besonders durch gehäuftes Vorkommen des Wortes νόμος und die Idee eines νόμος τῆς ἁμαρτίας καὶ τοῦ θανάτου (vgl. 7,23-24.25b) gekennzeichnet[58]. Bei 8,1 besteht dieser Bezug darin, daß τοῖς ἐν Χριστῷ Ἰησοῦ dem ἐγώ in 7,7ff, wohl speziell dem betonten αὐτὸς ἐγώ in 7,25b, gegenübergestellt wird[59]. Stellt also der Abschnitt 8,1ff einerseits eine Art anhäufender Logik dar, indem Bezug auch auf Material über 7,7-25 hinaus genommen wird, so ist er andererseits deutlich die Fortsetzung des soeben Ausgeführten.

Die Schlußfolgerung 8,1, die aus den bisherigen Argumenten verständlich sein soll, wird nochmals - mit deutlichem Rückbezug auf 7,14-25 - durch 8,2 begründet. Nach diesem Vers sind Christen vom Gesetz der Sünde und des Todes durch das Gesetz des Geistes des Lebens befreit. Das Gesetz der Sünde und des Todes ist zweifellos mit dem ἕτερος νόμος von 7,23 identisch, da dieses ebenfalls als Gesetz der Sünde qualifiziert wurde[60]. Als Hauptcharakteristikum dieses Gesetzes haben wohl die 7,14-25 mehrfach vorkommenden Wörter zu gelten: ὃ οὐ θέλω τοῦτο ποιῶ (vgl. V 15.16.19 [zweimal].20). Die Qualifizierung dieses Gesetzes als Gesetz der Sünde wird durch Paulus' Argument gerechtfertigt, daß es eigentlich die in dem Menschen wohnende Sünde ist, die die bösen Taten ausübt (V 17.20).

Was uns aber vor allem interessiert, ist das andere Gesetz, das Gesetz des Geistes des Lebens, denn es ist dieses Gesetz, dem die befreiende Tat zugeschrieben wird. Die Idee, daß es gerade ein Gesetz ist, das befreit, hat E.Lohse als "höchst eigentümlich" bezeichnet[61]. Dieser Gedanke ist in der Tat singulär bei Paulus, und es ist nicht ohne weiteres klar, wie er sich zur übrigen paulinischen Theologie verhält. Daher hat z.B. G.Friedrich versucht, den Wortlaut des Textes durch die Behauptung zu umgehen, daß der Ton "nicht auf νόμος, sondern auf πνεῦμα" liegt[62]. "Am Sinn des Verses würde sich nichts ändern, wenn Paulus νόμος weglassen und nur vom πνεῦμα τῆς ζωῆς sprechen würde"[63]. Doch spricht gegen diese Auslegung nicht nur der Wortlaut des Textes[64], sondern auch der Zusammenhang, denn die Begründung von V 2 in V 3-4 (γάρ) beruht darauf, daß das Gesetz von Christen tatsächlich erfüllt wird. Wenn Paulus die Betonung auf πνεῦμα, nicht auf νόμος gelegt hätte, dann wäre diese Begründung gar nicht nötig und fehl am Platz. Aus diesen Gründen ist zu schließen, daß Paulus hier bewußt νόμος als Subjekt des Satzes gewählt hat. Also, "hier legt Pls Wert darauf, den Begriff νόμος auf das neue Werk Gottes anzuwenden"[65].

Nichtsdestoweniger ist das Subjekt des Satzes auffällig. Wie ist es zu erklären? Wir haben in den bisher untersuchten Abschnitten des Röm bemerkt, daß Paulus ἐλευθερ-Wörter nur dann gebraucht, wenn er sofort die neue Bindung betonen kann. Sein Bestreben, diese neue Bindung mit Nachdruck herauszustellen, ließ sich an mehreren Punkten nachweisen. 6,18-22 schrieb er, daß Christen zwar von der Sünde frei sind, sich aber zugleich als Sklaven der Gerechtigkeit einstufen sollen. Darüber hinaus war wegen der Aussage ἐλεύθεροι ἦτε τῇ δικαιοσύνῃ klar, daß es hier nicht um "Freiheit" an sich, sondern nur um ein Frei-Sein von einem Herrn zum Dienst an einem anderen ging. Dieser von 1 und 2Kor und Gal abweichende Gebrauch von ἐλευθερ-Wörtern sowie die Tatsache, daß dieser Abschnitt Paulus vor dem Vorwurf des Libertinismus (6,15 im Lichte von 6,1 und 3,8) schützen sollte, führte uns zu der Hypothese, Paulus habe mit der Möglichkeit gerechnet, daß die Römer Verleumderisches gerade über seine Freiheitslehre gehört hatten. Diese Hypothese fand insofern eine indirekte Bestätigung in der Untersuchung von 7,3, als wir gesehen haben, daß auch dort - wo ein ἐλευθερ-Wort in Anspruch genommen wird - Paulus die neue Bindung der Christen auf auffallende Weise betont. Dieselbe Tendenz scheint nun auch die Freiheitsaussage 8,2 geprägt zu haben: Hier ist es geradezu das bzw. ein Gesetz[66], das die Christen befreit. Das Auffallende an dieser Aussage scheint sich also zumindest teilweise dadurch zu erklären, daß es in einer Linie mit den bisher untersuchten Freiheitsstellen im Röm steht. Insofern scheint auch dieser Passus eine indirekte Bestätigung für unsere oben beschriebene Hypothese zu liefern. Doch soll dieser Schluß nicht voreilig gezogen werden. Wir wollen uns zunächst der Frage zuwenden, ob Indizien vorhanden sind, die erklären können, wie Paulus auf diese auffällige Aussage gekommen ist. Dabei gehen wir von der religionsgeschichtlichen Fragestellung aus: Können wir diese Aussage des Paulus aus dieser Perspektive näher beleuchten?

Wir haben schon oben bei der Untersuchung des Gal gesehen, daß eine Verbindung zwischen Gesetz und Freiheit bzw. ἐλευθερ-Wörtern in der hellenistisch-römischen Antike mehrfach begegnet (Belege: oben Kap.4 A 156, auch S.79-80 und das Folgende)[67]. Im Gefolge dieser Tradition schreibt z.B. Cicero Pro A.Cluentio 146: legum denique idcirco omnes servi sumus ut liberi esse possimus ("Schließlich sind wir alle Sklaven der Gesetze, damit wir frei sein können"; vgl. De lege agraria 2,102). Während Ciceros Aussage sich auf öffentliche römische Gesetze bezieht, meinten andere mit ähnlichen Aussagen, wie im vorigen Kapitel ausgeführt, speziell das göttliche Gesetz, das zuweilen mit öffentlich vorhandenen Gesetzen in Verbindung gebracht, zuweilen aber auch von ihnen abgehoben wird. Es ist offensichtlich dieses göttliche Gesetz, das Maximos von Tyros vor Augen hat, wenn er sagt: Ἐγὼ δὲ ἐλευθερίαν ποθῶν νόμου δέομαι, λόγου δέομαι ("Da ich Freiheit haben will, bedarf ich des Gesetzes; der Vernunft bedarf ich"; 33,5b) oder νόμοι νόμων πρεσβύτεροι ... · οἷς ὁ μὲν ἑκὼν ὑπορρίψας ἑαυτόν, ἐλεύθερος ("Älteste Gesetze der Gesetze ... Wer sich ihnen freiwillig unterworfen hat, ist frei"; 6,6a). Ähnlich bemerkt Philo in einem Spruch, dessen ersten Teil moderne Forscher allgemeiner stoischer Lehre zuschreiben: ὅσοι δὲ μετὰ νόμου ζῶσιν, ἐλεύθεροι. νόμος δὲ ἀψευδὴς ὁ ὀρθὸς λόγος ("Alle, die mit dem Gesetz leben, sind frei. Der aufrechte Verstand ist ein unfehlbares Gesetz")[68]. Laut dieser verbreiteten hellenistischen Tradition schafft also das göttliche Gesetz Freiheit (Maximos von Tyros 6,5i) und sind diejenigen, die dieses Gesetz kennen und ihm folgen, frei (Epiktet 4,7,17; 4,1,158 [vgl. Fr 4], Philo Quod omnis probus liber sit 47, 62, Maximos von Tyros 6,6a).

Fragen wir, was "frei" und "Freiheit" in diesen Texten bedeutet, so kann kein Zweifel bestehen, daß überall die allgemeine hellenistisch-römische Definition von Freiheit (vgl. oben S.80 mit A 94) mit ihrer bekannten stoischen Logik vorliegt. Freiheit heißt hier frei, das zu tun, was man will. Der Mensch, der mit dem göttlichen Gesetz lebt, ist frei, denn er tut nur das, was er für richtig hält und eigentlich will. Quid est enim libertas? Potestas vivendi, ut velis. Quis igitur vivit, ut volt, nisi ... qui ne legibus quidem propter metum paret, sed eas sequitur et colit, quia

id salutare esse maxime iudicat ("Was ist denn Freiheit? Die Macht, zu
leben, wie du willst. Wer lebt denn, wie er will, wenn nicht der, ... der
sich den Gesetzen nicht aus Furcht unterwirft, sondern sie achtet und
verehrt, weil er meint, dies sei das Vorteilhafteste?")[69].

Wenden wir uns zu Röm 8,2 zurück, so verfügen wir nunmehr über mindestens einen religionsgeschichtlichen Hintergrund für die Aussage des
Paulus. Ist in den angeführten Texten freilich nirgends von einem Gesetz
des Geistes des Lebens (in Christus Jesus) - dieser Wendung am nächsten
kommen wohl Epiktet 1,26,1 und Philo Quod omnis probus liber sit 51, die
vom νόμος βιωτικός sprechen (vgl. auch Seneca Epistulae morales 90,34:
vitae legem) - und auch nicht von einem Gesetz der Sünde und des Todes
die Rede, so ist doch die Idee der befreienden Funktion des Gesetzes
(bes. Maximos von Tyros 6,5i: τούτου τοῦ νόμου ἔργον ἐλευθερία) auffallend
ähnlich. Wie steht es nun mit dem Inhalt der Freiheit bei Paulus in Röm
8,2?

Er schreibt, das Gesetz des Geistes befreie vom Gesetz der Sünde. Dieser
Satz muß nicht notwendigerweise eine Aussage über Freiheit an sich sein.
Auch bei Röm 6,18-22 sahen wir, daß Paulus ἐλευθερ-Wörter gebraucht, ohne etwas über Freiheit an sich zu sagen. Die ἐλευθερ-Wörter hatten dort
vielmehr einen rein neutralen Sinn. Hier könnte der Fall ähnlich liegen:
Paulus meine nicht mehr, als daß Christen frei vom Gesetz der Sünde sind
(vgl. 6,22: ἐλευθερωθέντες ἀπὸ τῆς ἁμαρτίας). Jedoch sprechen gegen diese
Möglichkeit gewichtige Gründe. Erstens war wohl "Gesetz der Sünde und
des Todes" kein geläufiger Begriff[70], sondern ist und war verständlich
nur im Lichte dessen, was Paulus im vorangehenden Abschnitt gesagt hat,
und weist darüber hinaus in seinem Wortlaut auf diesen Abschnitt zurück.
Dort war, wie gesagt, das Hauptcharakteristikum des Gesetzes der Sünde
(V 23.25b) folgendermaßen definiert: ὃ οὐ θέλω τοῦτο ποιῶ. Wenn Paulus
schreibt, daß das Gesetz des Geistes die Christen von dem Gesetz der
Sünde, und nicht einfach von der Sünde oder vom Tode[71], befreit hat,
so denkt er offensichtlich an dieses Hauptcharakteristikum jenes Gesetzes,
d.h. an ein "Frei-Sein" von diesem Hauptmerkmal. Nun fällt auf, daß
letzteres gerade die Umkehrung der allgemeinen hellenistisch-römischen
Begriffsbestimmung von ἐλευθερία ist. Wenn Paulus sagt, Christen seien
vom Gesetz der Sünde befreit, dessen Kennzeichen ὃ οὐ θέλω τοῦτο ποιῶ
ist, so meint er damit, daß sie von diesem Zustand befreit sind und
folglich jetzt das tun können, was sie wollen. Da genau dies die zu seiner Zeit gängige Definition von Freiheit war, ist die Konsequenz kaum zu
vermeiden, daß Paulus hier eine Aussage trifft über Freiheit an sich. Dieses Gesetz ermögliche den Christen volle, genuine Freiheit: Sie können
endlich das tun, was sie eigentlich wollen.

Ein zweiter Grund für diesen Schluß ergibt sich aus den oben dargelegten Texten. Sie vertreten die Idee, daß das göttliche Gesetz Freiheit
schafft, und zwar Freiheit, das zu tun, was man will. Spricht Paulus
hier von Freiheit an sich, so steht er im Gefolge dieser Tradition. Wir
ziehen daher den Schluß, daß Paulus hier mit der allgemein hellenistisch-
römischen Definition von Freiheit operiert. Dieses Ergebnis bekräftigt un-

sere Vermutungen oben S.81, 105-106, daß diese Begriffsbestimmung
eine Rolle bei den Freiheitsaussagen des Gal gespielt hat.

Freilich ist die Verchristlichung dieser Tradition bei Paulus in Röm 8,2
unübersehbar. Außer in den eigenartigen Formulierungen "Gesetz des
Geistes des Lebens" und "Gesetz der Sünde und des Todes" kommt sie
hauptsächlich darin zum Vorschein, daß hier mehr als sonst der Geschenk-
charakter (spezifisch christlich: ἐν Χριστῷ Ἰησοῦ) dieser Freiheit betont
wird. Es ist laut V 3 nur das Heilsgeschehen in Christus, das Menschen
diese vieldiskutierte Freiheit ermöglicht. Und es geschieht nur durch das
göttliche Pneuma, daß die Christen das tun können, was sie wollen, und
dadurch das Gesetz Gottes erfüllen.

Aber die Berührungspunkte mit der oben beschriebenen hellenistischen
Tradition sind deswegen nicht hinfällig, sondern bleiben auch an diesem
Punkt einleuchtend. Denn auch jene hellenistischen Denker wußten, daß
nur Gott bzw. das göttliche Gesetz den Menschen in Freiheit setzen kann.
Mit Röm 7,25a steht Epiktet 4,4,7 darin vollends parallel: τότε καὶ ἐγὼ
ἡμάρτανον· νῦν δ' οὐκέτι, χάρις τῷ θεῷ ("Damals habe auch ich Fehler gemacht,
nun aber nicht mehr. Gott sei Dank!"). Epiktet 4,7,17 weiß, daß er Gott
und dessen Geboten seine Freiheit verdankt: ἠλευθέρωμαι ὑπὸ τοῦ θεοῦ,
ἔγνωκα αὐτοῦ τὰς ἐντολάς ("Ich bin durch Gott befreit. Ich kenne seine Gebote"). Es ist wahr, daß diese hellenistischen Denker Gott und die dem
Menschen zugeeignete Vernunft manchmal sehr eng aneinandergerückt haben, so daß z.B. Plutarch Moralia 37d sagen kann: ταὐτόν ἐστι τὸ ἔπεσθαι
θεῷ καὶ τὸ πείθεσθαι λόγῳ ("Gott zu folgen und sich Vernunft zu fügen,
sind dasselbe"). Aber auch an diesem Punkt besteht kein unüberbrückba-
rer Gegensatz zu Paulus, sondern vielmehr fällt erneut eine Teilüberein-
stimmung mit ihm auf, denn laut Röm 7,14-25 stimmt der νοῦς des Menschen mit dem göttlichen Gesetz überein (vgl. bes. V 16.22.23.25b)[72].
Ferner wird bei jenen hellenistischen Denkern die absolute Gleichsetzung
von Gott, Weltgesetz und der dem Menschen zugeeigneten Vernunft nicht
immer konsequent durchgeführt. Sie empfanden Gott als einen persönlichen Gott, gegenüber dem Frömmigkeit geboten und Dank auszusprechen
war. Für Maximos von Tyros z.B. war es nur der Beistand, nämlich Gott,
der entscheidend in die Situation des gespaltenen Menschen eingreifen und
sie zum Besseren wenden konnte (38,6k). Die Pietät solcher hellenistischen
Denker ist sowenig wie die Frömmigkeit des Paulus als leeres Wortspiel ein-
zustufen[73]. Sie sind miteinander verwandt, wenn auch nicht völlig identisch. Somit enthüllt die Freiheitsaussage Röm 8,2 eine bemerkenswerte
Nähe des Paulus zu den hellenistischen Moralisten.

Da Röm 8,2 der letzte von uns zu untersuchende Passus ist, wo von Freiheit und Gesetz gesprochen wird, wollen wir jetzt kurz auf sämtliche Beobachtungen zu Gesetz und Freiheit bei Paulus und in der Antike zurück-
blicken. Retrospektiv stellen wir fest: Die Suche nach dem religionsgeschichtlichen Hintergrund sowohl für die Freiheitsaussagen im Gal (bes.
4,21-31) als auch für Röm 8,2 hat uns jeweils in dieselbe Richtung geführt. Dieser Befund sei im folgenden zusammenfassend dargestellt und
ausgewertet.

Im Gal herrschte eine negative Beurteilung des Gesetzes, die sozusagen als Folie für die Freiheitsaussagen diente, wenn freilich auch nirgends direkt von Freiheit vom Gesetz geredet wurde. Dabei schien die Abhebung einer Zeit des Gesetzes von einer Zeit der Freiheit (Gal 3,6-22 zusammen mit Gal 4,21-31) auf kynische Ideen zu verweisen. Auch die Charakterisierung des Gesetzes als δουλεία (Gal 4,24) fand eine Parallele in der hellenistisch geprägten Kritik des Zambrias am mosaischen Gesetz (Josephus Antiquitates 4,146). In kynisch geprägtem Material wurden menschliche Gesetze ähnlich abgewertet. So schrieb z.B. Maximos von Tyros 36,5b über Diogenes: οὐχ ὑπὸ νόμου κατηναγκασμένος ("Er war nicht unter dem Zwang des Gesetzes"). Ferner hatte die Entfernung des mosaischen Gesetzes von Gott (3,19-20) ihre Entsprechung bei den Kynikern, die zuweilen menschliche Gesetze vom göttlichen Gesetz distanzierten. Im Lichte dieser Parallelen ist es nun überraschend, daß der das Gesetz bejahende Vers Röm 8,2 Entsprechungen in eben demselben Material fand. Kyniker und Stoiker betonten genau wie Paulus, daß es ein Gesetz (νόμος βιωτικός bzw. lex vitae bei Philo, Epiktet und Seneca) gibt, das frei macht, und daß nur diejenigen, die mit dem Gesetz leben, frei sind. Auch die Definition dieser Freiheit bei jenen Denkern und bei Paulus war dieselbe, und beide stimmten ferner darin überein, daß gerade in dieser Freiheit das Gesetz erfüllt wird.

Daß wir für die Aussagen über Freiheit und Gesetz im Gal wie auch im Röm denselben religionsgeschichtlichen Hintergrund gefunden haben, hat nun einige Bedeutung für das größere Problem des Gesetzes bei Paulus. Die Forschung ringt seit langem mit dem Problem, wie die das Gesetz verneinenden Aussagen mit den das Gesetz bejahenden Aussagen in Einklang zu bringen sind. Man hat oft versucht, mit den Texten fertig zu werden, indem eine Entwicklung im Denken des Paulus postuliert wurde[74]. Dagegen hat H.Räisänen in mehreren Arbeiten neuerdings vorgeschlagen, daß die Anomalien in den paulinischen Aussagen einfach stehen gelassen werden sollen[75]. Paulus spreche vom Gesetz in verschiedenen Situationen einfach divergent[76]. Es sollte anerkannt werden, "that almost any early Christian conception of the law is more consistent, more intelligible and more arguable than Paul's"[77]. Auf diese Debatte kann und soll hier nicht ausführlich eingegangen werden. Wir befassen uns lediglich mit dem spezifischen Problem von ἐλευθερία und Gesetz. Doch sind wir aus dieser Perspektive zu einem Ergebnis gekommen, das für jene Debatte wichtig zu sein scheint. Unser Ergebnis lautet, daß sowohl die das Gesetz verneinenden als auch die das Gesetz bejahenden Aussagen in bezug auf Freiheit denselben religionsgeschichtlichen Hintergrund haben. Vor diesem Hintergrund, der voller Spannungen in der Beurteilung des Gesetzes war, aber doch einer geistesgeschichtlichen Position entsprach, kann mindestens in bezug auf diesen Punkt die Einheit der paulinischen Auffassung vom Gesetz gesehen werden.

Daß die bejahenden und verneinenden Aussagen bei Paulus nicht immer nebeneinander stehen, schwächt diese Beobachtung in keiner Hinsicht, denn z.B. auch bei den Kynikern kommen die affirmierenden und negie-

renden Darlegungen nicht immer zusammen vor. Vielmehr wird bei ihnen
zuweilen das Gesetz an einer Stelle völlig verneint und dann an einer anderen schlechthin bejaht. Lediglich das Gesetz verneinend sind z.B. folgende Berichte über Diogenes: ἔφασκε δ' ἀντιτιθέναι ... νόμῳ δὲ φύσιν ("Er
sagte, daß er ... Natur gegen das Gesetz aufstellte"; Diogenes Laertios
6,38); μηδὲν οὕτω τοῖς κατὰ νόμον ὡς τοῖς κατὰ φύσιν διδούς ("Auf das, was den
Gesetzen entsprach, legte er weniger Wert als auf das, was der Natur
entsprach"; Diogenes Laertios 6,71). In diesen Aussagen ist wenig oder
nichts von einer das Gesetz affirmierenden Haltung zu spüren (vgl. auch
z.B. Maximos von Tyros 36,5b, oben). Andererseits kann Epiktet 4,1,158
betonen, daß Diogenes frei war, gerade weil er bekannt hat: ὁ νόμος μοι
πάντα ἐστὶ καὶ ἄλλο οὐδέν ("Das Gesetz, und nichts anderes, ist mir alles").
Solche das Gesetz bejahenden Aussagen werden besonders dann hervorgerufen, wenn den Kynikern und Stoikern Gesetzlosigkeit vorgeworfen wird.
So z.B. bei Epiktet 4,7,33, wo ein Kontrahent sagt: "Das ist eine Philosophie, die zur Verachtung der Gesetze führt". Darauf wird geantwortet:
"Und wie soll denn die Philosophie beschaffen sein, die ihre Anhänger ge-
horsamer gegen die Gesetze macht? [Καὶ ποῖοι μᾶλλον λόγοι πειθομένους
παρέχουσι τοῖς νόμοις τοὺς χρωμένους;] Nur muß man nicht einen Narreneinfall
Gesetz nennen [νόμος δ' οὐκ ἔστι τὰ ἐπὶ μωρῷ]" (Mücke). Wir haben gesehen,
daß Paulus im Röm den Vorwurf von Gesetzlosigkeit fürchtet. Also bejaht
er in ähnlicher Weise das Gesetz. Paulus und die Kyniker stimmen also
darin überein, daß sie im Lichte der Situation und dessen, was sie gerade
als Gesetz vor Augen haben, das Gesetz entweder abwerten (z.B. 5.Brief
des Krates, Maximos von Tyros 38,6) oder affirmieren (z.B. 3.Brief des
Herakleitos) können. In manchen Fällen bejahen und verneinen Paulus und
die Kyniker das Gesetz gleichzeitig (z.B. Diogenes Laertios 6,11, 7.-9.
Brief des Herakleitos, Maximos von Tyros 6,5-7, Röm 8,2).

Daß wir diesen gemeinsamen Hintergrund für die das Gesetz betreffenden
Freiheitsaussagen in Gal und Röm gefunden haben, spricht also eher gegen
die Auffassung, daß eine eigentliche Entwicklung[78] im Denken des Paulus
über das Gesetz zwischen Gal und Röm vorliegt. Eine Verlagerung des Ge-
wichtes ist freilich nicht zu bestreiten, aber diese Divergenz scheint sich
weitgehend den unterschiedlichen Briefsituationen zu verdanken. Die obigen Beobachtungen, die auf die Freiheitsaussagen begrenzt sind, können
für sich nicht beanspruchen, das Problem in angemessener Ausführlichkeit
behandelt zu haben. Doch liefern sie immerhin ein wichtiges Argument,
das in der wissenschaftlichen Diskussion über das Gesetz bei Paulus fortan berücksichtigt werden sollte.

Die Frage, ob diese Gewichtsverschiebung in den das Gesetz betreffenden
Freiheitsaussagen des Gal und Röm eine Entwicklung im Freiheitsverständnis des Paulus reflektiert, scheint im Lichte des Befundes ebenfalls eine
verneinende Antwort zu verlangen: Erstens haben die Freiheitsaussagen
des Gal und Röm denselben religionsgeschichtlichen Hintergrund. Zweitens
steht in Röm 8,2 die Betonung auf dem Gesetz als dem entscheidenden
Faktor für die Freiheit auf einer Linie mit den schon untersuchten Freiheitsaussagen des Röm. Allen ist gemeinsam, daß sie die neue Bindung

des Christen stark und auf auffallende Art und Weise betonen. Da die Freiheitsabschnitte 6,18-22; 7,2-3 offensichtlich durch den vermuteten Vorwurf des Libertinismus hervorgerufen wurden, ist also mit einiger Wahrscheinlichkeit anzunehmen, daß die auffallende Freiheitsaussage 8,2 demselben Grund ihre Eigenartigkeit verdankt.

Wir wenden uns jetzt dem letzten Freiheitsabschnitt des Röm zu und wollen u.a. sehen, ob dieselbe oder eine ähnliche Gewichtsverschiebung gegenüber den Freiheitsaussagen des Gal vorhanden ist.

5.5 Röm 8,21: Apokalyptische Freiheit

Mit Röm 8,2 werden, wie gesagt, erneut die Kategorien Geist und Fleisch eingeführt. Die Explikation christlicher Existenz unter Anwendung dieser Termini dauert bis Ende von V 13, wo Paulus dann offensichtlich eine Reihe von Tauftraditionen aufnimmt, die sich lediglich mit dem Empfang des Geistes und dem Stand der Kindschaft bzw. Erbschaft Gottes befassen[79]. Daß Paulus gegen Ende von V 14-17 auf den folgenden Abschnitt bewußt vorbereitet, zeigt sich deutlich daran, daß in der Liste V 17 die Miterbschaft des Christus der Erbschaft Gottes (statt umgekehrt, wie Gal 4,4-7; vgl. Gal 3,29) folgt, damit die Aussage über Mitleiden und Mitverherrlichung sinnvoll am Ende stehen kann[80]. Es ist diese letzte Aussage, die die Stichwörter Leiden und Herrlichkeit zuerst einführen und die Paulus in den folgenden Versen explizieren will[81].

Daß Paulus V 17c nicht mit rein ad hoc zusammengestellten Gedanken, sondern anhand eines vorgegebenen Vorstellungskomplexes erläutert, zeigt sich an den zahlreichen apokalyptischen Parallelen zu den hier von Paulus benutzten Gedanken und Wörtern, die zum Teil sonst bei Paulus fehlen[82]. Während dies als Konsens der Forschung gelten kann, bleibt eine Reihe von Fragen noch immer offen. P. von der Osten-Sacken hält es für wahrscheinlich, daß Paulus "seinen Ausführungen ein umfassenderes Traditionsstück zugrunde gelegt hat"[83], und hat den Versuch unternommen, diese Vorlage wörtlich zu rekonstruieren[84]. Dabei setzt er sich von anderen Forschern ab, die lediglich mit der Übernahme von traditionellen Motiven rechnen[85]. Daß der Versuch von Osten-Sacken höchst hypothetisch ist, liegt in der Natur seines Unternehmens und kann darüber hinaus an zahlreichen Einzelentscheidungen dokumentiert werden[86].

Nun interessiert uns hier weniger ein Ausgleich dieser beiden Positionen als die spezifische Frage, ob die Freiheitsaussagen in 8,21 von Paulus aus einer Tradition übernommen oder von ihm in diesen Zusammenhang eingeführt wurden. Selbst in der reichlichen Literatur zu unserem Abschnitt findet diese Frage keine eingehendere Behandlung, wenn auch verschiedene Meinungen zu ihr geäußert worden sind. Da sämtliche Äußerungen zum Problem relativ kurz sind, wollen wir sie zunächst zitieren und daraus Perspektiven für unsere eigene Arbeit entwickeln.

Zur Frage nach dem traditionellen Element in V 21 urteilt H.Paulsen wie folgt: "Sicher paulinisch erscheint der Gegensatz von δουλεία und ἐλευθερία, der vor allem auch in enger Beziehung zu der Gedankenführung in den Versen 12-17 steht."[87] Weder der eine noch der andere Teil dieses Arguments ist besonders überzeugend. Freilich ist der Gegensatz Freiheit - Sklaverei auch anderswo bei Paulus festzustellen, doch reicht diese Opposition sehr weit in die Geschichte der griechischen Sprache zurück und begegnet außerordentlich häufig auch bei anderen antiken Schriftstellern[88]. Ist also der erste Teil von Paulsens Argument nicht durchschlagend, so ist der zweite Teil noch weniger überzeugend, denn (1) befindet sich kein Freiheitswort in V 12-17 und (2) wird δουλεία in V 21 derart anders qualifiziert (τῆς φθορᾶς), daß eine enge Beziehung mit V 15 wohl doch nicht besteht. Paulsen selbst scheint den Begriff φθορά für Überlieferungsgut zu halten[89].

Ähnlich meinte schon H.Balz, daß Paulus V 21 "in unverkennbar eigener Terminologie"[90] spricht. Dabei richtet er sein Augenmerk offensichtlich besonders auf die Wörter δουλεία und ἐλευθερία, aber auch auf den Begriff φθορά[91]. Darüber hinaus: "Die Verbindung der endzeitlichen δόξα mit πνεῦμα und ἐλευθερία ist eine Leistung der paulinischen Theologie, welche die endzeitliche Herrlichkeit an die Pneumaexistenz Christi gebunden weiß."[92] Um diese Meinung zu beurteilen, wäre es vor allem nötig, apokalyptische Texte auf das Vorhandensein der Verbindung von δόξα und ἐλευθερία hin zu überprüfen. Wir kommen darauf unten zurück, wenden uns aber zunächst den Vertretern der gegensätzlichen Meinung zu.

Nach O. Michel gehört das Wort ἐλευθερία in V 21 zu den besonderen "Traditionen mit eigenen eschatologisch verstandenen Begriffen", die Paulus in unserem Abschnitt übernimmt[93]. Vermutlich denkt Michel auch an dieses Wort, wenn er schreibt: "Ein hellenistischer Einschlag dieser spätjüdisch-urchristlichen Apokalyptik ist unverkennbar"[94]. Jedenfalls meint er, ἐλευθερία V 21 reflektiere "einen speziellen Sprachgebrauch", denn es "bedeutet zunächst ein Befreitsein von der Vergänglichkeit und ist ein Zeichen der eschatologischen Verwandlung"[95]. Wenn wir auch meinten, ein ähnliches Verständnis von einem ἐλευθερ-Wort Gal 4,26 gefunden zu haben (s.o.), so scheint Michel darin Recht zu haben, daß ἐλευθερία in V 21 eine spezielle eschatologische Bedeutung trägt, die sonst bei Paulus nicht dominierend ist. ἐλευθερία ist hier nicht auf eine Ebene mit ἐλευθερία z.B. in 1Kor 10,29 oder Gal 2,4 zu stellen.

Auch Osten-Sacken will die Freiheitswörter V 21 der Tradition zuweisen und nimmt den ganzen Vers (mit Ausnahme des ersten Wortes) in seine Rekonstruktion der Vorlage auf. Er merkt, daß ἐλευθεροῦν nur hier in den Briefen des Paulus im Futur gebraucht wird, hält diese Beobachtung aber nicht für entscheidend. Auch anderswo bezeichne Paulus "eine Gabe einerseits als gegenwärtig wirksam, andererseits als zukünftiges Geschenk"[96]. Hingegen seien die an semitischen Sprachgebrauch erinnernde Konstruktion am Ende von V 21 und vor allem das einmalig bei Paulus vorkommende Verständnis von δόξα als Unvergänglichkeit deutliche Zeichen dafür, daß nichtpaulinischer Sprachgebrauch vorliege[97].

Nach diesem Überblick, der den gegenwärtigen Stand der Forschung reflektiert, erscheint es wichtig, die Freiheitsaussage V 21 vor allem von zwei Seiten zu beleuchten. Zuerst soll der Vers exegetisch näher untersucht werden, um das hier vorkommende Freiheitsverständnis präzis festzustellen, denn nur dadurch läßt sich dieser Vers mit anderen paulinischen Freiheitsaussagen kritisch vergleichen. Danach wird nach religionsgeschichtlichen Parallelen zu diesem Freiheitsbeleg zu suchen sein, um uns bei der Entscheidung, ob V 21 Tradition darstellt, weiterzuhelfen.

Obwohl der Text am Anfang von V 21 unsicher ist[98], besteht kein Zweifel darüber, daß dieser Vers den Inhalt der V 20 beschriebenen Hoffnung darlegt. Hat vor allem die Untersuchung von H.Schwantes der Forschung klargemacht, daß die apokalyptischen Aussagen in V 20-21 nicht das unmittelbare Thema des Abschnittes sind[99], so erfuhr folgende weiterführende Behauptung von Schwantes mit Recht weitgehende Ablehnung: "Paulus denkt demnach gar nicht daran, sich mit dem hier beigebrachten apokalyptischen Material zu identifizieren ... Er zitiert nur das zu seiner Zeit übliche ... Wissen über den Kosmos - ohne im übrigen ein Werturteil darüber abzugeben."[100] Da Paulus dieses Material von selbst aus bietet, versteht es sich von selbst, daß er mit dem Inhalt übereinstimmt, ohne daß er das nochmals ausdrücklich sagen muß[101]. Er bringt dieses Material vor, um die hervorragende Größe der zukünftigen Herrlichkeit darzulegen[102].

Die viel umstrittene Frage nach dem Sinn des Wortes κτίσις wird von den meisten Forschern jetzt wohl mit Recht wie folgt beantwortet: κτίσις bezeichnet die außermenschliche Schöpfung[103] oder schließt sie zumindest ein[104]. Dafür spricht "der überwiegende Sprachgebrauch sowohl in 1,20.25, als auch im sonstigen NT und in den apostolischen Vätern sowie auch in LXX und in der nachbiblischen jüdischen Literatur"[105]. Die genaue Bestimmung des Sinnes dieses Begriffs interessiert uns aber weniger als die der ἐλευθερ-Wörter in diesem Vers.

V 21 scheint zwei Aussagen über die Freiheit zu treffen. Einerseits spricht Paulus von der Befreiung der Schöpfung. Andererseits erwähnt er die Freiheit der Herrlichkeit der Kinder Gottes. Wir untersuchen zunächst die erste Aussage.

Die Befreiung der Schöpfung wird offensichtlich von Gott vollbracht (Passiv als Umschreibung des Gottesnamens)[106]. Er wird sie ἀπὸ τῆς δουλείας τῆς φθορᾶς befreien. Die Genitivverbindung bedeutet hier Sklaverei unter der φθορά[107]. Sklaverei unter der φθορά kann nichts anderes als den Zustand von φθορά meinen[108]. Die Schöpfung wird also von der φθορά befreit, die Knechtschaft ist. Was aber φθορά bedeutet, ist umstritten. Im Lichte des Wortes ματαιότης in V 20 versteht vor allem H.Gieraths φθορά als "sittliche Verderbtheit"[109]. Gieraths macht auf die Tatsache aufmerksam, daß Paulus φθείρειν im moralischen Sinn gebraucht[110] und meint, daß φθορά im NT auch einfach die sittliche Verkommenheit des Menschen bezeichnen kann[111]. Ferner betont er,

weder das Judentum noch das AT kenne die Vorstellung, "daß es einst
unvergängliche materielle Wesen geben werde"[112]. Gegen den letztgenannten Punkt ist einzuwenden, daß die Erwartung des Endes der Vergänglichkeit, worum es in unserem Vers zunächst geht, in der jüdischen
Apokalyptik Parallelen hat[113]. Gegen Gieraths Auslegung spricht aber
vor allem die Tatsache, daß Paulus φθορά sonst im wörtlichen Sinne gebraucht und als Gegensatz zu diesem Wort ἀφθαρσία (1Kor 15,42.50) bzw.
ζωὴ αἰώνιος (Gal 6,8) nennt[114]. Demnach muß als fast sicher gelten, daß
Paulus φθορά im Sinne von "Vergänglichkeit" versteht. Alle Zweifel an
diesem Punkt werden schließlich durch das Wort, das hier als Gegensatz zu φθορά erscheint, beseitigt, denn δόξα führt Paulus neben
ἀφθαρσία ebenfalls in 1Kor 15,42-43 als Gegensatz zu ἀτιμία und φθορά
an[115].

Aus diesen Überlegungen ergibt sich folgendes für die Exegese von V 21:
Es wird in diesem Vers gesagt, daß die Schöpfung von der Vergänglichkeit befreit wird. Die Freiheit der Herrlichkeit der Kinder Gottes ist demnach und entsprechend der Bedeutung von δόξα in 1Kor 15,43 Unvergänglichkeit. So fallen die Bedeutungen der beiden Freiheitswörter zusammen. Beidemal ist Freiheit von Vergänglichkeit gemeint. Die einleitenden Wörter von V 21 καὶ αὐτὴ ἡ κτίσις sind also wie folgt zu verstehen:
Nicht nur die Kinder Gottes, sondern auch die Schöpfung selbst wird
von der Vergänglichkeit befreit. "Es enthält daher unser Satz auf con-
cise Weise den Gedanken: die κτίσις wird aus der Knechtschaft der Verwesung in die Freiheit der Herrlichkeit gesetzt werden, wie die Christen
dasselbe erfahren werden."[116] Freilich hat die gedrängte Ausdrucksweise ihren eigenen Sinn, insofern Paulus hervorheben kann, daß die Situation der Kinder Gottes für die Schöpfung bestimmend sein wird[117].

Sind beide Freiheitswörter in demselben Sinn als "Unvergänglichkeit"
zu verstehen, so machen sowohl die futurische Form des Verbs als
auch die Parallelen 1Kor 15,42-43.50; Gal 6,8 deutlich, daß hier von einer zukünftigen Freiheit die Rede ist. Die Christen besitzen weder schon
jetzt Unvergänglichkeit[118], noch praktizieren sie diese Freiheit schon
ὡς μή in der Welt[119]. Vielmehr können Christen jetzt nur auf den Geist
säen, um später ewiges Leben zu ernten (Gal 6,8). Dieser Tatbestand
löste bei H.Kittel folgende Frage aus: "Sollte Paulus wirklich von der
ἐλευθερία gesprochen haben, ohne daß bei ihm die Erinnerung an d i e
ἐλευθερία mitschwang, die das entscheidende Merkmal des Gerechtfertig-
ten für ihn war?"[120] Haben bereits unsere bisherigen Untersuchungen
Zweifel an der hier von Kittel vorausgesetzten Einheitlichkeit und Zen-
tralität der paulinischen Freiheitsgedanken erbracht, so ist an dieser
Stelle daran festzuhalten, daß ἐλευθερία hier im Gegensatz zu anderen
Freiheitsaussagen entschieden zukünftiges Heilsgut ist[121].

Freilich bleibt zu fragen, wieso Paulus hier im Gegensatz zu anderen
Aussagen die Freiheit eindeutig für die Zukunft reserviert. An dieser
Stelle ist es angebracht, unser Augenmerk auf die religionsgeschichtli-
chen Parallelen zu richten, denn dieser abweichende Gebrauch von Frei-

heitswörtern könnte sich, wie Michel und Osten-Sacken meinen, dadurch erklären. Wird in anderen Texten von apokalyptischer Freiheit gesprochen?

Als mögliche Parallelen zu dem Röm 8,21 vertretenen Freiheitsverständnis kommen vor allem[122] folgende Texte in Betracht:

> 4. Esra 7,96-98: Die fünfte, daß sie frohlocken, für immer der Vergänglichkeit [corruptibile] entflohen zu sein und jetzt die Zukunft zu ererben, und weiter, daß sie sehen die Mühsal und die Not, wovon sie jetzt befreit [liberati, ܝܝܽܘܚܐܕ], sowie die Weite [spatiosum], die sie erben sollten, in seliger Unsterblichkeit [inmortales]. Die sechste, daß ihnen wird gezeigt, ... wie sie dem Sternenlichte gleichen, von nun an unvergänglich [non corrupti]. Die siebente Freude, ... sie eilen ja herzu, das Antlitz dessen anzuschauen, dem sie im Leben treu gedient, von dem sie Lob und Lohn empfangen sollen [a quo incipient gloriosi mercedem recipere] (Rießler).

> 4. Esra 7,101: Er sprach zu mir: Ja, sieben Tage haben sie Gelegenheit [libertas, ܢܽܘܚܐܪܚܕ], um in den sieben Tagen das sich zu betrachten, wovon ich sprach (Rießler).

> 4. Esra 11,46: Aufatmet leicht die ganze Welt von deiner [des Adlers] Last befreit [liberata de tua vi] (Rießler).

> 4. Esra 13,25-26.29: Sahst du des Meeres Herzen einen Mann entsteigen, so ist es der, den sich der Höchste lange Zeiten aufgespart, durch den die Schöpfung er erlösen will [liberabit creaturam suam] ... Es kommen Tage; da will der Höchste die erlösen [liberare], die auf der Erde sind (Rießler).

> Syrische Baruch-Apokalypse 51,3.5: Die herrliche Erscheinung ... erstrahlt in ihrem Glanz verschiedenartig. Ihr Antlitz wandelt sich, daß es vor Schönheit leuchtet. So können sie die längstverheißene Welt bekommen, die unsterbliche [ܐܡܠܥ ܕ ܐܠ ܬܘܡ] ... Nun sehen sie, daß hocherhaben die, über die sie sich erhaben dünkten, und daß sie größere Herrlichkeit als sie erhalten (Rießler).

Diese Texte ergeben folgende parallele Gedanken zu Röm 8,21: (1) Sowohl bei Paulus als auch in diesen Texten begegnet die Idee, daß die Auserwählten sowie die Welt in einen Stand der Unvergänglichkeit übergehen werden[123]. (2) Die zitierten Belege verbinden wie Paulus Herrlichkeit und Unvergänglichkeit miteinander. (3) Hier wie dort wird ein apokalyptischer Freiheitsbegriff vertreten, der sich auf die Auserwählten und die Schöpfung bezieht. 4. Esra 7,96 sagt, daß die Auserwählten von Mühsal und Not befreit werden. Von ihrer Befreiung ist auch 4. Esra 7,101; 13,29 die Rede. 4. Esra 13,26 spricht von der Befreiung der Schöpfung.

Vor dem Hintergrund von solchen Texten wie 4. Esra 7,96 schreibt H.Kittel zu ἐλευθερία in Röm 8,21: "Es soll die vollendete Freiheit sein, also eine solche, die von keinen παθήματα mehr weiß"[124]. Doch ist das, wie wir gesehen haben, nicht direkt das Röm 8,21 vertretene Freiheitsverständnis, wenn auch nicht zu leugnen ist, daß die Freiheit von Vergänglichkeit in Röm 8,21 die V 18 genannten παθήματα ausschließen wird. Während 4. Esra 7,96-98 nicht direkt von Freiheit von Vergänglichkeit redet, so ist doch dieser Gedanke implizit in dem Vers enthalten: Die Weite (spatiosum), die die Auserwählten sehen und wo sie Unsterblichkeit (gleich Unvergänglichkeit: "der Vergänglichkeit entflohen") ererben werden, ist der Gegensatz zu der Not, aus der sie befreit werden. Insofern ist die Idee einer Befreiung von der Vergänglichkeit auch in diesem Zitat aus 4. Esra enthalten[125].

Aus diesen Parallelen (vorausgesetzt, daß die dort enthaltenen Gedanken eine Tradition reflektieren, die älter ist als die Schriften selbst) und aus der Tatsache, daß Paulus an anderer Stelle von Freiheit in anderem Sinn spricht (eine ähnliche Auffassung der Freiheit fanden wir lediglich Gal 4,26), scheint es wahrscheinlich, daß Paulus solchen jüdisch-apokalyptischen Gedanken dieses Freiheitsverständnis verdankt. Diese Folgerung erklärt, warum Paulus Röm 8,21 lediglich von zukünftiger Freiheit spricht und dagegen an anderen Stellen betont von der gegenwärtigen Freiheit der Christen redet: Die verschiedenen Freiheitsaussagen haben verschiedene religionsgeschichtliche Hintergründe. Wir können hier also wiederum eine historisch bedingte Unausgeglichenheit im Freiheitszeugnis des Paulus konstatieren.

Eine weiterführende Frage, auf die hier nicht ausführlich einzugehen ist, bildet das Problem der religionsgeschichtlichen Einordnung des oben beschriebenen jüdisch-apokalyptischen Freiheitsgedankens, der Freiheitswörter mit der Unsterblichkeit in Verbindung bringt. Vermutlich ist das Eindringen von Freiheitswörtern in dieses Gebiet auf hellenistische Einflüsse zurückzuführen. Im Hellenismus gibt es jedenfalls eine verbreitete und mindestens auf Platon zurückgehende Tradition, die Freiheitswörter mit der Befreiung der Seele vom Körper beim Tod verbindet[126]. Freiheit und Unsterblichkeit werden also dort in Zusammenhang gebracht. Sollte Paulus seine Ideen nicht aus der jüdisch-apokalyptischen Tradition übernommen haben, so bildet diese Tradition die nächstliegende religionsgeschichtliche Quelle für sein Verständnis von Freiheit als Unvergänglichkeit. In diesem Fall würde Paulus seine Gedanken direkt dem Hellenismus oder einer von uns sonst nicht genau zu verfolgenden jüdisch-hellenistischen Tradition verdanken.

Kommt Paulsen in seiner Untersuchung von Röm 8 zu dem Schluß, daß V 18-27 "eine Modifikation herkömmlicher urchristlicher Anthropologie, wie sie dem Paulus in hellenistisch-judenchristlichen Gemeinden begegnet sein dürfte" und wie sie in die den die Gegenwärtigkeit des Heils betonenden Versen 12-17 reflektiert ist, darstellt[127], so können wir im Hinblick auf die Freiheitsaussage V 21 ergänzend sagen, daß Paulus hier seine eigenen Freiheitsaussagen (wie sie - vornehmlich im Gal - erhalten sind) durch Traditionen, die er "direkt aus dem nachalttestamentlichen Überlieferungsprozeß"[128] übernahm, korrigiert oder kritisch

rezipiert. Es könnte Zufall sein, daß Paulus an dieser Stelle Freiheitswörter gebraucht. Doch ist im Lichte unserer Untersuchungen zu
6,18-22; 7,2 und 8,2, die das Urteil von H.D.Betz bestätigt haben,
daß Paulus im Röm nur vorsichtig von Freiheit redet, eher wahrscheinlich, daß Paulus hier bewußt seine Freiheitsaussagen mit einer neuen
Nuance (Freiheit als zukünftiges Heilsgut) versieht. Da wir ein ähnliches apokalyptisch gefärbtes Verständnis von Freiheit schon Gal 4,26
gefunden haben (wo allerdings die Gegenwärtigkeit der Freiheit über-
wog), ist sicher, daß Paulus schon vor der Niederschrift des Röm mit
diesem Freiheitsverständnis vertraut war. Der religionsgeschichtliche
Hintergrund der Freiheitsaussage Röm 8,21 läßt es als das Wahrscheinlichste annehmen, daß Paulus dieses apokalyptische Freiheitsverständnis
schon vor seiner Wendung zu Christus kannte. Daß es erst im Röm ausführlich vorgetragen wird, ist also wohl weniger einer Entwicklung seines Denkens (in diesem Fall wäre es ein Rückzug auf ein jüdisches Freiheitsverständnis) als taktischen Gründen zu verdanken.

5.6 Rückblick

Die exegetischen und religionsgeschichtlichen Untersuchungen zu den
Freiheitsstellen des Röm haben sowohl neue Erkenntnisse als auch Prä-
zisierungen der bisherigen Ergebnisse erbracht. War bereits bei der
Aufstellung des sprachlichen Befundes eine Gewichtsverschiebung gegenüber Gal festzustellen, insofern die mit den Freiheitsaussagen verbundenen δουλ-Wörter im Röm statt eine negative, wie im Gal, vorwiegend eine positive Größe darstellen, so bestätigte schon die Untersuchung von 6,18-22, daß dieses sprachliche Indiz in der Tat eine inhaltliche Verschiebung reflektiert. Da der Text von 6,18-22 keine Anzeichen dafür aufwies, daß Teile der von Paulus gewählten Sklavenanalogie "ironisch" gemeint seien, waren wir nicht berechtigt, einem der drei
Freiheitsworte mehr Gewicht als den anderen zu geben. Daher konnten
wir den Satz ἐλεύθεροι ἦτε τῇ δικαιοσύνῃ - gegen verbreitete Tendenzen in
der Exegese - nicht als eine uneigentliche Aussage auswerten und beiseite schieben, um der Ansicht zu folgen, Paulus spreche hier vornehmlich und lediglich von "Freiheit von der Sünde". Die drei Freiheitsaussagen verwenden ἐλευθερ-Wörter vielmehr im rein neutralen Sinne, um
einen einfachen Herrenwechsel zu illustrieren. Von Freiheit an sich ist
nicht die Rede, sondern von einer alten und neuen Sklaverei. Daß Paulus hier ἐλευθερ-Wörter im positiven Sinne für Christen - und zwar sie
allein - nicht in Anspruch nimmt, war im Lichte des Gal überraschend
und verlangte eine Erklärung. Diese meinten wir schon bei der Untersuchung des Zusammenhangs dieser Freiheitsstelle gefunden zu haben,
insofern der Einwand 6,15, zusammengenommen mit den verwandten Ein-
sprüchen 6,1; 3,8, enthüllte, daß Paulus sich vor dem Vorwurf von Libertinismus in Rom fürchtete. Daß Paulus 6,18-22 auf ἐλευθερ-Wörter re-
kurriert, um diesem vermuteten Vorwurf entgegenzuwirken, führte uns
zu der Hypothese, Paulus befürchtete sogar, daß die Römer gerade über
seine Freiheitslehre Verleumderisches gehört haben.

Diese Hypothese fand indirekte Stützen bei der Untersuchung der anderen Freiheitsstellen, insofern alle ἐλευθερ-Wörter nur in vorsichtig aufgebauten Zusammenhängen begegnen. 7,3 war wie bei 6,18-22 die neue Bindung der vom Gesetz losgelösten Christen auf auffallende Weise betont. Die gesamte problematische Analogie V 2-3 wurde in den Zusammenhang vornehmlich deswegen eingeführt, um die neue Bindung unzweideutig herauszustellen. Da ferner Paulus hier den Fall des Wiederheiratens einer Frau, deren Mann gestorben ist, gegen sein eigenes besseres Wissen (1Kor 7,40) in den Vordergrund rückt, wurde uns sein bewußtes Bestreben in dieser Hinsicht nur noch deutlicher. 8,2 war zwar von Freiheit an sich die Rede, aber nur in fester Verbindung mit der Aussage, daß Christen das Gesetz vollständig erfüllen werden. 8,21 wurde die Freiheit der Christen total in die Zukunft gerückt. Alle Stellen haben gemeinsam, daß sie gegen jeden Vorwurf von Libertinismus gut abgesichert sind. Wenn unsere Hypothese auch eine solche bleiben muß, so erklärt sie doch einleuchtend, warum das Freiheitszeugnis des Röm von dem des Gal konsequent abweicht. Im Hinblick auf den von uns bei der Untersuchung von 1 und 2Kor vermißten und bei Gal nicht direkt gefundenen Begriff "Freiheit vom Gesetz" ergab besonders die Untersuchung von 7,3 Wichtiges. Durch den für uns glücklichen Zufall, daß die von Paulus hier beanspruchte juristische Analogie an anderer Stelle in seinen Briefen in ihrem ursprünglich juristischen Zusammenhang erhalten geblieben ist, erhielten wir einen ungewöhnlich tiefen Einblick in die "Werkstatt" des Paulus. Dabei konnten wir beobachten, wie die Wendung "frei von dem (Ehe-)Gesetz" aus der Wendung "frei, zu heiraten, wen sie will", erwachsen ist. Da Paulus selbst in diesem Abschnitt nie zu der Wendung "frei vom jüdischen Gesetz" fortschreitet und da die Analogie V 2-3 eine nicht zu beseitigende Inkongruenz mit dem Zusammenhang aufweist, wurde die Vermutung bekräftigt, daß wir hier in der Tat die Entstehung der Wendung "frei vom (wenn auch nur: Ehe-)Gesetz" vor uns haben. Somit fanden die exegetischen Ergebnisse zu 1 und 2Kor und Gal - wo wir den Begriff "frei vom Gesetz" nicht gefunden haben - eine allein aufgrund einer Exegese von Röm 7,3 zu etablierende Stütze.

Bei der Analyse von Röm 8,2 wurde im Lichte von 7,14-25 deutlich die Definition von Freiheit bestätigt, die wir schon für Gal 2,4; 5,13 vermutet haben: Freiheit, das zu tun, was man will. Somit wurde endgültig klar, daß Paulus mit der allgemein hellenistisch-römischen Definition von Freiheit gut vertraut war. Die religionsgeschichtliche Beleuchtung dieses Passus zeigte, daß sich Paulus in den Bahnen einer verbreiteten hellenistischen Tradition - besonders der der Kyniker - bewegte, als er von einem Gesetz sprach, das im Gegensatz zu einem anderen freisetzt und das von freien Menschen erfüllt wird. Aus einem Rückblick über sämtliche religionsgeschichtlichen Erörterungen zu "Freiheit und Gesetz" ergab sich, daß sowohl die das Gesetz verneinenden als auch die das Gesetz bejahenden Aussagen des Paulus in bezug auf Freiheit denselben religionsgeschichtlichen Hintergrund haben. Denn auch die Kyniker konnten der Situation entsprechend das Gesetz entweder verneinen oder bejahen, und auch sie haben - wie Paulus in unserem Abschnitt - das Gesetz bejaht, wenn ihnen Gesetzlosigkeit vorgeworfen wurde.

Die Untersuchung von Röm 8,21 machte unsere schon bei der Analyse
von Gal 4,26 aufgestellte Vermutung noch wahrscheinlicher, daß Paulus
diesen apokalyptischen Freiheitsbegriff (Freiheit von Vergänglichkeit)
aus seiner jüdisch-hellenistischen Tradition bezog. Lediglich die bekannten Datierungsprobleme der Traditionen in 4. Esra und syrischer Baruch-
Apokalypse ließen die Frage offen, ob Paulus einer anderen uns unbe-
kannten jüdisch-hellenistischen Tradition oder gar dem Hellenismus selbst
diesen Freiheitsbegriff verdankt. Daß Paulus zuerst im Röm darauf zurückgreift, stand auf einer Linie mit der anfangs bemerkten Tendenz,
im Röm nur vorsichtig von Freiheit zu reden, und konnte als leichte
Korrektur seiner eigenen Freiheitsaussagen (wie im Gal) ausgewertet werden.

Wir gehen jetzt zum Schluß über und wollen sämtliche bisherigen Ergebnisse zusammenstellen und historisch auswerten, um uns ein Gesamtbild
des paulinischen Freiheitszeugnisses zu verschaffen.

6 SCHLUSS: HISTORISCHE AUSWERTUNG DER EXEGETISCHEN UND RELIGIONSGESCHICHTLICHEN ERGEBNISSE

6.1 Zweck und Gliederung des Schlußwortes

Die einzelnen exegetischen und religionsgeschichtlichen Resultate sind schon in den Rückblicken am Ende der drei Hauptkapitel zusammengefaßt worden. Im folgenden wollen wir diese Einzelergebnisse systematisieren und historisch auswerten. Da wir die bisherige Forschung anhand der drei Themen: (1) Stellung und Bedeutung des Freiheitsbegriffes innerhalb der paulinischen Theologie, (2) theologiegeschichtlicher Ort der paulinischen Lehre von der Freiheit im Urchristentum und (3) Zusammenhang des paulinischen Freiheitsgedankens innerhalb der antiken Religions- und Geistesgeschichte analysiert und die Aufgabenstellung unserer Arbeit anhand derselben drei Fragen bestimmt haben, dürfte es nützlich sein, unsere Ergebnisse unter eben diesen drei Punkten zusammenzufassen. Wir gehen ihnen in der soeben aufgeführten Reihenfolge nach.

6.2 Stellung und Bedeutung des Freiheitsbegriffes innerhalb der paulinischen Theologie

Hatte J.Weiß eine bemerkenswerte Unterschiedlichkeit im Freiheitszeugnis des Paulus konstatiert, so wurde dieser Befund von der nachfolgenden Forschung weitgehend vernachlässigt, vergessen oder geleugnet. Statt dessen wurde ein auf Weiß fußendes und besonders durch seinen Schüler R.Bultmann propagiertes dreiteiliges Schema - Freiheit von der Sünde, vom Gesetz und vom Tode - zum allgemein anerkannten und scheinbar vereinheitlichenden Interpretationsschlüssel erhoben. Lediglich D. Nestle scheute sich nicht, ernsthafte Zweifel an der Legitimität dieses Schemas aufzustellen. Unsere exegetischen Untersuchungen haben nun erneut die Disparität der Aussagen aufgedeckt und gezeigt, daß das zum Konsens der Forschung gewordene dreiteilige Schema für die Auslegung dieser Freiheitsstellen nicht nur wenig hilfreich, sondern sogar irreführend ist. Im folgenden stellen wir unsere Beobachtungen zur Disparität der paulinischen Freiheitsaussagen zusammen.

Paulus war einerseits mit der sozial-politischen Bedeutung von "frei" im Gegensatz zum Stand des Sklaven gut vertraut (1Kor 7,21-22; 12,13; Gal 3,28; 4,22-23). Der Unterschied zwischen dem Freien und dem Sklaven war ihm - wie der antiken Welt im allgemeinen - so selbstverständlich, daß er ihn ohne Bedenken zum logischen Ausgangspunkt seiner Argumentation nehmen kann (Gal 4,22-23). War ihm aus der christlichen Tradition auch klar, daß dieser Unterschied an der Teilhabe am christlichen Heil nichts ausmacht (1Kor 12,13; Gal 3,28), so zeigte uns 1Kor 7,22, daß es laut Paulus eine christliche Freiheit gibt, die abseits dieser sozial-politischen Kategorien steht. Mit juristischen Termini technici aus der Sphäre des antiken Sklavenrechtes legt Paulus zum Trost des christlichen Sklaven dar, wie der Sklave an dieser Freiheit partizipiert. Diese Aussage über die Freiheit eines Sklaven (wohl von menschlichen Meinungen) ist im Lichte einer verbreiteten hellenistischen Tradition, die innerliche Freiheit von dem äußerlichen sozial-politischen Stand weitgehend ablöste (schon bei Euripides in seinen Darstellungen des adligen Sklaven vorhanden und bei den Stoikern, Kynikern und Epikuräern häufig zu finden), durchaus verständlich.

Dort, wo Paulus zuerst auf seine eigene Freiheit zu sprechen kommt (1Kor 9,19), ist der Einfluß einer verbreiteten, auf Sokrates zurückführenden Tradition festzustellen. Durch finanzielle Unabhängigkeit erlangt Paulus die Freiheit, umgehen zu können, mit wem er will. Die damit verbundene Aussage, daß er sich allen zum Sklaven gemacht hat, wies uns über das Beispiel des Christus auf das euripideische Freiheitsverständnis zurück.

Dagegen ist 1Kor 9,1; 10,29 von Freiheit in einem deutlich abweichenden Sinne die Rede. Hier bedeutet Freiheit spezifisch die Freiheit, geweihtes Fleisch essen zu dürfen. 2Kor 3,17 verbindet Paulus mit "Freiheit" nochmals eine andere Bedeutung: wie besonders bei den Kynikern verbreitet, ist hier ἐλευθερία gleich παρρησία.

Im Gal ist von Freiheit auf absolute Art und Weise die Rede. 2,4 greift Paulus für rhetorische und polemische Zwecke auf ein politisches Bildwort zurück. Hier und in 5,13 schien die allgemein hellenistische Bedeutung von Freiheit als "Freiheit, das zu tun, was man will", vorzuliegen (vgl. auch 1Kor 7,39). Daß diese Begriffsbestimmung in der Tat eine Rolle im Denken des Paulus über die Freiheit spielt, ergab sich aus der Untersuchung von Röm 8,2 als sicher.

Bei Gal 4,26 vermuteten wir erneut eine andersartige Bedeutung des Wortes ἐλευθέρα. Aus der Gegenüberstellung von dem jetzigen und dem oberen Jerusalem schien "frei" soviel wie "frei von Vergänglichkeit" zu meinen. Dieses Verständnis von Freiheit konnten wir jedenfalls Röm 8,21 eindeutig feststellen.

Neben all diesen Bedeutungen gebraucht Paulus die ἐλευθερ-Wortgruppe auch zuweilen in einem rein neutralen Sinne (Röm 6,18-22; 7,3; vgl. 1Kor 7,39).

Fragen wir nun angesichts dieser Verschiedenheit nach der Stellung und dem Ursprung des Freiheitsbegriffs innerhalb der paulinischen Theologie, so ist als frühestes paulinisches Verständnis von Freiheit als Heilsgut wohl das Röm 8,21 und Gal 4,26 vertretene anzusprechen. Diesen Freiheitsbegriff dürfte Paulus schon vor seiner Wendung zu Christus aus der jüdisch-apokalyptischen Tradition gekannt haben. Zeigte uns einerseits Gal 4,26, wie Paulus diese apokalyptische Freiheit auch für die Gegenwart aktualisieren konnte, so wurde andererseits deutlich, daß die anderen Freiheitsbelege kaum aus diesem Freiheitsverständnis abzuleiten sind.

Die Ansicht, daß das vielfältige Freiheitszeugnis des Paulus auf seine Erfahrung bei der Hinwendung zu Christus zurückzuverfolgen sei, fand in
unserer Untersuchung keinerlei Bestätigung. Versuche, das paulinische
Freiheitsverständnis mit der Taufe, mit dem ἐν Χριστῷ-Gedanken oder
mit dem "Zusammen-Essen" der Judenchristen mit den Heidenchristen,
das auf der Erkenntnis über die Bedeutung von Tod und Auferstehung
Jesu basiert, zu verknüpfen, erwiesen sich ebenfalls als kaum oder gar
nicht zu begründen.

Weiterführende Resultate ergaben sich dagegen aus der Untersuchung
von 1Kor 8-11. Mit einiger Sicherheit konnten wir nachweisen, daß einige Korinther ein Verständnis von Freiheit als "Freiheit, geweihtes
Fleisch essen zu dürfen", besaßen: Geht Paulus einerseits zunächst auf
sein eigenes (nicht "christlich" begründetes) Freiheitsverständnis ein
(9,19), so nimmt er doch andererseits den Freiheitsbegriff dieser Korinther auf, um ihn mit einer verinnerlichenden Nuance zu versehen
(bes. 10,29). Insofern konnten wir erkennen, daß der Freiheitsbegriff
jener Korinther auf das paulinische Freiheitsverständnis eingewirkt hat
und wohl die Fundierung der Freiheit auf dem monotheistischen Bekenntnis beigesteuert hat. Da nun 1Kor 7,22 deutliche Anzeichen einer ad hoc
gebildeten Formulierung trug, war als möglich herauszustellen, daß Paulus hier gerade wegen der Betonung der Freiheit seitens einiger Korinther auf die christliche Freiheit zu sprechen kam. Ebenfalls könnte
2Kor 3,17 einen Nachhall des in 1Kor 8-11 reflektierten Streits um die
Freiheit darstellen. Wenngleich diese Möglichkeit bei den letzten beiden
Stellen nicht mit Sicherheit zu etablieren war, so fanden wir einen deutlichen Einfluß des Freiheitsbegriffs jener Korinther auf das paulinische
Freiheitszeugnis im Gal. Haben jene Korinther ihre Freiheit als Freiheit
gegenüber heidnischen Meinungen und Gewohnheiten bezüglich der Götter verstanden und sie durch ihr monotheistisches Bekenntnis begründet,
so fiel bei der Untersuchung von Gal auf, daß sich Paulus auf dasselbe
monotheistische Bekenntnis nicht nur gegen die Götter, sondern auch
gegen das Gesetz beruft. Da zudem das Freiheitsverständnis jener Korinther nicht aus "Freiheit vom jüdischen Gesetz" abzuleiten war, schien
es sehr wahrscheinlich, daß Paulus im Gal den Freiheitsbegriff jener
Korinther positiv aufnahm und lediglich durch Anwendung auf das Gesetz ausweitete. So erklärt sich jedenfalls einleuchtend, wieso Paulus
Gesetzesdienst und Stoicheiadienst (durch Berufung auf das monotheistische Bekenntnis) gleichsetzen konnte und warum die Wendung "Freiheit
vom jüdischen Gesetz" selbst im Gal noch nicht zu belegen war. Die Ansätze der Entstehung letzterer Wendung konnten wir noch später im Röm
7,3 (im Lichte von 1Kor 7,39) identifizieren.

War es also einerseits die chronologische Ordnung von 1Kor vor Gal,
die uns für die eigenartigen, von "Freiheit vom Gesetz" nicht abzulei-
tenden Freiheitsaussagen vor allem in 1Kor die Augen öffnete, so kann
jetzt im Rückblick gesagt werden, daß, selbst wenn 1Kor nach Gal datiert wird, die Freiheitsbelege im 1Kor einer Unterordnung unter dem
Oberbegriff "Freiheit vom Gesetz" widerstreben. Jedenfalls dürfte klar

geworden sein, daß "Freiheit vom Gesetz" den Ursprung des paulinischen Freiheitsgedankens nicht darstellt. Die späte Entstehung dieser Wendung macht sie als Kategorie (etwa: "gesetzesfreies Christentum") für die Beschreibung des paulinischen Christentums wie auch übriger verwandter Strömungen des Urchristentums zweifelhaft, zumal Paulus selbst von der Erfüllung des Gesetzes in seinen Gemeinden sprechen konnte.

Im Hinblick auf das Problem einer Entwicklung im Freiheitszeugnis des Paulus war darüber hinaus mit J.W.Drane und H.D.Betz eine wesentliche Verschiebung in den Freiheitsaussagen des Röm, verglichen mit denen des Gal, zu konstatieren. Doch enthüllte schon die Untersuchung von Röm 6,18-22, daß Paulus diese Gewichtsverlagerung bewußt vorgenommen hat, um dem vermuteten Vorwurf des Libertinismus in Rom entgegenzuwirken. Dementsprechend war hier weniger mit einer eigentlichen Entwicklung des paulinischen Freiheitsverständnisses als mit einer taktischen und situationsbedingten Nuancierung der Freiheitsaussagen zu rechnen.

Zusammenfassend zum Problem der Stellung des Freiheitsbegriffes innerhalb der paulinischen Theologie ist festzuhalten, daß Paulus seine Ideen aus mehreren Quellen geschöpft hat. Die Einheitlichkeit seines Freiheitsverständnisses liegt weniger in dem Inhalt, den er den ἐλευθερ-Wörtern jeweils zugeschrieben hat, als - wie schon J.Weiß gesehen hat - in der geistesgeschichtlichen Richtung, die seine Aussagen reflektieren und die unten weiter zu erläutern sein wird. Darüber hinaus finden wir bei Paulus weniger eine wohlgeformte Freiheitslehre als Bruchstücke der Geschichte des paulinischen Denkens und seiner Korrespondenz und Auseinandersetzungen mit seinen Gemeinden.

Was die Bedeutung des Freiheitsbegriffes innerhalb der paulinischen Theologie anbelangt, so ist festzustellen, daß der Freiheitsgedanke weder eine zentrale oder entscheidende (gegen z.B. R.Bultmann) noch eine ganz unwesentliche (gegen D.Nestle) Rolle bei Paulus spielt. Im 1Kor ist Freiheit ein wichtiger Begriff, wenn anscheinend auch nur, weil einige Korinther soviel Wert auf das Wort legten. Im Gal hat Paulus ἐλευθερία fast zum Leitwort seiner Argumentation gemacht, doch dort waren es polemische und rhetorische Gründe, die ihn dazu veranlaßten. Im Röm schien Paulus das Wort als Heilsbezeichnung herunterspielen zu wollen (bes. 6,18-22), aber er hegte immer noch Interesse daran, wenn er auch gleichzeitig stark betonte, daß der freie Christ das Gesetz erfüllen wird (8,2-4), oder wenn er die Freiheit der Christen in die Zukunft verlegte (8,21). Daß Paulus auch ohne dieses Wort hätte auskommen können, kann nicht geleugnet werden (vgl. z.B. 1Thess). Doch gab es seiner Botschaft eine größere Anziehungskraft, die von einigen Korinthern verlangt wurde und die nach der Meinung des Paulus vor allem auf die Galater einwirken würde. Freilich setzte er sich durch Inanspruchnahme dieses Begriffes auch dem damit traditionell verbundenen Risiko aus, mit dem Vorwurf des Libertinismus konfrontiert zu werden (Röm).

6.3 Theologiegeschichtlicher Ort der paulinischen Lehre von der Freiheit im Urchristentum

Bei der Behandlung des Problems des theologiegeschichtlichen Ortes der paulinischen Lehre von der Freiheit im Urchristentum erwies es sich als nützlich, unseren Blick vornehmlich auf die paulinischen Freiheitsaussagen selbst zu richten. Dabei überprüften wir stets, ob die Belege Merkmale der Tradition aufwiesen. Obwohl oft behauptet wird, daß Paulus den vorpaulinischen Gemeinden, der Urgemeinde oder gar Jesus selbst seinen Freiheitsbegriff verdankt, war auffällig, wie selten Freiheitsbelege auf Tradition zurückgeführt werden. Lediglich Röm 8,21 bestand die mehrmals in der Forschung vertretene Meinung, daß der hier begegnende Freiheitsbegriff traditionell sei. Im Lichte der religionsgeschichtlichen Parallelen ·und des sonst bei Paulus abweichenden Freiheitsverständnisses (ausgenommen Gal 4,26) folgten wir dieser Meinung. Doch wiesen die Parallelen eher darauf hin, daß dieser Freiheitsbegriff direkt aus der jüdisch-apokalyptischen Tradition übernommen wurde, als daß Paulus einer eher christlichen Überlieferung dieses Freiheitsverständnis verdankt. Aber auch wenn Paulus diese Tradition durch christliche Quellen vermittelt bekam, ist sie - wie gesagt - nicht in dem Sinne als Ursprung des paulinischen Freiheitsgedankens anzusehen, daß die anderen Freiheitsaussagen von ihm abgeleitet werden können.

Eine weitere exegetische Grundlage für die Rückführung des paulinischen Freiheitsbegriffes auf die vorpaulinischen Gemeinden bot lediglich J.Bekker in seiner Auslegung von Gal 4,21-31. Laut Becker habe Paulus den Grundstock dieses Abschnitts einer antiochenischen Schultradition entliehen, die die christliche Freiheit aufgrund des AT rechtfertigte. Wenn wir auch solche exegetisch argumentierenden Versuche, die Herkunft des paulinischen Freiheitsbegriffes traditionsgeschichtlich zu erhellen, als begrüßenswerten Ersatz für apologetisch gefärbte Behauptungen werten, so erwiesen sich Beckers Einzelargumente doch als nicht stichhaltig.

Fortschritte bei der theologiegeschichtlichen Einordnung der paulinischen Lehre von der Freiheit ergaben sich bei der Untersuchung von 1Kor 8-11. Da Paulus 9,19 einen Freiheitsbegriff einführt, der dem Zusammenhang des Problems des geweihten Fleisches fremd ist und dem eine "christliche" Begründung fehlt, da ferner 10,29 ein anderes Freiheitsverständnis, nämlich "Freiheit, geweihtes Fleisch essen zu dürfen", voraussetzt und da Paulus 9,1a den Korinthern deutlich unterstellt, daß sie das Wort "frei" als eine Bezeichnung, die auf denjenigen paßt, der geweihtes Fleisch ißt, sofort verstehen würden, war mit einiger Sicherheit zu schließen, daß einige Korinther einen besonderen Freiheitsbegriff vertraten und in die Diskussion mit Paulus einführten. Insoweit konnten wir die Auffassung von W.Lütgert und M.Smith bestätigen, daß Paulus nicht der einzige Prediger der Freiheit im Urchristentum war. Leider waren nicht genug Indizien in den Texten vorhanden, die uns zu einer eindeutigen Entscheidung verhelfen konnten, ob dieser Freiheitsbegriff von den von außen gekommenen Predigern oder lediglich von einigen Korinthern selbst eingeführt wurde. Religionsgeschichtlich wies dieses Freiheitsverständnis eine sehr nahe Verwandtschaft mit kynischen Gedanken auf. Doch kann dadurch nicht entschieden werden, ob dieser Freiheitsbegriff eine längere Geschichte im Urchristentum hinter sich hatte. In jedem Fall aber bieten diese Überlegungen kaum eine zureichende Grundlage für die Rückführung dieses Freiheitsbegriffes auf Jesus.

Zum Problem des theologiegeschichtlichen Platzes der paulinischen Lehre von der Freiheit im Urchristentum ist zusammenfassend zu konstatieren, daß die Behauptung, Paulus habe diesen Begriff in das Urchristentum eingeführt, nicht notwendig ist. Eher scheinen einige korinthische Christen Paulus zu vielen seiner Freiheitsaussagen angeregt zu haben. Aber auch sie brauchen nicht die ersten gewesen zu sein, die von der Freiheit des Christen gesprochen haben. Vielmehr ist zu vermuten, daß die große griechische Freiheitstradition, die auch von den Römern auf unterschiedliche Weise übernommen wurde, das Christentum in ebenso vielfältiger Weise erreicht hat - zum Teil durch das hellenistische Judentum vermittelt (Röm 8,21; vgl. Jak 1,25; 2,12), zum Teil auf direktem Wege.

6.4 Der Zusammenhang des paulinischen Freiheitsgedankens innerhalb der antiken Religions- und Geistesgeschichte

Wollten wir die religionsgeschichtlichen Resultate der Untersuchung auf einen Nenner bringen, so wäre wohl mit K.Berger zu konstatieren, daß die paulinischen Freiheitsaussagen als Beispiel für die Rezeption griechischer Vorstellungen durch das hellenistische Judentum auszuwerten sind. Das hellenistische Judentum scheint jedenfalls den Ursprung des Röm 8,21 und Gal 4,26 belegten Freiheitsverständnisses darzustellen. Wenn wir auch bei der religionsgeschichtlichen Erklärung der anderen Freiheitsstellen häufig einfach zum hellenistischen Material selbst griffen und z.B. Philo oft ohne weiteres neben andere hellenistische Autoren stellten, so wollten wir damit nicht bestreiten, daß der Weg für die Akkommodation von hellenistischen Gedanken durch das Urchristentum vom hellenistischen Judentum schon unwiderruflich vorbereitet wurde. Insofern wurde die gesamte Übernahme von hellenistischen Ideen durch das Christentum vom Judentum beeinflußt. Bei den Freiheitsaussagen des Paulus ist diese Vorbereitung durch das hellenistische Judentum zum Teil direkt belegbar (vgl. z.B. die Ausführungen zu 2Kor 3,17), zum Teil unserer direkten Beobachtung entzogen. Sie ist aber im großen und ganzen nicht zu bezweifeln.

Andererseits ist es verständlich, daß der paulinische Freiheitsbegriff als Prüfstein für die Nähe des Paulus zum Hellenismus immer wieder herangezogen wird. Geben wir freilich zu, daß Paulus kein Stoiker war, und erscheint es uns gegenüber J.Weiß zumindest fraglich, ob Paulus wirklich stoische Traktate und Predigten in der Schule gelesen hat, so ist doch der Einfluß der großen griechischen Freiheitstradition auf Paulus unverkennbar. Diese bemerkenswerte und vielleicht nur an wenigen anderen Stellen der paulinischen Briefe so deutlich hervortretende Nähe des Paulus zu den hellenistischen Moralisten und ihrer Theologie sei im folgenden zusammenfassend dargestellt.

1Kor 7,22 verwendet Paulus Termini technici aus der hellenistischen juristischen Sprache, um die innerliche Freiheit des christlichen Sklaven zu illustrieren. Nicht nur ist die Idee der innerlichen Freiheit einiger Sklaven ohne die auch von der modernen Welt ererbte hellenistische Verinnerlichung der Freiheit und Sklaverei kaum denkbar, sondern auch die Vorstellung, daß Christus die Sklaven freigesetzt hat, hat deutliche Entsprechungen in den hellenistischen Religionen und philosophischen Schulen der damaligen Zeit. So wurde z.B. Epikur von seinen Anhängern, unter denen auch Sklaven zu finden waren, als Gott angesehen und als ihr Befreier gepriesen.

1Kor 9,19 verwendet Paulus einen Freiheitsbegriff, der durchaus eine sokratische Tradition reflektiert (Freiheit als finanzielle Unabhängigkeit). Damit verbindet er anscheinend eine euripideische Tradition, die auch in den Märtyrerdarstellungen des hellenistischen Judentums eine Rolle spielt. Bemerkenswert und wohl kennzeichnend für die Herkunft dieser Idee von Freiheit als finanzieller Unabhängigkeit ist, daß eine spezifische "christliche" Begründung für diese Freiheit bei Paulus fehlt. Vielmehr erwirbt Paulus, wie z.B. auch sein jüngerer Zeitgenosse Musonius, seine eigene Freiheit, indem er auf Lohn für seine Unterweisung verzichtet und seinen Lebensunterhalt durch eigene wirtschaftliche Arbeit bestreitet. Mit diesen exegetischen und religionsgeschichtlichen Beobachtungen fiel auf einmal eine Barriere zwischen Paulus und dem Hellenismus, die die bisherige Forschung als Zeichen absoluter Verschiedenheit angesehen und die sogar J.Weiß aufrechterhalten hat. Denn zumindest an dieser Stelle erlangt Paulus, wie z.B. die Stoiker, seine eigene Freiheit. Andererseits ergab die religionsgeschichtliche Beleuchtung von Gal 5,13, wo Gott eine befreiende Funktion zugeschrieben wird, daß es auch eine verbreitete hellenistische Tradition gab, die die Freiheit als eine nicht rein vom Menschen errungene Eigenschaft, sondern als ein Geschenk Gottes ansah. Somit näherten sich Paulus und die hellenistischen Moralisten von beiden Seiten der angeblich zwischen ihnen bestehenden Barriere.

Das Freiheitsverständnis in 1Kor 9,1; 10,29 zeigte merkwürdige Übereinstimmungen mit einem kynischen Freiheitsbegriff, insofern beide Freiheit mit unterschiedslosem Essen in Verbindung bringen und dieses auf ein monotheistisches Bekenntnis gründen. War hierbei zu vermuten, daß dieser kynische Einfluß vornehmlich einige Korinther, und nur mittelbar Paulus, erreicht hat, so war bei 2Kor 3,17 zu beobachten, wie Paulus ebenfalls mittelbar oder unmittelbar aus kynischen Quellen schöpft, indem er ἐλευθερία im Sinne von παρρησία gebraucht.

Gal 2,4 verwendet Paulus eine Kriegsanalogie, die in der Hervorhebung der Freiheit als ein vor Angriffen zu bewahrendes Gut deutlich an griechische, hellenistische und römische Geschichtsschreiber erinnert. 4,21-31 wird auf eine Weise argumentiert, die klare Entsprechungen in stoischen und kynischen Traktaten über Freiheit hat: Paulus geht von dem sozial-politischen Unterschied zwischen Sklaven und Freien aus, um eine geistige Unterscheidung durchzuführen. Die offenkundigen rhetorischen und polemischen Absichten bei der Berufung auf die (nirgends näherhin definierte) Freiheit im Gal waren ja überhaupt erst recht nur im Lichte der damaligen Welt verständlich, wo man sich auf Freiheit zur Legitimierung von allerlei Philosophien, Religionen und politischen Bewegungen berief.

Vermuteten wir schon bei Gal 2,4; 5,13, daß die allgemein hellenistisch-römische Bestimmung der Freiheit als "Freiheit, das zu tun, was man will", eine Rolle auch im Denken des Paulus spielte (vgl. auch 1Kor 7,39), so war diese Definition bei der Untersuchung von Röm 8,2 mit Sicherheit festzustellen, da in 7,14-25 die negative Form dieser Begriffsbestimmung mehrmals begegnet. Daß die bisherigen Studien dieses Verständnis von ἐλευθερία bei Paulus nicht identifiziert haben, ist erstaunlich, kann aber einigermaßen dadurch erklärt werden, daß diese allgemein anerkannte Definition von der Forschung nicht deutlich genug herausgestellt wurde.

Laut Röm 8,2 glaubt Paulus, daß der Christ freigesetzt wird, endlich das zu tun, was er eigentlich will, und daß er dabei das Gesetz erfüllen wird. Gerade so wird auch bei den Kynikern und Stoikern argumentiert. Auch sie wußten, daß es ein Gesetz gibt, das in diesem Sinne freisetzt, und das von dem wirklich freien Menschen erfüllt wird.

Ist damit deutlich, daß die Freiheitsaussagen des Paulus weitgehende Parallelen im Hellenismus finden, so wollen wir - wie gesagt - keineswegs behaupten, daß Paulus Stoiker oder Kyniker war oder daß er den stoischen oder kynischen Freiheitsbegriff unreflektiert übernommen hat. Die hellenistische Freiheitsidee wird - um mit J.Weiß zu reden - bei Paulus (allerdings nicht bloß direkt, sondern auch unter dem Einfluß hellenistisch-jüdischer Vorbilder) in einen anderen Zusammenhang verpflanzt, und sie ist bei ihm ja keineswegs das dominierende Element seines Denkens. Doch sind die verbliebenen Anzeichen der Herkunft dieser Idee noch deutlicher, als selbst Weiß annahm.

7 ANMERKUNGEN

Zu S.11-13:

1 Weiß 1902. Die im folgenden in Klammern gesetzten Seitenzahlen beziehen sich auf diese Schrift.

2 Vor Weiß wird Freiheit - mit einer Ausnahme - höchstens unter den Stichworten "Freiheit vom Gesetz" und "menschliche Willensfreiheit" behandelt. Die einzige Ausnahme m.W. stellt die bibeltheologische Arbeit von Erler 1830 dar. Es ging Erler darum, "veram libertatis notionem ex N.T. scriptis" zu gewinnen (S.5). Dabei stellte er auch die historische Frage, was Jesus und die Apostel über christliche Freiheit gesagt haben (S.I). Seine Arbeit wurde aber von der nachfolgenden Forschung fast völlig ignoriert. Dagegen löste Weiß' Arbeit weitere Studien aus, diente ihnen als wichtiger Bezugspunkt und ist daher als Anfang der Erforschung des Themas anzusehen.

3 ἀπελεύθερος: einmal im übertragenen Sinne als Bezeichnung des christlichen Standes eines Sklaven: 1Kor 7,22.
ἐλευθερία: siebenmal als Bezeichnung eines christlichen Heilsgutes: 1Kor 10,29; 2Kor 3,17; Gal 2,4; 5,1.13(zweimal); Röm 8,21.
ἐλεύθερος: vierzehnmal. Dreimal im profanen Sinne (= "nicht gebunden"): 1Kor 7,39; Röm 6,20; 7,3. Achtmal als Bezeichnung eines sozialen Standes: 1Kor 7,21.22; 12,13; Gal 3,28; 4,22.23.30.31 (die beiden letztgenannten Belege gehören vielleicht auch zur nächsten Kategorie). Dreimal als Bezeichnung eines Heilsgutes: 1Kor 9,1.19; Gal 4,26.
ἐλευθεροῦν: fünfmal. Zweimal im profanen Sinne: Röm 6,18.22. Dreimal zur Beschreibung des Heilsstandes: Gal 5,1; Röm 8,2.21.
Die hier beschriebenen Bedeutungsunterschiede sollen nur einen ersten Überblick erleichtern und wollen nicht eine letztgültige lexikalische Einteilung darstellen.

4 Vgl. ähnlich schon Heinrici 1894, 209-210.

5 S.u. S.16-17.

6 Vgl. den Versuch von Bismark 1921, XIII-XVI.

7 Diese Forschungssituation zeigt sich darin, daß keine von den in den letzten sechzig Jahren geschriebenen Arbeiten eine Forschungsgeschichte bzw. einen Forschungsüberblick enthält. Selbst in der großen Arbeit von Niederwimmer kommt die Forschungsgeschichte nur in bezug auf die "stoische Ableitung" (1966, 75-76) zur Sprache. Wo Niederwimmer die paulinische Freiheit behandelt (S.168-220), wird - wie auch in den meisten anderen Arbeiten - thetisch vorgetragen. So schreibt van Oyen 1968, 317 mit Recht über Niederwimmers Buch: "In Konfrontation mit der bestehenden Literatur bietet die Arbeit keine neuen Gesichtspunkte ...". Nur zuweilen findet eine Auseinandersetzung der Forscher an einzelnen Punkten statt, wobei selbst hier ein größerer Überblick über die Forschungssituation fehlt.

Zu S.13:

8 In diesem Forschungsüberblick werden diejenigen Arbeiten besprochen, die das Thema der Freiheit bei Paulus als Ganzes behandeln.
Die Arbeiten, die sich nur Einzelfragen widmen, werden im Laufe
der Untersuchung an der betreffenden Stelle berücksichtigt.

9 So, stellvertretend für viele, Bultmann 1984, 331-353; vgl. ähnlich
etwa Conzelmann 1976, 302-314 und die in der nächsten Anmerkung
genannten Forscher.

10 Wiederum stellvertretend für viele Bultmann 1984, 331-353. Dasselbe
Schema wird verwendet von Schlier 1935, 492-500, Michel 1946, 14,
Richter 1962, 400, Niederwimmer 1966, 188-220, Brox 1966, 114,
Blunck 1967, 365-366, Krentz 1969, 358-361, Sand 1971, 2-3, Scaria
1980, 275; vgl. Wedell 1950, 208, Quenum 1981a, 281, Bruce 1984, 61.
Ebenso, mit Hinzufügung einer vierten Kategorie, Bismark 1921, 17-
30 (Freiheit von Dämonen), Gulin 1941, 465-467 (Freiheit vom Fleisch)
und Mußner 1976, 16-29 (Befreiung von "Elementen"-Dienst); vgl.
auch Steinmetz 1972, 384-389 und Cooper 1975, 279.
Bultmann (und zuerst offensichtlich Schlier) ist bei seiner Dreiteilung wohl von Weiß beeinflußt worden. Man erinnere sich daran, daß
Weiß Bultmanns Dissertation angeregt hat. Schon in dieser Arbeit
verwies Bultmann (1910, 109) auf Weiß' Arbeit über die paulinische
Freiheit. Die wörtliche Wiederholung der von Bultmann gebotenen
Dreiteilung in den oben erwähnten Arbeiten ist m.E. weniger Zeugnis
für die Angemessenheit dieses Schemas als für die Dominanz der Position Bultmanns in der neutestamentlichen Forschung, die Röm (oder
eine bestimmte Auffassung von diesem Brief) allen anderen Briefen
vorzieht (vgl. Bultmann 1984, 191 und die nächste Anmerkung).

11 Es wird aber in der Regel (faktisch, wenn auch nicht immer explizit)
vom Röm ausgegangen; vgl. z.B. Michel 1946, 14, Sand 1971, 2-3.
Unausgesprochene Voraussetzung der im Text beschriebenen Position
ist die Zentralstellung der Rechtfertigungsbotschaft für die paulinische Theologie von Anfang an (also auch die Einheitlichkeit der paulinischen Theologie). Dies ist auch die relativ selten ausgesprochene
Prämisse von Bultmanns Darstellung der paulinischen Theologie; vgl.
Bultmann 1930, 1037, wo die Zentralstellung der in Röm vorkommenden Gesetzeslehre - und damit der Rechtfertigungslehre - behauptet
wird. Das dreiteilige Schema (Freiheit von der Sünde, vom Gesetz
und vom Tode) ergibt sich viel weniger aus einer Auswertung der
Freiheitsbelege als aus einer einfachen Umkehrung der in Röm 7,7-
25 beschriebenen Gefangenschaftssituation, wo das Gesetz zur Erkenntnis und Vermehrung der Sünde führt, was wiederum den Tod
nach sich zieht. Selbst wenn man zugeben sollte, daß diese Mächte
die zentralen verknechtenden Faktoren für die gesamte paulinische
Theologie sind, ist es ein Fehlschluß, wenn ἐλευθερία einfach durch
deren Umkehrung, statt durch eine Untersuchung der einzelnen
Freiheitsbelege, definiert wird.

12 Wedell 1950, 206.

13 Reicke 1955-56, 6.

Zu S.14-15:

14 Grossouw 1969, 272.
15 Grossouw 1969, 272.
16 Grossouw 1969, 272-273.
17 Grossouw 1969, 274.
18 Grossouw 1969, 280.
19 Krentz 1969, 366 A 57 sagt sogar, Gal sei später als Röm.
20 Richardson 1979, 14.
21 Güemes Villanueva 1971, 114 A 2. Vgl. die Erklärung auf S.114:
   Para el orden de exposición hemos preferido la afinidad doctrinal
   a la cronología rigurosa de las cartas: así veremos primero la
   epístola a los Gálatas, en la que se define de manera expresa el
   tema de la libertad sobre todo respecto a la Ley; luego, los textos
   de la carta a los Romanos, de una ideología semejante, si bien más
   desarrollada y profunda. Por fin las dos epístolas a los Corintios,
   que contienen elementos complementarios y definitivos sobre el
   tema que nos ocupa.
   Diese Aussage wird auf S.165 A 1 wiederholt. Güemes Villanueva
   setzt also chronologisch die Priorität der korinthischen Korrespondenz voraus (vgl. auch S.114-115 A 3).
22 Mußner 1976, 63. Auch Mußner setzt die chronologische Priorität
   der korinthischen Korrespondenz (mindestens 1Kor und 2Kor 1-9)
   voraus; vgl. Mußner 1981, 9-11.
23 Gulin 1941, 460. Vgl. ähnlich Neuenschwander 1954, 105-106.
24 Mußner 1976, 10.
25 Mußner 1976, 51.
26 Güemes Villanueva 1971, 23, 117. Auf das tiefe Gefühl der Befreiung
   bei seiner Bekehrung führt auch Bismark 1921, 150 die paulinische
   Freiheitslehre zurück; vgl. ähnlich Quenum 1981b, 406 und Bruce
   1984, 61.
27 Betz 1974, 92.
28 Drane 1975, 3.
29 Betz 1977, 12. Vgl. Drane 1975, 4, 132-135.
30 Drane 1975, 67, Betz 1977, 12, 45-46. Betz nimmt zusätzlich antipaulinische Propaganda in Rom als Grund für diese Änderung an.
   Einen großen Unterschied zwischen den Freiheitsaussagen in Gal
   und Röm konstatiert ähnlich Sieffert 1869, 263-273. Die Aussagen
   des Gal seien durch konkrete Anlässe (den Kampf um das Gesetz)
   hervorgerufen, die zur Zeit des Röm überwunden waren. Die Aussagen des Röm verraten "das stärker hervortretende Interesse an
   der Objectivität des Christenthums nach seiner praktischen Seite"
   (S.274).
   Auch Ramsay 1907, 36-37 sieht Differenzen in den Freiheitszeugnissen der verschiedenen Briefe. Er erklärt den Unterschied aufgrund
   "the character and past experience of his [des Paulus] correspond-
   ents" (S.37). Damit meint Ramsay z.B., daß die Galater mehr asia-
   tisch und deswegen eines stärkeren Freiheitszeugnisses bedürftig
   seien. Dagegen "in writing to Greek cities of the Aegean lands,

Zu S.15-16:

where liberty had been only too apt to degenerate into license, it was more needful to insist on the importance of order, self-restraint, contentment, abnegation, than of freedom" (S.37).

31 Buck 1951, 120. Vgl. die Zustimmung von Faw 1960, 27-28.

32 Buck 1951, 121-122. Am Ende seiner Studie zur Freiheit im 1Kor erblickt auch Feuillet 1976, 562 die Wichtigkeit der vernachlässigten Frage nach der weiteren Entwicklung des zuerst in 1Kor bezeugten Freiheitsbegriffes in Gal und Röm.

33 Nestle 1972, 281; vgl. Sp.286. (Dieser Artikel muß als Ersatz für den zweiten Teil von Nestles Studie zur antiken Freiheit dienen. Professor Nestle informierte mich brieflich [24.10.83], daß er mindestens zur Zeit nicht vorhabe, den ursprünglich geplanten zweiten Teil noch auszuarbeiten.)

34 Schmitz 1923, 35, Brandt 1932, 19.

35 Brandt 1932, 19.

36 Gulin 1941, 459.

37 Bultmann 1959/1984, 44; vgl. Wedell 1950, 205. Sand 1971, 2 schreibt: Die Freiheitswörter seien "Vorzugstermini des Apostels Paulus und lassen erkennen, daß das Thema 'Freiheit' in seiner Theologie eine besondere Bedeutung hat". Gegen Sand 1971, 2 mit A 1, Goguel 1951, 93 und Richardson 1979, 164 muß jedoch folgendes gesagt werden: Die Tatsache, daß Freiheitswörter häufiger in den paulinischen Briefen als sonstwo im NT vorkommen, ist kein Beweis, daß diesen Wörtern besondere Bedeutung in der paulinischen Theologie zukommt. Der lexikalische Befund allein berechtigt jedenfalls nicht dazu, Freiheitswörter als "Vorzugstermini" des Apostels zu bezeichnen; man vergleiche etwa den Befund zu πίστις.

38 Cambier 1964, 326. Vgl. auch Brox 1966, 114, Betz 1977, 1 und Richardson 1979, 13.

39 Mußner 1976, 14; vgl. Schürmann 1971 und Grundmann 1974; ähnlich auch Epp 1978.

40 Schürmann 1971, 23. Vgl. Grundmann 1974, 310: "Schürmann versteht die 'Befreiung zur Freiheit', die sich im Evangelium vollzieht, bei Paulus im Horizont seiner Rechtfertigungsbotschaft ...". Diese Diskussion führt auch Schnackenburg 1973 weiter. Pastoralen Zwekken dient ferner die Arbeit von Beinert 1975.

41 Daneben gibt es Forscher, die frei zwischen diesen Positionen schweben. Ein gutes Beispiel hierfür ist Michel 1946, 12-14.

42 Weiß 1902, 11; vgl. oben S.12.

43 Bultmann 1959/1984, 44, Nestle 1972, 286: "Vermutlich führte Paulus das Wort in die Sprache der christl. Verkündigung ein ...".

44 Pohlenz 1955, 178: "Was wir sonst über diese Freiheit im Neuen Testament, etwa im Johannesevangelium (8,31-36) lesen, ist ohne paulinischen Einfluß nicht denkbar. Jesus selbst hat von ihr nicht gesprochen."

45 Vgl. bes. Weiß 1902, 33 und passim, Bultmann 1959/1984, 44 und Pohlenz 1955, 178-181. Auch Gulin 1941, 459-460 und Richardson

Zu S.16-17:

> 1979, 13-14 neigen dieser Erklärung zu. Richardson, ebd., schreibt:
> Not only did the idea [sc. der Freiheit] rather quickly and
> thoroughly disappear, but there was relatively little to account
> for the way freedom became a major category of thought for
> Paul ...
> Insofar as it seems to come from nowhere and to go nowhere,
> Paul presents us with something of a surd ... In developing
> this survey of Paul's attitude toward freedom, I have become
> increasingly persuaded that it is an important feature of his
> thought, developing out of his reflections on the Old Testament
> in the light of his convictions about Jesus and his experience of
> the Spirit.

Auch Keck 1974 ist wohl hier einzuordnen. Er schreibt: "Paulus und
Johannes wurden nicht durch die Jesus-Tradition auf den Gedanken
gebracht, von Freiheit durch Jesus zu sprechen" (S.193). "Freiheit
war kein Thema der Lehre Jesu" (S.192). In seinem ausdrücklich
hermeneutischen Versuch (S.189) will er aber "den christlichen Glauben im Begriff der Freiheit neu" ausdrücken (S.189) und die Bedeutung Jesu "für die Freiheit aus den Grundlinien seiner Sendung als
ganzer folgern" (S.192).

Betz 1974, 85 scheint den Galatern Verantwortung für die Einführung
oder Ausbildung des Freiheitsgedankens zuzuteilen, wenn er schreibt:
"Ganz allgemein interpretierten die Galater ihre neue Existenz als
Christen als die Erfüllung eines alten Traumes der Menschheit: der
'Freiheit'". Doch wird anderswo in den Arbeiten von Betz dieser Teil-
nahme der Galater nicht nachgegangen.

46 Bartsch 1974, 142 mit A 16.

47 Bartsch 1974, 139-144; Zitat auf S.140.

48 Grossouw 1969, 271 mit A 9.

49 Cambier 1964, 322. Cambier, ebd., gibt folgende Elemente an, die
dann in den paulinischen Begriff von Freiheit aufgenommen werden:
> le salut donné par Dieu aux pauvres et aux persécutés (ce qui
> insiste sur le fait que la rédemption divine est accordée gratuite-
> ment), la sincérité et l'intériorité de l'acceptation qui ne mesure
> pas matériellement les préceptes à observer mais veut traduire sa
> religion dans un esprit de fidélité, une religion qui permet une
> prière filiale au Père et rend le fidèle compatissant à son prochain,
> dans un esprit d'humilité et de douceur, basé sur la connaissance
> de Dieu (cfr. Mt. 11,27 ss.).

50 Bonhöffer 1911, 164.

51 Bonhöffer 1911, 164-165.

52 Lütgert 1908, 10.

53 Lütgert 1908, 10.

54 Lütgert 1908, 24-26.

55 Lütgert 1908, 12.

56 Lütgert 1908, 86.

57 Lütgert 1908, 86.

Zu S.17-18:

58 Lütgert 1909a; 1909b; 1911; 1913; 1919.

59 Lütgert 1919, 104. Es sei hier darauf hingewiesen, daß Lütgerts
Position in der neueren Literatur manchmal falsch dargestellt wird.
So schreibt Schmithals 1969, 114: Lütgert versuche "die Ketzerei
der Korinther als eine ad hoc entstandene Verzerrung der von Pls
gepredigten Botschaft zu verstehen" (vgl. auch 1965, 47-48). Vgl.
ähnlich z.B. Jervell 1960, 177 A 20. Freilich rechnet Lütgert damit, daß die von außen gekommenen Gegner in Korinth an die schon
von Paulus verkündigte Freiheitspredigt anknüpfen (1908, 101). An
letzteres ist gedacht, wenn er schreibt (1908, 84-85): "Die Gefahr,
vor der gewarnt wird, ist aus der paulinischen Freiheitspredigt entstanden." Leicht mißverständlich ist auch die Wiedergabe von Lütgerts Meinung bei Conzelmann 1981, 32, der lediglich sagt, daß
laut Lütgert die Gegner in Korinth "Hyperpauliner" seien und daß
Lütgert nach dem Anteil gefragt habe, "den die Predigt des Paulus
selbst, ihre Aufnahme und Verarbeitung durch seine Hörer an der
Entwicklung in Korinth hatte".

60 Es ging Lütgert "nicht um Kleinigkeiten", sondern um eine neue Auffassung der Geschichte des Urchristentums (1911, 3), wobei er bewußt versuchte, eine Korrektur der Position der Tübinger Schule
vorzunehmen (1908, 7-8). Soweit ich sehe, ist auf diesen umfassenden Versuch noch nicht wirklich geantwortet worden. Er ist allerdings wohl uneigentlich fortgeführt worden in der zum Teil abwe-
gigen und unhistorischen Gnosis-Debatte. Insofern eine "gnostische", "libertinische" Position neben die des Paulinismus und Ju-
denchristentums gestellt wird, hat sich Lütgerts Korrektur der Tübinger Schule durchgesetzt.

61 Smith 1973, 254.

62 Smith 1973, 254.

63 Smith 1973, 254-256.

64 Smith 1973, 254. Auf S.258-262 bespricht Smith folgende Stellen:
Mt 5,19; 7,15-27; Mk 9,42; Lk 7,36-50; Apg 20,29f; Röm 3,8; 1Kor
5,2; Gal 5,13ff; Phil 3,18f; 2Thess 3,6ff; Eph 5,1-20; 1Tim 1,19f;
2Tim 2,16-4,4; Jak 2,14ff; 1Petr 2,11-16; 2Petr 1,5-11; 2Petr 2-3
und Jud; 1Joh 1,6.8; Apk 2,6.14f.20ff. Die ganze von Smith unter-
nommene Untersuchung wird abgestützt durch das von Smith ent-
deckte Fragment eines Briefes des Klemens von Alexandrien über
das geheime Evangelium des Markus (Text, Faksimile und englische
Übersetzung bei Smith 1973, 446-453).

65 Smith 1973, 262.

66 Smith 1973, 263.

67 Außer den im folgenden genannten Forschern vgl. Jones 1976 und
R.Pesch 1974. R.Pesch 1974, 182 schreibt:
Wenn auch die Vokabeln "frei" und "Freiheit" im Munde Jesu nicht
begegnen - vielleicht legte die Gefahr politisch-zelotischen Miß-
verständnisses seines Programmes, seines Wirkens, Jesu Zurück-
haltung auf -, der Sache nach ist die Freiheit und die Befreiung
des Menschen ein grundlegendes Thema der Verkündigung Jesu.

Zu S.18:

68 Brandt 1932, 5-19.

69 Schürmann 1971, 25.

70 Spicq 1960, 230-231; 1964, 65-68. Lindars 1984 bietet mindestens einen (freilich sehr hypothetischen) historischen Versuch, das johanneische Freiheitswort auf Jesus zurückzuführen.

71 Niederwimmer 1966, 150.

72 Niederwimmer 1966, 151-168; Mußner 1976, 47-52: "Gerade der Freiheitsgedanke verbindet Paulus mit Jesus und umgekehrt" (S.52 A 76). Ähnlich, aber weniger klar ist der Beweis für die Freiheit im Leben Jesu bei Güemes Villanueva 1971, 66-77, der ebenfalls Stephanus als Zeugen der Freiheit anführt. Bismark 1921, 149-150 ist noch weniger kritisch als Güemes Villanueva:
> Diese gleichzeitige Betonung der Freiheit und der Knechtschaft bei Johannes und Jakobus wie bei Petrus und Paulus beweisst, dass es sich hier nicht um die Lehre eines einzelnen Apostels, sondern nur um eine allgemeine Lehre der Urkirche handeln kann, die auf Jesus selbst zurückgehen muss ...

> Danach handelt es sich wohl in der christlichen Freiheitslehre um ein Theologem, das die Altapostel von Jesus selbst überkommen hatten (Joh. 8,31ff), für Paulus aber durch die Eigenart seiner Bekehrung und der ihm besonders zuteilgewordenenen Offenbarung sich von selbst ergab.

Vgl. auch Stanley 1975, 88-90.

73 Weiß 1902, 33; 1910, 189. Vgl. auch Bultmann 1910, 109; 1930, 1020, Merx 1911, 201, 204-206, Clemen 1924, 308 und Gräßer 1955, 337 A 23.

74 Gulin 1941, 459-460, Bultmann 1968, 277; 1959/1984, 44, Bornkamm 1961, 7-10, Cerfaux 1962, 416, Bartsch 1974, 139; vgl. Macgregor 1931, 41-43 und Pohlenz 1955, 178-181.

75 Deissmann 1923, 270-280. S. weiter unten S.29-33.

76 Bonhöffer 1911, 164, Bismark 1921, 150, Schmitz 1923, 50, M.Müller 1926, 189, Wedell 1950, 206, Sevenster 1961, 122, Cambier 1964, 325, Niederwimmer 1966, 75-76. Niederwimmer, ebd., urteilt: "Jedenfalls kann die Ableitung der neutestamentlichen ἐλευθερία aus der stoischen Philosophie nicht mehr im Ernst übernommen werden." Vgl. Güemes Villanueva 1971, 244. Stanley 1975, 86-88, 94 leugnet nicht nur die stoische Ableitung, sondern im Grunde auch jeglichen griechischen Einfluß. Auch Coreth 1972, 268-270 verneint die stoische Ableitung (S.268), meint aber, daß der neutestamentliche Begriff und seine Betonung des Standes des freien Bürgers im Reich Gottes und der daran haftenden Verantwortung "in einer deutlichen Analogie zum rechtlich-politischen Freiheitsbegriff (ἐλευθερία) des klassischen Griechentums" stehen (S.268-269). Doch findet eine religionsgeschichtliche Erklärung dieser "Analogie" in Coreths Artikel nicht statt.

77 Niederwimmer 1966, 69-85.

Zu S.19–21:

78 Niederwimmer 1966, 85. Die Ableitung der paulinischen Freiheitslehre von der Offenbarung bei der Bekehrung wird vertreten - wie oben S.14 mit A 26 gesagt - von Bismark 1921, 150 und Güemes Villanueva 1971, 23, 117. Beide Forscher meinen, die paulinische Freiheitslehre stimme mit der allgemeinen urchristlichen Freiheitslehre überein, sei aber nicht davon abhängig. Vgl. besonders Bismark 1921, 149: "Jedoch lässt sich nach dem Gesagten kaum behaupten, dass Paulus sich auf Herrnsprüche oder deren urapostolische Deutung unmittelbar stützt."
Die von Richardson 1979 gebotene religionsgeschichtliche Erklärung wurde oben in A 45 zitiert. Sie ist ebenso unbefriedigend für den Religionsgeschichtler. Der beste Versuch, den alttestamentlichen Hintergrund des paulinischen Freiheitsbegriffs aufzuzeigen, findet sich in der Arbeit von Tuñí Vancells 1973. Tuñí Vancells bietet einen guten Überblick über das jüdische Verständnis der Erlösung Israels aus Ägypten (S.64-93), versteht die neutestamentlichen Zeugen vor diesem Hintergrund (S.94-98) und meint z.B., daß der paulinische Nachdruck auf dem neuen Dienst der Befreiten analog zu der nach der Ausführung aus Ägypten stattfindenden Gesetzgebung zu verstehen sei (S.98, 210-211). Zu diesem Versuch s.u. Kap. 3 A 157. Vgl. auch Kap. 5 A 67.

79 Berger 1968, 74. Vgl. Güemes Villanueva 1971, 111: Ohne eine religionsgeschichtliche Ableitung des paulinischen Freiheitsbegriffes zu erzielen, konstatiert Güemes Villanueva lediglich, daß von allen außerchristlichen Zeugen Philo dem Apostel am nächsten steht.

80 Lütgert 1908, 124, 119-120, Niederwimmer 1966, 73, Schmithals 1969, 206-232, 360-361, Mußner 1976, 63, Rudolph 1980, 322-323. Vgl. Cambier 1964, 316, Friedrich 1978b, 175, 183, Güttgemanns 1966, 226-228.

81 Vgl. die Begründung bei Mußner 1976, 63.

82 Mußner 1976, 74-78.

83 Muller 1962, xiii-xiv. Berger 1968, 71 bezeichnet diese Methode als eine "Gefahr". Sie ist in der Tat für den Fortschritt der wissenschaftlichen Diskussion gefährlich bzw. tödlich, weil kaum zwei Forscher genau dieselbe Definition der Freiheit voraussetzen werden. Eine gemeinsame Basis für jegliche kritische Auseinandersetzung fehlt.

84 Zu semantischen Feldern vgl. Berger 1984a, 137-159, wo weiterführende Literatur genannt wird.

85 Vgl. Cambier 1967, 127, der zu Niederwimmers Arbeit über die Freiheit im NT schreibt: "La liberté chrétienne a sa source dans le salut du Christ; mais ces deux thèmes doivent être distingués formellement plus que ne le fait l'A., pensons-nous." Dieselbe Kritik gilt u.a. der Arbeit von Güemes Villanueva 1971. Vgl. dort S.211-231.
Das oben beschriebene methodologische Verfahren sollte auch bei der Untersuchung antiker Freiheit im allgemeinen beachtet werden. Vgl. z.B. Momigliano 1951, 146-147 zu Wirszubski 1950 und, richtig,

Zu S.21-23:

Wickert 1949, 111. Das oben beschriebene heuristische Prinzip befolgt auch Nestle 1972, 270; vgl. auch Stylow 1972, 1.

86 Vgl. Lührmann 1975, Paulsen 1980; vgl. auch Bouttier 1977.

87 Durch diese Spezifizierung der Aufgabe erübrigt sich eine detaillierte Auslegung von Phlm und vor allem 1Kor 7,21 (zum letzteren vgl. auch unten S.27-28). Nur so viel sei hier im voraus zu 1Kor 7,21 gesagt: Einerlei, ob man den Vers als eine Empfehlung, frei zu werden oder, umgekehrt, lieber im Sklavenstand zu bleiben, versteht, in keinem Fall darf diese Empfehlung theologisch überlastet werden - besonders im Hinblick auf die Freiheitslehre. Wird V 21 empfohlen, frei zu werden, so zeigt V 22, daß auch der Sklave die christliche Freiheit genießt. Wird dagegen V 21 empfohlen, lieber im Sklavenstand zu bleiben, so kann hieraus keineswegs gefolgert werden, daß der Sklave in einem besonders engen Verhältnis zu Christus steht, wie etwa Russell 1968, 89 (unter Heranziehung von Kol, Eph und den Pastoralbriefen) meint. Gegen diese Interpretation steht vor allem V 23, wo geboten wird, nicht Sklave zu werden (also nicht in dieses "enge Verhältnis zu Christus" zu treten).
Den besten Überblick über die Auslegungsmöglichkeiten für 1Kor 7,21 (mit zahlreichen Literaturhinweisen) bietet Bartchy 1973. Zu diesem Vers und zum Problem des Sklaven in den paulinischen Gemeinden sei ferner auf Gayer 1976 und die dort genannte Literatur verwiesen. Zu 1Kor 7,22 s.u. S.27-37.

88 Röm 6,16-22; 7,3; 1Kor 7,22; Gal 2,4; 4,21-31.

89 Vgl. etwa Brandt 1932, Gulin 1941, Cambier 1964, Mußner 1976 und Betz 1977. Schon Erler 1830, 13 war sich des Unterschiedes bewußt.

90 Vgl. hierzu Pohlenz 1955, 50-55, 77-87, 152-159 und den schönen Überblick bei Betz 1977, 1-5, S.4: "By the time of Paul these ideas were commonplace. The various philosophical schools, especially the Cynics, Stoics, and the Epicureans, developed methods for achieving the goal of internal freedom." Vgl. auch Gomperz 1927. Weniger empfehlungswert ist Festugière 1947, 51-74. Zu Epikur vgl. unten Kap. 3 A 181 und Nestle 1967, 112-119. Auch die Pythagoreer haben von der Freiheit gesprochen; vgl. Porphyrios De abstinentia 1,47; Vita Pythagorae 46.

91 So dürfte jedem, der nur einigermaßen mit der Geschichte der Vokabel "Freiheit" in der Antike vertraut ist, klar sein, daß z.B. eine Beziehung zwischen Freiheit und Bindung keineswegs etwas spezifisch Christliches ist, das die Kontinuität zwischen Jesus und Paulus sichern könnte (gegen Brandt 1932). Vielmehr taucht die Frage der Bindung fast überall da auf, wo von Freiheit geredet wird. Vgl. etwa die klassischen Stellen Herodot 7,103-104, Aristoteles Politica 6,2,1317b und Thukydides 2,35-46 sowie den Nachhall von Herodot bei Maximos von Tyros 23,2d. Vgl. ferner die Hinweise von Pohlenz 1955, 212 (Register s.v. "Freiheit und Bindung") und, richtig zum Neuen Testament, Bornkamm 1961, 13.

Zu S.23-25:

92 Vgl. etwa die Kritik an Niederwimmers Arbeit (1966) von Cambier
1967, 124:
   Sans doute on ne doit pas dire que Paul a fondé la liberté chrétienne, pas plus qu'il n'est le fondateur du christianisme: la
   réalité chrétienne existait avant lui et Paul n'est pas le Christ;
   mais là n'est pas la question. Il ne s'agit pas des réalités chré-
   tiennes elles-mêmes, mais de la manière de les comprendre et
   de les décrire. Celles-ci en effet, caractérisées par l'attitude
   d'intériorité, sont susceptibles d'être traduites dans une structure de liberté, mais elles ne la constituent pas. C'est dans ce
   sens que nous écrivions que la théologie de la liberté, formulée
   par S. Paul, traduit bien l'Évangile du Christ mais ne se retrouve
   pas formellement dans les évangiles.
Vgl. auch oben A 85.

1 Zum Text der paulinischen Briefe vgl. bes. die wichtige Arbeit von
Zuntz 1953 (vgl. dazu die zustimmende Rezension von Kümmel 1958;
das Referat der Arbeit von Zuntz in Wikenhauser und Schmid 1973,
180 ist mißverständlich). In der folgenden Untersuchung wird versucht, die von Zuntz erreichten Ergebnisse weiter auszuwerten und
seine textkritischen Einsichten anzuwenden (vgl. dort bes. S.158-
159). Dabei werden vor allem die kritischen Ausgaben von Tischendorf und von von Soden sowie Kenyons Faksimileausgabe von P[46]
und die Taschenausgabe "Nestle-Aland" herangezogen. Zur Auswertung von P[46] vgl. außer Zuntz 1953, 17-159 und bes. 252-262 noch
Lagrange 1934, Benoit 1937 und Seesemann 1937. Für die Auswertung
der altlateinischen Überlieferung ist Zuntz' Arbeit durch Frede 1964
und 1973 zu ergänzen bzw. korrigieren; vgl. auch Vogels 1933.
2 Vgl. z.B. Kümmel 1983, 272. Daß Röm später als 1 und 2Kor geschrieben wurde, ergibt sich aus den Daten über den Fortgang
der Kollekte. Röm 15,25-26 setzt voraus, daß die Kollekte (zumindest fast) abgeschlossen ist; Paulus ist bereit, nach Jerusalem zu
fahren. In 1Kor 16,1-4 und 2Kor 8-9 wird dagegen auf die Kollekte
noch vorbereitet; diese Passus entstammen also einer im Vergleich
mit Röm 15,25-26 chronologisch früheren Zeit. Daß Röm auch später
als Gal geschrieben wurde, wird fast überall angenommen, läßt sich
aber nicht streng beweisen. Vgl. z.B. die Diskussion bei Kümmel
1983, 265-266.
Ich setze ferner voraus, daß 1Thess vor 1Kor anzusetzen ist. Auch
das läßt sich nicht streng beweisen, ist aber sehr wahrscheinlich:
(1) 1Thess ist nicht sehr lange nach der Gründung der thessalonischen Gemeinde geschrieben (2,17). Inzwischen war Zeit genug, um
Timotheus wieder nach Thessalonich zu schicken (3,2). Zur Zeit der
Abfassung des Briefes ist Timotheus gerade zurückgekehrt (3,6).
(2) Nach der Gemeindegründung verließ Paulus Thessalonich und
gelangte südwärts nach Athen (3,1; vorher war er nördlich von

Zu S.25:

Thessalonich in Philippi: 2,2). Da darüber hinaus Silvanus und Timotheus sowohl als Mitabsender des 1Thess (1,1) als auch als Mitbe-
gründer der korinthischen Gemeinde (2Kor 1,19) erscheinen, ist es
nicht nur wahrscheinlich, daß die korinthische Gemeinde nach der
thessalonischen begründet wurde, sondern auch, daß 1Thess um die
Zeit der korinthischen Gemeindegründung (entweder vorher in Athen
oder Umgebung oder sonst in Korinth) abgefaßt wurde. (3) 1Kor ist
längere Zeit nach Gründung der korinthischen Gemeinde geschrieben,
denn inzwischen war Zeit genug dafür, daß (a) Paulus den vorigen
Brief (5,9) schrieb, daß (b) Apollos die Gemeinde in Korinth "be-
goß" (3,6) und nachher bei Paulus wohl in Ephesus war (16,12) sowie daß (c) "nicht wenige" verstarben (11,30). Vgl. auch Lüdemann
1980, 138.

3 Vgl. z.B. die Diskussion sowie die Forschungsgeschichte bei Borse
1972, 12-31, 71-119.

4 Auch wegen dieses methodologischen Prinzips wird die Abfolge der
Briefe am Anfang anstatt am Ende und als Ergebnis dieser Arbeit
diskutiert. Zwar ist zuweilen das Freiheitszeugnis der verschiedenen Briefe als inneres Kriterium für chronologische Fragen benutzt
worden, doch lassen sich die Argumente - wie eben alle Argumente
aufgrund innerer Kriterien - leicht umdrehen. Drane 1975, 143 argumentiert z.B.: "In Galatians there is an emphasis on more or less
complete freedom ... Nor does Galatians have any mention of the
principle of limiting one's liberty in order to avoid offence to fellow-
Christians. In Galatians Paul adopts the idealistic view ... In 1
Corinthians ... he adopts a more realistic position, and introduces
elementary moral rules ..., a process which again is more easily ex-
plicable in terms of an early date for Galatians than the other way
around." Gal 5,13 bereitet aber diesem Argument Schwierigkeiten
(und wird wohl daher in Dranes Arbeit heruntergespielt; vgl. dort
S.53-54) und läßt sich gut als Auswirkung der korinthischen Probleme (vgl. bes. 1Kor 8,9) erklären. Dranes Argument leidet (wie sein
ganzes Buch) darunter, daß 1Thess vollständig außer acht gelassen
wird, denn schon 1Thess gibt Paulus seiner Gemeinde spezifische moralische Regeln (1Thess 4,1ff; diese Regeln hat er schon beim Gründungsbesuch übergeben: 4,2; zu Drane 1975, 142-143). Das heißt,
selbst wenn man 1Kor später als Gal datiert, bezeugt 1Thess, daß
Paulus schon vor den korinthischen Abweichungen seinen Gemeinden
spezifische moralische Regeln zu erteilen wußte (angesichts 1Thess
4,2ff ist sogar wahrscheinlich, daß Paulus diese Regeln auch den
Korinthern beim Gründungsbesuch übergeben hat). Daher stellen
die Regeln in 1Kor keine große Veränderung des Paulus dar. Oder
nimmt Drane an, 1Thess sei unecht oder später als 1Kor geschrieben? Offenbar nicht: vgl. Drane 1976, 21. Vgl. zu Dranes Buch auch
das Urteil von Räisänen 1980a, 302: "There seems to be no place at
all in this [Dranes] picture for I Thessalonians". Ferner könnte das
Ergebnis dieser Arbeit hinsichtlich der Art von Freiheit, die in 1Kor

Zu S.25-27:

8-11,1 zur Sprache kommt (s.u. S.38-61), als Argument gegen Drane benutzt werden, aber Argumente anhand innerer Kriterien werden nie zum zwingenden Beweis.

Wer sich trotzdem für innere Argumente für die Reihenfolge 1 Kor - Gal interessiert, vgl. Borse 1972, 58-70, die von Hurd 1968, 194-196 besprochenen Arbeiten und unten Kap.3 A 3.

5 Vgl. ähnlich Borse 1972, 33 und Oepke und Rohde 1984, 212. Die gegenüber diesem Punkt ausgedrückte Skepsis von Schade 1984, 179 mit A 503 auf S.294-295 ist nicht berechtigt und bleibt bei ihm unbegründet.

6 Vgl. ähnlich etwa Buck 1950, 12-13 und Wolff 1982, 219.

7 Vgl. ähnlich Mußner 1981, 124f A 125.

8 Vgl. ähnlich Borse 1972, 32-33. So erklärt sich folgendes: (1) Als die Korinther Paulus über die Art und Weise des Einsammelns fragen, verweist er sofort auf die Anweisungen an die Galater. (2) Aufgrund dieses Sachverhalts kann Paulus, wie in 2Kor 9,2, die Fortschritte der verschiedenen Gemeinden gegeneinander ausspielen.

Die Annahme einer Unterbrechung der Kollektenaktion (Georgi 1965, 30-37, Suhl 1975, 134-136, vgl. Köster 1980, 550) ist komplizierter und deswegen als unwahrscheinlicher zu beurteilen. Daß Paulus Gal 2,10 "von seinem Eifer wie von einem vergangenen" spricht (so Georgi 1965, 30), ist möglich, aber ergibt sich nicht deutlich aus dem Text. Eher "paßt der Hinweis auf den Eifer Pauli in der karitativen Fürsorge für die Urgemeinde mit Vorrang in die Zeit der großangelegten Spendenaktion für Jerusalem" (Borse 1972, 34). Zur Kritik an Georgis These vgl. noch Lüdemann 1980, 114-118.

9 Die sich nach der Abfassung des 1Kor überstürzenden Ereignisse sind dokumentiert in 1Kor 16,5-9; 2Kor 1,8-10.15-16; 2,12-13; 7,5-7; 9,3-4. Vgl. ähnlich Faw 1960, 37. Vgl. auch Borse 1972, 49-51.

10 Vgl. auch 2Kor 4,10 mit Gal 6,17. Vgl. Borse 1972, 54-55, 80-81.

11 Nachfolgend wird der Freiheitsbeleg in 2Kor vor denen des Gal behandelt, weil vorauszusetzen ist, daß diese Stelle enger mit den (im 1Kor reflektierten) korinthischen Problemen als mit den galatischen zusammenhängt - selbst dann, wenn 2Kor 3,17 nach Gal geschrieben worden sein sollte.

1 7,1: Περὶ δὲ ὧν ἐγράψατε; vgl. 7,25.

2 Der Grund für den Rückbezug auf diesen Grundsatz waren wohl die in übermenschliches Wissen führenden Fragen in V 16. Zum Problem des Anschlusses durch εἰ μή in V 17 vgl. bes. Bachmann 1936, 274. Für andere Auffassungen und Diskussion der textgeschichtlichen Probleme vgl. bes. Allo 1956a, 170-171 und Weiß 1910, 183-184, 191 und ferner Gayer 1976, 176, 200 A 326 und Neuhäusler 1959, 47 A 13.

3 Bemerkenswert ist die Gelassenheit, mit der die Beschneidungsfrage behandelt wird. Die etwa Gal 5,2-4 vorgebrachten Argumente fehlen

Zu S. 27-28:

an dieser Stelle völlig. Vielmehr treffen wir hier "eine ganz andere Betrachtungsweise" (Weiß 1910, 185). "Nous pouvons présumer qu'elle [1Kor] fut écrite avant que n'eût éclaté le conflit de Galatie", folgert Allo 1956a, 172.

4 So z.B. Conzelmann 1981, 160-161.

5 So z.B. Steinmann 1911, 30-31, Robertson und Plummer 1914, 147-149 und Thrall 1962, 81-82.

6 Freilich findet man diese Auslegung in der oben dargestellten Schroffheit in keinem Kommentar. Doch ist bei dieser Auffassung von V 21b und 22 jene Konsequenz letzten Endes nicht zu vermeiden. Daher findet man z.B. in Godets Kommentar 1886, 184 folgende Aussage: "Gewiß ist es, daß er [der christliche Sklave], im Besitz der Freiheit, sich in der Regel ungehinderter und mit größerem Erfolg dem Dienste Gottes wird hingeben können." Dies ist m.E. die unausgesprochene Voraussetzung auch von Schlatters Auslegung 1934, 231-236 bes. 236. Bei Trummer 1975, 361, 364 wird diese Prämisse erneut sichtbar. Dieser Gedanke ist unserem Zusammenhang fremd, findet sich aber in den Acta Petri 28 (S.77,19-20 Lipsius).
Im übrigen hat Steinmann 1911, 30 (vgl. auch Gülzow 1969, 180) klar gesehen, daß 7,22b nicht den Menschen, der frei geworden ist, sondern den, der schon bei der Berufung frei war und noch frei ist, im Auge hat. Auch daher ist es nicht möglich, 22a als Begründung für 21a und 22b als Begründung für 21b anzusehen.
Nicht ganz klar ist, wie Bartchy 1973 V 22 mit V 21 verbindet. Auf S.169 wird V 22 als Begründung von 21a angeführt, auf S.179 dagegen als Fortführung von V 21b. Nach seiner Auffassung begründet V 22 vermutlich beides. Nicht überzeugend ist der freilich neuartige Versuch Baumerts 1984, 143-145, eine größere Zäsur in ὁμοίως angedeutet zu sehen und V 22b als Parenthese zu verstehen.

7 Ebenso Bultmann 1984, 562. Conzelmann 1981, 161 will dem Vers einen positiven Inhalt abringen: "Beide Sätze gehören zusammen: Der Freie ist wirklich frei als Sklave Christi. In dieser Dienstbarkeit besteht das Gemeinsame, die Freiheit des Sklaven und des bürgerlich Freien" (vgl. ähnlich Schlatter 1934, 236, Bachmann 1936, 279, Doughty 1965, 74, 78-79, Gayer 1976, 190-191, Bultmann 1984, 333). Abgesehen davon, daß Conzelmann "eindeutig die Freiheit" und nicht die Dienstpflicht im Ausdruck ἀπελεύθερος κυρίου betont sieht (1981, 161 A 29), bestehen folgende Einwände gegen seine Auffassung: (1) Paulus hätte den von Conzelmann vermuteten Inhalt viel leichter ausdrükken können. Vgl. etwa Philo Quod omnis probus liber sit 20: τῷ γὰρ ὄντι μόνος ἐλεύθερος ὁ μόνῳ θεῷ χρώμενος ἡγεμόνι ("Denn in Wahrheit ist nur der, der allein Gott zum Führer nimmt, frei"), Sprüche des Sextos 264b: ἐλεύθερος ἔσῃ ἀπὸ πάντων δουλεύων θεῷ ("Wenn du Gott dienst, wirst du frei von allen sein") oder Seneca De vita beata 15,7: deo parere libertas est ("Gott zu dienen, ist Freiheit") und ferner pseudoklementinische Homilien 17,12,1, Apuleius Metamorphoses 11,15. Vgl. ferner Seneca Epistulae morales 8,7. (2) In V 22 geht es gar

Zu S.28-29:

nicht um die wirkliche Freiheit des Freien oder zunächst um wahre
Freiheit (vgl. mit Recht Hofmann 1874, 152), sondern um einen
Trost des christlichen Sklaven. Nur diese Auffassung erklärt, weswegen das ἐλευθερ-Wort in Verbindung mit dem Sklaven gebracht
und dem Freien vorenthalten wird.

8 Vgl. ähnlich Johannes Chrysostomos (bei Cramer 1841, 141), Schmiedel 1892, 129 ("dem Sklaven ist es tröstlich, sich als Freien und den
Freien als Sklaven b e t r a c h t e n zu können"), Gülzow 1969,
180, Nestle 1972, 281 und Gayer 1976, 188. Diese Sicht wird vergeblich verleugnet von Baumert 1984, 145-146.

9 Daß Gal 3,26-28 als Ganzes eine vorpaulinische Tauftradition ist,
wird neuerdings von mehreren Seiten angenommen (vgl. die Liste
von Vertretern bei Paulsen 1980, 77f A 16 und ferner Betz 1974, 80-
83; 1979, 181-184, Becker 1981, 45-46). Im allgemeinen wird argumentiert aufgrund (1) des Aufbaus der Verse, (2) des unvorberei-
teten Wechsels zur 2.Person Plural in V 26 und (3) des überschüssigen Textes in V 28 (warum kommt hier die Einheit der Christen zur
Sprache?). Dennoch ist hier Vorsicht geboten, weil (1) die Sprache
durchaus paulinisch ist (s. die Konkordanz; kein einziges Hapaxlego-
menon) und (2) Paulus auch strukturiert hätte formulieren können.
Diese Einheit könnte Paulus früher entworfen und hier eingefügt
haben (mit dem Zusatz διὰ τῆς πίστεως, entsprechend dem Argument
des Gal). Das reicht, um den Wechsel zur 2.Person Plural (ferner
vgl. unten S.85) und den (möglicherweise) überschüssigen Text zu
erklären. (3) Ferner decken die parallelen Texte (in den paulinischen
Briefen als auch außerhalb des Kanons; vgl. Paulsen 1980, 78-82
und noch Tractatus Tripartitus 132,20-28) lediglich die Aussage in
Gal 3,28a-c(d) ab. (4) Endlich kommt hier die Einheit der Christen
wohl deswegen zur Sprache, weil Paulus zeigen will, daß sie σπέρμα
Abrahams sind (V 29), und weil er vorher so stark betont hat, daß
es nur ein σπέρμα Abrahams gibt (V 16); vgl. z.B. Burton 1921, 208
und Barrett 1985, 38.

10 S. den unmittelbaren Kontext der beiden Verse. Vgl. ebenfalls Kol
3,11.

11 Vgl. Lietzmann 1969, 33, Weiß 1910, 190, Bachmann 1936, 279, Allo
1956a, 174.

12 So Lietzmann 1969, 33, Gayer 1976, 187, 189-190, Conzelmann 1981,
161; vgl. Baumert 1984, 139.

13 Selbst Niederwimmer 1966, 203-204 verzichtet darauf, an dieser Stelle von Freiheit vom Gesetz zu sprechen, und verwendet lediglich die
Bezeichnung "Christus-Freiheit" (S.203).

14 Vgl. auch Elert 1947, 266 A 1.

15 Vgl. schon Gulin 1941, 465. Die Warnung in V 23 schließt wahrscheinlich sowohl physische als auch geistige Sklaverei (Knechtschaft unter
menschlichen Urteilen) ein (so auch Bartchy 1973, 181-182; vgl.
Baumert 1984, 148-150). Freilich ist die Deutung dieser Mahnung
unsicher. Barrett 1968, 171-172 und andere ziehen es vor, hier
Sklaverei als physische Sklaverei zu interpretieren. Dagegen fin-

Zu S.29:

den hier Hofmann 1874, 152-154, Robertson und Plummer 1914, 149, Gayer 1976, 191 mit A 285 und andere geistige Sklaverei, meistens mit der Begründung, daß "sicherlich Niemandem zu Sinne kam, um deswillen, weil er Christ war, Sklave zu werden" (Hofmann 1874, 153). Doch gibt 1.Klemensbrief 55,2 ein konkretes Beispiel für eben dieses Verhalten. Außerdem muß der Grund, Sklave zu werden, nicht christlicher Art sein. Paulus könnte einfach davor gewarnt haben, überhaupt Sklave zu werden - etwa durch Anhäufen von Schulden oder aus anderen Gründen (vgl. dazu Bartchy 1973, 45-49). Deswegen ist V 23 wahrscheinlich sowohl von physischer als auch von geistiger (s. auch das Folgende im Text) Sklaverei die Rede. Für geistige Sklaverei bei Paulus vgl. 2Kor 11,20 und unsere Erörterungen zu Gal 2,4 unten S.77-81.

16 Dieses Wort behält Paulus sich selbst und seinen Mitarbeitern vor (Gal 1,10; Phil 1,1; Röm 1,1); vgl. Saß 1941, 28: Die Bezeichnung in 1Kor 7,22 sei "lediglich durch das Wortspiel hervorgerufen".

17 Manche der angegebenen Stellen mögen auf einen Zusammenhang zwischen diesem Verb und der Taufe deuten, besonders Röm 6,22. Friedrich 1978c, 250 will das von ihm in 1Thess 1,9f isolierte Lied auf eine Taufsituation zurückführen. Daß aber die Aussagen über Auferstehung und kommendes Gericht deutlich auf eine Taufsituation hinweisen (Friedrich 1978c, 250), bezweifelt Holtz 1978, 465 mit der Bemerkung, daß "die Auferweckungsaussage in unserem Text rein christologisch ausgerichtet und die Errettung aus dem Gericht an die Erwartung der Erscheinung des Gottessohnes vom Himmel her gebunden ist". Selbst wenn 1Thess 1,9f ein Tauflied hellenistischer Judenchristen wäre, zeigen die anderen oben erwähnten Stellen, daß Paulus das Verb δουλεύειν bzw. δουλοῦν nicht nur im Zusammenhang mit der Taufe verwendet (vgl. bes. Röm 12,11; 14,18). Vielmehr greift Paulus hier auf den Gebrauch von δουλεύειν in der LXX zurück, wo dieses Verb "der häufigste Ausdruck für den Gottesdienst" ist (Rengstorf 1935, 270).

18 Das heißt ein ἐλευθερ-Wort in einer Beschreibung der positiven Wirkung der Taufe und nicht nur im verneinenden Satz οὐκ ἔνι δοῦλος οὐδὲ ἐλεύθερος (Gal 3,28) o.ä. (vgl. 1Kor 12,13; Kol 3,11). Das ist das entscheidende Argument gegen die Ableitung der paulinischen (und urchristlichen) Lehre von der Freiheit aus der Taufe (so offensichtlich Smith 1973, 262; vgl. Reicke 1955-56, 6). Dieser Befund gilt auch für sämtliche oben in Kap.1 A 64 genannten Stellen. Nach Röm 6,18-22 wird eine Verbindung zwischen Freiheit und Taufe m.W. erst wieder in Klemens von Alexandrien Excerpta ex Theodoto 78,2 bezeugt. Vgl. Acta Thomae 121; lateinische Belege (Tertullian) bei Bader 1956-79, 1308.

Die oben im Text ausgeführten Argumente wollen nicht leugnen, daß Aussagen wie Gal 3,28 und 1Kor 12,13 irgendwie hinter diesem Abschnitt stehen. Das mag wohl sein, erklärt aber nicht, wie Paulus auf die positive Beschreibung des christlichen Sklaven als ἀπελεύθερος κυρίου gekommen ist.

Zu S.29-31:

19 Deissmann 1923, 277.

20 Nach Lietzmann 1971a, 37 bieten die delphischen Inschriften eine "schlagende Parallele zu dem paulinischen Bilde des Losgekauftseins". Bachmann (und Stauffer) 1936, 279 A 1, 497, Allo 1956a, 174 und Robertson und Plummer 1914, 148 weisen ohne Vorbehalt auf Deissmann hin. Doch ist aus diesen Hinweisen nicht zu schließen, daß die genannten Forscher Deissmanns These, daß sämtliche Freiheitsworte bei Paulus und Johannes die sakrale Freilassung (und nur dies) zum Hintergrund haben, voll zustimmten. M.W. blieb Deissmann mit dieser These allein. Ganz abgelehnt wurde Deissmanns Erklärung von Bousset 1917, 105.

21 Weiß 1910, 167. Laut Deissmann 1923, 271 A 4 griff Weiß 1902 "einige Bücherreihen zu hoch: die unten bei den Folianten stehenden Inschriften sind hier lehrreicher, als die auf dem Bord oben stehenden Philosophen".

22 Weiß 1910, 188-189; vgl. auch Weiß 1908, 54-55. Auf die Verwandtschaft mit dem Stoizismus an diesem Punkt machte Weiß erst 1902, 16 aufmerksam. Dieser Einspruch ist richtig, insofern 1Kor 7,22 innerliche und nicht rechtliche Freiheit im Blick hat. Die Stoiker waren aber nicht die einzigen Vertreter der innerlichen Freiheit; vgl. oben S.22 mit der A 90 genannten Literatur sowie Bartchy 1973, 65-67.

23 Elert 1947, 266, vgl. Sp.270. Vgl. schon die Einschränkung von Büchsel 1933, 126.

24 Bömer 1960 bes. 133-139.

25 Conzelmann 1981, 144. Vgl. ähnlich Bartchy 1973, 123, der Bömers Kritik einschätzt als "completely demolishing" Deissmanns Argumente.

26 Gayer 1976, 182-186; Zitat auf S.186. Vgl. ähnlich Haubeck 1985, 146-147, der offensichtlich deshalb hebräische Wendungen aus dem Alten Testament zur Erklärung heranziehen möchte.

27 Doughty 1965, 71 A 2; vgl. auch Pax 1962, 256-259 und Baumert 1984, 139 A 277.

28 Bömer 1960, 139.

29 Bömer 1960, 139. Lediglich Pax 1962, 273-276 erwähnt diese Möglichkeit (ohne aber hierbei direkt auf den Versuch von Bömer, von dem er offenbar abhängig ist, hinzuweisen).

30 Lyall 1970-71 (vgl. auch 1984, 40-46, wo Lyall S.45-46 Deissmann doch erwähnt). Auch Bartchy 1973, 180 (im Anschluß an Lyall) zieht die römische Freilassungspraxis heran, um 1Kor 7,22 zu erklären.

31 Deissmann 1923, 274-275 (SGDI 2116). Sperr- und Kursivdruck bei Deissmann wurden oben nicht beibehalten. Es ist zu betonen, daß die Inschriften Verträge wiedergeben und jeweils einzeln ausgelegt werden müssen. Während bestimmte Formeln wiederholt erscheinen, verbieten es die Unterschiede, von einer durchgehend einheitlichen Form zu sprechen. Das obige Beispiel ist eine der frühesten delphischen Freilassungsinschriften. Sie unterscheidet sich von den anderen vor allem dadurch, daß sie den Gott als Käufer darstellt. Sonst wird nur dem Gott (Dativ) verkauft.

Zu S.31-32:

Die im folgenden in Klammern gesetzten Seitenangaben beziehen sich auf. Deissmann 1923.

32 Die Seitenangaben beziehen sich auf Bömer 1960.

33 Vgl. schon Elert 1947, 267. In der LXX vgl. 2.Makkabäerbuch 8,11. 25. Im NT vgl. Apk 18,11-13. Es gibt allerdings eine (aber anscheinend nur eine) griechische Stelle, wo ἐξαγοράζειν "loskaufen" heißt: Diodorus Siculus 15,7,1; vgl. dazu Lyonnet 1961.

34 Cicero In Q.Caecilium divinatio 55f und CIL Bd.3,1 Nr.1079; vgl. Bömer 1960, 83-84, 92f A 4; 1961, 67. Vermutlich ist das auch der Fall in BGU Bd.7 Nr.1564 Z 2-3 (138 n.Chr. aus Philadelphia in Fayum): Διοσκόρῳ ἀπελ(ευθέρῳ) τοῦ με[γίστου θεο]ῦ Σαράπιδος. Anders die Herausgeber und Westermann 1945, 1 A 4.

35 Elert 1947, 267. Ferner ist das Wort τιμή für die Inschriften über die sakralen Freilassungen keineswegs spezifisch. Als Parallelen zum absoluten Gebrauch von τιμῆς weist Conzelmann 1981, 144 A 44 mit Recht auf den aus dem Jahre 118 v.Chr. stammenden Tebtunis Papyrus Nr.5 Z 185 und 194 (vgl. Z 20 und 21) hin. In Z 184-185 wird es den Strategoi verboten, die Bewohner des Landes zu zwingen, Wein oder Getreide um einen Preis (μηδὲ οἰνικὰ ἢ σιτικὰ γενή(ματα) ἐπιρίπτειν τιμῆς) zu liefern.

36 Elert 1947, 267.

37 Weiß 1910, 191-192 meint, die Wendung sei "kaum sicher zu interpretieren" und vielleicht "eine Zutat von späterer Hand". Lietzmann 1969, 33 glaubt, der Sinn sei derselbe wie in V 19b. Vgl. etwa auch Robertson und Plummer 1914, 150. Conzelmann 1981, 162 behauptet, Deissmanns Deutung erledige sich "durch den Sprachgebrauch des Paulus: παρά ist = ἐνώπιον". Diese Gleichung trifft aber keineswegs für alle paulinischen Stellen zu, eindeutig nicht in Röm 9,14; 1Kor 16,2 und 2Kor 1,17. Vgl. Blass § 238.
Es sei an dieser Stelle auch darauf aufmerksam gemacht, daß (offensichtlich gegen die Meinung von Pax 1962, 258-259) auch ein einfaches μενεῖν plus παρά und nicht nur das Verb παραμενεῖν plus παρά die Paramone in den Freilassungsurkunden beschreiben kann. Vgl. SGDI 2015 Z 4-10: παραμεινάτω δὲ Νικασὼ παρὰ Ἀριστοκράτειαν ἔτη ὀκτὼ ... εἰ δέ τι πρότερον πάθοι Ἀριστοκράτεια, τὸν κατάλοιπον χρόνον παρὰ Ἀριστονίκαν μεινάτω; vgl. ähnlich SGDI 1694 Z 12. Man beachte jedoch, daß παρά hier mit dem Akkusativ konstruiert wird.
Auch Westermann 1948, 60-61 sieht in 1Kor 7,24 eine Bezugnahme auf die Paramone.

38 CIJ 683 Z 13-15 (s. auch das Prolegomenon S.66). Oben gebe ich den rekonstruierten Text wieder, wie er in CIRB 70 Z 13-15 abgedruckt ist, denn in CIJ 683 sind offensichtlich Fehler vorhanden.

39 Das ist an sich gut möglich. Vgl. etwa Krauss 1922, 168-169.

40 Bömers Auslegung übernimmt Pax 1962, 268, ebenfalls unter Verweis auf Lk 17,14.

41 CIJ 683 Z 6-7. Vgl. dort auch das Prolegomenon S.64 und die Parallele in CIJ 684 Z 5-6. Darauf weist auch Bellen 1965-66, 174 A 25 hin. Anders freilich Krauss 1922, 239 A 5.

Zu S.32-33:

42 So auch Lifschitz im Prolegomenon zu CIJ Bd.1 S.66 und Bellen 1965-
66, 174, der auf CIRB 1127 als Parallele verweist, wo der letzte Satz
über die Freilassung einer Frau lautet:

προσμέ[νου]-

σα τῇ προσευ[χῇ].

Freilich ist die Auslegung nicht sicher. Andere deuten den Satz in
CIJ 683 als ein Verbot, das Bethaus zu betreten. So Calderini 1908,
418 und Dareste, Haussoullier und Reinach in RIJG S.299. Krauss
1922, 240 A 1 sieht hier eine Ausschließung aus den Synagogenäm-
tern.

43 Vgl. auch Bartchy 1973, 124.

44 1Kor 1,30; Röm 3,24; 8,23. Vgl. Elert 1947, 265.

45 S.o. A 7.

46 RIJG S.250 Nr.14 (Skydra, 3.Jahrhundert n.Chr.) und MAMA Bd.
4 Nr.279 (Ortaköy, 2. oder 3.Jahrhundert n.Chr.) bringen jedoch
mögliche Beispiele für diese Verbindung (vgl. Cameron 1939, 155-
178); Bömer 1960, 92, 109-110 lehnt aber eine solche Interpreta-
tionsmöglichkeit dieser Inschriften ab. Er selbst konstatiert, "daß
in keiner der normalen asiatischen 'Freilassungs-Urkunden' das Wort
ἐλεύθερος steht" (1960, 127).

47 Vgl. auch oben A 7.

48 Deissmann 1923, 277 A 1.

49 Auch Rengstorf 1935, 279 läuft Gefahr, diesem Fehler zu verfallen,
wenn er schreibt: "Auch als Selbstbezeichnung läßt sich die Wendung
δοῦλος Ἰησοῦ Χριστοῦ nicht von den Vorstellungen über das Verhältnis
der Christen zu Christus trennen, die sich aus der Fassung seines
Werkes als Sklavenloskauf ergeben" (vgl. aber S.280). Rengstorf un-
terschätzt die Wichtigkeit des LXX-Gebrauches dieser Bezeichnung als
Ehrentitel; zur Korrektur vgl. Saß 1941. Außerdem war diese Bezeichnung (gegen Rengstorf 1935, 277 A 101) den Rabbinen nicht
völlig fremd; vgl. Str-B zu Mt 10,25. Ferner bezeugen die Hodayot
aus Qumran einen regelmäßigen Gebrauch des Wortes עבד für den
Frommen (s. Kuhns Konkordanz s.v.).
Daß Bömers "andere Erklärung" so wenig überzeugend vorgetragen
wird, ist nach seinen ausführlichen kritischen Bemerkungen zu Deissmann etwas überraschend, wird aber einigermaßen aus seinen Absichten in jenem Teil seiner Untersuchung erklärlich. Bömer will den
sakralen Freikauf aus dem Orient ableiten und benutzt Paulus in
erster Linie als ein Beispiel unter anderen, die seine These stützen
(1960, 139-141). Bömer setzt voraus, daß Deissmann die Abhängigkeit der paulinischen Sprache von der Freilassungspraxis bewiesen
hat (s. das Zitat oben im Text). Da die orientalische Freilassungspraxis nicht Objekt seiner Untersuchungen war, begnügt sich Bömer
mit einem allgemein gehaltenen Urteil.

50 Deutlich dargestellt von Elert 1947.

51 Gegen Gayer 1976, 185-186, der die Gedanken lediglich aus dem Kontext erklären will.

Zu S.34-36:

52 Lietzmann 1969, 33; vgl. Conzelmann 1981, 161 mit A 31.
53 Gayer 1976, 187 A 267.
54 Thalheim 1912, 97.
55 Dazu s. bes. Foucart 1896, 14-23.
56 Zu Bürgen von Freigelassenen vgl. RIJG S.248, 259-261 und Rädle 1969, 78-81, 153-155.
57 Foucart 1896, 23. Es ist aber nicht ganz sicher, daß Hypereides gerade diese Frau freigekauft hat. Ausdrücklich bezeugt ist das nur für Phila, die Hypereides in Eleusis unterhalten hat. Foucart 1896, 23 setzt aber wohl mit Recht voraus, daß Hypereides auch diese zweite Frau freigekauft hatte.
58 M.E. ist der Sinn von ἀπελεύθερος plus Genitiv nicht ganz geklärt. Normalerweise bezog sich der Genitiv auf den bisherigen Herrn, aber es bleibt zu fragen, unter welchem Aspekt sich der Genitiv auf ihn bezog: Weil er der frühere Herr war, weil er den Sklaven freigelassen hat oder weil er der προστάτης des Freigelassenen war? Die letzte Möglichkeit scheint mir keineswegs ausgeschlossen (vgl. Babakos 1964, 35). Calderini 1908, 195-198 hat die Frage erörtert und entscheidet sich gerade für diese Auslegung!
Einen weiteren Beleg für Freikauf durch einen Dritten s. bei de Ricci 1904, 149-151 mit Hinweisen auf römisches Gesetz auf S.189-190 mit A 19.
59 Lyall 1970-71, 78-79; 1984, 40-45; Zustimmung von Bartchy 1973, 180.
60 Vgl. Caillemer 1877, 302, Foucart 1896, 61-77 und Rädle 1969, 134-139. Starb der Freigelassene ohne Nachkommen, so erhielt der Patron das Erbe. Wir wissen aber darüber hinaus nicht genau, worin diese Verpflichtungen bestanden. Die Beschreibung von solchen Pflichten in Platon Leges 915a-b ist wohl idealisierend (vgl. Morrow 1939, 99-110, 123-129; anders Rädle 1969, 135-136). Westermann 1955, 25 bezieht diese Pflichten zu Unrecht auf eine Paramone, denn, wie Rädle 1969, 136-137 bemerkt, waren diese Pflichten "anscheinend ex lege mit der Freilassung verbunden". An dieser Stelle ist besonders zu betonen, daß die griechische Freilassungspraxis nicht einheitlich war. Daß aber eine Beziehung zwischen dem Freigelassenen und dem Freilasser fortbestand, war vielleicht eher die Regel als die Ausnahme.
Zum Problem des προστάτης vgl. auch Kahrstedt 1934, 302-310. Kahrstedt S.310 kommt zum folgenden Schluß: "Um 330 ist die ganze Institution auch für die letztere Kategorie [die Prostasie des Freilassers gegenüber dem Freigelassenen] erledigt" (vgl. auch Schaefer 1962, 1298). Andererseits rechnet er damit (S.304), daß der ἐγγυητής nach dieser Zeit noch eine Funktion erfüllte. Doch ist die Institution des προστάτης nicht nur im 3.Jahrhundert v.Chr. in Thespeia (vgl. z.B. RIJG S.291-292) und im 2.Jahrhundert v.Chr. in den delphischen Urkunden (z.B. SGDI 2172,10-12, 2251,27-29) bezeugt, sondern auch

Zu S.36-38:

wohl im 1.Jahrhundert n.Chr. in den Inschriften von Kalymnos (dazu s. Babakos 1964, 35-36; RIJG S.302; in diesen Inschriften werden die νόμοι ἀπελευθερωτικοί erwähnt; s. z.B. RIJG S.301 Nr. 36; vgl. auch Rädle 1969, 139 A 3; wo es keinen Patron geben soll, wird gesagt μηδενὸς ἔστω ἀπελεύθερος; vgl. Babakos 1964, 34). Vgl. in diesem Zusammenhang den 9. Brief des Herakleitos.

61 Dazu vgl. Gide 1877, 323, Foucart 1896, 59-77 und Rädle 1969, 19-20. Kahrstedt 1934, 304-310 ist bezüglich des Fortbestehens dieses Gesetzes jedoch skeptisch.
Vgl. ferner die Erwähnungen des Gesetzes der ἀχαριστία z.B. bei Lukian Abdicatus 19.

62 Diese Auffassung wird am klarsten von Weiß 1910, 212-213 vertreten. Vgl. ferner etwa Goguel 1923-26, Bd.4,2, S.73 und Suhl 1975, 204. Etwas andersgeartet ist das Argument von Schmithals 1969, 86-87, 315-316: In 10,1-22 sei "ein grundsätzlich anderes Thema" behandelt als in 8,1-9,23 und 10,23-11,1. 10,1-22 handele nur von kultischen Mahlzeiten, während sich die anderen Abschnitte zum Problem von profanem Essen von Götzenopferfleisch äußerten (S.86). Gegen Schmithals' Behauptung, daß Paulus "in 10,1-22 überhaupt nicht an Starke und Schwache denkt" (S.86 A 3), ist auf 10,22b hinzuweisen, wozu Lietzmann 1969, 51 und Héring 1959, 87 mit Recht bemerken, daß sich ἰσχυρότεροι ironisch auf die "Starken" bezieht (gegen Conzelmann 1981, 214 mit A 49 ist "das Ganze der korinthischen Mentalität" von den "Starken" beherrscht, die deswegen nicht als eine "Gruppe" bezeichnet werden).

63 Hagge 1876, 485-488 (9,1-18), Clemen 1894, 38-44 (9,1-16.18-27 mit 10,1-22.25-33), Weiß 1910 XLII, 231-232 (9,1-23), Goguel 1923-26, Bd.4,2, S.76 (9,1-27), Héring 1959, 11, 70, 77 (9,1-27 mit 10,1-22), Schenk 1969, 238-239 (9,1-18.24-27) und Schmithals 1973, 270 (9,1-18; gegen Schmithals 1969, 86).

64 Die Wichtigkeit des Wechsels zur 1.Person Singular in 8,13 für die Literarkritik wird in der Literatur selten gesehen; vgl. Didier 1955, 228 und Galitis 1981, 129. Daß aber 8,13 zu einem Beispiel aus dem Leben des Paulus überleitet, beobachtet Schenk 1969, 238-239 (vgl. auch Schmithals 1973, 270-271), der allerdings das eingeleitete Beispiel in 9,19-23 findet. Der Redaktor hat laut Schenk 9,1-18 "kunstvoll" eingeschaltet (1969, 239). Schmithals 1973, 271 ist diese kunstvolle Einfügung etwas zu kunstvoll. Daher vermutet er wieder (mit Weiß 1910, 232), daß 9,1a redaktionell ist.

65 Die beiden Funktionen schließen sich nicht gegenseitig aus (zu Schenk 1969, 238). Einige von außen gekommene Lehrer (9,12) haben wohl ihre Verhaltensweise bei den Korinthern unter Kritik an Paulus und der von ihm gelehrten Verhaltensweise propagiert. So mischt Paulus die Verteidigung der von ihm gelehrten Verhaltensweise mit der Verteidigung seiner Person.

66 Wer die literarkritischen Bemühungen von Weiß, Schenk und Schmithals fortsetzen will, der eliminiere also am besten 8,13 (neben 9,1a) als redaktionell.

Zu S.39-40:

67 Hierbei ist gleichgültig, ob die dritte Frage ursprünglich zum Text
gehört; vgl. ähnlich von Soden 1931/1982, 347 A 11. Kümmel in
Lietzmann 1969, 182 entscheidet sich für den kürzeren Text. Eine
sichere Entscheidung ist nicht zu treffen, vor allem weil die früh-
alexandrinischen Zeugen geteilt sind. Da jedoch der längere Text
im Unterschied zum kürzeren Unterstützung aus breiten Strecken
der westlichen Tradition bekommt, ist er wohl vorzuziehen. Zuntz
1953, 140 A 5 meint, die dritte Frage sei oft ausgelassen, weil sie
der zweiten so ähnlich ist.

68 Vgl. ähnlich von Soden 1931/1982, 358, Bornkamm 1970b, 140 und
Hurd 1983, 134.

69 Vgl. hiermit die Ausführungen von von Soden 1931/1982, 362-363:
"Es handelt sich um jene Teufelsfurcht, ohne die von ernsthafter
Gottesfurcht nicht gesprochen werden kann, um das lebendige Zu-
gleichhaben des Deus iratus und des Deus placatus ..." (S.363).
Bezüglich dieser Gottesscheu sowie seiner uneinheitlichen Meinung
über die Existenz der Götzen steht Paulus eindeutig in der jüdischen
Tradition (s. dazu Str-B Bd.3, S.48-60), wie eben seine (dem Alten Testament entnommenen) warnenden Beispiele zeigen.
Mit der obigen Aussage im Text vgl. die Meinung Allos 1956a, 243
(vgl. Wolff 1982, 58, 60), wonach Christen das Essen von Götzenopferfleisch vermeiden sollen, wenn das Essen Teil einer abgöttli-
chen Zeremonie bildet. Doch war wohl die Entscheidung, wann das
Essen Teil einer Zeremonie bildete, oft nicht leicht zu fällen. Vgl.
von Soden 1931/1982, 372: "Ein deutlicher und scharfer Unterschied
zwischen kultischen und rein gastlichen bzw. genossenschaftlichen
Veranstaltungen wird in jener Zeit gar nicht immer festzustellen gewesen sein." Vgl. auch Willis 1985, 7-64.
Coune 1963, 502 meint, Paulus unterscheide zwischen "repas sacri-
ficiels dans le temple des idoles" und "repas privés". Diese Unterscheidung ist aber zu grob. Vgl. MacMullen 1981, 39: "Entirely
secular fraternities used, perhaps rented, parts of a convienient
temple for their meetings." Zum verschiedenen Essen im Tempel
vgl. MacMullen 1981, 36-42.

70 Dazu vgl. Karris 1973, 165-167.

71 Von Soden 1931/1982, 359.

72 Von Soden 1931/1982, 358 meint, daß dieser Dreischritt "in der Gedankenführung des Apostels immer wiederkehrt", gibt aber keine
weiteren Beispiele an.

73 Vgl. aber auch 1Kor 9,10 und Röm 4,23-24, wo jedoch die Wendung
πρὸς νουθεσίαν bzw. εἰς ... διδασκαλίαν fehlt: jeweils nur ἐγράφη δι' ἡμᾶς.

74 Nicht stichhaltig ist von Sodens Argument: "8,12 gibt das Thema für
10,1-12" (1931/1982, 359; vgl. Merklein 1984, 167). Denn in 8,12
geht es um das Versündigen an Christus, insofern als sich an den
Brüdern versündigt wird, während in 10,1-12 es sich um direkte
Versündigung an Gott handelt.

Zu S.40-42:

Fragwürdig ist auch folgendes von Hurd 1983, 138-141 formuliertes
Argument: Die Passavorstellungen in 10,1-5, im Verein mit den übrigen Stellen des 1Kor, wo die Passazeit reflektiert wird (5,6-8; 11,23;
15,20; vgl. 16,8), machen wahrscheinlich, daß 1Kor 10,1-22 zusammen mit dem Rest von 1Kor um die Passazeit herum geschrieben wurde (vgl. ähnlich Lüdemann 1980, 122). In der Haggadah shel Pesach
werden freilich auch die Wunder in der Wüste erwähnt (wobei allerdings die Episode vom goldenen Kalb unberücksichtigt bleibt), aber
der zentrale Gegenstand der Haggadah ist die eigentliche Pesach-
Erzählung (Pesach-Nacht). Da Paulus in 10,1-5 mit den Wüstenwun-
dern einsetzt (vgl. 2.Mose 13,21), halte ich es jedoch für unsicher,
ob in 10,1-5 eine Anspielung auf Passa vorliegt. Vielmehr scheint
Paulus aus einer Tradition zu schöpfen, die die Verstöße Israels gegen Gott sammelte (vgl. Apg 7; pseudoklementinische Rekognitionen
1,35,3-6; Didaskalia 220,17ff [Connolly = Vööbus 244,10ff (Text),
226,11ff (Übersetzung)], aber auch z.B. Psalm 78 [vgl. Meeks 1982,
66-68]), wobei sich die Episode vom goldenen Kalb natürlich als Beispiel für Götzendienst anbot. Es könnte sein, daß Paulus gerade auf
dieses Beispiel gekommen ist, weil Passazeit war (daß es um diese
Zeit war, als er 1Kor schrieb, ist aufgrund der oben erwähnten Stellen, besonders 16,8 und 4,19 wahrscheinlich); doch läßt sich diese
Möglichkeit kaum als Argument für die Zugehörigkeit von 10,1-22 zu
dem Rest des 1Kor aufführen.

75 Die Gliederung wird in aller Ausführlichkeit nur für die unsere Arbeit direkt angehenden Abschnitte dargestellt.

76 Daher ist die Zusammenfassung der Intention des Abschnittes bei
Galitis 1981, 130 falsch: "Gewiss seid ihr frei, solches Fleisch zu essen. Aber wenn ihr nicht bereit seid, darauf um des schwachen Gewissens des Bruders willen zu verzichten, dann hütet euch vor der
Idolatrie." Dies ist lediglich eine Harmonisierung von 8,1-13 und
10,1-22, die die Aussage beider Abschnitte verfälscht.

77 Dies ist unten noch zu explizieren. S.u. S.45-46.

78 Dieser Zusatz ist wichtig, da 9,24-27 manchmal mit 10,1-22 ausge-
schieden wird. So Weiß 1910, XLI und Schmithals 1969, 86-87, 316-
317; 1973, 269-270. Dagegen entspricht V 23b (συγκοινωνός) deutlich
V 27. Freilich möchte Schmithals 1973, 271 wiederum den Übergang
(V 23) als "eine mit Geschick kaschierte Naht" einem Redaktor zuschreiben (vgl. Weiß 1910, 246, der dasselbe als Möglichkeit hin-
stellt). Das "Ich" in V 26-27 sei ein "generische[s], auf die Gemeinde gemünzte[s] 'Ich'", dagegen in V 19-22 ein biographisches
"Ich". Doch verfängt dieses Argument nicht, denn das μή πως ἄλλοις
κηρύξας (V 27) blickt deutlich auf V 19-22 zurück (bezieht sich auf
Paulus den Prediger, nicht etwa auf den Herold bei Wettkämpfen
[vgl. Wolff 1982, 35], und ist also deutlich biographisch) und hätte
keine Funktion, wenn V 24-27 eine eigenständige Einheit wäre. Möchte Schmithals also wiederum diese Wörter dem Redaktor zuschreiben?

79 Vgl. ähnlich Clemen 1894, 42.

Zu S.42:

80 Man kann fragen, warum Paulus langsam und stufenweise von seiner
eigentlichen Antwort auf die Frage des geweihten Fleisches (8,13)
abrückt. Hier kann nur kurz darauf eingegangen werden. Gemäß seiner Antwort (8,13) hatte Paulus nichts Prinzipielles dagegen, sogar
in einem heidnischen Tempel zu Tisch zu sitzen (8,10). Neben dieser
prinzipiellen Festlegung behauptet sich aber wieder die jüdische Tradition des Paulus, wo Gottesscheu und Furcht vor jeglichem "Götzendienst" geboten war. Es ist das Ziel der paulinischen Aussagen, eine
bestimmte Verhaltensweise unter den Korinthern zu etablieren, nämlich nur sehr vorsichtige (statt kühne und übermütige) Teilnahme an
allem, was mit den heidnischen Göttern und ihrem Dienst zu tun hat.
Behält man dieses Ziel im Auge und berücksichtigt man die unausge-
sprochenen Voraussetzungen des paulinischen Denkens (übernommen
hauptsächlich aus der jüdischen Tradition), dann kann man den Gedankenbewegungen angemessen folgen und sie verständlich nachzeich-
nen, ohne die logischen Inkonsequenzen überbewerten zu müssen.
Heutzutage sollte man (mindestens in der Exegese) besser die Erörterungen Wredes 1907, 47-52 zum Denken des Theologen Paulus ernst
nehmen als zu versuchen, die logischen Inkonsequenzen des paulinischen Denkens in dialektischen (und in Wahrheit oft recht überstra-
pazierten oder sogar unverständlichen) Kernwahrheiten zu harmonisieren.
Sehr zutreffend hat Bachmann 1936, 341 den Übergang von 10,22
zurück zum Grundprinzip in 10,23 beschrieben: "Indem συμφέρει an
6,12 und an die dort unzweifelhafte Beziehung auf etwas für den In-
haber der ἐξουσία, nicht bloß für andere zuträgliches erinnert,
spricht es ganz knapp den Gesichtspunkt aus, dem der ganze zweite
Teil der Erörterung seit 9,23 gefolgt war. οἰκοδομεῖ andererseits greift
auf 8,10 zurück und erinnert damit daran, daß, wie der erste Teil
gezeigt hat, auch Erwägungen der Liebe in dieser Angelegenheit wollen betrachtet sein."
Wuellner 1979, 186-187 versucht, 9,1-10,13 als bewußt konstruierte
Digression zu verstehen, die als "aversion" dienen soll. Allerdings
bleiben seine Ausführungen sehr grob und deswegen fragwürdig.
Das, worüber die Korinther 10,14-22 entscheiden sollen, ist etwas
anderes als die 8,9-13 beschriebene Situation (zu Wuellner 1979,
187).
Neuerdings will Meeks 1982, 73 die Diskrepanz zwischen Kap.8 und
10 z.T. dadurch erklären, daß 10,1-13 "a previously composed homily"
sei. Hingegen meint Merklein 1984, 168, Paulus folge lediglich der
Argumentation der Korinther, die die Gesichtspunkte sowohl der
Gnosis als auch des Sakraments eingebracht haben.
Unbefriedigend ist auch die (harmonisierende) Meinung Willis' 1985,
270-271, 163, 222 u.ö., wonach eine Spannung in Paulus' Perspektive gar nicht existiere: Kap.8 folge den Argumenten der Korinther
und widerlege sie; 10,1-22 biete die eigenen Argumente des Paulus.
Nivellierend schreibt Willis S.263 zum Übergang von 10,14-22 zu

Zu S. 42-44:

10,23-11,1: "The connection is that in both passages the decisive consideration for Christian conduct is what reflects rightly the Christian's obligation to the community of faith." Diese "decisive consideration" wird im Abschnitt 10,1-22 leider nirgends angesprochen, sondern Willis muß sie in dem Begriff κοινωνία impliziert sehen (S. 219; Stellen wie pseudoklementinische Homilien 8,20,1; 8,23,2 blieben Willis offensichtlich unbekannt; vgl. auch die Häufung von Fehlern bezüglich Porphyrios dort S. 189 A 116). Entscheidend sind hier vielmehr Überlegungen zum Verlust des eigenen Heils (schon ab 9,23).

81 S. den Versuch in der vorigen Anmerkung. Wir haben nur wenige andere Argumente in den paulinischen Briefen, die hinsichtlich der Länge mit diesem Argument vergleichbar sind, so daß wir ein Urteil über die paulinische Logik bilden könnten. Röm 9-11 gibt uns ein Beispiel von ähnlicher Länge. Daß auch dort logische Spannungen vorhanden sind, ist jedem Leser sofort klar (vgl. Lüdemann 1983b, 30-35 mit A 117 auf S. 52). Auch in jenem Fall kann man das Hereinspielen von Paulus überkommenen oder zur Gewohnheit gewordenen Gedanken beobachten, z. B. den Gedanken des wahren Israels innerhalb Israels (9,6; 11,5) und den Gedanken einer vorübergehenden teilweisen Verstockung (11,25).

82 So z. B. Lietzmann 1969, 39, Jeremias 1966, 289, Dungan 1971, 5 (s. Hinweise auf andere Vertreter dieser Meinung dort in A 2) und Hock 1974, 124. Vgl. von Soden 1931/1982, 344.

83 Jeremias 1966, 289-290. Vgl. die Zustimmung von Maly 1967, 119 A 89 und Lüdemann 1983a, 109-110 und die ähnlichen Ausführungen von Lietzmann 1969, 39 und Fee 1980, 192.

84 Ähnlich wie Jeremias bemerkt Lietzmann 1969, 43 zu V 19: "Jetzt ist der Exkurs v. 1-18 beendet. Pls kehrt zu dem Thema von 8,9-13, der Rücksichtnahme auf die Schwachen, zurück." Er meint ebd., daß „γὰρ nicht begründend, sondern nur weiterführend" ist. Dazu s. u. S. 46.

85 Schmithals 1969, 361.

86 So Schmithals 1969, 361.

87 Dautzenberg 1969, 214.

88 Dautzenberg 1969, 214.

89 Dautzenberg 1969, 215 nennt diese Argumente "Vergleiche und Beispiele", was aber kaum zutrifft, wie jedem deutlich sein dürfte. So bilden V 9-10 kein Beispiel, sondern ein Argument aufgrund des Alten Testamentes.

90 Hock 1974, 127.

91 Freilich weist auch Hock 1974, 127 darauf hin, ohne aber die Funktion von V 12b-c zu erklären. Vermutlich sieht er diesen Vers als eine Art Vorausnahme von V 15-18.

92 J. Bauer 1959, 97, 101; Zitat auf S. 101.

93 J. Bauer 1959, 98.

Zu S.44-45:

94 Z.B. Heinrici 1896, 269, Weiß 1910, 234, Lietzmann 1969, 40, Héring 1959, 71, Lüdemann 1983a, 106.

95 J.Bauer 1959, 98.

96 Bachmann 1936, 311-312.

97 Conzelmann 1981, 188f A 15.

98 J.Bauer 1959, 98-101 sieht in "Essen, Trinken und Freien" eine bekannte triadische Formel für Lebensgenuß und bietet Parallelen zu diesem Sprachgebrauch (vgl. ähnlich Dungan 1971, 6f A 1). Anscheinend versteht er "Essen" als "Essen ohne Einschränkung", aber das ist ebenfalls ein Zusatz, wofür eine klare Begründung in Bauers Artikel nicht gegeben wird.

99 Conzelmann 1981, 188.

100 Barrett 1968, 202 tritt dieser Erklärung sehr nahe, wenn er - nach der Diskussion der beiden Möglichkeiten ("at the expense of the community"; "the right to eat and drink without regard to the idolatrous or other origin of his food") - schreibt: "Perhaps the most likely view is that though Paul (as verse 1 already shows) is moving on to the theme of apostleship he begins where he does because the question of idolatrous food is fresh in his mind". Vgl. die Zustimmung von Brunt 1981, 19.
Die im Text gebotene Erklärung will nicht leugnen, daß 9,1ff einen Streit um das Apostolat des Paulus reflektiert (zu Lüdemann 1983a, 105-115). Dieser Streit ist wohl aber lediglich das größere Thema, nicht das unmittelbar angesprochene Hauptthema in Kap.9 (mit Hock 1974, 124; vgl. Dungan 1971, 6: "Paul takes this opportunity to kill two birds with one stone").

101 Weiß 1910, 232. Freilich will Weiß deswegen 9,1a als Randnotiz tilgen (vgl. Héring 1959, 70 und Schmithals 1973, 271; s.o. A 64), wofür er sich allerdings auf kein einziges Manuskript berufen kann. Auch auf die bezeugte Umstellung im Text darf man sich nicht zur Stützung dieser These berufen (zu Weiß 1910, 232; mit Lietzmann 1969, 39). Die im Nestle-Text gebotene Ordnung ist nicht nur besser bezeugt (vgl. Robertson und Plummer 1914, 177-178), sondern, wie Conzelmann 1981, 196 zu V 19 bemerkt, "Der Ausdruck ἐλεύθερος γὰρ ὤν greift auf V.1 zurück und stellt damit die Ausgangsposition sicher".

102 Héring 1959, 70.

103 Heinrici 1896, 267.

104 Allo 1956a, 209.

105 Schmiedel 1892, 139-140; Zitat von S.140.

106 Robertson und Plummer 1914, 177; vgl. Barrett 1968, 200.

107 Mit Hofmann 1874, 188, Bachmann 1936, 320-321 und Barrett 1968, 209-210 (vgl. Allo 1956a, 221) gegen den Nestle-Aland-Text und die meisten modernen Kommentatoren sollte V 18a mit V 17b zusammengezogen werden, so daß die Parallelität (Bedingungssatz mit ἑκών bzw. ἄκων und Verbum finitum, dann Hauptsatz mit dem Wort μισθός) von V 17a und 17b-18a nicht verloren geht:

Zu S.45-46:

εἰ γὰρ ἑκὼν τοῦτο πράσσω, μισθὸν ἔχω·

εἰ δὲ ἄκων οἰκονομίαν πεπίστευμαι, τίς οὖν μού (oder μοί) ἐστιν ὁ μισθός;
Bachmann 1936, 320 schreibt mit Recht: "In 17 a und b werden ersichtlich zwei entgegengesetzte Möglichkeiten verhandelt. Man muß
also erwarten, daß dem Satzgefüge von 17 a das zweite in formalem
und sachlichem Parallelismus gegenübertrete werde." Bei der anderen Fassung ist 17b eine Tautologie. Vgl. ähnlich W.Pesch 1963, 202.
Gegen Weiß 1910, 240-241 und Conzelmann 1981, 193 A 10 verhindert
das οὖν diese Auslegung keineswegs. οὖν fungiert ja auch als eine
konsekutive koordinierende Konjunktion (Blass § 451.1, Smyth 1956,
§ 2964) und steht besonders häufig nach pronomina interrogativa
(Smyth 1956, § 2962). Vgl. Bachmann 1936, 321.

108 So ist (mit Heinrici 1896, 283) καταχρᾶσθαι an dieser Stelle zu übersetzen. Da der lexikalische Befund zu diesem Verb mehrdeutig ist
(dazu vgl. bes. Moulton und Milligan 1930, s.v.), muß der Sinn des
Verbs aus dem Kontext erschlossen werden (s.u. im Text). Jedenfalls ist "mißbrauchen" eine falsche Übersetzung (mit Weiß 1910, 242
und Heinrici 1896, 283). Es steht Paulus frei, sein Recht in Anspruch
zu nehmen oder nicht.

109 Robertson und Plummer 1914, 190; vgl. Lietzmann 1969, 43: "das
stolze Gefühl der Uneigennützigkeit".

110 Allo 1956a, 222. Es ist zu fragen, inwieweit diese Auslegung von der
Ethik I. Kants abhängig ist. Zum Problem vgl. Didier 1955, 237ff.
Vgl. auch Käsemann 1959/1970, 228-230, 236, der andere Vertreter
dieser Auslegung auflistet.

111 Käsemann 1959/1970, 237.

112 Käsemann 1959/1970, 238. M.E. bleiben Käsemanns Erörterungen zu
diesem Punkt letzten Endes unklar. Zur Kritik an Käsemann vgl. W.
Pesch 1963, 202-203 und Conzelmann 1981, 195 A 30.

113 W.Pesch 1963, 203-204.

114 Conzelmann 1981, 195.

115 So ist τοὺς πλείονας aufzufassen. Vgl. Blass § 244.3, aber der Gegensatz ist nicht "der Apostel selbst" (ebd.). Vielmehr ist gemeint "'more
than I should have gained if I had not made myself a slave to all'"
(Robertson und Plummer 1914, 191). Vgl. ähnlich Bachmann 1936,
323 und Heinrici 1880, 250 A 3. Gegen Weiß 1910, 243 A 1 muß der
Ausdruck nicht "wegen des Artikels einen bestimmten Teil einer bestimmten Menge bezeichnen". 2Kor 4,15 kommt der Komparativ mit
dem Artikel vor, und dort ist der Sinn eindeutig nicht "die Mehr-
zahl", sondern "mehrere". So auch in der pseudoklementinischen
Epistula Clementis 17,1.

116 Vgl. Theißen 1975a, 204: "Der Verzicht geschah konkreter Bedingungen wegen, um eine in Neuland vorstoßende Mission möglichst effek-
tiv zu gestalten." Auch Hock 1974, 138 spricht von des Paulus
"policy: accepting no support from the people he was converting".

Zu S. 46-47:

117 Vgl. Phil 4,11 und ähnlich Hock 1980, 61 mit A 103 auf S. 99. Nicht
ganz klar ist die Zeitstufe der Aussage in V 19a-b sowie das logische
Verhältnis des Partizips in 19a zum Hauptverb in 19b. War Paulus
einst frei, bevor er sich zum Sklaven machte? Oder war er frei, als
er sich zum Sklaven machte? Die Vergangenheit dieser Aussage wird
(stillschweigend) vertreten in den Kommentaren von Heinrici 1880,
250 und Lietzmann 1969, 42. Der präsentische Aspekt des Partizi-
pialsatzes wird (wiederum, meistens stillschweigend) vertreten von
Robertson und Plummer 1914, 190, Bachmann 1936, 323, Conzelmann
1981, 195 mit A 2, Kremer 1977, 21-23, Wolff 1982, 27 und Merklein
1984, 172 A 74. Präsentisches Verständnis von V 19a und b (d.h.
ἐδούλωσα perfektisch übersetzt) vertreten Allo 1956a, 225, Héring
1959, 75 und Barrett 1968, 210. V 19a wird konzessiv verstanden
von Heinrici 1880, 250, Robertson und Plummer 1914, 190, Conzelmann 1981, 195 ("obwohl") und Wolff 1982, 27 ("obwohl"). V 19a
wird modal verstanden von Bachmann 1936, 323 ("währe[n]d"), Lietzmann 1969, 42 ("indem"), Allo 1956a, 225, Héring 1959, 75 und Merklein 1984, 172 A 74. Nur selten wird sich aber zum Problem geäußert.
Für Wolff 1982, 31 geht es um die "Realisierung des ein für allemal
gefaßten Entschlusses (Aorist)". Für ein präsentisches Verständnis
von V 19a-b spricht folgendes: (1) ἐλεύθερος γὰρ ὤν nimmt Bezug
auf 9,1 οὐκ εἰμὶ ἐλεύθερος. Paulus will jedenfalls beweisen, daß er frei
ist, nicht daß er einst frei war (vgl. Conzelmann 1981, 195 A 2).
(2) Gemäß dem sich aus dem Kontext ergebenden Sinn von ἐλεύθερος
als "finanziell frei" ist klar, daß Paulus damals noch frei war. Daher
ist V 19a präsentisch aufzufassen. Das bedeutet aber, daß ἐδούλωσα
in V 19b perfektisch zu verstehen ist. Das ist außerdem wahrscheinlich wegen der nahen Parallele in V 22c-d (τοῖς πᾶσιν γέγονα πάντα,
ἵνα πάντως τινὰς σώσω) und der Aoriste in V 20.22a, wo deutlich wiederholte Handlungen gemeint sind. Zu dieser Art von Aorist (kom-
plexiver Aorist) vgl. Blass § 332.2 und Smyth 1956, § 1927; vgl.
ferner Schwyzer 1950, 283 (Aorist in typischen Situationen). Die im
folgenden gebotene religionsgeschichtliche Beleuchtung macht wahrscheinlich, daß der Partizipialsatz modal zu fassen ist: Durch sein
freiwilliges Sich-Versklaven bringt Paulus eine außerordentliche Art
von Freiheit zustande.

118 Für diese Auslegung spricht auch, daß sie παντῶν und πᾶσιν denselben Sinn zukommen läßt, nämlich "alle Leute", denn es liegt hier eine "emphatic juxtaposition of παντῶν πᾶσιν by chiasmus" vor (Robertson und Plummer 1914, 190).

119 Theißen 1975a, 204. Diese Tradition ist in letzter Zeit wiederholt
untersucht worden. Hier sei besonders auf Betz 1972, 100-117 und
Hock 1974, bes. 49-85, 126-132; 1980, 52-59 hingewiesen.

120 Damit haben wir übrigens eine hellenistische Parallele zum Gebrauch
dieses Wortstammes als eines missionarischen Terminus. Dementsprechend müssen die Erörterungen von Daube 1947 und 1956, 352-361
korrigiert werden.

Zu S.47-48:

121 So lauten die Schlüsse von Betz 1972, 100-117 und Hock 1974, 130-131; 1980, 61. Vgl. Theißen 1975a, 204. Weitere Parallelen sind in den Arbeiten von Betz und Hock zu finden, wo das Material gründlich erarbeitet worden ist. Auch der 1.Brief des Sokrates 1-5 legt Zeugnis für diese Tradition ab.

Die genannten Arbeiten betonen allerdings nicht zureichend, daß Paulus bei seinem Freiheitsbegriff in 1Kor 9,19 von dieser sokratischen Tradition abhängig ist (lediglich Hock 1974, 131 - und deutlicher 1980, 61 - erwähnt eine Übereinstimmung in diesem Punkt). Wohl deswegen ist die Wichtigkeit dieses Passus für den Freiheitsbegriff des Paulus übersehen (so gerade von Betz 1977, bes. 31).

Zur Nachwirkung des Sokrates in der frühen Kaiserzeit und im frühen Christentum überhaupt vgl. Döring 1979 (wiederum zum Problem des μισθός vgl. dort Index b s.v. Honorare).

Zu der zitierten Stelle aus Musonius vgl. van Geytenbeek 1963, 129-134.

122 Man beachte die Übereinstimmung in der Verwendung des Wortes μισθός.

Hock 1974, 131 (vgl. 1980, 61) meint, ἐδούλωσα beziehe sich auf die Handarbeit des Paulus, denn "his enslaving himself to all men (v. 19) also picks up the slavish connotations of his working at a trade", wie sie in der damaligen philosophischen Diskussion geläufig waren. Doch besteht das Sich-Versklaven an dieser Stelle offensichtlich nicht zunächst in Handarbeit, sondern in der Akkommodation an die verschiedenen Menschengruppen, wie V 20-22 illustrieren. Vgl. ferner 2Kor 4,5.

123 Zum Nachahmungsgedanken bei Paulus vgl. de Boer 1962 und Larsson 1962. Beide widerlegen mit Recht die Sicht von Michaelis 1942, 669-676, der versuchte, das Moment der Nachahmung bei Paulus zu leugnen. Vgl. ferner A.Schulz 1962, 270-289 und (weniger kritisch, obwohl zuweilen mit einsichtsvollen Einzelbeobachtungen) Tinsley 1960, 134-165.

Gründet die in 1Kor 9,19-22 beschriebene Verhaltensweise des Paulus gar in einem Agraphon Jesu? Vgl. Resch 1906, 132-133.

124 Niederwimmer 1966, 169 (vgl. Schlier 1971b, 223) hat eine einfache Lösung für diese Frage: Obwohl der Apostel "den Begriff 'Freiheit Christi' nicht" hat, "liegt der paulinischen Anschauung von der Freiheit dieser Gedanke zugrunde. Die Freiheit Christi ... ist dargestellt in dem von Paulus zitierten 'carmen Christi' Phil. 2,6-11". Damit eröffnet Niederwimmer seine Darstellung der paulinischen Freiheit. Doch erhebt sich mit dieser Lösung eine andere Frage: Was gibt Niederwimmer das Recht, gleich zu Beginn seiner Ausführungen solche Urteile über die paulinische Anschauung von der Freiheit zu fällen und von Freiheit in Phil 2,6-11 zu sprechen, obwohl der Text kein ἐλευθερ-Wort enthält? Solche Urteile müssen durch andere Stellen oder religionsgeschichtliche Erwägungen wahrscheinlich gemacht werden.

Oben im Text ergab sich aus 1Kor 9,19-22 und 10,31-11,1 im Ver-

Zu S.48-49:

gleich mit Röm 15,3 eine in den Briefen begründete Möglichkeit, daß
Paulus zur Erklärung seines in 1Kor 9 dargelegten Freiheitsverständnisses auf das Beispiel des Christus hätte hinweisen können (also
den Begriff "Freiheit Christi" doch möglicherweise voraussetzte).
Unten wird dasselbe auch religionsgeschichtlich als möglich gesichert,
so daß es nicht unberechtigt wäre, z.B. gerade bei Phil 2,6-11 von
der Freiheit Christi zu sprechen. Man könnte hierin eine Bestätigung von Niederwimmers Arbeit oder Arbeitsweise sehen. Doch ist
die Parallelität der beiden Arbeiten an diesem Punkt m.E. eher als
Kuriosität anzusehen. Seine Äußerungen zu 1Kor 8-11 befinden sich
auf S.204-208.

125 Vgl. Nestle 1972, 282: "dialektisch"; Bultmann 1959/1984, 50: "dialektisch", hier aber von Freiheit und "Gesetz Christi"; vgl. ähnlich
Bultmann 1984, 342-343, 333.

126 Weiß 1902, 6, 18, Bultmann 1959/1984, 50, de Ru 1967, 171. Vgl. ähnlich und wohl beispielgebend Luther 1520/1897, 21 Z 11-12: "Diße zwo
widderstendige rede der freyheyt und dienstparkeyt".

127 Vgl. etwa die ähnliche Formulierung von Friedrich 1978b, 185.

128 Für die Einzelheiten und Nachweise s. Pohlenz 1955, 89-102 und
Nestle 1967, 89-101.

129 Nestle 1967, 98.

130 Pohlenz 1955, 94.

131 Platon 8. Brief 354e.

132 Vgl. hierzu Collard 1975, 223-224. Der Hintergrund sowohl dieses
Stückes als auch Heraclidae ist wohl der archidamische Krieg. Vgl.
dazu etwa Zuntz 1955, 81ff und Delebecque 1951, 93-94.

133 Vgl. aber eine ähnliche Formulierung in Orestes 1170-1171.

134 Nestle 1967, 65; vgl. van Straaten 1972, 123.

135 Dieser Unterschied ist der bisherigen Forschung nicht völlig entgangen, ist aber nicht mit zureichender Deutlichkeit dargestellt worden. Zum Beispiel meint Schmitt 1921, 5, daß sich Hecuba "von den
sonstigen Behandlungen" darin unterscheidet, "daß es sich hier
nicht um einen heroischen Opfertod handelt". Doch hat Hecuba eine
Parallele in Orestes 1169-1171, wo es sich allerdings nicht um einen
Opfertod handelt. Nestle 1967, 74-75 erwähnt die Motivation aus persönlichen Gründen lediglich flüchtig am Ende seiner Untersuchung
des freien Todes aus patriotischen Gründen.

136 Vgl. ähnlich Nestle 1967, 64-69.

137 Vgl. hierzu Schmitt 1921, 2-28, 84-103. Fraglich ist, inwieweit der
freiwillige Tod des Menoikeus in Phoenissae auf Euripides selbst
zurückgeht; vgl. Schmitt 1921, 7-13, 88-93. Das Motiv in Alcestis
war Euripides vorgegeben (vgl. Schmitt 1921, 72-73 und s.u. S.49-
50). Zum Problem der Originalität des Euripides in den anderen Dramen vgl. Schmitt 1921, 84-103.

138 Schwenn 1915, 138.

139 Nestle 1967, 66; vgl. van Straaten 1972, 121.

140 Vgl. Schmid und Stählin 1940, 338: "das früheste vollständig erhaltene Drama des Euripides".

Zu S.49-51:

141 Vgl. Schmitt 1921, 72-73.

142 Köster 1980, 128. Für die hinter dieser Aussage steckenden Einzelheiten vgl. z.B. Schmid und Stählin 1940, 823-832.

143 Schmid und Stählin 1940, 829-830.

144 Schwenn 1915, 138.

145 Schmitt 1921, 84-103.

146 Schmitt 1921, 101.

147 Schmitt 1921, 102.

148 Zitiert nach Deissmann 1923, 391 (Abbild der Inschrift auf S.392). Auf das Problem eines möglichen Fehlers in der Inschrift (vgl. dazu Bellen 1965-66) braucht hier nicht eingegangen zu werden, denn dieser vermutete Fehler (Bellen u.a. wollen lesen: "Platz der Juden und der Gottesfürchtigen") ändert nicht das Zeugnis der Inschrift, daß Juden in Milet das Theater besucht haben.

149 Wieneke 1931, 30. Für die Einzelheiten s. dort S.30-31 und den Kommentar zu Ezechiel dort S.34ff.

150 Euripides wird auch sonst öfters von Philo zitiert. Vgl. den "Name Index" s.v. im 10. Band der Loeb-Ausgabe und den Index im 2. Supplementband. Musonius Fr 9 setzt sich mit einem Teil des euripideischen Freiheitsverständnisses auseinander.

151 Surkau 1938, 57-82, Lohse 1963, 64-110 und viele andere, die sich auf Lohse und Surkau unkritisch berufen, z.B. Wolter 1978, 15-16; vgl. unten A 154.

152 Williams 1975 passim; Zitat von S.197. Vgl. Wengst 1973, 70-71. Wenn Lohse 1963, 71 zum 4. Makkabäerbuch schreibt: "Die Vorstellung vom stellvertretenden Sühntod ist aber - wie wir sahen - palästinischen Ursprungs", so bezieht sich "wie wir sahen" offensichtlich auf seine Erörterungen zum 2. Makkabäerbuch, S.66-69, denn wo Lohse zunächst nach der Vorstellung vom stellvertretenden Sühnetod suchte, 4. Mose 35,25-28, war das Ergebnis negativ (S.64-66). Also beweist laut Lohse das 2. Makkabäerbuch (allein), daß diese Idee palästinischen Ursprungs ist. Ob das 2. Makkabäerbuch diese Beweislast tragen kann, scheint aber schon aufgrund Lohses eigener Einschränkungen zweifelhaft: "Daß aber durch ihren [der Märtyrer] Tod Sühne geleistet würde, ist im zweiten Makkabäerbuch nicht ausdrücklich gesagt" (S.68). Die Entscheidung hängt letzten Endes von der Auslegung eines einzigen Verses ab, 7,38. Hier vermag Surkau 1938, 59 (vgl. ähnlich Lohse 1963, 68) nicht mehr, als "hinter diesem Vers" den Gedanken des stellvertretenden Leidens zu erkennen. Das ἐν in V 38 muß aber nicht instrumental verstanden werden, sondern läßt sich gut punktuell verstehen (so auch Grimm 1857, 129). Diese Auslegung wird im Lichte des sogleich daran anschließenden Gebetes in 8,2-4 sogar wahrscheinlich. Hier wird Gott aus mehreren Gründen zu Vergeltung aufgefordert: Schändung des Tempels, Zerstörung der Stadt, Lästerungen gegen seinen Namen. Auch solle Gott auf das Schreien des Blutes hören, wobei auffällt, daß hier das Blut überhaupt keine sühnende Funktion hat, sondern wie sonst im Alten

Zu S.51:

Testament einfach zu Vergeltung ruft (z.B. 1. Mose 4,10). Vgl.
Williams 1975, 88.

Auf dieser dünnen instabilen Basis baut Lohse dann weiter auf. So
heißt es zu den "nicht sehr zahlreich[en]" (S.75) rabbinischen Belegen, die "ausschließlich erst aus amoräischer Zeit" (S.77) stammen:
"Wenn uns auch aus der tannaitischen Zeit keine Belege erhalten
sind, in denen etwas über den Sühntod der Märtyrer gesagt wird,
so beweisen doch die Makkabäerbücher, daß auch in diesem Zeitraum
der Märtyrertod als sühnender angesehen worden ist" (S.77).
Als einzigen anderen "Beleg" aus vorchristlicher Zeit beruft sich
Lohse S.85-87 auf das Testament des Benjamin 3,8. Da dieser Text
mit christlichen Interpolationen belastet ist (was Lohse selbst zuge-
steht), ist die Berufung darauf nicht beweiskräftig. Vgl. die Diskussion der Stelle bei Williams 1975, 126-130.

153 Vgl. hierzu Williams 1975, 111-120. Selbst Lohse 1963, 105-106 muß
das zugeben. Er findet überhaupt nur eine Stelle, Sota 14a, wo Jesaja 53 im Zusammenhang mit Aussagen über den stellvertretenden
Sühnetod steht. Vgl. aber Berakhoth 5a, wo Jesaja 53 als Schriftbeweis für die Sühnekraft der Leiden verwendet wird. Beide Belege sind
spät, frühestens ins 3. oder 4.Jahrhundert zu datieren.

154 Exemplarisch sei die Arbeit von Thyen 1970 genannt. Thyen erklärt,
daß die Auslegung des Todes Jesu als eines Sühnetodes "einfach
durch die Aufnahme des jüdischen Theologumenons vom stellvertretenden Sühnetod des Gerechten" erfolgte (S.153). Für die Bezeugung
dieses "jüdischen Theologumenons" weist Thyen auf die Arbeit von
Lohse (S.72). Doch gegenüber Lohse findet Thyen es auffällig, daß
die Apokryphen und Pseudepigraphen nirgendwo Jesaja 53 im Sinne
eines Sühnetodes auslegen (S.72-73). Außerdem wird "der älteste
Sühnetod-Beleg" von Thyen im 4. Makkabäerbuch, nicht mehr im 2.
Makkabäerbuch, gefunden (S.73 A 2). Zu auch nur einem geringen
Zweifel an dem "Ergebnis" der Arbeit Lohses kommt aber Thyen nicht.
Vgl. auch etwa Schweizer 1962, 25-26: "Der Gedanke, dass das Leiden und Sterben der Gerechten auch stellvertretend die Sünden anderer sühne, ist so verbreitet, dass wir nur die Fundstellen für die
Belege angeben." Doch sah schon Schmitz 1910, der auch stellvertre-
tendes Strafleiden im 2. Makkabäerbuch findet (S.100), daß nur das
4. Makkabäerbuch und nicht das 2. Makkabäerbuch von stellvertretendem Strafleiden von Gerechten spricht (S.130).

155 S. hierzu Williams 1975, 121-135. So ist z.B. die Idee des stellvertretenden Sühnetodes bzw. -leidens den Schriften aus Qumran fremd.
Das stellte Lohse in der zweiten Auflage seiner Untersuchung fest
(1963, 214-219). Dieser Befund hätte Lohse zu einer Nachprüfung seiner Thesen veranlassen sollen. Es war eher eine Voraussetzung als
ein Ergebnis von Lohses Arbeit, daß die Idee des stellvertretenden
Sühnetodes palästinischen Ursprungs sei. Das ist schon dadurch klar,
daß die griechische Tradition aus der Untersuchung ausgeschlossen
wird. Seine Begründung für dieses Vorgehen (S.9-10) ist nicht stich-

Zu S.51-52:

haltig. (1) Es ist bei weitem nicht mehr allgemein akzeptiert, daß
"die älteste Verkündigung von der Heilsbedeutung des Todes Christi
in der palästinischen Urgemeinde laut geworden ist" (S.9). Vgl. dagegen etwa Kramer 1963, 31-32, Wengst 1973, 62-71, Popkes 1967,
271-274. (2) Daß die Sühneriten bei den Griechen nicht durch ein
Schuldbewußtsein, sondern durch "abergläubische Angst" veranlaßt
waren und deswegen in keiner Beziehung mit dem Neuen Testament
stehen können (S.10), ist eine Aussage, die unsachgemäße theologische Vorurteile reflektiert. Daß nach jüdischer Anschauung Leiden
bzw. der Tod Sühne für die eigenen Sünden bewirken konnte, stellt
Lohse 1963, 38-63 mit Recht heraus. Ein Vergleich mit griechischen
Vorstellungen hätte aber gezeigt, daß, sobald von einer Übertragung
dieser Sühne auf andere geredet wird, das Griechentum einen viel
reicheren Hintergrund als das Judentum darbietet. Vgl. Williams
1975, 91-163. Zur alttestamentlichen Opferanschauung und zur Frage, ob die Vorstellung vom stellvertretenden Strafleiden damit verbunden war, vgl. auch Schmitz 1910, 40-49.

156 Nach Williams' Arbeit scheint eine viel gründlichere Aufarbeitung des
hellenistischen Materials erforderlich.

157 Daß Paulus direkt und bewußt aus der griechischen Tradition schöpft,
braucht hier nicht behauptet zu werden. Vielmehr zeigen hellenistisch-
jüdische Belege, daß der hellenistische Freiheitsbegriff bereits vor
Paulus von den hellenistischen Juden übernommen worden ist. Paulus
hätte hieraus seine Vorstellungen schöpfen können. Hellenistischer
Einfluß ist z.B. in 2. Makkabäerbuch 2,22 offenbar, wo gesagt wird,
daß Judas und seine Brüder für das τὴν πόλιν ἐλευθερῶσαι verantwortlich seien. S.u. S.75. Ferner wird die Freiwilligkeit des Todes von
Eleazar und den sieben Brüdern und ihrer Mutter im 4. Makkabäerbuch auf euripideische Weise dargestellt. Vgl. etwa Euripides Phoenissae 1090-1092 und Seneca Troades 1100-1103 mit 4. Makkabäerbuch
12,19 (kleine Knaben nehmen sich selbst das Leben) oder Euripides
Hecuba 548-549 μή τις ἅψηται χροὸς τοὐμοῦ mit 4. Makkabäerbuch 17,1
ἵνα μὴ ψαύσειέν τις τοῦ σώματος αὐτῆς (beidemal wollen die Personen, die
zum Tode verurteilt sind, von fremder Hand nicht angetastet werden).
Im Lichte solcher Texte und hellenistischer Belege, wie der unten
S.52-53 mit A 158 angegebenen, ist es gut möglich, daß das, was
wir als "euripideische Tradition" bezeichnet haben, Paulus in einer
viel verwickelteren Form erreicht hat. Weitere Studien über die hellenistischen Moralisten mögen diese Tradition näher eingrenzen können. Vgl. die Diskussion von Gigons Beitrag (1973) in der nächsten
Anmerkung.

Woher Paulus die oben erwähnten sokratischen Elemente seines in
1Kor 9 vorgetragenen Freiheitsverständnisses hat, läßt sich nicht mit
Sicherheit feststellen. Es ist nicht ausgeschlossen, daß er diese Ideen
durch seine jüdische oder pharisäische Ausbildung vermittelt bekam.
Doch reichen unsere Quellen nicht dafür aus, diese Möglichkeit zu
bestätigen (oder auszuschließen). Eine wichtige Kritik des Konsen-

Zu S.52-53:

ses über die Verbindung zwischen pharisäischer Ausbildung und der Erlernung eines Handwerkes findet sich bei Hock 1974, 12-21; vgl. 1980, 22-23. Der auffallende Rückgriff auf Barnabas 1Kor 9,6 läßt allerdings erkennen, daß Barnabas diese Verhaltensweise des Paulus unterstützt bzw. gefördert oder auch möglicherweise erst angeregt hat.

Daube 1956, 336-341, 346-350 versucht, den Hintergrund der in 1Kor 9,19-22 vorkommenden Gedanken der Akkommodation und des Sich-Versklavens in der jüdischen (rabbinischen) missionarischen Tradition zu finden. Sein Versuch ist aber kaum befriedigend: (1) Bei dem Gedanken der Akkommodation schließt er ohne Stütze von einer ethischen Verhaltensregelung auf eine (hypothetische) Regelung für die Mission. (2) Bei dem Gedanken des Sich-Versklavens weist er lediglich auf jüdische Zeugnisse für das Schema Demut - Erhöhung hin. Zur spezifischen Idee eines Sich-Versklavens zugunsten anderer bringt er keinen Beleg vor. Zum vermutlich rein "rabbinischen" Hintergrund des Verbs κερδαίνειν als missionarischem Terminus s.o. A 120.

Im Lichte unserer Untersuchung erweist sich der Versuch, den Hintergrund der Verbindung zwischen christlicher Freiheit und Dienst in Gedanken über die Befreiung Israels aus Ägypten zu finden (so Tuñí Vancells 1973, 98), total fehl am Platz.

158 Vgl. auch Lukian Demonax 10 und den 9.-11. Sokratikerbrief, wo Aristippus seine Verhaltensweise (Aufenthalt bei einem Tyrannen) dadurch verteidigt, daß er auf die dadurch erfolgte Errettung bestimmter junger Männer (σέσωκα τοὺς φίλους) verweist (11. Sokratikerbrief; vgl. dazu Malherbe 1983, 50-52).

Mit dem oben im Text Gesagten ist nicht behauptet, daß etwa Epiktet und Paulus an diesem Punkt völlig übereinstimmen. Es gibt große Unterschiede zwischen Paulus und Epiktet, die selbst den zitierten Satz betreffen, z.B. den Unterschied zwischen ihren Gottesvorstellungen. Trotzdem bestehen Ähnlichkeiten, die unter Berücksichtigung aller Unterschiede eine vorsichtige und differenzierte Auswertung verdienen. Nestle 1967, 120-135 hat einen guten Anfang gemacht, die apologetische Tendenz etwa in den Arbeiten von Bultmann 1912 und Braun 1971 zu entlarven und zu einer sympathischeren Auswertung von Epiktets religiösem Denken zu gelangen. Seine Hinweise verdienen es, von den Neutestamentlern ernst genommen zu werden.

Im übrigen ist das Problem, mit dem Paulus (und Epiktet) hier ringt, geradezu ein klassisches in der Geschichte des antiken Freiheitsbegriffs. Es ist das Verdienst des Artikels von Gigon 1973, 11-16, dieses Problem in seinen verschiedenen Ausformungen klar erkannt zu haben. Gigon 1973, 14 formuliert das Problem wie folgt: "Welchen Sinn kann von einer entschlossen behaupteten Autarkie her der Umgang mit den anderen Menschen überhaupt haben? Konsequent durchgeführt endet eine solche Autarkie in der gottgleichen Einsam-

Zu S.53-54:

keit des sich selbst genügenden vollkommenen Menschen." Es dürfte klar sein, daß Paulus ein konsequentes Autarkieideal nicht vertritt. In unserem Abschnitt findet er Sinn für sein gemeinschaftliches Leben, insofern er sich als gottgesandten Boten an die Menschheit versteht (V 16-17; dazu vgl. etwa Epiktet 3,22,23ff, Julianus Apostata 7,212d-213a und, speziell zu ἀνάγκη, Platon Apologia 21e - die Relevanz dieses letzten Passus stellt sich besonders deutlich heraus, wenn man etwa die Ausführungen Philos zu ἄκων und ἀναγκάζειν in Quod omnis probus liber sit 60-61 damit vergleicht). Anderswo löst er das Problem (um mit Gigon 1973, 14 zu reden) im "Sinne der Komplementarität, wo unter dem Gesichtspunkt der Arbeitsteilung jeder dem anderen seine besondere Leistung zur Verfügung stellt"; so etwa in 1Kor 12,7-31.

159 διὰ τὴν συνείδησιν ist allein auf ἀνακρίνοντες zu beziehen, wie in V 25, wo V 26 dieses Verhältnis deutlich macht; vgl. im einzelnen Bachmann 1936, 341-342. Anders Robertson und Plummer 1914, 220. Kennt Paulus diese Regelung aus seiner von anderen christlichen Missionaren gelernten missionarischen Praxis? Auffällig parallel ist der Wortlaut von Lk 10,8; vgl. die Literatur und Diskussion bei Allison 1985.

160 So z.B. Bachmann 1936, 342-343, Theißen 1975b, 164 und Wolff 1982, 60-61.

161 So z.B. Weiß 1910, 264-265 und Barrett 1968, 242.

162 Die Unbestimmtheit der Aussage wird bisweilen erkannt (Heinrici 1896, 316-317, Allo 1956a, 248, Conzelmann 1981, 217-218), aber in Auslegung des ganzen Abschnittes selten konsequent durchgehalten (von den drei obengenannten entscheidet sich Heinrici 1896, 317, daß das Gewissen eines Mitchristen, Conzelmann 1981, 218, daß das Gewissen des informierenden Heiden ins Auge gefaßt ist, während allein Allo 1956a, 251 bei der unbestimmten Deutung bleibt und die Bedeutung von V 32 für diese Frage sieht). Diese Auslegung scheint mir gesichert, ist aber keine notwendige Stütze für die im folgenden vorgetragene Interpretation des in V 29b vorkommenden Freiheitsverständnisses.

163 Die meisten Kommentatoren, z.B. Bachmann 1936, 342, Barrett 1968, 241-242 und Wolff 1982, 61, unterscheiden hier ebenfalls nicht. Von Soden 1931/1982, 352 und Wendland 1980, 83 (vgl. Bultmann 1984, 220) wollen diese den Text strapazierende Unterscheidung durchführen, weil sie meinen, Rücksicht auf das Gewissen des Heiden komme nicht in Frage. Dagegen spricht deutlich V 32. Zur Erläuterung, wie das Gewissen des Heiden (vgl. Röm 2,15) betroffen werden könnte, vgl. Bachmann 1936, 343 und z.B. (Pseudo-)Plutarch Moralia 168d.

164 Welche Bedeutung dieses Fleisch für ihn hat, läßt der Zusammenhang total offen. Einzuschließen sind alle die normalerweise in den Kommentaren erwogenen Möglichkeiten, z.B. auch, daß der Mitteilende seinen Hinweis gibt, weil er meint, geheiligtes Fleisch sei den Christen verboten (vgl. etwa Bachmann 1936, 343).

Zu S.55-57:

165 Als sehr unwahrscheinlich scheiden folgende Möglichkeiten aus: (1)
10,29b-30 seien interpolierte "protesting words" (so Zuntz 1953,
17). (2) 10,29b-30 seien im Stil der Diatribe erhobene Einwände
eines gedachten Gegners (so Lietzmann 1969, 52, Maly 1967, 152-153,
Friedrich 1978b, 177 u.a.). Gegen (1) sprechen die fast einheitli-
che Texttradition (die Verse fehlen nur in der äthiopischen Tradition und dort anscheinend nur teilweise) und die Parallele Röm 14,16.
Gegen (1) und (2) sprechen das begründende γάρ und das Fehlen
einer Antwort (letzteres geben Lietzmann 1969, 52 und Maly 1967,
154 sogar zu) auf diese Einwände (gegen von Soden 1931/1982, 353-
354, der eine "freilich sehr verkürzte Antwort" in V 31-33 finden
will). Kurios ist Malys Aussage, die das γάρ überspringt: "Eine Begründung wird im Griechischen nie mit einem Interrogativum einge-
leitet" (1967, 152 A 242); vgl. z.B. 1Kor 7,16; 4,7; 5,12. Unwahrscheinlich ist auch die Meinung Richardsons 1979, 129, wonach V 29b
an V 27 anknüpft; eine Begründung dafür bietet er nicht.

166 Bultmann 1984, 220; vgl. ähnlich Eckstein 1983, 266-269, der den
Bezug auf lediglich V 29a explizit vertritt.

167 Vgl. A.T.Robertson 1923, 739, Blass § 299 A 3 und Smyth 1956,
§ 2644a.

168 Es ist nicht mit Sicherheit zu ermitteln, ob hinter 9,1a ein tatsächlicher Vorwurf gegen Paulus steht. Schmithals 1969, 360-361 sieht
richtig, daß ἐλευθερία in Korinth ein wichtiges Wort war, gründet
diese Ansicht aber zu sehr auf die Vermutung, daß ein tatsächlicher
Vorwurf gegen Paulus in 9,1a vorliegt. Zwar zeigt 9,3 (vgl. 4,3),
daß Leute in Korinth Paulus kritisch gegenüberstanden. Sein Apostel-
titel wurde wohl bestritten (9,2). Da aber die Frage in 9,1a aus der
Aussage in 8,13 resultiert, kann nicht mit Sicherheit entschieden
werden, ob einige Korinther diesen Vorwurf gegen Paulus schon erhoben haben. Klar ist nur, daß Paulus diesen Vorwurf zumindest
befürchtet und daher sich gegen ihn wehrt. Das reicht, um als
Stütze für die These zu dienen, daß Paulus den Korinthern diesen
Begriff nicht gelehrt hat.

169 Eine Reihe von Forschern leugnen, daß "Freiheit" ein Schlagwort einiger Korinther war. So schreibt J.Dupont 1960, 286, daß ἐλευθερία
"beaucoup moins caractéristique" als ἐξουσία in der Frage des geweihten Fleisches sei. Unter Verweis auf Dupont stimmt Conzelmann 1981,
196 A 16 mit folgenden Worten zu: "Offenbar ist ἐξουσία das korinthische Schlagwort. Es paßt zum Enthusiasmus besser als ἐλευθερία".
So auch Doughty 1965, 131, der meint, ohne Begründung sagen zu
können: „ἐξουσία[,] nicht ἐλευθερία, ist deutlich das Schlagwort der
korinthischen Libertinisten." Da nur Dupont eine Begründung für
die Ablehnung der Inanspruchnahme dieses Begriffs als eines Schlag-
wortes einiger Korinther gibt, sei seine Meinung hier ausführlich zitiert (1960, 286-287):

Le terme ἐλευθερία, contrairement à ἐξουσία, tient une assez grande
place dans le vocabulaire paulinien. Au cours, semble-t-il, de

Zu S.57-58:

> controverses avec les judaïsants, Paul a été amené à donner à la
> notion d'ἐλευθερία une signification théologique. Ce que nous
> voulons faire remarquer ici, c'est qu'à propos des gnostiques, on
> se serait attendu à ce que Paul, au lieu d'ἐξουσία, parle plutôt
> d'ἐλευθερία, comme il le fait en [1Kor] X,29. S'il emploie ἐξουσία,
> c'est que le mot paraît davantage lié au vocabulaire et aux idées
> des Corinthiens. La formule-clé de la liberté des gnostiques
> de Corinthe, c'est le πάντα ἔξεστιν, répété par saint Paul avec une
> insistance significative.

Dupont argumentiert also vom sprachlichen Befund des Gal her und
schließt daraus, daß ἐλευθερία zur Zeit des 1Kor ein geläufiger theologischer Begriff für Paulus war. Paulus habe ἐλευθερία an Stelle von
ἐξουσία eingesetzt. Gegen diese Meinung sprechen folgende Punkte:
(1) Oben im Text wurde gezeigt, daß Paulus in 9,1a ein Verständnis
von ἐλεύθερος im spezifischen Zusammenhang mit dem Essen von geweihtem Fleisch bei den Korinthern voraussetzt. (2) Vor 1Kor, der
chronologisch früher als Gal anzusetzen ist (s.o. S.25-26), haben
wir keine Zeugnisse für ein theologisches Verständnis von ἐλευθερία
bei Paulus. (3) Wie wir oben im Text gesehen haben, sind die
ἐλευθερ-Wörter im 1Kor nicht spezifisch mit dem jüdischen Gesetz verbunden. Sie stammen aus anderen Quellen als denen der "controverses
avec les judaïsants" und lassen sich von diesen nicht ableiten (s.
auch unten S.58). Zu πάντα ἔξεστιν s.u. S.59 mit A 179. Man beachte ferner, daß Paulus in der Diskussion Röm 14 von ἐλευθερία
nicht redet.
Freiheit wird für ein Schlagwort einiger Korinther gehalten auch von
Barrett 1982a, 13, Schmithals 1969, 305-306, 360-361, Horsley 1978,
579-580, Galitis 1981, 136, 141, Brunt 1981, 21 und Meeks 1982, 73.
Vgl. ferner Rudolph 1980, 322, Nestle 1972, 284, 292, Kremer 1977,
22 und Willis 1985, 293.

170 Die gegenteilige Meinung ist nicht immer den "Gegnern" oder Lesern
ohne weiteres und einseitig zuzuteilen. Zum Problem vgl. Berger
1980, 375-378. Hier muß mit Vorsicht vorgegangen werden, besonders bei diesen Korinthern, um eine ungerechte Karikatur zu vermeiden (vgl. Berger 1980, 387-388). Zur Frage in 9,1a vgl. oben
A 168.

171 Die Aussagen in 8,4b und c stammen wohl aus dem korinthischen
Brief. Dafür sprechen folgende Punkte: (1) Das οἴδαμεν deutet jedenfalls auf eine gemeinsame Basis von Paulus und den Korinthern
hin. (2) ὅτι wird in 8,4c wiederholt, so daß deutlich ist, daß Paulus diese Gedanken möglichst genau wiedergibt (vgl. 1Kor 15,3-5).
(3) 8,4c steht in einer gewissen Spannung mit 8,5 (vgl. Weiß 1910,
219).

172 Vgl. Wolff 1982, 13.

173 So Robertson und Plummer 1914, 171.

174 Vgl. Conzelmann 1981, 184 und oben A 69.

175 So etwa Weiß 1910, 230, Lietzmann 1969, 39 und Barrett 1968, 196,
die die Logik einiger Korinther hinter 8,10 sehen.

Zu S.58:

176 Vgl. Conzelmann 1981, 184 A 34. Zur möglichen archäologischen Beleuchtung dieser Szene vgl. MacMullen 1981, 37 mit A 16 auf S.161-
162 (speziell zu Korinth) sowie Murphy-O'Connor 1983, 161-167.

177 So z.B. Rauer 1923, 36-39 (vgl. S.18-26 zur älteren Geschichte der
Exegese: In der alten Kirche herrschte "ziemliche Übereinstimmung
in der Zuweisung der 'Schwachen' an das Heidenchristentum", S.18),
Lietzmann 1969, 38, Barrett 1968, 194, Murphy-O'Connor 1978, 554,
Conzelmann 1981, 183 mit A 19, Klauck 1982, 246, Eckstein 1983, 237.
Gegen Dupont 1960, 283-285, Foerster 1935, 567, Sawyer 1968, 122-
130 u.a., die hier Judenchristen sehen wollen. Dupont 1960, 284 erklärt συνηθείᾳ ἕως ἄρτι wie folgt: "Leur habitude consiste en une
certain manière de considérer les idoles et leur culte". Das ist wahr,
aber dieses Gewöhnt-Sein <u>an den Gott</u> (nicht: die Gewohnheit, die
Götter und das ihnen geweihte Fleisch zu vermeiden, so das Herz-
stück jüdischen Verhaltens den Göttern gegenüber) gründet wohl in
früherem Umgang mit diesem Gott (vgl. 1Kor 12,2, wo auf das Gewöhnt-Sein der Korinther an die Götter erneut angespielt wird, und
1Thess 1,9): Die Schwachen waren vorher von der Existenz dieses
Gottes voll überzeugt und sind als Christen noch nicht ganz von dieser Überzeugung abgekommen.
Einen ähnlichen Gebrauch des Wortes "schwach" in einem ähnlichen
Zusammenhang bietet Horaz Sermones 1,9,68-72:
               'memini bene, sed meliore
   tempore dicam: hodie tricesima sabbata. vin tu
   curtis Iudaeis oppedere?' 'nulla mihi' inquam
   'religio est.' 'at mi! sum paulo infirmior, unus
   multorum.'
Theißen 1975b, 156-157 möchte das Problem umgehen, insofern er
verschiedene Typen von Schwachen postuliert. Er stützt diese These hauptsächlich durch folgende Aussage: "In 8,10 wird zum Essen
verleitet, in 8,7 wird es als Faktum vorausgesetzt" (S.157). 8,10
spiele auf Judenchristen, 8,7 auf Heidenchristen an. Doch ist dieser Unterschied fingiert. Beide Verse beschreiben denselben Sachverhalt: Es gibt Leute, die aus verschiedenen Gründen meinen, geweihtes Fleisch essen zu können, die aber <u>nachher</u> Schaden dadurch
erleiden.

178 Gegen z.B. Schlatter 1914, 53, der meint, daß "das Freiheitsgefühl
des Juden, der dem Gesetz entgangen und von der Pflicht los geworden ist, die Zuchtlosigkeit in Korinth geschaffen hat ... Nur
für den jüdisch Erzogenen war das Vermögen, Geopfertes zu essen,
ein Erweis der Vollkommenheit". Vgl. oben A 163. Der Befund
spricht auch gegen Dranes Auffassung 1975, 67-69, nach der das in
1Kor vorliegende Freiheitsverständnis eine Modifikation der in Gal
vorgetragenen Freiheitslehre darstellt.
Berger 1968, 75 sieht richtig, daß gemäß 1Kor 10,29 die Christen
"gegenüber menschlichen kultischen Rücksichten frei sind", wertet
aber diesen Befund nicht weiter aus, sondern stellt ihn zusammen-

Zu S.58-59:

hangslos unter den Oberbegriff Freiheit "von der Sünde, vom Tod und von der Notwendigkeit, das Gesetz als Heilsweg zu benutzen" (Sp.74). Ebenfalls sieht er, daß es die "Starken" in Korinth sind, die sich auf diese Freiheit berufen (Sp.75), wertet aber diesen Befund wiederum nicht aus.

179 Das wird fast überall angenommen (z.B. Maurer 1956, 630, Goguel 1951, 181, Barrett 1968, 144 und Héring 1959, 48: "Il va sans dire que πάντα μοι ἔξεστιν = tout m'est permis est chaque fois le cri de ralliement des libertins"); Argumente für diese Meinung sind aber kaum mehr anzutreffen (was auf die Unsicherheit dieser Hypothese deutet). Dafür, daß πάντα ἔξεστιν eine geläufige Formel einiger korinthischer Christen war, sprechen folgende Punkte:
(1) Sie kommt viermal in 1Kor, aber sonst in den paulinischen Briefen nicht vor.
(2) Die Stellung dieser Wörter am Anfang der Abschnitte bzw. Sätze in 6,12 und 10,23 deutet darauf hin, daß diese Formel in Korinth bekannt war (vgl. Conzelmann 1981, 138).
(3) Die zweiten Glieder in 6,12a und b sowie 10,23a und b sehen aus wie paulinische Korrekturen einer bekannten Formel.
Andererseits ist nicht ausgeschlossen, daß Paulus diese Formel hier eingeführt hat. Seine Aussagen in 3,21-23 (πάντα ὑμῶν) laufen auf dasselbe wie 6,12 hinaus. Das Argument in 3,21-23: πάντα γὰρ ὑμῶν ἐστιν ..., ὑμεῖς δὲ Χριστοῦ, Χριστὸς δὲ θεοῦ, ist durchaus dasselbe wie in Diogenes Laertios 6,72, nur kommen die Aussagen in umgekehrter Reihenfolge vor: πάντα τῶν θεῶν ἐστι· φίλοι δὲ τοῖς σοφοῖς οἱ θεοί· κοινὰ δὲ τὰ τῶν φίλων· πάντα ἄρα τῶν σοφῶν ("Alles gehört den Göttern; die Götter aber sind Freunde der Weisen; den Freunden aber gehört alles in Gemeinschaft; alles also gehört den Weisen" [Apelt]). Vgl. auch Diogenes Laertios 6,37, den 26. und 27. Brief des Krates, Philo Quod omnis probus liber sit 42 und weiteres bei Weiß 1910, 90. πάντα μοι ἔξεστιν ἀλλ᾽ οὐ πάντα συμφέρει könnte einfach eine paulinische Weiterführung sein, und zwar wieder im stoischen Sinne. Vgl. damit die traditionell stoischen Aussagen des Dion Chrysostomos in seiner 14. Rede 13-18. Die Aussage des Paulus ist im Grunde identisch mit dem Resultat der Diskussion bei Dion (17): Οὐκοῦν οἱ φρόνιμοι ὅσα βούλονται πράττειν, ἔξεστιν αὐτοῖς ("Also dürfen auch die vernünftigen Leute alles tun, was sie wollen" [Elliger]), wo der Akzent auf οἱ φρόνιμοι liegt. Zu dem paulinischen συμφέρει vgl. ebd. 16: ἀσύμφορα οὐκ ἔξεστι πράττειν, τὰ δὲ ... συμφέροντα ... χρὴ φάναι ὅτι ... ἔξεστιν ("was ... schädlich ist, darf man nicht tun, vom ... Nützlichen ... aber muß man sagen, daß es ... erlaubt ist" [Elliger]). Fast dasselbe Argument findet sich bei Philo Quod omnis probus liber sit 59, wo von dem φρονίμως πάντα ποιῶν gesagt wird: ἐξουσίαν σχήσει πάντα δρᾶν καὶ ζῆν ὡς βούλεται· ᾧ δὲ ταῦτ᾽ ἔξεστιν, ἐλεύθερος ἂν εἴη ("[Er wird] die Macht haben, alles zu tun und zu leben, wie er will. Wer aber diese Macht besitzt, ist frei" [Cohn]).

180 So etwa Bousset 1917, 99 und Barrett 1968, 146-148.

Zu S.59-60:

181 Vgl. Diogenes Laertios 6,24, wo von Diogenes gesagt wird:
ὅταν δὲ πάλιν ὀνειροκρίτας καὶ μάντεις καὶ τοὺς προσέχοντας τούτοις ἢ τοὺς ἐπὶ
δόξῃ καὶ πλούτῳ πεφυσημένους, οὐδὲν ματαιότερον νομίζειν ἀνθρώπου ("wenn
[er] dann aber wieder Traumdeutern und Sehern nebst ihrem gläubigen Anhang oder Leuten [begegne], die sich auf ihre Berühmtheit
oder ihren Reichtum wer weiß was einbildeten, dann erscheine ihm
nichts erbärmlicher als der Mensch" [Apelt]). Für "Freiheit" in diesem Zusammenhang s. das im folgenden zitierte Beispiel aus Porphyrios.
Die Epikuräer haben in diesem Zusammenhang anscheinend auch von
Freiheit gesprochen. Vgl. Lukian Alexander 47, 61, Cicero Tusculanae
disputationes 1,48. Vgl. ferner zu ἐλευθερία bei den Epikuräern Epikur Fr 196, 199 und Sententiae Vaticanae 67, 77. Vgl. hierzu Nestle
1967, 112-119.

182 Vielleicht haben sie sich dabei auf Antisthenes berufen. Vgl. Cicero
De natura deorum 1,32: Atque etiam Antisthenes in eo libro qui phy-
sicus inscribitur popularis deos multos naturalem unum esse dicens
tollit vim et naturam deorum ("Auch Antisthenes zerstört den Begriff
und das Wesen der Götter, wenn er in seinem 'Physikos' betitelten
Buch erklärt, es gebe viele Volksgötter, aber nur einen wirklichen
Gott" [Gerlach und Bayer]). Zur kynischen Religiosität vgl. besonders die Diskussion bei Malherbe 1978, 46-51 und als späteren Zeugen für die zwei Flügel Julianus Apostata 6,199a-b.

183 Die Übereinstimmung dieses Passus mit der jüdischen oder christlichen
Kritik am Polytheismus ist so weitreichend, daß Bernays 1869, 26-
35 ihn einem christlichen oder jüdischen Interpolator zuschreiben
wollte. Doch steht dieser Passus nicht allein, sondern stimmt vollkommen mit anderen erhaltenen Zeugnissen von den Kynikern jener
Zeit überein. Vgl. die ausführliche Diskussion bei Attridge 1976,
13-23 und Malherbe 1978, 43-45.

184 Vgl. Bernays 1879, 39: "sowohl Juden wie Christen".

185 Bernays 1879, 36 spricht von einer vollkommenen Übereinstimmung
zwischen dem Kynismos und der biblischen Religion in ihrem Kampf
gegen den Polytheismus. Zu Kynismos und Christentum vgl. auch
Dudley 1937, 172-174. Erwähnt sei hier ferner Eusebius' Zitat von
den Aussagen des Oinomaos von Gadara gegen Orakel in Praeparatio
evangelica 5,36. Origenes Contra Celsum 3,50-51 vergleicht christliche Prediger mit Kynikern. Vgl. ferner Hippolyt Refutatio omnium
haeresium 8,20 und Irenaeus Adversus haereses 2,32,2.

186 Dudley 1937, 174. Dazu vgl. Bernays 1879, 52-64. Theißen 1975b,
166 datiert die Konversion des Peregrinus zum Kynismos fälschli-
cherweise nach dem im folgenden Text berichteten Fall (vgl. deutlich
dagegen Lukian De morte Peregrini 15). Vielleicht übersieht er deswegen die Wichtigkeit der kynischen Belege für die Kontroverse um
geweihtes Fleisch in Korinth.

187 Vgl. ferner Lukian Vitarum auctio 9, Diogenes Laertios 7,188 und
die Parallelen bei von Arnim SVF Bd.3, S.186-187, Bd.1, S.59-60.

Zu S.60-61:

188 De abstinentia 1,42. Vgl. auch Julianus Apostata 6,192a, wo ebenfalls wählerisches Essen mit Sklaverei gleichgesetzt wird.

189 De abstinentia 1,42. Als mögliche Anspielung auf diese Freiheit vgl.
Plutarch Moralia 995d. Auch Tertullian De monogamia 5,3 verweist
auf die urzeitliche und durch Christus wiederhergestellte libertas
ciborum.

190 Vgl. dazu Höistad 1948, 143-148 und die Begründung in Porphyrios
De abstinentia 1,42 (Vergleich mit dem Meer, das alles aufnimmt).

191 Vgl. Diogenes Laertios 6,74.77-79. Hier wird über die Schmückung
seines Grabes und die Errichtung bronzener Standbilder berichtet.
Existierten diese Standbilder auch nach der Zerstörung der Stadt
146 v.Chr.? Jedenfalls blieb die Tradition lebendig, die Diogenes
mit Korinth verband; vgl. etwa Epiktet 3,24,66, den 8. Brief des
Diogenes und Julianus Apostata 7,212d-213a. Zur Kritik an der Histo-
rizität dieser Tradition vgl. Schwartz 1919, 4-6.

192 Diese religionsgeschichtliche Einsicht schließt nicht aus, daß diese
Korinther unter Umständen auch als "Gnostiker" zu bezeichnen wären. Kynisches Gut wurde ja auch von "Gnostikern" übernommen,
wie aus z.B. Klemens von Alexandrien Stromata 3,6-10 deutlich ist.
Dieses Problem des Gnostizismus einiger Korinther wurde oben aus
zwei Gründen in die Diskussion nicht einbezogen: (1) Der terminolo-
gische Streit darüber, was als Gnosis oder Gnostizismus zu bezeichnen ist, ist noch ungeklärt. (2) Die Parallelen zu dem Freiheitsverständnis dieser Korinther finden sich in kynischen, nicht "gnosti-
schen" Texten. Freilich wurde das Essen von geweihtem Fleisch später als ein Charakteristikum einiger "Gnostiker" angesehen (Justin
Dialogus 35, Irenaeus Adversus haereses 1,6,3; 1,24,5; 1,26,3; vgl.
Apk 2,14.20). In diesem Zusammenhang kommt aber kein Freiheitswort vor.

193 Die apologetischen Züge in 2Kor 2,14-7,4 lassen sich analog den fest
geprägten apologetischen Zügen in 1Thess 2,1-12 (dazu vgl. bes.
Malherbe 1970 und Köster 1979, 41-42) und als Nachhall der Konflik-
te mit den Korinthern gut verstehen (zu dieser formgeschichtlichen
Möglichkeit vgl. bes. White 1972, 81-84). Daher könnte der Abschnitt
dem Versöhnungsbrief (d.h. mit mindestens 1,1-2,13; 7,5-16) angehören. Freilich wollen Weiß 1917, 265, Bultmann 1976, 23, Schmithals
1969, 91-93 (anders wiederum Schmithals 1973, 277-278), Bornkamm
1971b, 176-178, Georgi 1964, 22-24 u.a. 2,14-7,4 (ohne 6,14-7,1)
einem früheren polemischen Brief zuordnen. Es kann hier unterblei-
ben, eine Entscheidung zwischen diesen Möglichkeiten zu fällen (die
eine vollständige literarkritische Analyse des 2Kor erforderlich machen würde), da - wie im folgenden gezeigt wird - der in 2Kor 3,17
vorkommende Freiheitsbegriff unabhängig von solchen Theorien genau
bestimmt werden kann. Wer allerdings die literarkritische Isolierung
von 2,14-7,4 weiterhin verteidigen will, der tut gut daran, den Beobachtungen von Tannehill 1967, 93-95 Rechnung zu tragen.

Zu S.61-62:

194 Es dürfte klar sein, daß Paulus die Analogie in V 7-18 bewußt vorbereitet, woraus folgt, daß diese Analogie vor der Niederschrift des
2Kor vorstrukturiert war. Was aber die genaue Vorgeschichte dieser
Gedanken war, läßt sich nicht entscheiden (vgl. die Ausführungen
von Luz 1968, 128-130). So bewegt sich Georgis wörtliche Rekonstruktion der schriftlichen Vorlage des Paulus (1964, 274-282) im rein Hypothetischen, was er freilich zugibt (1964, 274). Aber auch seine
vorangehenden Erörterungen über "das Traditionsmotiv" der Gegner
(1964, 246-258) sind kaum weniger hypothetisch. Daß Paulus Verständnis der Zusammenhänge und kritischen Beziehungen seiner Ausführungen erwartet (so Georgi 1964, 248), ist klar, aber deswegen
liegt es nicht am nächsten, "die vorgegebenen Zusammenhänge in der
Theologie der Gegner zu suchen" (Georgi 1964, 248). Ähnliche Kennt-
nisse sehr spezieller alttestamentlicher Auslegungen erwartet Paulus
von den Korinthern in 1Kor 10,1-10. Ferner ist die Aussage, daß es
sich in 2Kor 3,7-18 "um zum Teil sehr direkte polemische Gesprächs-
führung" handelt (so Georgi 1964, 248), eher eine These, die Georgi
hätte nachweisen müssen, als eine Position, die er voraussetzen durf-
te (vgl. dagegen etwa Schmithals 1969, 273). Georgi sei hier als ein
Vertreter einer in neuer Zeit verbreiteten Interpretationsweise von
2Kor 3,7-18 erwähnt. So wollen auch S.Schulz 1958, Lührmann 1965,
46-48, 55-59, Oostendorp 1967, 31-51, Rissi 1969, 22-40, Theobald
1982, 204-210 u.a. die Theologie der Gegner anhand dieses Passus
eruieren. Die höchst hypothetische Natur dieses Unternehmens stellt
sich am deutlichsten heraus, wenn man die untereinander differenzie-
renden Darstellungen nacheinander liest und vergeblich versucht, sie
konstruktiv miteinander zu vergleichen. Dabei zeigt sich deutlich,
daß feste Anhaltspunkte für jene Rekonstruktionen fehlen. Van Un-
niks Urteil in 1963, 156 steht noch unerschüttert: "There is not a
shred of evidence that the apostle is commenting upon a previously
existing document or teaching nor is it clear why Paul himself should
have been unable to make this application of the Exodus-story". Vgl.
ähnlich Luz 1968, 129 und zur Kritik an den oben erwähnten Hypo-
thesen Collange 1972, 68, Hickling 1975a; 1975b, Richard 1981,
Theißen 1983, 136 und Stegemann 1986, 103. Jene Spekulationen sind
für diese Studie ohnehin nicht von direktem Belang, da sie das Freiheitswort V 17b nicht auf die "Tradition" zurückführen (vgl. z.B.
Georgi 1964, 282 und Theobald 1982, 207).

195 Vgl. ähnlich Luz 1968, 131.

196 Windisch 1970, 118. Nebenbei sei eine verbreitete Meinung zum
sprachlichen Befund zu παρρησία korrigiert. Schlier 1954, 874 meint,
daß "der Begriff einer παρρησία gegenüber den Göttern oder dem
Gott" (wie in der LXX oder bei Philo und Josephus und wie Windisch
für 2Kor 3,12 annimmt) in hellenistischen Texten fehlt (vgl. ähnlich
Peterson 1929, 290-291, Smolders 1958, 22, van Unnik 1961-62, 472;
1962, 3, Scarpat 1964, 73, Collange 1972, 86, Fabris 1977, 99, Marrow 1982, 439). Dagegen: Lukian Timon 11, wo von Timon gesagt

Zu S.62:

wird: παρρησιασάμενος ἐν τῇ εὐχῇ ("weil er im Gebet mutig war", wird
ihm Reichtum gegeben); wenn auch möglich ist, daß παρρησιασάμενος
hier nur Scherz ist - Isokrates 11,40 wird παρρησία gegenüber den
Göttern verpönt -, so nimmt Lukian vielleicht doch Bezug auf eine
gängige Sprachwendung; ernste παρρησία vor Gott findet sich Papyri
Graecae magicae 12,187.

197 Windisch 1970, 119.

198 So legt auch Windisch 1970, 120 τὸ τέλος τοῦ καταργουμένου aus.

199 So die von Allo 1956b, 90 erwähnten älteren Exegeten, Héring 1958, 38,
Provence 1982, 75-77 (vgl. ähnlich Osten-Sacken 1981, 231-232 sowie Stegemann 1986, 111-113) und Rissi 1969, 32-33, der S.29 der
Auslegung von παρρησία bei Windisch beipflichtet. Vgl. dagegen Bachmann 1922, 161: „τέλος als 'Endzweck' [würde] aber gerade den Begriff καταργεῖσθαι einschränken, ja aufheben." Rissi 1969, 30 meint
zwar, V 14a zeige, daß "auch das Vorangehende im Blick auf die Israeliten und nicht auf Mose gesagt ist". Doch hat dieses Argument
wenig Beweiskraft, da das Bild in V 14-15 deutlich beginnt, sich zu
verschieben. Zu ἀλλά in V 14 und 15 vgl. Blass § 448.6.
Hanson 1980, 18 meint, Moses habe den präexistenten Christus gesehen und ihn vor den Israeliten versteckt. Doch ist Hansons interes-
sante, hier nicht im einzelnen zu besprechende Exegese an mehreren
Punkten schwach, vor allem dort, wo er annehmen muß, daß Paulus
sagt, die Herrlichkeit des präexistenten Christus werde vergehen
(S.17). Im übrigen verteidigt Hanson Windischs Auslegung von
παρρησία nicht (vgl. dort S.15).

200 So z.B. Bachmann 1922, 160, Lietzmann 1969, 112, Plummer 1915,
95, Hermann 1961, 34, van Unnik 1963, 159-160 und Bultmann 1976,
88.

201 Zum Fehlen des Nachsatzes vgl. Blass § 482.2. Rissi 1969, 30-31
will καθάπερ als Einleitung eines Zitats auffassen (mit Ellipse eines
Verbs wie λέγει oder γέγραπται). Jedoch läßt Paulus sonst bei Zitaten das Verb nach καθάπερ nicht aus (s. die Konkordanz s.v.
καθάπερ). Der Vergleich mit der Geschichte aus dem Alten Testament
wird in etwa parallel zum Vergleich in 1Kor 10,10 gezogen.

202 Vgl. van Unnik 1963, 160, der allerdings zu stark abstreitet, daß
Paulus von seinem Verhältnis zu Gott redet. 2,17 (κατέναντι θεοῦ)
und 4,2 (πρὸς πᾶσαν συνείδησιν ἀνθρώπων ἐνώπιον τοῦ θεοῦ) z.B. machen
deutlich, daß sich das Verhältnis des Paulus anderen Menschen gegenüber auf sein Verhältnis zu Gott gründet. Daher lassen sich diese Themen für Paulus nicht strikt auseinanderreißen. In unserem
Abschnitt ist allerdings das Verhältnis zu Gott deutlich das unter-
geordnete Thema.

203 Vgl. Josephus Antiquitates 9,226, Testament des Ruben 4,2, wo jeweils Sünde παρρησία gegenüber anderen verhindert. Ferner Philo
De ebrietate 149: παμπόλλη γε παρρησία τῆς ψυχῆς, ἣ τῶν χαρίτων τοῦ θεοῦ
πεπλήρωται ("Welch großer Freimut der Seele, die der Gnadengaben

Zu S.62-64:

Gottes voll ist!" [Cohn]); vgl. Quis rerum divinarum heres sit 27 (?). Der 1. Brief des Sokrates 12 verbindet, wie Paulus, ἐλπίς und παρρησία miteinander. Auch Epiktet 3,22,96 ist es das gute Verhältnis zu Gott, das παρρησία gegenüber anderen Menschen ermöglicht.

204 Luz 1968, 131, z.B., meint, V 14a und 15 korrigieren V 13: "Jedenfalls wird hier nicht Israel zuungunsten von Mose von der Verantwortung entlastet." Vielleicht reflektiert die Tendenz von V 14-15 etwas von der Vorgeschichte dieses Materials (gegenüber der die Absicht des Paulus in der Verarbeitung dieses Materials abzuheben ist). Vgl. Luz 1968, 128.

205 Bei Paulus bleibt das Subjekt unklar. Die Änderung der Verben gegenüber der LXX-Vorlage verrät die verallgemeinernde und sich dem Kontext anpassende Tendenz dieses Halbzitats. Hermann 1961, 38 betont mit Recht, daß der Vers nicht ein einfaches Zitat aus dem Alten Testament ist. Falsch ist es jedoch, wenn er S.39 A 8 schreibt, daß ἡνίκα ἐάν plus Konjunktiv Aorist den Gedanken der Wiederholung ausschließt. Sein Hinweis auf W.Bauer 1971, 688 ist unvollständig. Vgl. ferner Liddell, Scott und Jones 1968, 775 und A.T.Robertson 1923, 971.

206 Vgl. den Gebrauch dieses Verbs in 1Thess 1,9. Paulus führt es hier wohl bewußt ein, um an die Bekehrung zu erinnern. Dieses Verb wird allerdings auch in 2. Mose 34,31 LXX gebraucht. Le Déaut 1961, 43-47 möchte eine targumische Tradition (zu 2. Mose 33,7) hinter dem Verb sehen, aber, wie er selbst zugibt (S.47), ist sein Argument an dieser Stelle nicht sehr überzeugend.

207 Für dieses Problem bietet Hermann 1961, 17-58 einen guten Überblick über die Literatur und die Auslegungsmöglichkeiten.

208 Héring 1958, 39-40 will lesen: οὗ δὲ τὸ πνεῦμα, κυρίου ἐλευθερία "parce qu'il ne s'agit pas ici de n'importe quelle liberté, mais de celle qui vient du Seigneur" (S.40). So verstanden, macht diese unterschiedliche Interpunktion wenig aus, da es auch bei der anderen Interpunktion klar ist, daß ἐλευθερία vom (Geist des) κύριος stammt. Das im folgenden vorgetragene Verständnis von ἐλευθερία macht Hérings Änderung in der Interpunktion überflüssig und sogar unwahrscheinlich.

209 Bläser 1941, 211; vgl. ähnlich z.B. Schmiedel 1892, 229, Brox 1966, 117, Berger 1968, 74 und Dunn 1970, 313.

210 Oostendorp 1967, 46. Vgl. auch Barrett 1973, 123-124.

211 Schmithals 1969, 303.

212 Kümmel in Lietzmann 1969, 200: "frei von den knechtenden Mächten dieser Welt, damit auch frei von der Sklaverei des Gesetzes"; vgl. ähnlich Rissi 1969, 38 und schon Erler 1830, 14.

213 Lietzmann 1969, 113. Vgl. auch z.B. Scharlemann 1978, 116: "Freedom is that of ready access to God on the part of all Christians."

214 Schmithals 1969, 303.
Grant 1957, 51 möchte ἐλευθερία als "exegetical freedom" verstehen. Diese Deutung läßt V 17 den Gedanken von V 14 fortführen. Doch

Zu S.64:

darüber, wie V 18 daran anschließt und wie V 17 in den größeren
Kontext paßt, wo von παρρησία gegenüber anderen Menschen die Rede ist (3,12; 4,1ff), gibt Grant keine Auskunft. Ferner bietet er keine religionsgeschichtlichen oder gar sprachlichen Parallelen, wo
ἐλευθερία "exegetical freedom" bedeutet. Und daß γράμμα in 3,6 "the
literal, verbal meaning of scripture" (Grant 1957, 51) bezeichnet, ist
eine Auslegung, die heutzutage mit Recht allgemein abgelehnt wird
(vgl. etwa Provence 1982, 62-64 und Luz 1968, 124f A 418: "Die wenigen Beispiele allegorischer Auslegung, die wir bei Paulus finden,
sind aber nie mit den Begriffen 'gramma' und 'pneuma' verbunden ...").
In diesem Abschnitt werden nicht wörtliche und allegorische Exegese
gegenübergestellt, sondern das Geschriebene und das Ungeschriebene.
Zum religionsgeschichtlichen Rahmen dieser Gegenüberstellung vgl.
unten S.93-96.
Wiederum anders deutet Cranfield 1964, 60: "The point of verse 17b
we take to be that the law, when it is understood in the light of
Christ, ... is true freedom ...". Schmithals' Einwand trifft auch diese auffallende Auslegung. Dasselbe gilt für Larssons Auslegung:
"Freiheit bedeutet hier wohl nicht in erster Linie Befreiung von den
Gesetzesvorschriften, sondern vor allem eine Befreiung von einem falschen Verständnis der Schrift (V. 14-16; vgl. Röm 10,1-4) - und damit von der Schuld: das Gesetz kann dem Menschen diese Schuld
nachweisen" (1962, 277); vgl. ähnlich Nebe 1983, 120.
Bemerkenswert ist die Auslegung Wongs 1985, 63-64, wonach ἐλευθερία
nicht im theologischen, sondern im profanen Sinne ("in a general
way") gebraucht wird und aufgrund des Kontextes die einfache Bedeutung "Freiheit vom Schleier" erhält. Allerdings leugnet sie den
Zusammenhang mit παρρησία (V 12) nicht ganz.

215 Schmithals 1969, 299-308.
216 Schmithals 1969, 304.
217 Diese beiden Einwände sind also m.E. die wichtigsten, die Schmithals
vorbringt. Seine anderen Argumente für die Ausscheidung von V 17
- etwa an V 16 "schließt sich dann logisch V 18 an: ... wir legen
keine Decke vor unser Gesicht, sondern predigen mit großem Freimut
(V 12f)" (1969, 301), oder ἐλευθερία sei "ein typisch gnostischer Begriff" (1969, 305) - werden mit der Ausschaltung dieser zwei Einwände hinfällig und brauchen deswegen hier nicht einzeln widerlegt
zu werden.
218 Literatur hierzu in Auswahl: Peterson 1929, Schlier 1954, Smolders
1958, van Unnik 1961-62; 1962, Scarpat 1964, Bartelink 1970, Momigliano 1971, Marrow 1982. Weniger ergiebig für unsere Fragestellung: Radin 1927.
219 Vgl. Scarpat 1964, 29 und Peterson 1929, 283. Die zwei Wörter bleiben auch später austauschbar, wie etwa Philo Quis rerum divinarum
heres sit 6-7 (hier das Verb ἐλευθεροστομεῖν) zeigt.
220 Vgl. Momigliano 1971, 517-518.

- 191 -

Zu S.64-66:

221 Die Echtheit dieses Fragments wurde angezweifelt von Peterson 1929,
287 (weil παρρησία hier ein rein moralisches Ideal sei und dazu in
Verbindung mit der καιρός-Lehre stehe; vgl. Laue 1921, 25, 51, der
die Echtheit ebenfalls anzweifelt). Momigliano 1971, 518 hält es anscheinend wieder für echt. Scarpat 1964, 29f A 3 trifft keine Entscheidung. Schlier 1954, 872 hält es offenbar für unecht.
222 Vgl. Euripides Ion 670-675; Phoenissae 390-392.
223 Vgl. Peterson 1929, 284. Weitere Beispiele für eine enge Verbindung
zwischen παρρησία und ἐλευθερία: Platon Respublica 557b, Isokrates
7,20, Demosthenes Fr 21 (Stobaios 3,13,32), Plutarch Moralia 60c,
Aelius Aristides 3,668, Lukian Nigrinus 15; Pseudologista 1; Historia
quomodo conscribenda sit 41 und die Hinweise in der nächsten Anmerkung.
224 Vgl. ähnlich Demonax 11. Für die Verbindung der beiden Wörter in
einem ähnlichen Zusammenhang vgl. auch Piscator 17; Dialogi mortuorum 11,3 (378).
225 Quod omnis probus liber sit 95.
226 Dazu vgl. Scarpat 1964, 58-61.
227 Zum Beispiel Demosthenes 60,26, Lukian Nigrinus 15; Historia quomodo
conscribenda sit 41; Pseudologista 4 (zweimal); Abdicatus 7; Dialogi
mortuorum 11,3 (378); Vitarum auctio 8; Piscator 19; Alexander 47,
1. Klemensbrief 35,2, Stobaios 3,13,59. S. ferner die Liste in Schlier
1954, 870-871.
228 Peterson 1929, 288 impliziert, daß von παρρησία häufig im Gegensatz
zu den Mysterienkulten gesprochen wurde. Diese Meinung wird von
Scarpat 1964, 64 übernommen. Doch bezeugen die von ihnen erwähnten Stellen kaum einen fest geprägten Gebrauch.
229 Vgl. auch Sprüche Salomos 13,5 LXX für αἰσχύνεσθαι als Gegenteil
von παρρησία und Josephus Antiquitates 9,226, wo αἰσχύνη παρρησία
ausschließt. Joh 7,4 hat den Gegensatz ἐν κρυπτῷ - ἐν παρρησίᾳ.
230 Philo Quis rerum divinarum heres sit 6, Josephus Antiquitates
2,52.131, Testament des Ruben 4,2-3. Vgl. Philo Quod omnis probus
liber sit 99. Diese Gedankenverbindung kommt auch bei rein hellenistischen Denkern vor: Epiktet 3,22,94; vgl. Cicero Paradoxa
Stoicorum 40.
231 Van Unnik 1963, 166. Es sei an dieser Stelle auf den interessanten
Versuch von van Unnik 1961-62, 474; 1962, 5-19; 1963, 159-169 (vgl.
die Zustimmung von McNamara 1966, 175-177 und Richard 1981, 354),
einen semitischen Hintergrund zum paulinischen Gebrauch des Wortes
παρρησία in 2Kor 3,12-18 aufzuzeigen, kurz eingegangen. Da der entsprechende semitische Ausdruck für παρρησία "mit unverhülltem Gesicht" (גלה ראש, גלה אפין oder ähnlich) sei (zahlreiche Belege bei van
Unnik 1962, 7-12), erkläre dieser Hintergrund, warum Paulus auf
das Beispiel des Moses gekommen ist, als er seine παρρησία demon-
strieren wollte (so van Unnik 1962, 6-7; 1963, 160). Man vergleiche
besonders den Ausdruck in V 18: ἀνακεκαλυμμένῳ προσώπῳ. Doch übersieht van Unnik bezüglich des griechischen Sprachgebrauchs z.B.,

Zu S.66-70:

daß im Griechischen φανερῶς eng mit παρρησία verbunden wird (vgl. das Beispiel aus Isokrates oben im Text S.65; gegen van Unnik 1962, 18). Obwohl ich keine Belege dafür beibringen kann, scheint es mir wahrscheinlich, daß im Griechischen παρρησία auch im Gegensatz zu einer Verhüllung (κάλυμμα, καλύπτειν) verstanden werden konnte. Jedenfalls zeigen die Belege oben S.65, daß παρρησία als Gegensatz zu ἀποκρύπτειν aufgefaßt wurde. Man kommt also wohl ohne Hinweis auf einen semitischen Hintergrund zu παρρησία in 2Kor 3,12-18 aus.

232 Bultmann 1976, 93; vgl. auch S.92. Vgl. schon Goettsberger 1924, 14-15 und Pope 1936, 48. Vgl. Bachmann 1922, 174, der hier "Unverhohlenheit der Gottesgemeinschaft und der Selbstdarstellung" sieht, Theobald 1982, 207, Lambrecht 1983, 358 und Collange 1972, 113-114, der allerdings Gefahr läuft, neben dieser bestimmten Deutung wieder alles und jedes unter dem Begriff "Freiheit" subsumieren zu wollen; vgl. Furnish 1984, 237.

233 Betz 1977, 9 A 63. Fabris 1977, 38 schreibt: "Secondo Filone l'uomo saggio può essere libero perché possiede il πνεῦμα". Doch wird seine Aussage nicht durch seinen Beleg, Quod deus sit immutabilis 47-48, unterstützt. Vgl. andererseits Seneca Epistulae morales 90,43.

234 Smolders 1958, 23-30; Zitat von S.23.

235 Vgl. etwa Haenchen 1977, 225-226.

236 Man beachte die passiven Verben, die auf das Wirken Gottes und des Geistes hinweisen, und vgl. Eph 6,18-20.

237 Vgl. ähnlich Horsley 1978, 580 A 18. Paulus kehrt zu einem vorher behandelten Problem auch in 2Kor 5,1-10 (vgl. 1Kor 15) zurück. Wohl beziehen sich auch 3,1 und 5,12 auf ein vorher behandeltes Thema (Selbstempfehlung; vgl. 2Kor 10,12-18). Vgl. ferner 2Kor 2,15 mit 1Kor 1,18.

238 Weiß 1902, 12.

239 Weiß 1902, 33.

240 Vgl. z.B. Schmitz 1923, 54, 58-60, Gulin 1941, 460, Pohlenz 1955, 180-182, Bultmann 1959/1984, 47-49, Bornkamm 1961, 10-11, Sevenster 1961, 119-122, Niederwimmer 1966, 75-76. Daß hier auch eine leichte Karikatur der hellenistischen Moralisten vorliegt, zeigt sich daran, daß die von diesen mehrmals angesprochene Rolle Gottes bei der Befreiung des Menschen von diesen Forschern verschwiegen wird. Vgl. z.B. oben A 7 und unten Kap.4 A 164 und S.104.

241 Vgl. die oben referierten Meinungen, S.14 mit A 21 (besonders Grossouw und Güemes Villanueva); auch gegen Pastor Ramos 1977, 222-223.

242 Dieser Befund spricht also gegen die oben S.14 mit A 26 angeführten Positionen.

1 Zur methodologischen Begründung für die Ausscheidung dieses Verses aus der Untersuchung s.o. S.21-22. Zu Gal 3,28 als Tradition vgl. oben S.28 mit A 9 und 10.

Zu S.70-71:

2 Das ist eine wichtige, wenn auch vielleicht zuerst trivial klingende
Beobachtung zur Anwendung der ἐλευθερ-Wortgruppe im Gal. Sie
wird unten genauer auszuwerten sein. In der Forschung wird sie
selten getroffen. Nur ein Außenstehender wie DeWitt 1954, 69 konnte den Tatbestand klar erkennen. Er schreibt zu Gal 5,1-13: "It is
remarkable in the New Testament how frequently the words free and
freedom are mentioned without definition. Paul makes no attempt to
define freedom in the passage before us." Daraus folgert DeWitt ebd.:
"He feels no need to define it because in the Greek philosophy of the
time it had already been exalted to the status of a blessed word."

3 Was darüber hinaus im Gal unter diese Briefgattung zu subsumieren
ist, ist seit den anregenden Vorstößen von Betz 1975; 1979 eine besonders dringende Frage. Betz analysiert Gal anhand antiker Rede-
kunst und will den gesamten Brief als "apologetisch" bezeichnen. Es
ist bedauerlich, daß Betz die antiken Brieftheoretiker in seinen Arbeiten (noch) nicht bzw. nicht ausführlicher berücksichtigt hat. Aus
den erhaltenen Schriften über Brieftheorie ergibt sich, daß die paulinischen Briefe (einschließlich des Gal) der Kategorie "Gemischt"
(μικτή) angehören (dazu vgl. Pseudo-Libanios Characteres epistolici
Nr. 45, 92). So befindet sich z.B. in Röm 16,1-2 ein Empfehlungsbrief
(συστατικός, vgl. Pseudo-Demetrios Formae epistolicae Nr. 2) in den größeren Brief eingefügt. Was Gal betrifft, geht Paulus gegen Ende des
Briefes in den paränetischen Stil (παραινετική) über (vgl. dazu Pseudo-
Libanios Characteres epistolici Nr. 5, 52). Daher gerät Betz in Schwierigkeiten, wenn er den paränetischen Teil von Gal anhand seiner
Theorie erklären will: "It is rather puzzling to see that paraenesis
plays only a marginal role in the ancient rhetorical handbooks ..."
(1975, 375). Es ist zudem nicht leicht vorstellbar, daß irgendjemand
in Selbstverteidigung vor dem Gerichtshof (so stellt sich Betz die
Briefsituation von Gal vor; vgl. Betz 1975, 377) in Paränese übergehen würde. Auch deswegen ist Brinsmeads Versuch 1982, 53-54, die
Paränese im Gal als Teil einer refutatio zu verstehen, auf keine Weise überzeugend.
Über die Form der paulinischen Briefe bestehen noch sehr viele of-
fene Fragen, die zum Teil mit ungelösten Problemen bei der Erforschung der antiken Briefliteratur zusammenhängen. Unter anderen
sind zu klären: (1) das Verhältnis zwischen antiker Brieftheorie
und Rhetorik, (2) das Verhältnis zwischen antiker Brieftheorie und
Briefpraxis und (3) das Verhältnis zwischen den in Ägypten gefundenen Papyrusbriefen und der anderen erhaltenen Briefliteratur der
Antike. Zu diesen Problemen vgl. den Literaturüberblick von Doty
1973 sowie die Literatur bei Berger 1984b, 1326. Unberechtigt ist es,
wenn Brinsmead 1982, 41-42 im Lichte der bestehenden Probleme
(und trotz des schon Erreichten) vorschlägt, nicht mehr zu versuchen, die paulinischen Briefe mittels des Genres "Brief" zu verstehen (!): "If the genre of the letter or epistle is not adequate to
analyze Paul's writings, then some other appropriate genre should be
sought".

Zu S.71-72:

4 Zum Problem der gegnerischen Position vgl. die Diskussion sowie die angeführte Literatur bei Eckert 1971 und Lüdemann 1980, 58-60; 1983a, 144-152.

5 Diese Aussage bezieht sich besonders auf Mußner 1981, 110 A 56, der von einer erdrückenden "Zeugenwolke" für den längeren Text spricht.

6 Vgl. Bacon 1923, 74-75, S.74: "a very even division of the manuscript evidence". Ein so hervorragender Textkritiker wie Lake 1906, 243 entscheidet sich für den kürzeren Text und schreibt dazu: "On the last point I am influenced by what seems to me the weight of the textual evidence." So las offensichtlich auch der bilingue Archetyp Z. Speziell gegen Lightfoots Versuch 1890, 121-122, die westlichen Zeugen herunterzuspielen, vgl. besonders die wichtigen Bemerkungen von Lake 1906, 238-239 (speziell zu Irenaeus vgl. auch A.Klostermann 1883, 87). Die ältere Bezeugung der westlichen Tradition (vgl. schon Semler 1779, 119) leugnet Mußner 1981, 110 zu Unrecht. Seit den gründlichen Darlegungen von Zahn 1922, 289-298 ist lediglich P^{46} als Zeuge für den alexandrinischen Text hinzugekommen. Freilich ist wohl die bei Markion u.a. erhaltene Lesart der älteste bezeugte Text. Danach kommt die westliche Tradition. Markion hat seinen Text "wahrscheinlich nicht geschaffen, sondern nur ausgewählt ... Auf jeden Fall führen beide Textüberlieferungen [sc. mit und ohne οὐδέ] in die unmittelbar nachapostolische Zeit zurück" (A.Klostermann 1883, 88).

7 Gegen z.B. Oepke und Rohde 1984, 76, die die Deutung der betreffenden Kirchenväter ohne weiteres als "unmöglich" disqualifizieren. Vgl. auch die am Anfang der nächsten Anmerkung genannten Forscher.

8 Gegen die diesbezüglichen falschen Aussagen von Bonnard 1972, 39 und Pastor Ramos 1977, 54.
Daß die ältesten Ausleger an die Beschneidung des Titus nicht gedacht haben, ist mit aller Deutlichkeit von Zahn 1922, 289-298 dargelegt und wird gesehen von Lightfoot 1890, 122 mit A 4, Lake 1906, 238 und O'Neill 1972, 32. Das gilt wohl auch für Tertullian; vgl. Zahn 1922, 296-298, Lightfoot 1890, 122 A 4 und Lake 1906, 242; gegen Baur 1866, 139 A 1, A.Klostermann 1883, 59, Bacon 1923, 73 und Pastor Ramos 1977, 54.

9 Vgl. Zahn 1922, 94-95, A.Klostermann 1883, 55, Bousset 1908, 41, Bacon 1923, 78-79, E.Klostermann 1959, 85-86. Diese Deutung ist expressis verbis dargelegt von Hieronymus (vgl. im Apparat bei Tischendorf). Nicht ganz so deutlich ist Irenaeus, der vom "westlichen" Text zu Apg 15,2 beeinflußt zu sein scheint (vgl. A.Klostermann 1883, 76-77).

10 So schreibt Betz 1979, 86 zu V 2, obwohl er den kürzeren Text in V 5 gar nicht liest: "Paul no doubt would have preferred to avoid the encounter if he had been able to do so. When he admits that he presented his gospel for approval, he must have been under some higher compulsion to make such a concession."

Zu S.72-73:

11 So auch Zahn 1922, 93-94; vgl. A.Klostermann 1883, 54-55. Windischmann 1843, 46-47 sieht richtig, wie sehr die kürzere Lesart die Interpretation von τῇ ὑποταγῇ erleichtert: "Bei dieser Erklärung ist sowohl
der Begriff der ὑποταγὴ klar, als auch die Nothwendigkeit des Artikels"; er will trotzdem bei der längeren Lesart bleiben, obwohl er die
soeben besprochene Wendung "nicht völlig erklärt" lassen muß (S.47).
Bei Paulus kommt πρὸς ὥραν sonst nur ohne Negation vor: 2Kor 7,8;
Phlm 15 (hier ist die Satzkonstruktion Gal 2,4-5 besonders ähnlich).

12 Vgl. auch A.Klostermann 1883, 80-81.

13 Die ausführlichste Explikation dieser Deutung findet sich bei A.Kloster-
mann 1883, 62-83, auf die hier mit Nachdruck hingewiesen sei.

14 So z.B. Bonnard 1972, 39. Allerdings kann man fragen, ob sich dieser Text und seine oben beschriebene Auslegung dem "westlichen"
Text von Apg 15,2 verdanken, laut dem die Leute von Jerusalem
Paulus, Barnabas u.a. aufgefordert haben (παρήγγειλαν), nach Jerusalem zu gehen, damit die Apostel und Presbyter in Jerusalem ein Urteil
über diese Frage fällen könnten (diese Deutung ist auch beim anderen
Text nicht ausgeschlossen; vgl. Lake und Cadbury 1933, 170). Oder
stammt diese Variante von der westlichen Lesart zu Gal 2,5?

15 Vgl. die Diskussion der Anakoluthie im NT bei Blass § 466-470.

16 Frühester Zeuge für diese Auslegung ist anscheinend Pelagius (vgl.
Tischendorf im Apparat und Lightfoot 1890, 122 A 4). Sie wird vertreten von z.B. Lake 1906, 243-244, Weiß 1917, 203-204 und Bousset
1917, 43.

17 Zahn 1922, 86.

18 Auch "hätte Paulus den Galatern ... ein herrliches Beispiel seiner
Abhängigkeit von Jerusalem gegeben" (Lüdemann 1980, 95).

19 Vgl. Bacon 1923, 80. Zur Textgeschichte, falls der kürzere Text ursprünglich ist, vgl. A.Klostermann 1883, 88-91, Lake 1906, 239-241
und Zahn 1922, 91-92. A.Klostermann und Zahn erklären sehr einleuchtend, wie und warum das Anakoluth entstanden ist.

20 So Manson 1940, 67, der den Zeitpunkt nicht näher spezifiziert:
"something that happened later", ähnlich Bruce 1982, 117. Geyser
1953, 132 meint, Paulus spreche von "the false brethren who crept
in surreptitiously (into Galatia)", setzt allerdings auch voraus, diese Leute seien "known to Paul".
Besondere Erwähnung wegen einer ähnlichen Auslegung verdienen
die in einem Zeitraum von fast 40 Jahren entstandenen Aufsätze von
B.Orchard zu diesem Punkt (1942; 1944; 1945; 1973; 1976; 1979; um
seinen Entwurf richtig zu erfassen, ist es notwendig, alle Aufsätze
zu lesen, da verschiedene Aspekte zuweilen nur in einem Aufsatz
vorkommen; besonders aufschlußreich ist 1945). Orchard sieht in
V 4-5 eine Bezugnahme auf die Leute, die sich in Galatien eingeschlichen haben (1973, 478) und denen Paulus auch in Antiochien
widerstanden hat (1944, 162; vgl. Apg 15,1). Orchard 1945, 395
meint, die "falschen Brüder" seien "identical with the agitators from
Judea who went down to Antioch ... From Antioch it would be easy

Zu S.73-74:

for them to infiltrate into Southern Galatia by the overland route".
Sowohl Orchard als auch Geyser müssen voraussetzen, daß Paulus
den "Aufwieglern" in Galatien "or their confederates" (Orchard 1945,
394) schon einmal begegnet ist, denn sonst wäre εἴξαμεν in V 5 nicht
verständlich (darauf geht Orchard lediglich 1945, 396 ein). Allerdings
ist die Aussage in Gal 5,10, ὅστις ἐὰν ᾖ, vielleicht ein Zeichen dafür,
daß Paulus die "Aufwiegler" nicht kennt. Vgl. Becker 1981, 63 (in
2,1-13 scheue Paulus Namensnennungen nicht) und Oepke und Rohde
1984, 160: "Paulus scheint sie persönlich nicht zu kennen"; anders
freilich Schlier 1971a, 238: "Ob er sie nicht kannte oder ob er sie
nicht mit Namen nennen wollte, läßt sich nicht sagen."
Munck 1954, 90 faßt die Aussage überzeitlich auf: "Paulus hat sich
niemals den Forderungen der judaistischen Gegner unterworfen, wenn
und wo auch er ihnen in den heidenchristlichen Gemeinden begegne-
te". Er habe das "mit Rücksicht auf Leute wie die Judaisten bei
Euch" getan.

21 Vgl. Hieronymus und Theodoret bei Tischendorf im Apparat.
22 Vgl. die Liste von alten und modernen Vertretern bei Sieffert 1899,
99; auch Eadie 1869, 113.
23 Vgl. zu diesem δέ Sieffert 1899, 99 und Blass § 447.1c.
24 Röm 3,22; 9,30; 1Kor 2,6; Gal 2,2; Phil 2,8; vgl. Röm 1,12.
25 Sieffert 1899, 100.
26 Zum Beispiel Windischmann 1843, 47, Schlier 1971a, 70-71 und Oepke
und Rohde 1984, 76.
27 Lietzmann 1971a, 10.
28 Lietzmann 1971a, 11.
29 Lipsius 1892, 24: "schwerlich auch οὐκ ἠναγκάσθη, was den falschen
Sinn ergeben würde, dass P unter anderen Umständen den Titus
doch beschnitten haben würde".
30 Lipsius 1892, 24.
31 Lightfoot 1890, 106. So auch Burton 1921, 81-82.
32 Mußner 1981, 107. Freilich will er auf der nächsten Seite den Vers
wiederum anders auffassen; dort bezieht er den διά-Satz auf οὐδὲ ...
εἴξαμεν.
33 Lagrange 1950a, 31, Betz 1979, 89-90 ("the whole affair"; "this
happened").
34 So z.B. Borger 1807, 120-121, die dort genannten Kommentatoren
und die bei Eadie 1869, 114 und Sieffert 1899, 98 aufgelisteten Forscher.
Soweit unsere Diskussion vorgeschlagener Ergänzungen, die freilich
keineswegs vollständig ist. Fast jeder Kommentar nuanciert etwas anders. Deswegen ist es kaum vermeidbar (wenn man alle Möglichkeiten
besprechen will), jeden wörtlich zu zitieren. "Im übrigen entspricht
die Mannigfaltigkeit der Ergänzungen der grammatisch-logischen Unmöglichkeit einer jeden versuchten" (A.Klostermann 1883, 41). Diese
Mannigfaltigkeit ist mit A.Klostermann gegen die Ursprünglichkeit
des längeren Textes auszuwerten.

Zu S.74:

35 Burton 1921, 81 faßt die Vorteile und Nachteile dieser Auslegung
kurz zusammen: "These interpretations yield a not unreasonable sense,
and avoid many of the difficulties encountered by the other con-
structions, but it is hardly conceivable that the reader would be
expected to supply mentally a word left so far behind." Der Vorteil
ist also, daß der Sinn des Textes somit einwandfrei ist. Der Nachteil
ist, daß ἀνέβην bzw. ἀνεθέμην so weit hinten im Text liegt. Doch stellen diese Verben deutlich den dem Folgenden übergeordneten und somit beherrschenden Gedanken dar. Daher braucht man sich nicht zu
wundern, wenn Blommerde 1975, 102 eine lange Periode aus 2,2-9
bilden möchte (freilich mit einer anderen Deutung). Es sollte beachtet werden, daß erst V 6ff die Reaktion der δοχοῦντες auf das ἀνεθέμην
(damit auch ἀνέβην) explizit vorführt und daß somit auch der Anfang
von V 6 an dieses Verb gedanklich anknüpft.

36 So z.B. Eadie 1869, 114, Ramsay 1900, 299, Kühl 1907, 62; 1911, 273,
Lagrange 1950a, 32, Bonnard 1972, 39, Suhl 1975, 65. In der Regel
wird diese Deutung anscheinend wegen folgender Logik nicht in Be-
tracht gezogen: Zu den Jerusalemer Christen "konnten jene nicht wie
Spione heranschleichen, da sie von jeher mitten unter ihnen lebten"
(Zahn 1922, 88; vgl. Baur 1866, 139f A 1).

37 So Arndt 1956, 674, Schmithals 1963, 89, Robinson 1964, 36, Borse
1984, 86.

38 Robinson 1964, 34-35.

39 Robinson 1964, 36.

40 So z.B. A.Klostermann 1883, 68, Sieffert 1899, 102, E.Klostermann
1959, 86, Schlier 1971a, 71, O'Neill 1972, 32, Becker 1981, 23.

41 So Schlier 1971a, 71, Becker 1981, 23. Vgl. A.Klostermann 1883,
68: "Nur jener Ort verstand sich von selbst als Ausgangspunkt."

42 Vgl. z.B. Zahn 1922, 88.

43 Lüdemann 1980, 101-105 findet "eine nicht geringe Wahrscheinlichkeit" dafür, daß die Szene 2,11ff den Anlaß für die 2,1f beschriebene Reise nach Jerusalem bildete (S.105; vgl. S.77-79 für seine
formgeschichtliche Begründung der Möglichkeit, daß sich der Zwi-
schenfall vor der Konferenz ereignete; S.104f A 103 werden Hinweise auf einige andere Vertreter dieser Meinung gegeben). Diese Möglichkeit läßt sich nicht mit Sicherheit verifizieren. Sollten aber die
Szenen 2,4 und 2,11ff identisch sein, dann unterstützte das unsere
Auslegung von 2,4: Beide Szenen beschreiben den Anlaß der sogenannten Konferenz. Lüdemann vollzieht diese Identifikation explizit
freilich an keiner Stelle (auch nicht 1983a, 59-66). Gegen diese
Identifikation sprechen die unterschiedlichen Bezeichnungen
ψευδαδέλφους (V 4), τινὰς ἀπὸ Ἰακώβου (V 12) und die Tatsache, daß
Petrus und die Leute des Jakobus 2,1 nicht genannt sind (zu Lüdemann 1980, 105, wo er erwägt, "ob nicht überhaupt der Zwischen-
fall unmittelbarer Anlaß für Paulus, Barnabas, Petrus und 'die von
Jakobus' war, sich nach Jerusalem zu begeben"); sie wird daher im
folgenden nicht vorausgesetzt.

Zu S.74-75:

44 Vgl. Lietzmann 1971a, 11: "in paulinischen Gemeinden".

45 Da die Wendung ἐν Χριστῷ nur hier und Röm 8,2 in enger Verbindung mit einem Freiheitswort vorkommt, ist nicht anzunehmen, daß diese umstrittene, häufig bei Paulus belegte Wendung weiteren Aufschluß über den Ursprung des paulinischen Freiheitsgedankens zu bieten hat (zu Wedell 1950, 206; vgl. oben S.13). Oben im Text wurde die Deutung dieser Wendung von Neugebauer 1961, 148 übernommen. Unübertroffen an seiner Studie ist die Untersuchung sämtlicher ἐν-Wendungen bei Paulus (S.34-44, gegenüber z.B. Deissmann 1892, 63-65, der nur die ἐν-Konstruktionen mit einem persönlichen Dativ untersucht). Neugebauer 1961, 38f mit A 26 stellt fest, daß Paulus sehr häufig ἐν-Konstruktionen als allgemeine Umstandsbestimmungen benutzt, die am besten durch "bestimmt von" paraphrasiert werden (1961, 42; vgl. etwa 1Kor 2,3; 1Thess 2,5.7.17). Das ἐν in der Wendung ἐν Χριστῷ reflektiert demgemäß den allgemeinen Sprachgebrauch des Paulus (und also wohl auch den des vorchristlichen Paulus), der also nicht durch diese Wendung bestimmt wurde (gegen z.B. Deissmann 1892, 124-126, der alle ähnlichen ἐν-Wendungen bei Paulus von der Wendung ἐν Χριστῷ ableiten wollte - solches Vorgehen war nur möglich, solange Deissmann lediglich eine Auswahl von ἐν-Wendungen bei Paulus in Betracht zog). Ähnlich Neugebauer 1961, 44-149 sieht auch Kramer 1963, 139-144, 176-179 (vgl. schon Schmauch 1935 mit seinen Ergebnissen auf S. 158-159), daß Paulus "in Christus (Jesus)" in demselben Zusammenhang gebraucht wie sonst einfach "Christus" oder "Christus Jesus", nämlich im Zusammenhang mit der Heilsbedeutung des Christus (Kreuz und Auferstehung), während "im Herrn" dagegen allgemein wie einfach κύριος gebraucht wird, nämlich im Zusammenhang der Paränese und sonst, wo die Autorität des Herrn in Anspruch genommen wird. Im Lichte dieser Beobachtungen zu (1) dem Gebrauch des ἐν bei Paulus und (2) der Funktion des zweiten Gliedes in den Wendungen "in Christus" und "im Herrn" ist also erst recht nicht zu erwarten, daß das Vorkommen der Wendung "in Christus Jesus" Gal 2,4 etwas Spezifisches über den Ursprung des Freiheitsgedankens verrät. Daß mit der Wendung "in Christus" Röm 8,2 zunächst nur das Heilsgeschehen gemeint ist, ergibt sich deutlich aus ihrer Explizierung in 8,3 (Sendung des Sohnes im Fleisch). Vgl. freilich auch 1Kor 7,22.

46 So z.B. A.Klostermann 1883, 71 ("Es sind die beiden Juden Paulus und Barnabas, welche sagen, daß sie dieselbe in Christo haben"), Lipsius 1892, 24, Sieffert 1899, 103, Ramsay 1900, 299 (Paulus und Barnabas), Kühl 1911, 273 (Paulus allein), Robinson 1964, 33-34 (s.o. S.74).

47 So z.B. Lietzmann 1971a, 11. Mußner 1981, 109 ist nicht ganz klar: ἡμῶν schließe "auch die Galater" ein.

48 Vgl. Meyer 1870, 75 ("die Christen als solche"), Zahn 1922, 88: die Freiheit, "welche also auch die echten jüdischen Christen besitzen"

Zu S.75:

(vgl. aber die andersartige Bestimmung des "wir" auf derselben Seite: "nicht sämtliche Christen"; ähnlich konfus: Bonnard 1972, 39;
man wird sich davor hüten müssen, das "wir" in V 4 auf mehr als
eine Weise zu deuten); ferner, Oepke und Rohde 1984, 77 (die Freiheit "der Gläubigen im allgemeinen").

49 Vgl. z.B. Zahn 1922, 87 A 9, der hier "die lebendige Vorstellung
von Spionen oder verkappten Feinden, die in eine fremde Stadt
oder Feindesland sich einschleichen", sieht, Nestle 1972, 281 und
unten A 85.

50 Vgl. z.B. 1. Mose 42,9-34 LXX (siebenmal), Herodot 3,19; 3,136,
Thukydides 6,34,6. Vgl. auch die Stellen bei Schlier 1971a, 71 A 4.
Für Spionieren in bezug auf Religion vgl. Euripides Bacchae 838,
916.

51 Herodot 3,138. Zur Rolle von ἐλευθερία in der Darstellung Herodots
vgl. von Fritz 1965, Nestle 1967, 47-56 und Gelzer 1973, 40-49.

52 Herodot 6,109 sagt Miltiades zu Kallimachos: "Bei dir, Kallimachos,
liegt jetzt die Entscheidung, ob du die Athener zu Sklaven machen
[καταδουλῶσαι] oder befreien willst [ἐλευθέρας ποιήσαντα]" (Feix). Zum
Gegensatz "Freiheit" und "Sklaverei" in diesem politischen Sinn vgl.
auch Herodot 5,116.

53 Vgl. den Gegensatz von ἐλευθερία und καταδούλωσις in 6,76,4 sowie
ferner z.B. 1,69,1; 1,124,3; 4,85,1; 4,114,3; 8,43,3. Zu "Freiheit"
bei Thukydides vgl. Diller 1962/1968, Nestle 1967, 76-86 (S.79:
"Faktisch aber scheint für Thukydides das Reden von Freiheit Ge-
schwätz zu sein oder, noch häufiger, listige Propaganda").

54 Vgl. dazu z.B. Treves 1933.

55 Vgl. dazu Jens 1956 und z.B. das Zitat unten in A 83.

56 1.Makkabäerbuch 2,11; 14,26, 2.Makkabäerbuch 2,22, Josephus Antiquitates 12,281.302.304.312.433; 13,1 (Gegensatz: καταδουλοῦσθαι);
13,5.198.213.

57 Vgl. z.B. Josephus Bellum 2,264.346 und häufig; Vita 185, 386 und
die Aufstandsmünzen, die unten S.89 mit A 139 besprochen werden.

58 Wirszubski 1950, 52; vgl. die reichlichen Belege für diese und die
spätere Zeit bei Stylow 1972.

59 καταδουλοῦν bei Herodot z.B. 1,129; 6,32; 7,51; 8,22; 8,144; vgl.
auch oben A 52; bei Thukydides vgl. z.B. 6,76,4; 3,10,3; 3,70,3;
7,66,2. Bei den lateinischen Schriftstellern ist dieser Gegensatz
übernommen in libertas und servitium bzw. servitus. Vgl. z.B. zu
Tacitus Jens 1956.

60 Zu παρεισέρχεσθαι vgl. z.B. Polybios 1,7,3: παρεισελθόντες δ' ὡς φίλιοι
καὶ κατασχόντες τὴν πόλιν ("Nachdem sie als Freunde Einlaß erhalten
hatten, nahmen sie die Stadt in Besitz" [Drexler]); 1,8,4; 2,55,3,
Diodorus Siculus 12,27,3.
Zu εἴκειν vgl. z.B. Thukydides 1,82,3; 4,61,5; 4,126,6; 5,77,2;
häufig auch bei Herodot und Polybios.

61 Bekanntlich kommt das Adjektiv sonst bei den Alten nicht vor. Lediglich Strabon 17,1,8 hat es als Beiname eines Ptolemäus. Die

Zu S.75-78:

Lexikographen geben seine Bedeutung als ἀλλότριος wieder; vgl. Sieffert 1899, 101 A*. Der politisch-militärische Sinn des Verbs ist jedoch gut belegt: Polybios 1,18,3; 2,7,8; 3,47,7; 5,2,6; 6,31, 13; 6,47,7; 6,56,8.12; 9,16,1; 10,2,5.
Im übrigen hat die Katene zu Gal 2,4 klar erkannt, daß Paulus 2,4 ein politisch-militärisches Bildwort verwendet (Cramer 1842, 29).

62 So ist ψευδαδέλφους aufzufassen. So auch 2Kor 11,26. Vgl. 2Kor 11,13 und Mt 7,15. Sie sind eindeutig nicht einfach Juden (gegen Schmithals 1963, 89-90), denn 2Kor 11,26 differenziert sehr deutlich zwischen falschen Brüdern und einfachen Juden (ἐκ γένους). Wohl möchte Paulus sie als Juden klassifizieren. Andererseits beschreibt Paulus sie als "falsche Brüder" überhaupt und "nicht blos in Beziehung auf die antiochenische Gemeinde" (gegen Baur 1866, 140 in der Anmerkung). Für Paulus waren diese Leute keine Christen. Wie der Satz jetzt lautet, ist παρεισάκτους pleonastisch (mit Oepke und Rohde 1984, 76); gemeint ist "eingeschlichen in die Gemeinde der Christen"; vgl. Sieffert 1899, 101. Oder nimmt Paulus das Verb παρεισῆλθον hier vorweg?

63 Vgl. Sieffert 1899, 102, der im Anschluß an Meyer 1870, 74 den Relativsatz wie folgt beschreibt: "nähere Bestimmung des vorherigen ἡμῶν".

64 Mußner 1981, 108.

65 Schmithals 1963, 89.

66 Becker 1981, 23.

67 Arndt 1956, 675.

68 Burton 1921, 82.

69 A.Klostermann 1883, 71.

70 Cerfaux 1962, 417.

71 Sieffert 1899, 102; vgl. Güemes Villanueva 1971, 121.

72 Lietzmann 1971a, 11.

73 Oepke und Rohde 1984, 77. Vgl. die Warnung von Burton 1921, 83 zu ἡμᾶς: "Undue stress must not be laid on ἡμᾶς as meaning or including Jewish Christians ..., yet its obvious reference is to Christians in general, not to Gentile Christians exclusively."

74 Kühl 1911, 273.

75 Lipsius 1892, 24.

76 Ramsay 1900, 299.

77 Schlier 1971a, 71-72; vgl. Pastor Ramos 1977, 62-65, Grossouw 1969, 272-273.

78 Burton 1921, 83; vgl. Lightfoot 1890, 106-107, Lipsius 1892, 24, Sieffert 1899, 103, Schlier 1971a, 72.

79 Zahn 1922, 87.

80 Barrett 1973, 291. Vgl. auch z.B. Heinrici 1900, 369, Bultmann 1976, 213. Für das Verb im Aktiv in diesem Sinne vgl. auch z.B. Epiktet 4,1,20-21, Josephus Antiquitates 4,259.

81 Unterwerfung unter das Gesetz in 2Kor 11,20 aus Gal 2,4 hineinzu-

Zu S.78-80:

lesen (so z.B. Plummer 1915, 316) ist u.a. - vom Gesetz wird 2Kor 10-13 nirgends gesprochen, und 11,20 handelt es sich, wie gesagt, um Eigennützigkeit - deswegen unerlaubt, weil diese Deutung für Gal 2,4 nicht feststeht.

82 A.Klostermann 1883, 55. Vgl. Zahn 1922, 93-94.

83 Vgl. Betz 1977, 1, der mit Recht bemerkt: Freiheit war zur Zeit des Paulus "a propaganda catch-word, used and abused to justify almost any political and philosophical idea". Diese Eigenschaft des Wortes wird in den Untersuchungen zu Freiheit im NT viel zu wenig beachtet. Vgl. z.B. das Zeugnis des Tacitus Historiae 4,73,3: libertas et speciosa nomina praetexuntur; nec quisquam alienum servitium et dominationem sibi concupivit, ut non eadem ista vocabula usurparet.

84 Dieses Wort entlehne ich der Katene zu Gal 5,13 (Cramer 1842, 79).

85 Nestle 1972, 281. Vgl. auch Cerfaux 1962, 417: "Les métaphores évoquent l'image d'une cité jouissant jusque-là de la liberté, et que des ennemis assiègent pour la subjuguer."

86 Betz 1979, 91.

87 Vgl. die Diskussion oben S.74.

88 Vgl. Nestle 1972, 273: "Herodot kennt aber bereits eine antinomistische 'völlige F.' (7,104,5)".

89 Epiktet 4,1,158. S.u. A 156.

90 De re publica 3,23. Speziell zu den Griechen vgl. Cicero Pro L. Flacco 15-16. Vgl. Wirszubski 1950, 7-8 und Pohlenz 1955, 115 sowie Kloesel 1935, 88-90.
Für die Verbindung zwischen Freiheit und Gesetzlosigkeit vgl. ferner Plutarch Moralia 37c.

91 Nestle 1967, 34. Vgl. die Diskussion dort S.31-35.

92 Vgl. z.B. Thukydides 4,64,5, wo Hermokrates den Sizilianern sagt: "So müssen wir tun, damit wir für den Augenblick unser Sizilien nicht doppelten Glückes berauben, die Athener loszuwerden und innern Krieg, und in Zukunft es für uns selbst zu bewohnen als ein freies Land, von fremder Begehrlichkeit unangefochten" (Landmann). Ferner z.B. 3,10,3.

93 Pohlenz 1955, 23; vgl. die Hinweise auf Belege dort S.191. Die politischen Konsequenzen, die diese Definition von Freiheit nach sich zog, sind allgemein bekannt: "Derselbe Freiheitsdrang, der die griechische Polis geschaffen und nach außen siegreich verteidigt hatte, zeitigte im Innern den engstirnigen Partikularismus, der keine Bindung vertrug und die Einigung der Nation durch eigene Kraft verhinderte" (Pohlenz 1955, 24).

94 So hat schon Aristoteles gegen diese Definition von Freiheit (τὸ ὅ τι ἂν βούληταί τις ποιεῖν) als Grundstein der Demokratie gekämpft (Politica 5,9,1310a; vgl. auch 6,2,1317b: τὸ ζῆν ὡς βούλεταί τις).
Für diese Definition vgl. ferner z.B. Cicero Paradoxa Stoicorum 34 (Quid est enim libertas? Potestas vivendi, ut velis); De officiis 1,70 ([sc. libertas,] cuius proprium est sic vivere, ut velis), Dion

Zu S.80-84:

Chrysostomos 14,13, Philo Quod omnis probus liber sit 59, Persius 5,83-84 und sehr häufig als Standardformel für Freiheit in den delphischen Freilassungsinschriften, z.B. SGDI 1952,3 (ἐφ' ᾧιτε αὐτὸν ἐλεύθερον εἶμεν, ποιέοντα ὅ κα θέληι), auch 1695,6, 1724,4-5, 1938,9-10, 1951,7, 2016,7 u.a. Dies ist zur "allgemein anerkannten Definition" der Freiheit in der Antike geworden (Pohlenz 1955, 205) und deswegen auch bei Paulus vorauszusetzen (vgl. 1Kor 7,39). Vgl. auch Klemens von Alexandrien Stromata 3,30,1, Hippolyt Refutatio omnium haeresium 6,19,7 (Irenaeus Adversus haereses 1,23,3).

95 Vgl. z.B. Ramsay 1900, 431-432, Foerster 1964, 139, Eckert 1971, 75-76, 101, 105, Brinsmead 1982, 107, 193.

96 Barrett 1982b, 161; vgl. 1985, 24, 27-28; diese These wird ohne weitere Diskussion übernommen von Lincoln 1981, 12; vgl. Drane 1975, 39, 43-44.

97 Barrett 1982b, 161.

98 Barrett 1982b, 165; vgl. Meeks 1982, 73, der von "a previously composed homily" in 1Kor 10,1-13 spricht.

99 So Eckert 1971, 75-76.

100 Vgl. Ramsay 1900, 432.

101 Eine Ausnahme macht Lagrange 1950a, 118, der die Bestimmung des Zweckes des Abschnittes als Problem empfindet. Vgl. auch Liao 1979.

102 Lipsius 1892, 53. Vgl. Borse 1984, 167: Die Darlegungen beweisen, daß auch das Gesetzbuch die Freiheit der Christen vom Gesetz bezeugt.

103 Berger 1968, 74.

104 Berger 1966, 59.

105 Sieffert 1899, 278 (in Sperrdruck bei Sieffert).

106 Lietzmann 1971a, 30.

107 Lührmann 1978, 75.

108 O'Neill 1972, 63.

109 O'Neill 1972, 63.

110 Lagrange 1950a, 118-119. Das sei der Hauptpunkt des Abschnittes. "Secondairement, il a pu se proposer de ruiner plus complètement les prétentions des Israélites à des droits résultant de la race" (S.119).

111 Bonnard 1972, 95.

112 Betz 1979, 238.

113 Es gibt auch andere Bestimmungen des Zweckes des Abschnittes, von denen manche freilich kaum zutreffend sind. So meint Ulonska 1963, 65-70, Paulus rede V 21-26 seine Gegner an und wolle ihnen "ihren rechten theologischen Ursprung" nahelegen (S.70). Doch ist die Anrede V 21 schwerlich auf die Gegner zu beziehen (gegen Ulonska 1963, 65; vgl. θέλετε in 4,9 und fast alle Kommentatoren, z.B. Mußner 1981, 317), und es liegt Paulus äußerst fern, diese "Gegner" einfach korrigieren zu wollen (5,12 drückt seinen Wunsch für die "Gegner" aus). Zu der ebenfalls unwahrscheinlichen Meinung von Lincoln s.u. A 128.

Zu S.84-86:

114 Becker 1981, 55.

115 Becker 1981, 58.

116 Becker 1981, 58.

117 Becker 1981, 55.

118 Zu den jüdischen Traditionen, auf die sich Paulus stützt, wenn er von der Verfolgung Isaaks redet, vgl. bes. Le Déaut 1961, 37-43.

119 Becker 1981, 55.

120 Auch Becker 1981, 59 schreibt diesen Vers Paulus zu.

121 Becker 1981, 45. Vgl. auch oben Kap.3 A 9.

122 Zu Becker 1981, 55-56.

123 Vgl. Luz 1967, 319 A 7: "Gal.4 lassen sich vokabelstatistisch keine schriftlichen Traditionen nachweisen."
Beckers These ist an sich nicht ganz neu. Auch Koepp 1952-53 vertritt die Auffassung, die Abschnitte über Abraham im Gal seien einer frühantiochenischen antijüdischen Midraschimkette entnommen. Neu bei Becker ist lediglich der Versuch, diese Spekulation mit exegetischen Argumenten zu begründen.

124 Der Ausdruck stammt von Aristoteles; vgl. z.B. Politica 1,5,1254b. Dazu und zu "Freiheit" bei Aristoteles vgl. Nestle 1967, 102-112, Pohlenz 1955, 102-108 und van Straaten 1974, 130-144.

125 Zur Verinnerlichung der Freiheit (und der Sklaverei) vgl. die Hinweise oben Kap.1 A 90.

126 Mit Lührmann 1978, 75, Burton 1921, 258 u.a. Lincoln 1981, 16 (u.a.) denkt an den "neuen Bund" von 2Kor 3. Dafür bietet der Text keinen Anhalt. Für die Deutung auf den Bund mit Abraham spricht, daß Paulus schon vorher in diesem Brief vom "Bund" mit Abraham gesprochen hat (3,17) und daß er in 4,21-31 von Abraham ausgeht (V 22) und Aussagen über die wahre Erbschaft Abrahams macht (V 28.30-31). Daran ist auch gegen Liao 1979 festzuhalten, der "Bund" in diesem Abschnitt als "an existential term" ("two different spheres of human existence") versteht (S.122) und sogar die Bezugnahme auf den mosaischen Bund leugnet (S.118-121). Eine solche Position ist ein abwegiger Ausfluß der zum Teil überspitzten Diskussion über die verschiedenen Nuancen des Wortes διαθήκη bei Paulus. Wie auch immer einer διαθήκη in 4,24 und 3,17 übersetzt (oben und im Text wird das Wort "Bund" gesetzt als leichtere Umschreibung für das griechische Wort, ohne daß ein spezifischer technischer Sinn impliziert sein soll), es wird wegen der jeweiligen Verbindung von Abraham und διαθήκη die gedankliche Beziehung zwischen 4,24 und 3,17 schwer zu leugnen sein. Zum Problem der Übersetzung vgl. die Diskussion und Literatur bei Kutsch 1978.

127 Vgl. Luz 1967, 319 A 7. Daß aber Paulus die Identifikation von Hagar und Sinai bei den Lesern voraussetzt (so Luz, ebd.), ist unwahrscheinlich. Vielmehr argumentiert Paulus für diese Gleichsetzung, obwohl er freilich sehr schnell zu diesem Schluß übergeht und erst später seinen Beweis liefert (s.u. im Text).

Zu S.86-88:

128 Dabei ist gleichgültig, ob V 30 als Befehl an die Galater (so z.B.
Ulonska 1963, 72, Mußner 1981, 332, Lincoln 1981, 28) oder einfach
als Schriftbeweis für die Ausschließung der Kinder nach dem Fleisch
(so z.B. Sieffert 1899, 295, Burton 1921, 267, Schlier 1971a, 227,
Oepke und Rohde 1984, 152) verstanden wird. Freilich ist die letzte Auslegung viel wahrscheinlicher, da V 31 die sich daraus ergebende Konsequenz zieht. Eine Folgerung aus einem direkten Befehl
zu ziehen, ist unmöglich (gegen z.B. Mußner 1981, 333, der das
stillschweigend tut) und daher hat bei der ersten Erklärung z.B.
Zahn 1922, 245-246 konsequenterweise das διό durch das schwach
bezeugte ἡμεῖς δέ ersetzen wollen. Doch kann es im Lichte der Überlieferung keinen Zweifel geben, daß eine Folgerungspartikel an den
Anfang von V 31 gehört, sei es διό oder ἄρα. Auch daher wird man -
gegen Lincoln 1981, 28-29 - die eigentliche Pointe von 4,21-31 nicht
in V 30 (selbst wenn dieser Vers als Befehl verstanden wird) finden können.

129 Dieser Bestimmung am nächsten kommt wohl Gale 1964, 65: "It
appears that the picture is intended primarily to support the claim
that the way of the law is indeed the way of enslavement and the
way of faith is indeed the way of freedom."

130 Z.B. Sieffert 1899, 290, Ramsay 1900, 433, Lagrange 1950a, 129,
Schlier 1971a, 221, Bonnard 1972, 98.

131 So z.B. Sieffert 1899, 290, 288, Bonnard 1972, 98.

132 Vgl. z.B. Sieffert 1899, 283, Burton 1921, 258, Lagrange 1950a,
124, Betz 1979, 244.

133 So ist der Text zu rekonstruieren (mit Tischendorf, Semler 1779,
355, Zahn 1922, 232-233, Lagrange 1950a, 124-127, Gaston 1982,
410 u.a.). Dafür spricht m.E. entscheidend die starke westliche
Tradition (auch der bilingue Archetyp Z) in ihrer Verbindung mit
einer guten alexandrinischen Tradition einschließlich Origenes (hier
folge ich Punkt 4 der Zusammenfassung in Zuntz' textkritischer
Studie 1953, 158). Die Lesart mit Ἀγάρ (der Spiritus asper ist nicht
gesichert; vgl. Blass § 39.3) hat dagegen nur eine sehr schwache
westliche Tradition (wie die gestörte Kolometrie in D zeigt, ist diese Lesart dort deutlich sekundär; vgl. Vogels 1933, 294), wenn
auch ebenfalls manche frühalexandrinische Unterstützung. Das δέ
ist eingedrungen (P46; befinden sich Punkte unter dem Delta in diesem Manuskript?), weil die Begründung nicht verstanden wurde; vgl.
z.B. Röm 8,18.22. (Möglich ist vielleicht auch, daß eine dem μέν
entsprechende Partikel vom Abschreiber erwartet wurde; vgl. z.B.
2Kor 11,4-5; Röm 6,21-22 und die Beispiele und Diskussion bei
Zuntz 1953, 188-192, 197-199; vgl. ferner den Anfang von V 26.)
Auswirkung dieser Tendenz war die Verwandlung von γάρ in Ἀγάρ.
Anderswo ist Ἀγάρ einfach durch Dittographie entstanden (τὸ γὰρ
Ἀγάρ).
Im übrigen, die Konjektur, die im Apparat bei Nestle-Aland Richard

Zu S.88-89:

Bentley zugeschrieben wird, wurde nicht von Bentley, sondern von u.a. Holsten 1880, 118 mit A 64 auf S.171-172 vertreten.

134 Mit Severian von Gabala (Staab 1933, 303) und u.a. Lagrange 1950a, 125. Warum "mutet" diese Auslegung "dem Leser einen unmöglichen Zwischengedanken zu" (Mußner 1981, 323 A 32; vgl. Zahn 1922, 236)? V 29 erwartet Paulus die Annahme von Gedanken, die heute nur noch in targumischen Traditionen erhalten sind (vgl. A 118).

135 Auch Ulonska 1963, 66-68 merkt, daß Paulus hier zu einer neuen Gedankenstufe übergeht, und macht darauf aufmerksam, daß Paulus die Gleichsetzung von Sara und dem anderen Bund nicht vollzieht.

136 Daß Hagar Subjekt von συστοιχεῖ ist, wird hier mit den meisten modernen Kommentatoren angenommen (vgl. z.B. Sieffert 1899, 287, Burton 1921, 261, Lagrange 1950a, 127, Schlier 1971a, 221), da nach V 25c das jetzige Jerusalem "gleich dem Subjekt von συστοιχεῖ sammt seinen Kindern in Knechtschaft ist" (Sieffert 1899, 287). Anders Zahn 1922, 237 und Mußner 1981, 323-324 mit A 35.

137 Wegen des Parallelismus mit V 26 kann erschlossen werden, daß das jetzige Jerusalem Subjekt von 25c ist.

138 Vgl. z.B. die Ausführungen bei Str-B Bd.3, S.573 und Schlier 1971a, 221-225, wo sich Hinweise auf weitere Literatur finden. Professor B.Schaller weist mich darauf hin, daß die genaue Bezeichnung "oberes Jerusalem" eigentlich gar nicht so häufig vorkommt; neben den rabbinischen Belegen bei Str-B erwähnt er Paraleipomena Jeremiou 5,34.

139 Oben folge ich der generell angenommenen Datierung der ersten Münzen. Vgl. Reifenberg 1947, 28-33 (S.28-29 für frühere Literatur), Kanael 1953, 18-20, Roth 1962, 33-46, Kanael 1963, 57-59, Meshorer 1967, 88-91 und ferner Muehsam 1966, 45-50. Nur Wirgin in Wirgin und Mandel 1958, 114-161 möchte diese Münzen Agrippa I zuschreiben, und zwar sollen sie aus den Jahren 42-43 stammen. Auf seine Argumente kann hier nicht eingegangen werden, zumal diese andere Datierung wenig an unserer Arbeit ändern würde. Wohl ausschlaggebend für die Diskussion wären die in Masada gefundenen (silbernen) Münzen. Sie stammen "aus einer Schicht, die zweifelsfrei der Zeit des großen jüdischen Aufstandes angehört" (Yadin 1967, 108). Laut Yadin ebd. "sollten die Meinungsverschiedenheiten der Wissenschaftler ein für allemal zu Ende sein", nämlich zugunsten der Datierung während der Kriegsjahre. Doch fehlt m.W. noch immer eine genaue Beschreibung und vorsichtige Auswertung dieser Münzen. Eine Faksimileausgabe aller bisher gefundenen Münzen dieser Art bleibt ein Desiderat. Zu den Funden auf Masada und für Hinweise auf andere Funde s. Yadin 1965, 80-81 mit A 56-58, 119 A 112 und Tafel 19F-G. Weitere Literatur s. bei Mayer 1966, Index s.v. "First War with Rome". Zu römischen Münzen mit dem Wort libertas (vielleicht vorbildlich für die jüdischen Münzen) vgl. Wickert 1949,

Zu S.89-93:

113-122 und Stylow 1972, der S.202-237 ein Verzeichnis der Münzen bietet. Zu vergleichen sind auch die hellenistischen Freiheitsären.

140 Hengel 1976, 114-127, Baumbach 1967a; 1967b; 1985.

141 Baumbach 1967a, 17-18.

142 Hengel 1976, 123 A 4.

143 Becker 1981, 57; vgl. Lincoln 1981, 25.

144 Zahn 1922, 241; vgl. Oepke und Rohde 1984, 151 sowie schon Holsten 1880, 119, 172 A 65.

145 Gulin 1941, 461.

146 Gulin 1941, 461; Nestle 1972, 281.

147 Gulin 1941, 462.

148 Darauf berufen sich Gulin 1941, 464-465 sowie Oepke und Rohde 1984, 151.

149 Vgl. dazu Walton 1955 und Gager 1972, 26-37 mit der dort angegebenen Literatur.

150 Vgl. Meeks 1967, 132 A 2 mit verstreuten Belegen.

151 Zum Hintergrund dieses Problems vgl. Hirzel 1903. Zu Philo vgl. dort S.27 und Goodenough 1935, 48-94, bes. 86-94.

152 Vgl. Hirzel 1903, 78-79: "Eine Zeit, die selber von dem Kampf des geschriebenen mit dem ungeschriebenen Gesetz erfüllt war, übertrug diesen, der doch erst das Ergebniss einer späten historischen Entwicklung war, naturgemäss in die Anfänge der menschlichen Geschichte, ja sogar bis in die P r ä h i s t o r i e." Vgl. dazu seine Ausführungen auf S.79-92. Als frühen Vertreter der Meinung, daß es eine Zeit gab, bevor geschriebene Gesetze notwendig wurden, vgl. z.B. Platon Leges 678a, 680a.
Zum folgenden vgl. auch Vischer 1965 und die wichtige Studie von Lovejoy und Boas 1935.

153 Die Geschichtsdarstellung des Poseidonios ist vornehmlich bei Seneca 90. Epistula erhalten, woraus die obigen Details entnommen sind. "Posidon ist auch mit dieser Theorie der Lehrer der Römer geworden." Man heftet "in der Kaiserzeit gern den Blick auf das goldene Zeitalter und preist dessen Menschen unter Anderem auch deshalb, weil sie noch nicht des geschriebenen Gesetzes bedurften" (Hirzel 1903, 86-87). Vgl. auch die Zeugnisse für diese Tradition bei Graf 1884, 43-44.

154 Vgl. dazu Weber 1887, 122-123 sowie Lovejoy und Boas 1935, 117-152. Sayre 1948, 5-6 will diese Idee den Kynikern absprechen und sie Maximos von Tyros zuschreiben. Vgl. S.6: "This idea seems to have originated with himself [sc. Maximos] and it is not supported by any traditions emanating from the Cynics." Doch sprechen die Quellen deutlich gegen diese Meinung. Lukian Fugitivi 17 sagt explizit, daß die Kyniker ihre Lebensart für die "des Zeitalters des Kronos" halten. Dion Chrysostomos 6,26-30 stellt das Leben des Diogenes als Rückkehr zum Leben der ersten Menschen dar. Zur Ausübung der "Freiheit" beim Fest des Saturnus-Kronos vgl. Horaz Sermones 2,7,4-5, Lukian Saturnalia 9 und weiteres bei Lovejoy und Boas 1935,

zu S.93-94:

65-70. Sayre verkennt, daß es verschiedene Vorstellungen des "goldenen Zeitalters" in der Antike gab. Vgl. im einzelnen Weber 1887, 117-123, Graf 1884 und bes. Lovejoy und Boas 1935. Zur Auswertung des kynischen Gutes bei Maximos vgl. Hobein 1895, 83-90, 92-95, Capelle 1896, 48 und Höistad 1948, 129 A 3. Maximos 36,3 spricht mehrmals von der "Freiheit" des goldenen Zeitalters und sagt 36,5, daß Diogenes eben in dieser Freiheit selbst im eisernen Zeitalter gelebt hat.
Zu Krates' idealer Stadt Pere, wo die Bürger "Freiheit lieben", vgl. Höistad 1948, 126-131.

155 Vgl. Dion Chrysostomos 80,5-6, Maximos von Tyros 2,9d-10a und die nächste Anmerkung. Vgl. die instruktive Übernahme dieser Ideen bei dem Christen Epiphanes (Klemens von Alexandrien Stromata 3,7), ebenso in den pseudoklementinischen Homilien 8,10,3-4.

156 Maximos von Tyros 6,5i (τούτου τοῦ νόμου ἔργον ἐλευθερία); 6,6a. Maximos führt 6,5d-e zu diesem Gesetz aus: οὐδ᾽ ὑπὸ Σόλωνος ἢ Λυκούργου τεθείς· ἀλλὰ θεὸς μὲν ὁ νομοθέτης, ἄγραφος δὲ ὁ νόμος. Vgl. 2,10a und Epiktet 4,3,12. 6,6 betont Maximos, daß dieses Gesetz das ältere, ja das älteste ist. Vgl. zu Freiheit und Gesetz Epiktet 4,1,158 (oben S.79); 4,7,17. Vor allem Philo nimmt diese Verbindung zwischen dem Gesetz der Natur und der Freiheit auf; vgl. z.B. Quod omnis probus liber sit 62 und 47.

157 Vgl. Dion Chrysostomos 80,5-6, Maximos von Tyros 6,5f (δόξαι ψευδεῖς); 36,6f-g, 7.Brief des Herakleitos 10. Der 9.Brief des Herakleitos 2 spricht von der Welt, wo νόμος ἐστὶν οὐ γράμμα ἀλλὰ θεός. Auch der Christ Epiphanes (Klemens von Alexandrien Stromata 3,5-10) polemisiert gegen die menschlichen Gesetze unter Berufung auf die Urzeit, in der es nur das göttliche Gesetz gegeben habe. Diogenes spielt φύσις gegen νόμος aus: Diogenes Laertios 6,38.71; ebenso pseudoklementinische Homilien 4,20,2; 5,10,3. Zur Abwertung des geschriebenen Gesetzes zugunsten des anderen vgl. ferner Diogenes Laertios 6,11.
Auch die Epikuräer werteten menschliche Gesetze ab: vgl. Epikur bei Diogenes Laertios 10,152 und die Belege sowie die Diskussion bei Nestle 1967, 114 mit A 89 (dort ist das "freie" Leben eines, das nicht durch die Nomoi definiert wird); vgl. ferner Porphyrios De abstinentia 1,7-8.12.

158 Fr 44,A,4,1-8 (Diels; übers. Diels). Ähnlich auch Demokritos (Diels Bd.2, S.129 Z 10-11): οὐ χρὴ νόμοις πειθαρχεῖν τὸν σοφόν, ἀλλὰ ἐλευθερίως ζῆν, "Es geziemt dem Weisen nicht, den Gesetzen zu gehorchen, sondern frei zu leben".

159 Hirzel 1903, 51f A 3. Vgl. ferner z.B. Philo Quod omnis probus liber sit 46, Plutarch Moralia 780c.

160 Bornkamm 1970a, 101-117, der allerdings die Bedeutung dieses Befundes herunterspielt. Vgl. dagegen mit Recht Räisänen 1983, 105-106. Auf den richtigen Weg weist Goodenough 1968, 39-43.

Zu S.94-96:

161 Besonders auffällig in der Arbeit von Räisänen 1983, der "special
effort" unternimmt, "to compare Paul's views to relevant Jewish and
early Christian conceptions" (S.15); Räisänen denkt aber nicht daran, seinen Blick auf den Hellenismus zu richten (trotz Einsichten wie
auf S.110). Selbst Philo kommt in seiner Arbeit viel zu kurz (vgl.
dort S.34-36, 134-135).
Als weiteres und wohl folgenreiches Beispiel für diese Tendenz in
der Forschung ist der ThWNT-Artikel von Kleinknecht 1942 zu nennen. Nach einer glänzenden Darstellung des νόμος-Begriffs im Griechentum und Hellenismus, wo Parallelen zu Paulus zum Teil auf der
Hand liegen, gibt sich Kleinknecht im Abschnitt "Griechischer νόμος-
Begriff und NT" mit folgender Aussage zufrieden: "Mit seinem Verständnis des Gesetzesbegriffes hat sich das Griechentum, vom NT
her gesehen, den wahren Sinn des Gesetzes verdeckt. Denn nie ist
dem Griechen das Gesetz etwas, das, richtig verstanden, ihn zer-
bräche oder an sich selbst verzweifeln ließe, weil es dem Menschen
zum Bewußtsein bringt, daß er es nicht halten kann" (S.1028-1029).
Daß dieses Urteil keineswegs hinreichend oder genug nuanciert ist,
sollte jedem schon aus Röm 2,14-15 klar sein.

162 Van Unnik 1974, 255 A 46.

163 Heinemann 1932, 447-448.

164 Van Unnik 1974, 254-261. Dodd 1954, 25-41 sollte hier nicht unerwähnt
bleiben. Auf S.34-37 bietet er eine knappe, aber an Einsichten reiche
Beschreibung des hellenistischen Einflusses auf den paulinischen νόμος-
Begriff. Ferner ist auf die religionsgeschichtliche Untersuchung zu
Röm 7 von Hommel 1984 hinzuweisen. Obwohl dieser Aufsatz an manchen exegetischen Schwächen leidet, werden hier die Aussagen über
das gespaltene Ich endlich wenigstens im großen und ganzen vor ihrem hellenistischen Hintergrund gesehen. Noch heranzuziehen zu diesem Problem wäre z.B. Maximos von Tyros 18,6a: Καὶ δή μοι δοκῶ
βούλεσθαι μὲν ταῦτα, δύνασθαι δὲ ἧττον. 38,6 erläutert er, wie Paulus,
daß nur Gott dem Menschen aus dieser Situation helfen kann.

165 Van Unnik 1974, 258-259.

166 Zu vergleichen ist ferner Pseudo-Philo Liber antiquitatum biblicarum
25,13; 16,1. Diese Stellen sowie die aus Josephus werden allzuschnell
von Räisänen 1983, 133f A 33 beiseite geschoben.

167 So z.B. Betz 1979, 159.

168 Im übrigen ist Paulus nicht der einzige Jude, der sich von hellenistischen Gedanken über die Urgeschichte beeinflussen ließ. Vgl. zu Josephus Feldman 1968.

169 In den kynischen Briefen sowie bei Maximos von Tyros kann man
das Schweben zwischen verschiedenen Meinungen über das Gesetz
deutlich beobachten. Vgl. besonders den 7.-9.Brief des Herakleitos,
5.Brief des Krates; vgl. Maximos von Tyros 36,6f-g mit 6,5d-7.

170 Der von Nestle-Aland gebotene Text ist wohl der am besten bezeugte.
Die ursprüngliche Lesart von Codex Claromontanus scheint diesem
Text die nötige geographische Verbreitung zu geben, um Zweifel zu

Zu S. 96-98:

beseitigen (vgl. aber Vogels 1933, 294-295, der mit Corssen diese Lesart dem griechischen Text des bilinguen Archetyps Z nicht zubilligen möchte). Außerdem lassen sich die anderen Varianten von dieser Lesart ableiten. So wanderte, nachdem ein (erleichterndes) ἥ als drittes Wort eingefügt wurde (durch Dittographie?), das οὖν an den Anfang des neugebildeten Satzes. Wenn Lightfoot 1890, 200-202 jenes ἥ als ursprünglich ansehen und das οὖν nach στήκετε stehen lassen will, kann er sich nur auf wenige Zeugen berufen. Die Lesart mit ἥ statt τῇ glättet, aber dadurch entsteht eine nachschleppende Begründung von V 31, die dem Zusammenhang (V 29-31) fremd ist: V 31 zieht den Schluß aus V 29-30 und braucht nicht nochmals begründet zu werden (vgl. Oepke und Rohde 1984, 155). Χριστός und ἡμᾶς wurden umgestellt, um ernsteren Textverderbnissen (ursprünglich der Einfügung von ἥ als drittem Wort) vorzubeugen. Diese Maßnahme führte aber anderswo zur Befestigung des ἥ. Zum Text vgl. die Ausführungen von Lightfoot 1890, 200-202, Sieffert 1899, 296f A**, Burton 1921, 270-271, Zahn 1922, 246f A 57, Lagrange 1950a, 134, Oepke und Rohde 1984, 155.

171 So mit Recht Lührmann 1978, 80, K.Müller 1969, 108; vgl. Pastor Ramos 1977, 91.

172 Vgl. Pastor Ramos 1977, 91.

173 Vgl. Burton 1921, 270.

174 Zu Pastor Ramos 1977, 140, Ramsay 1900, 434. Etwas anders: Bousset 1917, 67.

175 Rengstorf 1951.

176 Vgl. die Zustimmung von Oepke und Rohde 1984, 155, Bonnard 1972, 102 A 2 und K.Müller 1969, 108-110.

177 Übersetzung nach Rengstorf 1951, 660. Für die Parallelen und eine historische Auswertung vgl. besonders Urbach 1964, 79-83, 14-15.

178 Rengstorf 1951, 660.

179 Rengstorf 1951, 660.

180 Untersuchungen zum Loskauf von gefangenen Sklaven in der hellenistisch-römischen Welt sind kaum vorhanden. Von griechischem und römischem Recht wissen wir das Folgende über die losgekauften Kriegsgefangenen: "Wer das Lösegeld nicht erstattet, bleibt bis zur Rückzahlung in der Gewalt dessen, der es für ihn gezahlt hat" (Thalheim 1912, 95; zum ähnlichen römischen Recht vgl. Elert 1947, 268). Daß der Loskauf sowohl der vorherigen Freien als auch der vorherigen Sklaven manchmal zur Freiheit (bei Sklaven z.B., wenn sie besondere Dienste im Krieg erwiesen haben; vgl. Thalheim 1912, 96), manchmal zu erneuter Knechtschaft führte, ist deswegen anzunehmen. Vgl. dazu Buckland 1908, 291-317.

181 Vgl. z.B. Liddell, Scott und Jones 1968 zu diesen Verben. Wenn K.Müller 1969, 110 A 11 schreibt, „(ἐξ-) ἀγοράζειν ist im hellenistischen Raum juridischer terminus profaner und sakraler Sklavenauslösung", hat er den Sachverhalt total verkannt. Vgl. oben S. 31 mit A 33.

Zu S.98-100:

182 Mußner 1981, 345.

183 Z.B. Eadie 1869, 378, Meyer 1870, 259, Lipsius 1892, 57, Sieffert 1899, 297, Blass § 188 A 1.

184 Blass § 188.1. Vgl. ähnlich z.B. Schwyzer 1950, 150.

185 Mußner 1981, 342.

186 Betz 1979, 255.

187 Mayser 1934, 243-244.

188 Mußner 1981, 343 A 4.

189 Mayser 1934, 244-247.

190 Vgl. Burton 1921, 271, Oepke und Rohde 1984, 155.

191 Wie Burton 1921, 271 mit Recht bemerkt.

192 Oepke und Rohde 1984, 155, Schlier 1971a, 229, Betz 1979, 256 A 25.

193 Vgl. ähnlich Mußner 1981, 343 A 4.

194 Bonnard 1972, 101. Burton 1921, 271 bemerkt mit Recht, daß der Artikel gegen diese Deutung spricht. Vgl. Blass § 198.6 mit A 9.

195 Bonnard 1972, 101 erwähnt diese Möglichkeit, ohne sich ihr anzuschließen.

196 Mayser 1934, 151.

197 Blass § 197.1.

198 Vgl. Anthologia Graeca (Palatina) 7,553: Ζωσίμη, ἡ πρὶν ἐοῦσα μόνῳ τῷ σώματι δούλη, καὶ τῷ σώματι νῦν εὗρεν ἐλευθερίην, "Zosime, die früher lediglich im Hinblick auf den Körper Sklavin war, hat nun Freiheit auch im Hinblick auf den Körper gefunden." Vgl. ferner Plutarch Moralia 13b: τῇ τύχῃ μὲν ἐλεύθεροι, τῇ προαιρέσει δὲ δοῦλοι, wo jedoch der Dativ dativus instrumentalis ist.

199 Vgl. z.B. Liddell, Scott und Jones 1968, s.v. γαμέω, Blass § 188 A 1.

200 Vgl. Betz 1979, 256 A 26.

201 Vgl. Moule 1959, 44 A 2.

202 Vgl. ferner 2Kor 11,2; 1Thess 4,8; 1Kor 5,6; Gal 5,9; 1Kor 9,7; 2Kor 11,7; Röm 12,3; 1Kor 11,2; 16,10; 2Kor 3,5-6. Zum ganzen vgl. Bujard 1973, 157-159, 189.

203 Bonnard 1972, 102, Mußner 1981, 343; vgl. Schlier 1971a, 230.

204 Vgl. Burton 1921, 270, Schlier 1971a, 229, Oepke und Rohde 1984, 155, Lührmann 1978, 80.

205 So z.B. Zahn 1922, 248.

206 Vgl. Bonnard 1972, 102 ("tous les esclavages religieux"), Mußner 1981, 344.

207 Gegen Rengstorf 1951, 660-661, der nur diese jüdische Deutung nennt.

208 Vgl. die Parallelen zu ζυγῷ δουλείας bei Wettstein 1752, 231 und Sieffert 1899, 298 und ferner z.B. Seneca Epistulae morales 94,63 (a Dareo liberae nationes iugum accipiunt), Dion Chrysostomos 80,7, Philo Quod omnis probus liber sit 18, Lukian De mercede conductis 13.

209 Vgl. Schlier 1971a, 231, Mußner 1981, 344.

210 Betz 1979, 258.

Zu S.100-104:

211 Die Gleichsetzung dieser Knechtschaften wird in den meisten Studien und Kommentaren erkannt. Vgl. z.B. Vielhauer 1976, 552-555, Hübner 1982, 34-35. Andere wollen die Knechtschaft unter dem Gesetz nur auf die Juden beziehen; so z.B. Burton 1921, 196-202 und Betz 1979, 175 A 116, 176. Dagegen spricht nicht nur τὰ πάντα 3,22, sondern auch, daß Paulus 3,26-29 die Galater direkt anredet (sie also in das "wir" V 23-25 einschließt) und daß 4,3.9 die beiden Arten von Knechtschaft durch das Wort "Elemente" verbunden werden.

212 Vgl. die Diskussion über den Beginn des ethischen Abschnittes bei Merk 1969. Die meisten Kommentatoren setzen den Anfang der Paränese bei diesem Vers an. Vgl. z.B. Lipsius 1892, 60, Bousset 1917, 69, Zahn 1922, 261, Lagrange 1950a, 144, Becker 1981, 67. Erst von diesem Punkt an treffen wir fest geprägtes paränetisches Material, wie z.B. den Lasterkatalog (V 19-21: Paulus habe ihnen dieses schon mal gesagt, V 21). Wie wir gesehen haben (oben S.96-97), ist 5,2ff noch dabei, die Konsequenzen aus der "Allegorie" zu ziehen (das "Entweder-Oder"). 5,12 macht eine endgültige Aussage über die "Agitatoren".

213 So z.B. Lightfoot 1890, 208, Sieffert 1899, 315 und Oepke und Rohde 1984, 169. Oepke und Rohde weisen darauf hin, daß das erste Wort in V 13 dem letzten in V 12 entspricht.

214 Vgl. Pastor Ramos 1977, 148.

215 So Blass § 235.4 mit A 6 und fast alle Kommentatoren, z.B. Lagrange 1950a, 145, Oepke und Rohde 1984, 169 mit A 4, Mußner 1981, 367.

216 Lietzmann 1971a, 37.

217 Vgl. z.B. die Freilassungsinschrift aus Kalymnos bei RIJG S.301 Nr. 36 Z 14: ἀνεκαρύχθησαν ἐπ' ἐλευθερίᾳ, SGDI 1694,3, Hypereides Contra Athenogenes 5 (letztere sind Beispiele von πρᾶσις ἐπ' ἐλευθερίᾳ, s.o. S.34 mit A 55).

218 Vgl. z.B. BGU Bd.4, 1141,24 (zitiert auch in Moulton und Milligan 1930, 203) und das Folgende im Text. Vgl. Epiktet 4,1,131 und Thukydides 3,10,3; 4,114,3.

219 Vgl. z.B. Thukydides 1,90,2, Polybios 1,41,6.

220 Bertram 1954, 473.

221 Vgl. die vielen Beispiele bei Moulton und Milligan 1930, 98-99 und W.Bauer 1971, 253.

222 Vgl. 2Kor 5,12; 11,12; Röm 7,8.11. Vgl. Bertram 1954, 473-475.

223 Bonnard 1972, 108f A 1 hebt mit Recht gegen Schlier 1971a, 242 hervor, daß der Text hier nicht von der Taufe redet. Andererseits ist gegen Bonnard 1972, 108f mit A 1 zu sagen, daß laut Paulus der Ruf direkt von Gott und nicht von ihm selbst stammt.

224 Zu der Rolle von Apollon hierbei vgl. außer dem Kontext bei Maximos noch Diogenes Laertios 6,20-21. Zu den römischen Freiheitsgottheiten vgl. Stylow 1972, 5-8.

225 Vgl. Semler 1779, 374, Lipsius 1892, 61, Schlier 1971a, 243, Lietzmann 1971a, 39.

226 Mußner 1981, 366.

Zu S.104-105:

227 Becker 1981, 68; vgl. ähnlich Mußner 1976, 36-37.

228 Bornkamm 1966, 135; ähnlich auch Willis 1985, 248. Mata 1982, 84 beschreibt V 13b-c wie folgt: "Una proposición aclarativa que señala el objetivo de esta libertad y lo determina en modo negativo y positivo."

229 Betz 1979, 273.

230 Betz 1979, 273.

231 Bonnard 1972, 108 A 1.

232 D.h. der Nestle-Text. Der längere Text ergäbe durch die Gegen-überstellung von πνεῦμα und σάρξ einen guten Sinn und bereitete gut auf V 16 vor. Er wird deswegen von Windischmann 1843, 140 und Zahn 1922, 262 vorgezogen. Aber selbst dieser längere Text besagt nicht, daß Freiheit ein Geschenk des Geistes ist. Im übrigen wird die enge Beziehung, die Betz hier u.ö. zwischen ἐλευθερία und πνεῦμα ohne weitere Qualifikationen herstellt, durch die Texte nicht gerechtfertigt. Während die Aussage: "2 Cor 3:17 makes clear that for Paul Spirit and freedom are one and the same thing" (Betz 1979, 256; Schlier 1971b, 225 beruft sich zu ähnlichen Zwecken auf denselben Passus), richtig ist, insofern eine enge Beziehung zwischen diesen Wörtern in diesem Passus vorkommt, darf doch 2Kor 3,17 nicht einfach aus dem Kontext gerissen und überall unkritisch zur Erklärung von Freiheitswörtern bei Paulus herangezogen werden. Dort bedeutete ἐλευθερία etwas anderes als im Gal. Folgende Aussage von Betz 1979, 256 legt wohl Zeugnis von seiner Verlegenheit ab: "When Paul describes 'the fruit of the Spirit' (5:22-23), freedom is conspicuously absent from the list of the benefits of the Spirit. The reason is that freedom is both the basis of them all and the result of them all." Eher ist "the reason", daß ἐλευθερία einen Platz in solchen von Paulus übernommenen Listen nie hatte, wie die Parallelen (vgl. z.B. 2Kor 6,6) zeigen. Anders allerdings z.B. bei Lukian; vgl. dazu Betz 1961, 209-210.

233 Vgl. W.Bauer 1971, 1044.

234 Vgl. Blass § 481 mit A 1. Ähnliche Beispiele sind aufgeführt bei Burton 1921, 292 und wiederholt in Schlier 1971a, 242 A 2 und Oepke und Rohde 1984, 169 A 6; aus dem NT führt Mußner 1981, 368 A 14 im Anschluß an W.Bauer 1971, 1023 Beispiele auf. Daß diese Art von Ellipse konventionell war, heißt aber nicht, daß sie aufhört, Ellipse zu sein (gegen Schlier 1971a, 242; vgl. Mußner 1981, 368, der meint, die Formulierung erlaube keine Ergänzung eines Verbs - "trotz des Akkusativs"). Mögliche Ergänzungen sind bei Borger 1807, 344, Sieffert 1899, 315, Burton 1921, 292 und Zahn 1922, 261 A 86 aufgeführt. Vorgeschlagen werden u.a. ἔχετε (vgl. 1Petr 2,16), ποιεῖτε, τρέπετε, στρέφετε (vgl. Apk 11,6), μεταστρέφετε (vgl. Apg 2,20), δῶτε (so F und G).

235 Burton 1921, 292 schreibt: "The thought is probably not 'use not this freedom for, in the interest of,' but 'convert not this freedom into'." Dadurch ist weniger deutlich, daß ein möglicher Gebrauch der

<u>Zu S.105-112:</u>

Freiheit vorliegt. Doch ist der Besitz der Freiheit vorausgesetzt, und
alles, was mit ihr geschieht, muß als Gebrauch (in diesem Fall als
Mißbrauch) dieser Freiheit eingestuft werden. Dieser Freiheit wohnt
diese Möglichkeit inne.
Ein Beispiel für Hinweise zum rechten Gebrauch der Freiheit vgl. bei
Cicero Tusculanae disputationes 5,83.

236 Cramer 1842, 79. Mata 1982, 95 meint, 5,13b polemisiere gegen diese
allgemein anerkannte Definition der Freiheit; konkrete Gründe für diese Meinung führt er freilich nicht an.

1 Betont zu Recht z.B. von Tannehill 1967, 7-8 und Luz 1969, 176
(vgl. unten mit A 9).

2 Bultmann 1910, 67.

3 Vgl. bes. den berühmten Aufsatz von Bornkamm 1971a, bes. S.125
zu den Fragen; ferner z.B. Gäumann 1967, 92.

4 Stowers 1981. Vgl. die Zusammenfassungen dort S.152-154, 175-184.

5 So Stowers 1981, 153.

6 Diese Aussage bezieht sich besonders auf Stowers 1981. Es ist eine
bedauerliche, aber gravierende Schwäche von Stowers Arbeit (auch
Stowers 1984, bes. S.718), daß Röm 3,8 keine Aufmerksamkeit ge-
schenkt wird, denn 3,8 ist die einzige Stelle im Röm, die uns <u>direk-
ten</u> Aufschluß über den Ursprung einiger Einwände im Röm bietet.

7 So auch z.B. Cranfield 1977-79, 818, Vielhauer 1978, 183-184, Kümmel 1983, 273-274, Kettunen 1979, 182-189; vgl. Schwartz 1919, 123.

8 Betz 1977, 12; ähnlich z.B. Weizsäcker 1876, 281, Kettunen 1979, 184.

9 Weizsäcker 1876, 281; vgl. auch z.B. Tannehill 1967, 7-8: Kap.6 "is
a single unit and is dominated by one major concern, that of answering
certain objections which might be raised against the thesis of justification by grace through faith", Lietzmann 1971b, 46, Luz 1969, 169,
176.

10 Der Zusammenhang zwischen 3,8 und 6,1.15 wird z.B. auch gesehen
von Luz 1969, 174-175, Tannehill 1967, 8, Halter 1977, 38, 73, Vielhauer 1978, 184, Kettunen 1979, 186.

11 Vgl. ähnlich z.B. Gale 1964, 188-189, Schlier 1979, 206.

12 Dieses Gesetz wird von (Pseudo-)Plutarch Moralia 166d erwähnt. Dieser Befund spricht gegen die Meinung von Gale 1964, 189, wonach
ein Sklave kein Recht und keinen Einfluß auf einen Herrenwechsel
hatte. Michel 1963, 158 A 1 erwähnt die genannte "Gesetzgebung der
Kaiserzeit", bietet dafür aber keine Belege.

13 Dagegen meint Kürzinger 1958, 166-167 im Anschluß an Dölger 1971,
122-123, daß "zum vollen Zustandekommen eines gesetzlich geregelten
Kaufes in der Regel auch verlangt wurde, dass der Sklave selbst seine Bereitwilligkeit und seine freudige Zustimmung zur Dienstübernah-
me äusserte". Die von ihnen gelieferten Belegstellen (Lukian Vitarum
auctio 21 und Acta Thomae 2-3) berechtigen aber keineswegs zu diesem Schluß. Dölger und Kürzinger lesen diesen Sachverhalt ohne

Zu S.112-114:

Grund in den Text hinein. Lukian Vitarum auctio 21 wird zwar ein Stoiker, der verkauft werden soll, von einem möglichen Käufer gefragt, ob ihm das Leben eines Sklaven zuwider wäre. Aber erstens spielt Lukian hierbei eindeutig zum Spaß auf stoische Grundsätze an (der Stoiker antwortet: οὐκ ἐφ᾽ ἡμῖν; vgl. dazu z.B. Epiktet 4,1,66: τὸ μὲν σῶμα ἀλλότριον), und zweitens deutet nichts darauf hin, daß das Zugeständnis des Sklaven überhaupt etwas mit der juristischen Legitimität des Kaufes zu tun hat. Hier wie auch anderswo (vgl. z.B. 34.Brief des Krates 4-5) führt der mögliche Käufer ein Gespräch mit dem Sklaven, lediglich um sich über die Ware zu informieren. Das zeigt sich deutlich (bleiben wir nur bei Kürzingers Textgrundlage) später in Lukians Erzählung Vitarum auctio 27: Wenn ein verkaufter Skeptiker es nicht zu bestätigen vermag, daß er tatsächlich verkauft wurde, hindert das gar nichts am Kauf selbst. Er wird von seinem neuen Herrn weggeführt. Der Sklave steht in der Macht seines neuen Herrn, ungeachtet dessen, wie er sich dazu einstellt.

14 Gale 1964, 184.

15 Vgl. ähnlich Kuss 1963, 390 und Sieffert 1869, 272.

16 Nestle 1972, 282.

17 Nestle 1972, 282-283; vgl. ähnlich Bouttier 1974, 136.

18 Berger 1968, 75.

19 Kuss 1963, 392.

20 Schlier 1979, 212. Vgl. auch z.B. Fuchs 1949, 46: "Auf Freiheit konnten sie keinen Anspruch machen, es sei denn ironisch auf Freiheit gegenüber der Gerechtigkeit", Gäumann 1967, 99: "ironischen Klang", Halter 1977, 85: "wohl etwas ironisch", und Malan 1981, 129.

21 Darauf beziehen die Wörter z.B. Zahn 1925, 324, Lietzmann 1971b, 71, Michel 1963, 161 (ἐδουλώθητε).

22 Gegen z.B. Zahn 1925, 324 A 40 und Sanday und Headlam 1902, 168-169, die den Bezug auch auf das Folgende verneinen.
Einen Bezug auch auf das Folgende sehen auch Nygren 1959, 190, Sisti 1964, 122, Bjerkelund 1972, 94, Schlier 1979, 210, Cranfield 1977-79, 325 und offensichtlich Wilckens 1980, 37.
Einen Bezug auf nur das Folgende (V 19b) zieht Barrett 1957, 132 zögernd vor. Vgl. auch Gäumann 1967, 98.
Daß sich die Wendung sowohl auf das Vorherige als auch auf das Folgende (und also auf die gesamte Sklavenanalogie) bezieht, ergibt sich aus der Gleichartigkeit der Aussagen in beiden Teilen. So wird z.B. die besonders anstößige Formulierung am Ende von V 18 in V 22 mit einem unwesentlichen Unterschied wiederholt: δουλωθέντες δὲ τῷ θεῷ. Vgl. auch unten A 24.
Die Wörter stehen nicht zwischen dem Vergleichsmaterial und seiner Anwendung, denn V 16d-18 führen schon die Auswertung durch (zu Bjerkelund 1972, 93).

23 Lietzmann 1971b, 71. Auch Güemes Villanueva 1971, 148 A 28 meint, daß es an dieser Stelle um "la verdadera libertad" geht; vgl. auch

Zu S.114-116:

Photius (Staab 1933, 502-503) und Pastor Ramos 1975, 450, 462.

24 Vgl. ähnlich Bjerkelund 1972, 93, der in seiner Studie zu der Wendung "nach menschlicher Weise rede ich" deutlich herausstellt, daß sie eine bestimmte Art von Argument (a minore ad maius) kennzeichnet (S.100). Bei Paulus ist das jedenfalls Gal 3,15; 1Kor 9,8; und Röm 6,19 der Fall. Alle Passus führen Vergleiche aus dem alltäglichen Leben an, um auf einer anderen Ebene zu überzeugen. Gal 3,15ff zeigt deutlich, wie ernst Paulus das Vergleichsmaterial nimmt. Bei Röm 6,19 ist also dasselbe anzunehmen, denn Indizien dagegen finden sich im Text nicht. Daran ist nicht zu rütteln, wenn sich auch das Vorkommen der Wendung Röm 3,5 nicht leicht auf eine Linie mit den anderen Belegen stellen läßt (vgl. Bjerkelunds Versuch 1972, 94-99).

25 Nestle. 1972, 282.

26 Vgl. z.B. die Reaktion Käsemanns 1980, 170: "Unbegreiflicherweise ist behauptet worden, Freiheit sei kein grundlegendes Thema der paulinischen Theologie".

27 Drane 1975, 67, vgl. 132-136; auch 1980, 223: Röm "is not simply a more comprehensive statement of the teaching of Galatians, but a reformulation of that teaching as Paul now saw it through the spectacles of his experiences at Corinth".

28 Vgl. z.B. die Diskussion bei Vielhauer 1978, 175 und Kümmel 1983, 272. Gehört Kap.16 zu Röm, so "spricht die Empfehlung der Phoebe aus Kenchreae, der Hafenstadt von Korinth", für diesen Schluß (Kümmel 1983, 272). Ferner ist vielleicht der 16,23 erwähnte Gaius derselbe wie in 1Kor 1,14. Aber auch wenn Kap.16 nicht ursprünglich zu Röm gehört, ist die Abfassung des Röm in Korinth oder Umgebung (jedenfalls während oder nach dem letzten Korinthbesuch) wahrscheinlich, denn Paulus hat offensichtlich seine letzte Reise durch Griechenland vollendet und ist im Begriff, mit der (vollendeten) Kollekte nach Jerusalem zu reisen (15,25-26).

29 Kuss 1963, 390-391.

30 Dafür könnte man sich möglicherweise auf Röm 14-15; 16,17-20 berufen. Doch selbst wenn Röm 14-15 aktuelle Probleme reflektieren (vgl. z.B. die Diskussion und die Stellungnahme dagegen von Karris 1973), ist dabei kaum Libertinismus im Sinne von 6,15 (ἁμαρτήσωμεν, ὅτι οὐκ ἐσμὲν ὑπὸ νόμον ἀλλὰ ὑπὸ χάριν) im Blick. 16,17-20 läßt keine sicheren Schlüsse über Libertinismus in Rom zu: Die Warnungen klingen stereotyp. Ihre Stellung am Ende des Briefes deutet in dieselbe Richtung, denn formgeschichtlich scheint für Paulus eine solche Ermahnung zu den Standardteilen des Briefschlusses zu gehören (vgl. Gal 6,12-16; 1Kor 16,22; 1Thess 5,14). Ferner wird hier außerordentlich große Zuversicht gegenüber den Römern ausgedrückt (16,19), als ob solche Probleme kaum etwas mit den römischen Christen zu tun hätten.

31 Daube 1956, 394-395.

32 Lütgert 1913, 69-72, Smith 1973, 259; vgl. Campbell 1981, 36, der (wenig überzeugend) auf die zweite Person Plural in 6,3 und die Imperative in 6,11-13 verweist.

Zu S.116-118:

33 Lütgert 1913, 71; vgl. auch z.B. Lagrange 1950b, 67.

34 Gründe für dieses Verständnis von ὤν: (1) So wie der Vers jetzt lautet, ist τινές grammatisch das einzig mögliche Bezugswort von ὤν. (2) Die Paulus vorgeworfene Position ist deutlich eine Karikatur, kaum eine im Ernst vertretbare Lehre. (3) Das Wort βλασφημούμεθα zeigt, daß ein Vorwurf gegen Paulus vorliegt (vgl. 1Kor 10,30), nicht eine von Libertinisten aufgestellte Behauptung, Paulus stimme mit ihrer Lehre überein (gegen Smith 1973, 259). Weswegen Moxnes 1980, 58f A 8 3,8 von Juden oder Judenchristen, 6,1.15 dagegen von Libertinisten - trotz der von ihm konstatierten Ähnlichkeit der Einwände - ableiten will, bleibt bei ihm unbegründet. Die Ähnlichkeit macht eine solche Unterscheidung höchst unwahrscheinlich. Käsemann 1980, 156-157, auf den Moxnes verweist, vertritt diese Meinung nicht.

35 Sieffert 1869, 274 (vgl. oben Kap.1 A 30).

36 Vgl. dazu Hübner 1982, 54-58, der annimmt, daß Jakobus Kenntnis von Gal vermittelt bekam. Unter dieser Voraussetzung ist es auch möglich, daß blasphemische Gerüchte über den Inhalt des Gal auch nach Rom gelangt sind. Freilich ist sowohl diese als auch Hübners Annahme höchst hypothetisch. Doch muß die Entstehung des 3,8 zitierten Gerüchts auf irgendeine Weise erklärt werden. Daß Gal dafür verantwortlich ist, ist angesichts unserer Quellenlage das Wahrscheinlichste. Aus 1Thess, Phlm, 1 und 2Kor oder auch Phil hätte dieses Gerücht wohl nicht leicht entstehen können.

37 Vgl. z.B. Sanday und Headlam 1902, 171, Zahn 1925, 328-329, Cranfield 1977-79, 331, Wilckens 1980, 63. Luz 1969, 170 eruiert darüber hinaus "zwei bis in Einzelheiten hinein parallele Gedankengänge" in den Abschnitten 6,15-22 und 7,1-6; vgl. seine Aufstellung der Texte in zwei parallelen Spalten.

38 Vgl. Fuchs 1949, 48 A 1, Wilckens 1980, 70, Lipsius 1892, 135. Doch soll - gegen Lipsius 1892, 135 - nicht geleugnet werden, daß 7,1-6 durch ausdrückliche Aufnahme des Themas "Gesetz" auch auf das Folgende vorbereitet (vgl. z.B. Paulsen 1974, 29). Die Gedanken des Paulus fließen hier wie sonst auch ineinander über und zeigen mannigfache Querverbindungen auf. Zu den Wortverbindungen zwischen Kap. 6 und 7,1-6 vgl. Michel 1963, 166. Speziell zum Abschluß in 6,23 vgl. Luz 1969, 176f A 40.

39 Zahn 1925, 332 betont zu Recht, daß ὤστε "nicht selten eine aus der Analogie sich ergebende Folgerung einführt"; vgl. Gal 3,9; 1Kor 5,8; 14,22. Daß ὤστε hier diese Funktion hat, ergibt sich deutlich nicht nur aus dem καὶ ὑμεῖς, sondern auch aus der Übertragung des Inhalts des Beispiels, die unten erläutert wird.

40 Dafür s. Kümmel 1974, 39-41 und bes. zur frühkirchlichen Auslegung Schelkle 1959, 224-227.

41 Die verschiedenen Auslegungsmöglichkeiten mit ihren entsprechenden logischen Problemen werden ausführlich und anschaulich von Gale 1964,

Zu S.118-119:

189-198 besprochen. Allerdings behandelt Gale nicht die Meinung von
Zahn 1925, 332 und Davies 1953, 157, die aus der Not eine Tugend
machen wollen: Paulus habe an dieser Stelle kaum eine Wahl gehabt,
denn nur am Ehegesetz, welches zwei Menschen zu einem Leben ver-
einige, könne er sowohl die lebenslängliche Geltung des Gesetzes als
auch die vom Gesetz befreiende Wirkung des Sterbens illustrieren
(Zahn). "No other illustration regarding the law would have been as
apt, because here, and here only, we have illustrated the position of
one who is left alive, and because of a death, is no longer under the
authority of a law" (Davies). Doch ist gegen Zahn zu sagen, daß
Paulus hier keinen Nachdruck auf die durch die Ehe entstandene
Einheit des Lebens legt, was für Zahns Auslegung und ebenfalls für
die Auslegung von Lipsius 1892, 136 ("so betrachtet doch der Apostel das Weib als eine durch den Tod des Mannes für das Gesetz,
das sich auf den Mann bezieht, selbst Gestorbene") Voraussetzung
wäre. Vielmehr richtet Paulus sein Augenmerk von Anfang an auf
die Frau als eigenständiges Subjekt. Zu Davies s. das Folgende im
Text.

42 Käsemann 1980, 179; vgl. ähnlich Davies 1953, 157 ("where there is
a death, the law no longer is in force"), Lagrange 1950b, 162, Kuss
1963, 436 ("wesentlich ist allein: hier wie dort ist die Freiheit durch
einen Tod zustande gekommen"), Cranfield 1977-79, 335, Schmithals
1980, 24; ferner Kümmel 1974, 39; vgl. Halter 1977, 91 und Wilckens
1980, 66.

43 Auch gegen diese Auslegung: Lietzmann 1971b, 72, Osten-Sacken
1975, 189 A 3; ebenfalls Derrett 1970, 462, dessen eigene Erklärung
allerdings weit hergeholt ist.
Von seiner Verlegenheit gibt Kümmel 1974 Zeichen: S.40-41 stellt er
in Abrede, daß Inkongruenz vorliegt; S.38 schreibt er, der Anschluß von 7,4 an 7,1-3 "ist aber rein assoziativ, es ist typisch orientalische, assoziierende Logik". Halter 1977, 91 räumt ein: "Das Beispiel ist allerdings im Blick auf das Folgende nicht gerade glücklich
gewählt."

44 Das hier ein Punkt der Anwendung von V 2-3 liegt, wird von den
Kommentatoren häufig konstatiert (z.B. Zahn 1925, 333, Jülicher
1917, 269), auch ausdrücklich von einigen oben A 42 genannten Forschern (Cranfield 1977-79, 336, Wilckens 1980, 66; vgl. Little 1984,
89). Kümmel 1974, 41 möchte dagegen den Anklang an das Ehebild
leugnen, weil die Wendung τινὶ γενέσθαι einfach Zugehörigkeit ausdrücken könne und weil Paulus niemals die individuelle Beziehung
zwischen Christus und dem Gläubigen durch das Bild der Ehe ver-
anschauliche. Gegen letzteren Punkt vgl. 1Kor 6,16-17. Ersterer
Punkt ist zuzugeben. Doch liegt in unserem Fall deutlich ein Anklang
an V 3 vor - schon wegen der unmittelbaren Nähe der Aussagen,
aber auch wegen des καὶ ὑμεῖς. Vgl. Thüsing 1969, 97-98 und s. auch
das Folgende im Text.

Zu S.120-121:

45 Wie Billerbeck mit Recht bemerkt, erinnern die Worte an eine Formel in den jüdischen Scheidebriefen (Str-B Bd.3, S.377). Dazu vgl. Blau 1911 und 1912, bes. 1912, 18-24 und die Zitate unten A 53; zum Ehegesetz bei Paulus vgl. auch Blaus Bemerkungen 1911, 71-72.

46 Wohl auch nicht zufällig, sondern demselben Zweck entsprechend läßt Paulus den θέλει-Satz von 1Kor 7,39 in Röm 7,2-3 aus.

47 Schlier 1979, 216; vgl. Tannehill 1967, 44-45.

48 Gittin 9,3. Sowohl Gittin 85b als auch Qidduschin 6a-b sagen: אמר לה לאשתו הרי את בת חורין לא אמר, "Hat er zu seiner Frau gesagt: 'Siehe, du bist eine freie Frau', so hat er nichts gesagt", d.h., diese Aussage gilt nicht als Scheidungsaussage. Will diese Unterscheidung einen verbreiteten Gebrauch (wie wir ihn vielleicht bei Paulus reflektiert finden) unterdrücken? Man beachte allerdings, daß diese Parallelen nicht absolut stringent sind, da Paulus nicht von der Scheidung redet. Griechische Parallelen bedürfen einer genaueren Prüfung.

49 Antiquitates 4,256; 4,253. Eine Ausnahme scheint Antiquitates 4,259 zu machen. Aber dort handelt es sich um eine im Krieg gefangene Frau, die zur Ehefrau genommen und später abgeschoben wird. Das ἐλευθερ-Wort bezieht sich auf die Freilassung, wie das vorangehende Verbot des καταδουλοῦν zeigt.

50 Dieser Befund spricht gegen die Meinung von Diezinger 1962, bes. 271-274 (vgl. Schoeps 1959, 178-179), daß Psalm 87,5 LXX im Sinne seiner späten rabbinischen Auslegung (außer dem nicht ganz deutlichen Targum zu Psalm 88,6 durchgehend Jochanan, Mitte des dritten Jahrhunderts, zugeschrieben) unserem Passus zugrunde liegt und für das Hervortreten des ἐλευθερ-Wortes verantwortlich ist. Diezinger beachtet nicht genug, daß das ἐλευθερ-Wort hier spezifisch und nur im Zusammenhang mit der Eheanalogie vorkommt. Er verwischt den Wortlaut und entstellt das Problem, wenn er schreibt S.272: "'Dem Gesetz getötet' will aber ohne Zweifel besagen: durch Tod vom Gesetz frei geworden. Tote sind also frei von Gesetzeserfüllung. Wo steht das aber in der atl. Bibel?" Hatte Paulus den von Diezinger vorgebrachten alttestamentlichen Vers (Psalm 87,5 LXX) im Sinn, dann verwundert, warum er ihn nicht zitiert, sondern für das ἐλευθερ-Wort zu dem Ehegesetz greift.

51 Kümmel 1974, 40-41. Zu Kümmels Versuch, die Inkongruenz zu überwinden, vgl. oben S.118 mit A 43.

52 Als Beispiel für einen solchen Prozeß wäre z.B. auf die Argumente über Abraham in Gal und Röm zu weisen; vgl. dazu z.B. Berger 1966.

53 Daß der Wortlaut hier gegenüber Röm 7,2-3 ursprünglicher ist, ist sehr wahrscheinlich, nicht nur weil 1Kor 7,39 das Gesetz in seinem rein juristischen Zusammenhang darlegt (man beachte allerdings die in Röm 7,2-3 fehlenden verchristlichenden Zusätze bzw. Änderungen: μόνον ἐν κυρίῳ und wohl auch κοιμηθῇ), sondern auch weil die Paralle-

Zu S.121-124:

len - wenn auch nicht das ἐλευθερ-Wort selbst (s.o. im Text mit A 48
und 49) - den letzten Teil der Regelung 1Kor 7,39 abdecken. Vgl.
Josephus Antiquitates 4,256: ἡ δ' ᾧπερ ἂν βουληθῇ τινι τῶν δεομένων
γαμείσθω; Gittin 9,3: להתנסבא לכל גבר דתצבין, "[sc. hier ist der Scheidebrief,] um mit jedem Mann, den du willst, verheiratet werden zu können"; ähnlich schon der Papyrus DJD Bd.2 Nr. 19 Z 5-7, 17-19.

54 Als sprachliche Parallele vgl. Tacitus Annales 2,50,3: liberavitque
[sc. Caesar] Appuleiam lege maiestatis.

55 Vgl. Luz 1969, 171-172.

56 Vgl. Paulsen 1974, 32 A 51 und Osten-Sacken 1975, 175, 226.
Wilckens 1980, 119 (vgl. z.B. Barrett 1957, 154, Giese 1959, 45,
Mattern 1966, 92, Paulsen 1974, 28) meint, daß die Negation οὐδὲν
κατάκριμα an 7,6 anschließt. Doch reicht das gemeinsame νῦν kaum
allein aus, um diese Verbindung aufrechtzuerhalten, vor allem da
Paulus schon vorher mit dem Wort κατάκριμα operiert hat.

57 Vgl. Jülicher 1917, 280.

58 Vgl. z.B. Paulsen 1974, 29-30 und Osten-Sacken 1975, 226-227.

59 Vgl. Kürzinger 1963 und Giese 1959, 44. Von den mannigfachen modernen Vorschlägen für Umstellungen und Streichungen bei den Über-
gangsversen zwischen Kap.7 und 8 wird hier abgesehen. Textkritisch
haben solche Spekulationen kaum eine Grundlage. Der Gedanke 7,25b
ist nicht unpaulinisch (gegen Bultmann 1967, 279, Fuchs 1949, 82-83,
Mattern 1966, 91, Paulsen 1974, 26; zugegeben von Jülicher 1917,
279: "obwohl jedes Wort gut paulinisch klingt"), sondern entspricht
dem Vorherigen sowohl gedanklich als auch zum großen Teil wörtlich
(bes. 7,23; vgl. ähnlich z.B. Jewett 1971, 388 A 2). Ferner haben
die griechischen Väter überwiegend 7,25b einfach als pointierte Zusammenfassung des Vorigen verstanden (vgl. Keuck 1961, 258-273).
Zu Auslegungsmöglichkeiten von 7,25-8,1 vgl. außer den von Keuck
referierten Auslegungen der griechischen Väter noch Kümmel 1974,
64-68, Kürzinger 1963, Mitton 1953-54, 134-135 und Saake 1973.

60 Vgl. ähnlich z.B. Loane 1968, 18, Osten-Sacken 1975, 226-227 und
Schlier 1979, 238.

61 Lohse 1976, 139; vgl. Fuchs 1949, 84: "seltsame Antwort", Loane
1968, 21: "a phrase of tremendous paradox", Betz 1977, 12: "new
and almost monstrous concept".

62 Friedrich 1978a, 113.

63 Friedrich 1978a, 113. Vgl. Schmithals 1980, 85, der das Wort νόμος
aus der "Vorlage" streicht und somit versucht, seine Wichtigkeit herunterzuspielen.

64 Vgl. Räisänen 1980b, 115, der sich zur folgenden betonten Aussage
veranlaßt sieht: "Der νόμος ist und bleibt das Subjekt der einmaligen befreienden Tat."

65 Michel 1963, 188.

66 Die Frage, ob das Wort νόμος in 8,2 die Thora meint, wird in der
Literatur und den Kommentaren heftig diskutiert. Dafür spricht vor

Zu S.124:

allem 8,3-4 (entscheidende Bedeutung gibt diesen Versen vor allem
Lohse 1973, 284-285 und ähnlich z.B. Hahn 1976, 47-48). Dafür, daß
nicht speziell die Thora, sondern lediglich etwa "Ordnung" oder "Regel" gemeint ist, spricht die Beobachtung, daß Paulus νόμος in diesem
Sinne zuweilen im letzten Teil des vorangehenden Abschnitts, vor allem 7,21, zu gebrauchen scheint (vgl. z.B. Räisänen 1980b, 113-116).
Daß Räisänen 1980b, 116 8,3-4 "nicht als Argument für eine buchstäb-
liche Deutung" von νόμος in 8,2 gebrauchen "möchte", kann nichts daran ändern, daß diese Verse als Begründung von 8,2 angeführt werden.
Die tatsächliche Erfüllung der Thora begründet die Aussage, daß das
Gesetz des Geistes des Lebens die Christen vom Gesetz der Sünde und
des Todes befreit hat. Das Gesetz des Geistes des Lebens muß also zumindest in einer Beziehung zur Thora stehen, denn es führt zu ihrer
Erfüllung. Mehr als diesen Punkt brauchen wir hier nicht zu konstatieren. Selbst Räisänen 1980b, 114 gibt diesen Punkt zu, wenn er
schreibt, daß das Wort νόμος hier wie auch 7,21-25 "einen polemischen
Bezug auf die gewöhnlichste Bedeutung des Wortes νόμος (die Torah)"
hat. Die Lösung des Rätsels ist m.E. in dem noch verhältnismäßig un-
erforschten hellenistischen Hintergrund des paulinischen Gesetzesverständnisses (vgl. dazu oben S.93-94) zu suchen. Diese Erforschung
kann hier nicht in vollem Maß unternommen werden, sondern wird im
folgenden nur soweit getrieben, wie sie der Erklärung des Freiheitswortes 8,2 direkt dient. Es werden sich aber dabei schon genug Indizien dafür ergeben, daß der vernachlässigte hellenistische Hintergrund
einen wichtigen Beitrag zur Klärung des Gesetzesproblems bei Paulus
zu leisten hat. Vgl. unten A 72.

67 Es sei hier kurz eingegangen auf den interessanten, anregenden, aber
letzten Endes verfehlten Versuch von Fabris 1977, 84-113, der zeigen
will, daß nach dem AT und dem Judentum zur Zeit des NT das Gesetz
als Fundament und Garant der Freiheit angesehen wurde (S.112: "la
legge divina è fondamento e garanzia di libertà"). Fabris S.91 konstatiert mit Recht, daß die erhaltenen Zeugnisse uns nicht erlauben,
Abot 6,2 und verwandte Aussagen früher als in die Mitte des 2.Jahr-
hunderts n.Chr. zu datieren (d.h., selbst wenn man, wie Fabris, den
Zuweisungen ohne weiteres Glauben schenkt). Doch meint er, daß die
Idee dieser Verbindung zwischen Gesetz und Freiheit weit älter ist, und
findet sie im AT, in den Targumim, in der LXX und in der jüdischen
Exegese. Insbesondere untersucht er die Zeugnisse über den Exodus
und, damit verbunden, das Sklavengesetz 3.Mose 25,54-55. Alle diese
Texte belegen aber letzten Endes nichts weiteres als die Idee, daß Gott
die Israeliten aus Ägypten befreit hat und daß sie seinem Gesetz dienen sollen. Fabris ist bestrebt, zu zeigen, daß Freiheit und Gesetzesdienst in diesen Texten gleichgesetzt werden. Seine Anstrengungen
vermögen aber nicht zu vertuschen, daß diese Gleichsetzung in diesen
Texten nirgends vollzogen wird. Sein stärkster Beleg ist wohl Exodus
Rabba 12,2, wo gesagt wird: "'Er führt sie aus Finsterniss und Todes-
schatten heraus;' vom eisernen Joche hinweg zum Joche der Thora, aus

Zu S.124-126:

der Sclaverei zur Freiheit" (Wünsche). Gesetz und Freiheit werden hier
in eine gewisse Parallelität gesetzt, doch nicht gleichgesetzt. Noch ist
die "nozione di libertà per il servizio di Dio o nel servizio di Dio"
(S.101) in den Texten vorhanden. Hier versucht Fabris, die griechische Idee der innerlichen Freiheit in Texte hineinzulesen, die von sozialer Freiheit (wenn auch religiös begründeter sozialer Freiheit; S.98)
sprechen. Selbst die Idee, daß die Israeliten befreit wurden (wo ein
Wort vom Stamm חרר da ist), damit sie Gott dienen konnten, scheint
Fabris nicht direkt belegen zu können.
Fabris' Buch ist darauf ausgerichtet, in Abrede zu stellen, daß die im
Jakobusbrief vorkommenden Wendungen νόμος ἐλευθερίας, νόμος βασιλικός
u.ä. einem hellenistischen Hintergrund zu verdanken sind. Seine ausführlichen Untersuchungen zeigen m.E. eher nur wieder und deutli-
cher das Gegenteil, denn, obwohl Fabris alles mögliche jüdische Mate-
rial gründlich durchsucht, findet er wörtliche Parallelen zu diesen
Wendungen doch nur in hellenistischen Texten.
Schon Weiß 1902, 34 hat richtig gesehen, daß Abot 6,2 ohne Zweifel
vom hellenistischen Freiheitsverständnis beeinflußt ist (innerliche
Freiheit).

68 Philo Quod omnis probus liber sit 45-46; von Arnim SVF Bd.3, S.87.
69 Cicero Paradoxa Stoicorum 34.
70 Am nächsten vielleicht Epiktet 1,13,5, wo von den νόμους τοὺς τῶν
   νεκρῶν im Gegensatz zu den göttlichen Gesetzen die Rede ist. Epiktet
   denkt allerdings an Sklavengesetze.
71 Es ist auch hier wichtig, auf den Wortlaut des Textes zu achten, wenn
   man sich vor Verdrehung des Inhaltes hüten will. Eine solche Verdrehung liegt in folgender Deutung von Nygren 1959, 228 vor: "Neu in
   diesem Zusammenhang ist das Wort 'frei vom Tode', ἐλεύθερος ἀπὸ τοῦ
   θανάτου". Das ist nicht neu im Zusammenhang, sondern vielmehr von
   Nygren in den Text hineingelesen, damit er ein Lieblingswort vieler
   Exegeten, "Freiheit vom Tode", belegen kann. Daß dieses Wort bei
   Paulus nirgends direkt belegt ist, muß als ein Problem für die Angemessenheit dieser Kategorie notiert werden und sollte zumindest im Bewußtsein der Exegeten nicht in Vergessenheit geraten.
72 Vgl. Michel 1963, 187, der mit Recht bemerkt: "Die Vernunft steht also
   ausdrücklich auf der Seite des göttlichen Gebotes." Zur Forschungsgeschichte vgl. Jewett 1971, 358-367. Gegen R.Bultmanns Auslegung
   vgl. Räisänen 1983, 111-113 und die Hinweise ebd.
   Im Lichte des Befundes und der Funktion des νόμος in 8,2 (den Menschen zu befreien, damit er das tun kann, was er will) samt den hellenistischen Parallelen gewinnt folgende Aussage von Dodd 1954, 37 an
   Gewicht: νόμος in Röm 8,2 sei "an immanent principle of life, like the
   Stoic Law of Nature, but determined by the Spirit of Christ". M.E.
   besteht aber die Aufgabe der Erforschung des Gesetzes bei Paulus weniger darin, zu entscheiden, ob νόμος Thora oder etwas anderes bedeutet, als darin, gerade das Gemisch von hellenistischen und eher jüdischen Gedanken in seinem Verständnis des Gesetzes richtig zu begrei-

Zu S.126-129:

fen. Für diese Aufgabe fehlen aber, wie gesagt (vgl. oben S.94), die Vorarbeiten.

73 Besonders gegen Niederwimmer 1966, 50-54, wo "freilich auf Grund der christlichen Erfahrung" (S.51) stoische Frömmigkeit mit Gewalt gegen die Texte ausgelegt und verurteilt wird (vgl. Kap.3 A 158).

74 Zum Beispiel Hübner 1982; vgl. dort S.9-13 zu den Vorgängern.

75 Räisänen 1980a, 303-304; 1983, 11.

76 Räisänen 1980c, 81 A 84; vgl. 1983, 9. Andererseits rechnet Räisänen 1980c, 81 A 84; 1983, 256-263 mit einer Entwicklung, die allerdings vor der Zeit der erhaltenen Briefe stattgefunden haben soll.

77 Räisänen 1980a, 314; vgl. 1983, 228.

78 Was man sich unter dem Terminus "Entwicklung" genau vorstellen soll, scheint in der Forschung einer gründlichen Klärung zu bedürfen. Sie kann hier nicht vorgenommen werden; der Begriff wird daher in dieser Arbeit bewußt naiv gebraucht im Sinne von "Änderung der eigenen Grundposition im Gegensatz zu lediglich situationsbedingter Änderung der Aussagen". Daß diese Definition differenzierter herausgearbeitet werden muß, wird jedem einleuchten (was konstituiert eine Änderung der Grundposition?) und ist aus den klassisch-philologischen Diskussionen über Entwicklungen bei verschiedenen antiken Schriftstellern ersichtlich. Vgl. z.B. zu "Entwicklung" bei Tacitus Jens 1956, bes. 331 A 1, wo die verschiedenen in der Tacitus-Forschung vertretenen Thesen zu diesem Problem aufgeführt werden.

79 Vgl. hiermit vor allem Gal 4,1-7, wo dieselben Themen vorkommen. Zu den Einzelheiten vgl. Paulsen 1974, 77-106 und Osten-Sacken 1975, 128-142. Beide betonen mit Recht, daß hier lediglich verschiedene traditionelle Elemente, nicht eine feststehende Einheit, von Paulus aufgenommen werden. Daran ist gegen Bindemann 1983, 36 festzuhalten, der hinter den beiden Texten eine "Taufliturgie" sieht. Die deutlichen, aber doch vereinzelten Übereinstimmungen berechtigen nicht zu diesem Schluß.

80 Vgl. ähnlich Osten-Sacken 1975, 133-136.

81 Die Wichtigkeit von V 17c für das Folgende betont Siber 1971, 141-142 gegenüber vielen Exegeten, die V 18 eine Schlüsselstellung zuweisen, zu Recht. Vgl. auch z.B. Cambier 1968, 80, Osten-Sacken 1975, 139-142, Käsemann 1980, 221, Bindemann 1983, 67.
Bindemann 1983, 15 A 39 bemerkt zu Recht, daß die Diktion in Röm 8 unpolemisch ist. Er zeigt S.25-28 einleuchtend, wie aktuelle Interessen die Auslegung Käsemanns bestimmen, der 1980, 222 eine "antienthusiastische Tendenz" in V 17c und 1964/1972, 236 eine unerhört radikale Kritik in V 26-27 erblickt (vgl. Bindemann 1983, 15 A 37 für andere Vertreter dieser Meinung; dagegen auch Schmithals 1980, 139-141). Andererseits findet Bindemanns Behauptung 1983, 36, Paulus ziele in unserem Abschnitt auf "eine Fehlhaltung seiner römischen Gesprächspartner" (angesichts des Leidens zweifeln sie "an der Realität der in der Taufe zugesprochenen υἱοθεσία"), ebensowenig einen Anhalt im Text.

Zu S.129-131:

Auf seinen größeren Versuch, diese Behauptung durch Erwägungen zum Abfassungszweck des Röm zu stützen, kann hier nicht ausführlich eingegangen werden. Schon daß Röm lediglich an eine judenchristliche Gruppe in der Gemeinde gerichtet war (so Bindemann 1983, 62), wird vermutlich wenig Zustimmung in der Forschung finden, vor allem wegen der direkten Anreden der Adressaten als Heiden (z.B. 11,13).

82 Zu Wortstatistik und Stil vgl. Osten-Sacken 1975, 80-91. Zu den apokalyptischen Parallelen vgl. Balz 1971, 36-92.

83 Osten-Sacken 1975, 97.

84 Die rekonstruierte Vorlage befindet sich in Osten-Sacken 1975, 96.

85 So vornehmlich Balz 1971 und Paulsen 1974.

86 Zum Beispiel bei der Zuweisung der häufig bei Paulus vorkommenden Wörter οἴδαμεν γάρ am Anfang von V 22 zur Vorlage. Weitere berechtigte Einzelfragen an Osten-Sacken finden sich bei Wilckens 1980, 150-151. Auch Bindemann 1983, 29 meint, daß die sprachlichen Indizien in V 19-22 Osten-Sackens Schluß nicht rechtfertigen. Durchaus vergleichbar mit Osten-Sackens Versuch sind die ebenfalls extrem hypothetischen Rekonstruktionen der "Vorlage" von 2Kor 3; dazu s.o. Kap.3 A 194.

87 Paulsen 1974, 115.

88 Die religionsgeschichtlichen Ausführungen in Kap.4 dürften das schon deutlich gemacht haben; vgl. dort z.B. S.75 mit A 59 und S.85.

89 Paulsen 1974, 115.

90 Balz 1971, 49.

91 Das ist aus seiner Anmerkung (Balz 1971, 49 A 45) zu schließen, wo zum Vergleich Röm 8,15; Gal 2,4; 4,25f.31; 5,1; 6,8; 1Kor 12,13; 15,42.50 und 2Kor 3,17f aufgelistet werden. Ähnlich urteilt Siber 1971, 147 A 162.

92 Balz 1971, 51 A 48.

93 Michel 1963, 201.

94 Michel 1963, 201.

95 Michel 1963, 203.

96 Osten-Sacken 1975, 83-84. Zitat von S.84.

97 Osten-Sacken 1975, 84.

98 διότι scheint durch Dittographie entstanden zu sein, obwohl einige Forscher diese Lesart vorziehen, weil sie die lectio difficilior sei (vgl. z.B. Cranfield 1977-79, 415). ὅτι selbst ist hier aber eher als "weil" zu übersetzen, da ἐλπίδι ohne Artikel steht und da das Subjekt wiederholt wird (vgl. z.B. Osten-Sacken 1975, 89 A 41). Die Übersetzung als "daß" (möglich bei beiden Lesarten; vgl. Zahn 1925, 404f A 12) ergäbe keinen wesentlichen Unterschied im Inhalt.

99 Schwantes 1962, 43-52. Vgl. die Zustimmung an diesem Punkt z.B. bei Siber 1971, 152 A 179; vgl. ferner Luz 1968, 369 und ähnlich schon Goguel 1935, 347. Diese Forschungsrichtung wurde offensichtlich von Gibbs 1971, 34-35 übersehen.

100 Schwantes 1962, 50.

Zu S.131-132:

101 Vgl. die ähnliche Kritik von Luz 1968, 379 und Siber 1971, 152 A 179. Selbst Baumgarten 1975, 171 gibt das zu. Vgl. ferner Cranfield 1974b, 229.
Lediglich Vögtle 1970, 183-208 möchte Schwantes' Auslegung fortsetzen und bezweifelt S.196-197 bezüglich V 20-21, "ob Paulus diese direkt kosmologisch-soteriologische Aussage intendiert". Gewiß geht es Paulus hier nicht vornehmlich darum, Verheißungen über eine kommende Allerlösung auszusprechen oder diese zu verkündigen oder zum Gegenstand seiner Belehrung zu machen (zu Vögtle 1970, 207). Jedoch spricht er hier nebenbei seinen Glauben auf diese Hoffnung unzweideutig aus.

102 Vgl. ähnlich Osten-Sacken 1975, 141.

103 Vgl. z.B. Lipsius 1892, 152, Lietzmann 1971b, 84, Biedermann 1940, 70, Wilckens 1980, 152-153, Cranfield 1977-79, 411-412 (s. hier für vereinzelte andere Meinungen).

104 Vgl. z.B. Michel 1963, 201-202, Luz 1968, 378, Loane 1968, 81, Gibbs 1971, 40, Schlier 1979, 259.

105 Wilckens 1980, 153.

106 Vgl. Wilckens 1980, 155 mit A 675.

107 Vgl. Lukian Abdicatus 23 (ὑπὸ δουλείαν γενέσθαι νόμου) und Thukydides 1,8,3 (τῶν κρεισσόνων δουλείαν). Dieser sprachliche Befund spricht gegen die Auslegung von Barrett 1957, 166, der meint, die Schöpfung "is not exactly in bondage to corruption ...; it is in bondage to corrupt powers". Dagegen vgl. auch Goguel 1935, 345-346.

108 Lipsius 1892, 152 schreibt dazu: "Knechtschaft unter der φθορά, der Verwesung (nicht Knechtschaft, die in der φθορά besteht oder ihr zugehört)". Diese Unterscheidung bleibt mir dunkel.

109 Gieraths 1950, 107; vgl. die Diskussion S.99-112.

110 Gieraths 1950, 106 und 102 mit A 66 auf S.162; vgl. 1Kor 3,17; 15,33; 2Kor 7,2; 11,3.

111 Gieraths 1950, 102 mit A 65 auf S.162; er erwähnt 2Petr 1,4; 2,12.19; in diesen Versen schwingt aber wohl der Literalsinn des Wortes mit (ähnlich z.B. 4. Esra 14,13).

112 Gieraths 1950, 110.

113 Vgl. bes. 4. Esra 7,31 (moritur corruptum); 6,28; 7,113; 8,53; vgl. ferner syrische Baruch-Apokalypse 51,3.

114 Ähnlich wird φθαρτός bei Paulus nur als Gegensatz zu ἄφθαρτος bzw. ἀφθαρσία gebraucht: Röm 1,23; 1Kor 9,25; 15,53.[54]. Daß φθορά im moralischen Sinne bei Paulus nicht vorkommt, möchte Gieraths 1950, 106-107 im Lichte des Gebrauchs des Verbs als zufällig ansehen. Der deutliche Befund zu φθορά spricht aber für sich. Ferner wiegt der Gebrauch von φθαρτός als Zeugnis ebenso schwer wie der Gebrauch von φθείρειν.

115 1Kor 15,42-44 bringen parallele Sätze, und die Begriffspaare sind in diesem Falle wechselseitig zu interpretieren. Osten-Sacken 1975, 84 differenziert zu sehr, wenn er schreibt, daß δόξα im Sinne von Unvergänglichkeit und als Gegenbegriff zu φθορά bei Paulus nie vorkommt, und deswegen meint, die Sprache sei unpaulinisch.

Zu S.132-134:

116 Mack 1833, 627. Vgl. auch Biedermann 1940, 75 mit A 3, der auf
καὶ αὐτοί in V 23 weist und Loane 1968, 84.

117 Der Ausdruck ἐλευθερίαν τῆς δόξης τῶν τέκνων τοῦ θεοῦ ist keine (unpaulinisch) semitisch gefärbte Konstruktion (gegen Osten-Sacken 1975, 84),
dessen zweites Glied adjektivisch zu übersetzen ist. δόξα bildet den
Gegenbegriff zu φθορά (so auch z.B. Lagrange 1950b, 209, Barrett
1957, 166, Cranfield 1977-79, 415-416).

118 Gegen Bindemann 1983, 32.

119 Gegen Gerber 1966, 73 und offensichtlich Schlier 1949, 202.

120 Kittel 1934, 195.

121 Vgl. Paulsen 1974, 130 und, etwas anders, Osten-Sacken 1975, 83-84.
Unberechtigt sind Harmonisierungsversuche, wie sie z.B. Balz 1971,
50 vorbringt: Christen haben "jetzt schon die volle Freiheit, aber die
eschatologische Erfüllung dieser Freiheit als totale Lebenswirklichkeit
steht noch aus". Übersehen ist hierbei nicht nur, daß V 21 deutlich
nur von zukünftiger Freiheit berichtet, sondern auch, daß Paulus von
ἐλευθερία in mehreren Bedeutungen spricht. So ist die Freiheit, geweihtes Fleisch essen zu dürfen, schon jetzt gegenwärtiger Besitz der Christen (1Kor 10,29). Freiheit als Unvergänglichkeit steht noch aus und
ist nicht als eschatologische Erfüllung der Freiheit, geweihtes Fleisch
essen zu dürfen, zu verstehen. Paulus gibt dem Wort ἐλευθερία jeweils
ganz verschiedene Bedeutungen. Daher darf man sich auch nicht auf
2Kor 3,17 für diese Harmonisierungsversuche berufen (so Balz 1971,
50, Schlier 1979, 262).

122 Dazu kommen jüdische Texte, wo Freiheit eschatologischer politischer
Begriff ist. So z.B. 2.Makkabäerbuch 1,27, wo für die Befreiung aller
jüdischen Sklaven gebetet wird. Vgl. ferner 10.Bitte des Achtzehnge-
bets: "Stoß laut in die Posaune zu unserer Befreiung [לחרותנו]!" (Rießler;
so sowohl die palästinische als auch die babylonische Rezension; vgl.
ebenso das Musaphgebet für Neujahr 4), Targum Klagelieder 2,22:
"Rufe Freiheit חֵירוּתָא aus für dein Volk, das Haus Israel, durch den
Messias, wie du es getan hast durch Mose u. Ahron am Tage des Pas-
sah" (Str-B Bd.3, S.576), Targum Jesaja 61,1, Josephus Bellum Judaicum 2,259-260, die jüdischen Kriegsmünzen (s.o. S.89 mit A 139).

123 Weitere Zeugnisse für die Unvergänglichkeit der Auserwählten: 4.
Esra 7,88 ("wenn sie sich vom vergänglichen Gefäße trennen"
[Rießler]), 1. Henoch 62,15-16: "Die Gerechten und Auserwählten ...
werden mit den Gewändern der Herrlichkeit bekleidet, und dies sind
die Kleider des Lebens vom Herrn der Geister. Eure Gewänder werden
nicht veralten und eure Herrlichkeit nicht vergehen vor dem Herrn der
Geister" (Rießler), pseudoklementinische Rekognitionen 1,24,6.

124 Kittel 1934, 195.

125 Derselbe Text bringt Freiheit und Herrlichkeit in enge Verbindung.
Daher ist die oben zitierte Meinung von Balz 1971, 51 A 48 ("Die
Verbindung der endzeitlichen δόξα mit πνεῦμα und ἐλευθερία ist eine
Leistung der paulinischen Theologie") wohl falsch, mindestens in be-
zug auf die Verbindung von δόξα und ἐλευθερία.

Zu S.134:

126 Vgl. Platon Phaedo 62d und dazu Nestle 1967, 99-101; ferner z.B. Jo-
    sephus Bellum Judaicum 7,344.350, Plutarch Moralia 160c, Fr 178,
    (Pseudo-)Lukian Demosthenis encomium 49 und "gnostische" Texte
    wie Zweite Lehre des großen Seth 57,32. Vgl. Wesen der Archonten
    97,5-9 (145,5-9 Bullard) und Corpus Hermeticum Fr 23,33. Nach Pseu-
    do-Philo Liber antiquitatum biblicarum 51,5 (vgl. auch 38,4) werden
    nur die Gerechten nach dem Tode befreit, während die Sünder verge-
    hen. Vgl. Heiligenthal 1983, 499-500.
127 Paulsen 1974, 132.
128 Paulsen 1974, 132.

8 LITERATURVERZEICHNIS

8.1 Zitierte Quellen, Übersetzungen und Konkordanzen

Altes Testament
Elliger, K. und Rudolph, W., Hg. Biblia Hebraica Stuttgartensia. Stuttgart: Deutsche Bibelstiftung, 1967-77.

Rahlfs, Alfred, Hg. Septuaginta id est Vetus Testamentum Graece iuxta LXX interpretes. 2 Bde. Stuttgart: Württembergische Bibel-anstalt, 1935.

Anthologia Graeca
Stadtmueller, Hugo, Hg. Anthologia Graeca epigrammatum Palatina cum Planudea. BSGRT. 3 Bde. Leipzig: B.G.Teubner, 1894-1906.

Apokryphen und Pseudepigraphen, Jüdische
The Peshiṭta Institute, Leiden, Hg. The Old Testament in Syriac According to the Peshiṭta Version. Teil 4, Fasc. 3: Apocalypse of Baruch, 4 Esdras. Leiden: E.J.Brill, 1973.

Violet, Bruno, Hg. Die Esra-Apokalypse (IV. Esra). Teil 1: Die Über-lieferung. GCS 18. Leipzig: J.C.Hinrichs, 1910.

Harris, J. Rendel, Hg. The Rest of the Words of Baruch: A Christian Apocalypse of the Year 136 A.D. London: C.J.Clay and Sons, 1889.

Jonge, M. de, Hg. The Testaments of the Twelve Patriarchs. A Critical Edition of the Greek Text. PVTG 1,2. Leiden: E.J.Brill, 1978.

Rießler, Paul, Übers. Altjüdisches Schrifttum außerhalb der Bibel. 4.Aufl. Freiburg und Heidelberg: F.H.Kerle, 1979.

Apostelgeschichten, Apokryphe
Lipsius, Richard Adelbert und Bonnet, Maximilian, Hg. Acta apostolo-rum apocrypha. 2 Bde. 1891-1903. Neudruck. Darmstadt: Wissenschaft-liche Buchgesellschaft, 1959.

Apostolische Väter
Bihlmeyer, Karl, Hg. Die apostolischen Väter Teil 1. SQS 2. Reihe 1,1. 3.Aufl. Tübingen: J.C.B.Mohr (Paul Siebeck), 1970.

Apuleius
Helm, Rudolf, Hg. Apulei Platonici Madaurensis opera quae supersunt. Bd.1: Metamorphoseon libri XI. BSGRT. Neudruck der 3.Aufl. mit Nachträgen. Leipzig: B.G.Teubner, 1955.

Aristides
    Lenz, Fridericus Waltharius und Behr, Carolus Allison, Hg. P.Aelii
    Aristidis opera quae exstant omnia. Bd.1: Orationes I-XVI. Leiden:
    E.J.Brill, 1976.

Aristoteles
    Immisch, Otto, Hg. Aristotelis Politica. BSGRT. 2., korrigierte Aufl.
    Leipzig: B.G.Teubner, 1929.

Athenaeus
    Kaibel, Georgius, Hg. Athenaei Naucratitae Dipnosophistarum libri
    XV. BSGRT. 3 Bde. Leipzig: B.G.Teubner, 1887-90.

Briefe, Kynische
    Mondolfo, Rodolfo und Tarán, Leonardo, Hg. und Übers. Eraclito.
    Testimonianze e imitazioni. Biblioteca di studi superiori 59. Florenz:
    "La nuova Italia" editrice, 1972.

    Köhler, Liselotte, Hg. und Übers. Die Briefe des Sokrates und der
    Sokratiker. Ph.S 20,2. Leipzig: Dieterich'sche Verlagsbuchhandlung,
    1928.

    Hercher, Rudolphus, Hg. Epistolographi Græci. Paris: Didot, 1873.

Caesar
    Seel, Otto, Hg. C.Iulii Caesaris Commentarii rerum gestarum. Bd.1:
    Bellum Gallicum. BSGRT. Leipzig: B.G.Teubner, 1961.

Cicero
    Zucker, Fridericus, Hg. M.Tulli Ciceronis Pro L. Flacco oratio. Rom:
    Arnoldo Mondadori, 1963.

    Ziegler, Konrat, Hg. M. Tulli Ciceronis scripta quae manserunt omnia.
    Fasc. 39: De re publica librorum sex quae manserunt. BSGRT. 7.Aufl.
    Leipzig: B.G.Teubner, 1969.

    Pohlenz, Max, Hg. M. Tulli Ciceronis scripta quae manserunt omnia.
    Fasc. 44: Tusculanae disputationes. BSGRT. Leipzig: B.G.Teubner,
    1918.

    Ax, W., Hg. M. Tulli Ciceronis scripta quae manserunt omnia. Fasc.
    45: De natura deorum. BSGRT. 2.Aufl. 1933. Neudruck. Stuttgart:
    B.G.Teubner, 1968.

    Atzert, Carl, Hg. M. Tulli Ciceronis scripta quae manserunt omnia.
    Fasc. 48: De officiis, De virtutibus. BSGRT. 5.Aufl. Leipzig: B.G.
    Teubner, 1971.

    Klotz, A., Hg. M. Tulli Ciceronis scripta quae manserunt omnia.
    Bd.5: In Q. Caecilium divinatio, In C. Verrem actio I et II. BSGRT.
    Leipzig: B.G.Teubner, 1923.

Reis, P. und Fruechtel, L., Hg. M. Tulli Ciceronis scripta quae manserunt omnia. Bd.6,1: Oratio de imperio Cn. Pompei, Orationes pro A. Cluentio, de lege agraria, pro C. Rabirio perduellionis reo. BSGRT. Leipzig: B.G.Teubner, 1933.

Mueller, C.F.W., Hg. M. Tulli Ciceronis scripta quae manserunt omnia. Teil 4, Bd.3: Libri de officiis, Cato maior de senectute, Laelius de amicitia, Paradoxa, Timaeus, Fragmenta. BSGRT. Leipzig: B.G.Teubner, 1879.

Gerlach, Wolfgang und Bayer, Karl, Hg. und Übers. M. Tullius Cicero. Vom Wesen der Götter. Drei Bücher. Tusculum-Bücherei. München: Heimeran, 1978.

Corpus Hermeticum
Nock, A.D. und Festugière, A.-J., Hg. und Übers. Corpus Hermeticum. CUFr. 4 Bde. Paris: Société d'édition "Les belles lettres", 1946-54.

Pseudo-Demetrios
Weichert, Valentinus, Hg. Demetrii et Libanii qui feruntur Τύποι ἐπιστολικοί et Ἐπιστολιμαῖοι χαρακτῆρες. BSGRT. Leipzig: B.G.Teubner, 1910.

Demosthenes
Fuhr, Carolus, Hg. Demosthenis Orationes. Bd.1. BSGRT. Größere Ausgabe. Leipzig: B.G.Teubner, 1914.

Dindorf, Guilielmus, Hg. Demosthenis Orationes. Bd.2 und 3. Bearbeitet von Friedrich Blass. BSGRT. 4., korrigierte Aufl. der größeren Ausgabe. Leipzig: B.G.Teubner, 1888-89.

Fragmente. In: Baiterus, Io. Georgius und Sauppius, Hermannus, Hg. Oratores Attici. Teil 2. Zürich: S.Hoehrius, 1845-50.

Didaskalia
Connolly, R. Hugh, Hg. und Übers. Didascalia apostolorum. The Syriac Version Translated and Accompanied by the Verona Latin Fragments. Oxford: Clarendon Press, 1929.

Vööbus, Arthur, Hg. und Übers. The Didascalia apostolorum in Syriac. CSCO.S 175.176.179.180. 4 Bde. Louvain: Secrétariat du CorpusSCO, 1979.

Diodorus Siculus
Vogel, Fridericus und Fischer, Curtius Theodorus, Hg. Diodori Bibliotheca historica. BSGRT. 5 Bde. Leipzig: B.G.Teubner, 1888-1906.

Diogenes Laertios
Long, H.S., Hg. Diogenis Laertii Vitae philosophorum. SCBO. 2 Bde. Oxford: Clarendon Press, 1964.

Apelt, Otto, Übers. Diogenes Laertius. Leben und Meinungen berühmter Philosophen Buch I-X. Hg. Klaus Reich. PhB 53.54. 2.Aufl. Hamburg: Felix Meiner, 1967.

Dion Chrysostomos

Budé, Guy de, Hg. Dionis Chrysostomi Orationes. BSGRT. 2 Bde.
Leipzig: B.G.Teubner, 1916-19.

Elliger, Winfried, Übers. Dion Chrysostomos. Sämtliche Reden. Die
Bibliothek der alten Welt, Griechische Reihe. Zürich und Stuttgart:
Artemis-Verlag, 1967.

Epiktet

Schenkl, Henricus, Hg. Epicteti Dissertationes ab Arriano digestae.
BSGRT. 2.Aufl. der größeren Ausgabe. Leipzig: B.G.Teubner, 1916.

Mücke, R., Übers. Epiktet. Was von ihm erhalten ist nach den Aufzeichnungen Arrians. Heidelberg: Carl Winter, o.J.

Epikur

Muehll, P. von der, Hg. Epicuri Epistulae tres et Ratae sententiae a
Laertio Diogene servatae. Accedit Gnomologium Epicureum Vaticanum.
BSGRT. Leipzig: B.G.Teubner, 1922.

Usener, Hermann, Hg. Epicurea. Leipzig: B.G.Teubner, 1887.

Euripides

Daitz, Stephen G., Hg. Euripides. Hecuba. BSGRT. Leipzig: B.G.
Teubner, 1973.

Alt, Karin, Hg. Euripidis Helena. BSGRT. Leipzig: B.G.Teubner,
1964.

Garzya, Antonius, Hg. Euripides. Heraclidae. BSGRT. Leipzig: B.G.
Teubner, 1972.

Biehl, Werner, Hg. Euripides. Orestes. BSGRT. Leipzig: B.G.Teubner, 1975.

Collard, Christopher, Hg. Euripides. Supplices. BSGRT. Leipzig:
B.G.Teubner, 1984.

Biehl, Werner, Hg. Euripides. Troades. BSGRT. Leipzig: B.G.Teubner, 1970.

Nauck, Augustus, Hg. Euripidis Tragoediae. Bd.1 und 2. BSGRT.
3.Aufl. Leipzig: B.G.Teubner, 1884-85.

Fragmente. In: Nauck, Augustus und Snell, Bruno, Hg. Tragicorum
Graecorum fragmenta. Hildesheim: Georg Olms, 1964.

Ebener, Dietrich, Hg. und Übers. Euripides. Tragödien. SQAW 30,1-.
6 Bde. bis jetzt. Berlin: Akademie-Verlag, 1972-.

Eusebius
  Mras, Karl, Hg. Eusebius. Werke. Bd.8: Die Praeparatio evangelica.
  GCS 43. 2 Teile. Berlin: Akademie-Verlag, 1954-56.

Gebete, Altjüdische
  Staerk, W., Hg. Altjüdische liturgische Gebete. KlT 58. 2. verbesserte Aufl. Berlin: Walter de Gruyter, 1930.

Haggadah
  Goldschmidt, E.D., Hg. und Kommentator. Die Pessach-Haggada.
  Bücherei des Schocken Verlags. Berlin: Schocken Verlag, 1937.

Herodot
  Dietsch, Henr. Rudolph., Hg. Herodoti Historiarum libri IX. Bearbeitet von H.Kallenberg. BSGRT. 2 Bde. 2.Aufl. Leipzig: B.G.Teubner,
  1885-86.

  Feix, Josef, Hg. Herodot. Historien. Tusculum-Bücherei. 2 Bde. München: Ernst Heimeran, 1963.

Hippolyt
  Wendland, Paul, Hg. Hippolytus. Werke. Bd.3: Refutatio omnium haeresium. GCS 26. Leipzig: J.C.Hinrichs, 1916.

Horaz
  Klingner, Fridericus, Hg. Q.Horati Flacci opera. BSGRT. 5.Aufl.
  Leipzig: B.G.Teubner, 1970.

Hypereides
  Jensen, Christianus, Hg. Hyperidis Orationes sex cum ceterarum
  fragmentis. BSGRT. Leipzig: B.G.Teubner, 1917.

Inschriften
  CIJ   Frey, Jean-Baptiste, Hg. Corpus inscriptionum Judaicarum.
          Recueil des inscriptions juives qui vont du IIIe siècle avant
          Jésus-Christ au VIIe siècle de notre ère. Bd.1: Europe.
          1936. Neudruck mit Prolegomenon von Baruch Lifshitz. New
          York: Ktav, 1975.

  CIL   Mommsen, Theodorus, Hg. Corpus inscriptionum Latinarum.
          Bd.3: Inscriptiones Asiae, provinciarum Europae Graecarum,
          Illyrici Latinae. Teil 1. Berlin: Georg Reimer, 1873.

  CIRB   Corpus inscriptionum regni Bosporani. Moskau und Leningrad:
          Academia Scientiarum URSS, 1965.

  MAMA   Buckler, W.H.; Calder, W.M. und Guthrie, W.K.C., Hg.
          Monumenta Asiae Minoris antiqua. Bd.4: Monuments and
          Documents from Eastern Asia and Western Galatia. Publi-
          cations of the American Society for Archaeological Research
          in Asia Minor. Manchester: Manchester University Press, 1933.

Paton   Paton, W.R. und Hicks, E.L., Hg. The Inscriptions of Cos.
und Hicks Oxford: Clarendon Press, 1891.

RIJG   Dareste, R.; Haussoullier, B. und Reinach, Th., Hg. Recueil
des inscriptions juridiques grecques. 2. Serie. Paris: Ernest
Leroux, 1898-1904.

SGDI   Collitz, H., Hg. Sammlung der griechischen Dialekt-Inschrif-
ten. Bd.2, Heft 3-6: Die delphischen Inschriften. Bearbeitet
von Johannes Baunack. Göttingen: Vandenhoeck & Ruprecht,
1892-99.

Irenaeus
Rousseau, Adelin; Doutreleau, Louis und Mercier, Charles, Hg. und
Übers.. Irénée de Lyon. Contre les hérésies. SC 263.264.293.294.210.
211.100.152.153. 10 Bde. Paris: Les Éditions du Cerf, 1965-82.

Isokrates
Benseler, Gustavus Eduardus, Hg. Isocratis Orationes. Bearbeitet
von Friedrich Blass. BSGRT. 2 Bde. 2.Aufl. Leipzig: B.G.Teubner,
1885.

Flavius Josephus
Niese, Benedictus, Hg. Flavii Iosephi opera. 7 Bde. Berlin: Weidmann,
1885-95.

Michel, Otto und Bauernfeind, Otto, Hg. und Übers. Flavius Josephus.
De bello Judaico. Der jüdische Krieg. Griechisch und Deutsch. 3 Bde.
1. und 2., überprüfte Aufl. München: Kösel-Verlag, 1962-69.

Julianus Apostata
Hertlein, Fridericus Carolus, Hg. Iuliani imperatoris quae supersunt
praeter reliquias apud Cyrillum omnia. BSGRT. 2 Bde. Leipzig: B.G.
Teubner, 1875-76.

Justin der Märtyrer
Dialogus. In: Goodspeed, Edgar J., Hg. Die ältesten Apologeten. Texte
mit kurzen Einleitungen, S. 90-265. Göttingen: Vandenhoeck & Ruprecht, 1914.

Klemens von Alexandrien
Stählin, Otto und Früchtel, Ludwig, Hg. Clemens Alexandrinus. Bd.
2: Stromata Buch I-VI. GCS 52. 3.Aufl. Berlin: Akademie-Verlag,
1960.

Stählin, Otto und Früchtel, Ludwig, Hg. Clemens Alexandrinus. Bd.
3: Stromata Buch VII und VIII, Excerpta ex Theodoto, Eclogae pro-
pheticae, Quis dives salvetur, Fragmente. Zum Druck besorgt von
Ursula Treu. GCS 17. 2.Aufl. Berlin: Akademie-Verlag, 1970.

Pseudo-Klemens von Rom
  Rehm, Bernhard, Hg. Die Pseudoklementinen I: Homilien. Zum Druck
  besorgt durch Johannes Irmscher; korrigiert von Franz Paschke. GCS
  42. 2., verbesserte Aufl. Berlin: Akademie-Verlag, 1969.

  Frankenberg, Wilhelm, Hg. Die syrischen Clementinen mit griechischem
  Paralleltext. Eine Vorarbeit zu dem literargeschichtlichen Problem der
  Sammlung. TU 48,3. Leipzig: J.C.Hinrichs, 1937.

  Rehm, Bernhard, Hg. Die Pseudoklementinen II: Rekognitionen in Ru-
  fins Übersetzung. Zum Druck besorgt durch Franz Paschke. GCS 51.
  Berlin: Akademie-Verlag, 1965.

Pseudo-Libanios
  Foerster, Richardus, Hg. Libanii opera. Bd.9: Libanii qui feruntur
  Characteres epistolici, Prolegomena ad epistulas. Zum Druck besorgt
  durch Eberhardus Richtsteig. BSGRT. Leipzig: B.G.Teubner, 1927.

Livius
  Conway, Robertus Seymour; Walters, Carolus Flamstead; Johnson,
  Stephanus Keymer und McDonald, Alexander Hugh, Hg. Titi Livi Ab
  urbe condita. SCBO. 5 Bde. bis jetzt. Oxford: Clarendon Press,
  1914-.

Lukian
  MacLeod, M.D., Hg. Luciani opera. SCBO. 3 Bde. bis jetzt. Oxford:
  Clarendon Press, 1972-.

  Jacobitz, Carolus, Hg. Luciani Samosatensis opera. BSGRT. 3 Bde.
  Leipzig: B.G.Teubner, 1881-84.

Lukrez
  Martin, Joseph, Hg. T.Lucreti Cari De rerum natura libri sex.
  BSGRT. 5.Aufl. Leipzig: B.G.Teubner, 1963.

Maximos von Tyros
  Hobein, H., Hg. Maximi Tyrii Philosophumena. BSGRT. Leipzig:
  B.G.Teubner, 1910.

Midraschim
  Seper Midraš Rabbah. 2 Bde. Wilna: Romm, 1887.

  Wünsche, Aug., Übers. Der Midrasch Schemot Rabba. Bibliotheca
  rabbinica Lieferungen 12.15.17.18. Leipzig: Otto Schulze, 1881-82.

Mischna
  Albeck, Chanoch, Hg. Šiššah Sidre Mišnah. 6 Bde. 3.Aufl. Jerusalem:
  Bialik Institute; Tel Aviv: Dvir, 1969.

Musonius
   Hense, O., Hg. C.Musonii Rufi reliquiae. BSGRT. Leipzig: B.G.
   Teubner, 1905.

Nag Hammadi Schriften
   Kasser, Rodolphe; Malinine, Michel; Puech, Henri-Charles; Quispel,
   Gilles und Zandee, Jan, Hg. und Übers. Tractatus Tripartitus. 2
   Bde. Bern: Francke Verlag, 1973-75.

   Bullard, Roger Aubrey, Hg. und Übers. The Hypostasis of the
   Archons. The Coptic Text with Translation and Commentary. PTS
   10. Berlin: Walter de Gruyter, 1970.

   The Department of Antiquities of the Arab Republic of Egypt, Hg.
   The Facsimile Edition of the Nag Hammadi Codices. Codex 7. Leiden:
   E.J.Brill, 1972.

   Members of the Coptic Gnostic Library Project of the Institute for
   Antiquity and Christianity, Übers. The Nag Hammadi Library in
   English. San Francisco: Harper & Row, 1977.

Neues Testament
   Aland, Kurt; Black, Matthew; Martini, Carlo M.; Metzger, Bruce M.
   und Wikgren, Allen, Hg. Nestle-Aland Novum Testamentum Graece.
   26. neu bearbeitete Aufl. Stuttgart: Deutsche Bibelstiftung, 1979.

   Tischendorf, Constantinus, Hg. Novum Testamentum Graece. 2 Bde.
   8.Aufl. der kritischen größeren Ausgabe. Leipzig: Giesecke & Devrient,
   1869-72.

   Soden, Hermann Freiherr von, Hg. Die Schriften des Neuen Testaments. Teil 2: Text mit Apparat. Göttingen: Vandenhoeck & Ruprecht,
   1913.

   Kenyon, Frederic G., Hg. The Chester Beatty Biblical Papyri.
   Descriptions and Texts of Twelve Manuscripts on Papyrus of the
   Greek Bible. Fasc. 3 Supplement: Pauline Epistles. 2 Bde. London:
   Emery Walker, 1936-37.

   Die Bibel oder die ganze heilige Schrift des Alten und Neuen Testaments nach der Übersetzung Martin Luthers. Revidierter Text 1975.
   Stuttgart: Deutsche Bibelstiftung, 1978.

   Moulton, W.F. und Geden, A.S., Hg. A Concordance to the Greek
   Testament. Bearbeitet von H.K.Moulton. 5.Aufl. Edinburgh: T. & T.
   Clark, 1978.

Origenes
   Koetschau, Paul, Hg. Origenes. Werke. Bd.1 und 2: Die Schrift vom
   Martyrium, Buch I-VIII gegen Celsus, Die Schrift vom Gebet. GCS
   2.3. Leipzig: J.C.Hinrichs, 1899.

Ovid
  Anderson, William S., Hg. P.Ovidii Nasonis Metamorphoses. BSGRT.
  Leipzig: B.G.Teubner, 1977.

Papyri
  BGU   Die Generalverwaltung, Hg. ÄgU.G 4. Berlin: Weidmann,
             1912.

             Viereck, Paul und Zucker, Friedrich, Hg. Papyri, Ostraka
             und Wachstafeln aus Philadelphia im Fayûm. ÄgU.G 7. Ber-
             lin: Weidmann, 1926.

  DJD   Benoit, P.; Milik, J.T. und Vaux, R. de, Hg. Discoveries
             in the Judaean Desert. Bd.2: Les Grottes de Murabbaʿât.
             Oxford: Clarendon Press, 1961.

             Preisendanz, Karl, Hg. und Übers. Papyri Graecae magicae.
             Die griechischen Zauberpapyri. Durchgesehen und hg. von
             Albert Henrichs. Sammlung wissenschaftlicher Commentare.
             2 Bde. 2., verbesserte Aufl. Stuttgart: B.G.Teubner,
             1973-74.

             Grenfell, Bernard P.; Hunt, Arthur S. und Smyly, J. Gil-
             bart, Hg. The Tebtunis Papyri. Teil 1. Egypt Exploration
             Fund, Graeco-Roman Branch. London: Henry Frowde, 1902.

Persius
  Hermann, Carolus Fridericus, Hg. A.Persii Flacci Satirarum liber.
  BSGRT. Leipzig: B.G.Teubner, 1879.

Philo von Alexandrien
  Cohn, Leopoldus; Wendland, Paulus; Reiter, Sigofredus und Leise-
  gang, Ioannes, Hg. Philonis Alexandrini opera quae supersunt. 7 Bde.
  Berlin: Georg Reimer und Walter de Gruyter, 1896-1930.

  Colson, F.H.; Whitaker, G.H.; Earp, J.W. und Marcus, Ralph, Hg.
  und Übers. Philo in Ten Volumes (and Two Supplementary Volumes).
  Loeb Classical Library. 12 Bde. Cambridge, Massachusetts: Harvard
  University Press; London: William Heinemann, 1929-62.

  Cohn, Leopold; Heinemann, Isaak; Adler, Maximilian und Theiler,
  Willy, Hg. Philo von Alexandria. Die Werke in deutscher Übersetzung.
  7 Bde. 2. und 1. Aufl. Berlin: Walter de Gruyter, 1962-64.

Pseudo-Philo von Alexandrien
  Harrington, Daniel J., Hg. und Cazeaux, Jacques, Übers. Pseudo-
  Philon. Les Antiquités bibliques. Bd.1: Introduction et texte critiques;
  Traduction. SC 229. Paris: Les Éditions du Cerf, 1976.

Pindar
  Maehler, Hervicus, Hg. Pindari Carmina cum fragmentis. BSGRT.
  2 Teile. 5. und 4., verbesserte Aufl. Leipzig: B.G.Teubner, 1971-75.

Platon

Burnet, Ioannes, Hg. Platonis opera. SCBO. 5 Bde. Oxford: Clarendon Press, 1900-1907.

Plutarch

Paton, W.R.; Wegehaupt, I.; Gärtner, Hans; Nachstädt, W.; Sieveking, W.; Titchener, J.B.; Pohlenz, M.; Hubert, C.; Mau, Jürgen; Häsler, Berthold; Drexler, H.; Westman, R.; Ziegler, K. und Sandbach, F.H., Hg. Plutarchi Moralia. BSGRT. 7 Bde. 1., 2. und 3. Aufl. Leipzig: B.G.Teubner, 1925-78.

Ziegler, K., Hg. Plutarchi Vitae parallelae. Bd.3, Fasc. 2. BSGRT. Leipzig: B.G.Teubner, 1926.

Polybios

Büttner-Wobst, Theodorus, Hg. Polybii Historiae. BSGRT. 5 Bde. 1. und 2.Aufl. Leipzig: B.G.Teubner, 1889-1905.

Drexler, Hans, Übers. Polybios. Geschichte. Die Bibliothek der alten Welt, Griechische Reihe. 2 Bde. Zürich und Stuttgart: Artemis-Verlag, 1961-63.

Porphyrios

Nauck, Augustus, Hg. Porphryii philosophi Platonici opuscula selecta. BSGRT. 2.Aufl. Leipzig: B.G.Teubner, 1886.

Baltzer, Eduard, Übers. Porphyrius. Vier Bücher von der Enthaltsamkeit. Ein Sittengemälde aus der römischen Kaiserzeit. 2.Aufl. Leipzig: Oscar Eigendorf, 1879.

Qumran Schriften

Lohse, Eduard, Hg. und Übers. Die Texte aus Qumran. Hebräisch und Deutsch. 2., kritisch durchgesehene und ergänzte Aufl. Darmstadt: Wissenschaftliche Buchgesellschaft, 1971.

Kuhn, Karl Georg, Hg. Konkordanz zu den Qumrantexten. Göttingen: Vandenhoeck & Ruprecht, 1960.

Seneca

Hermes, Emil; Hosius, Carolus; Gercke, Alfred und Hense, Otto, Hg. L.Annaei Senecae opera quae supersunt. BSGRT. 3 Bde. 1. und 2. Aufl. Leipzig: B.G.Teubner, 1905-14.

Peiper, Rudolfus und Richter, Gustavus, Hg. L.Annaei Senecae Tragoediae. BSGRT. 2.Aufl. Leipzig: B.G.Teubner, 1902.

Sextos

Chadwick, Henry, Hg. The Sentences of Sextus. A Contribution to the History of Early Christian Ethics. TaS N.F. 5. Cambridge: At the University Press, 1959.

Sophokles

Dawe, R.D., Hg. Sophoclis Tragoediae. Bd.2: Trachiniae, Antigone,
Philoctetes, Oedipus Coloneus. BSGRT. Leipzig: B.G.Teubner, 1979.

Radt, Stephan, Hg. Tragicorum Graecorum Fragmenta. Bd.4: Sophocles.
Göttingen: Vandenhoeck & Ruprecht, 1977.

Stobaios

Wachsmuth, Curtius und Hense, Otto, Hg. Ioannis Stobaei Anthologium.
5 Bde. Berlin: Weidmann, 1884-1912.

Alte Stoiker

SVF   Arnim, Hans von, Hg. Stoicorum veterum fragmenta. Samm-
          lung wissenschaftlicher Commentare. 4 Bde. Leipzig: B.G.
          Teubner, 1905-24.

Strabon

Meineke, Augustus, Hg. Strabonis Geographica. BSGRT. 3 Bde.
Leipzig: B.G. Teubner, 1877.

Tacitus

Koestermann, Erich, Hg. P.Cornelii Taciti libri qui supersunt. Bd.1:
Ab excessu divi Augusti. BSGRT. Leipzig: B.G.Teubner, 1960.

Heubner, Henricus, Hg. P.Cornelii Taciti libri qui supersunt. Bd.2,
Fasc. 1: Historiarum libri. BSGRT. Stuttgart: B.G.Teubner, 1978.

Koestermann, Erich, Hg. P.Cornelii Taciti libri qui supersunt. Bd.2,
Fasc. 2: Germania, Agricola, Dialogus de oratoribus. BSGRT. 3.Aufl.
Leipzig: B.G.Teubner, 1970.

Talmud

Goldschmidt, Lazarus, Hg. und Übers. Der babylonische Talmud.
9 Bde. Den Haag: Martinus Nijoff, 1933-35.

Targumim

Clarke, E.G., Hg. Targum Pseudo-Jonathan of the Pentateuch: Text
and Concordance. Hoboken, New Jersey: Ktav, 1984.

Díez Macho, Alejandro, Hg. Neophyti 1. Targum palestinense. MS de
la Biblioteca Vaticana. Bd.1: Génesis. Textos y Estudios 7. Madrid
und Barcelona: Consejo superior de investigaciones científicas, 1968.

Klein, Michael L., Hg. und Übers. The Fragment-Targums of the Pentateuch According to Their Extant Sources. AnBib 76. 2 Bde. Rom:
Biblical Institute Press, 1980.

Sperber, Alexander, Hg. The Bible in Aramaic Based on Old Manuscripts and Printed Texts. Bd.1: The Pentateuch According to Targum
Onkelos. Leiden: E.J.Brill, 1959.

Sperber, Alexander, Hg. The Bible in Aramaic Based on Old Manuscripts and Printed Texts. Bd.3: The Latter Prophets According to
Targum Jonathan. Leiden: E.J.Brill, 1962.

Lagarde, Paul de, Hg. Hagiographa Chaldaice. Leipzig: B.G.Teubner,
1873.

Tertullian
Quinti Septimi Florentis Tertulliani opera. Teil 2: Opera Montanistica.
CChr.SL 2. Turnholt: Typographi Brepols editores pontificii, 1954.

Thukydides
Hude, Carolus, Hg. Thucydidis Historiae. BSGRT. 2 Bde. Größere
Ausgabe. Leipzig: B.G.Teubner, 1901.

Landmann, Georg Peter, Übers. Thukydides. Geschichte des peloponnesischen Krieges. Die Bibliothek der alten Welt, Griechische Reihe.
Zürich und Stuttgart: Artemis-Verlag, 1960.

Vorsokratiker
Diels, Hermann, Hg. und Übers. Die Fragmente der Vorsokratiker.
Hg. Walther Kranz. 3 Bde. 6. verbesserte Aufl. Berlin: Weidmann,
1951-52.

Xenophon
Hude, Carolus, Hg. Xenophontis Commentarii. BSGRT. Größere Ausgabe. Leipzig: B.G.Teubner, 1934.

Thalheim, Th., Hg. Xenophontis scripta minora. Fasc. 1: Oeconomicus,
Convivium, Hieron, Agesilaus, Apologia Socratis. BSGRT. Leipzig:
B.G.Teubner, 1910.

Bux, Ernst, Übers. und Hg. Xenophon. Die sokratischen Schriften:
Memorabilien, Symposion, Oikonomikos, Apologie. KTA 185. Stuttgart:
Alfred Kröner, 1956.

8.2 Sekundärliteratur

Die nachfolgende Bibliographie führt in der Hauptsache nur zitierte Werke auf. Darüber hinaus wird eine Literaturauswahl zur antiken Freiheit
und, innerhalb des NT, zur Freiheit bei Paulus geboten. (Diese Werke
sind durch ein Pluszeichen vor dem herausgerückten Erscheinungsjahr
markiert. Sie bieten zum Teil reiche Verweise auf andere Literatur.)

Agnew, Francis (+1975): Christian Freedom - A New Testament Reflection.
    AEcR 169 (1975): 369-376.
Allison, Dale C., Jr. (1985): Paul and the Missionary Discourse. EThL
    61 (1985): 369-375.

Allo, E.-B. (1956a): Saint Paul. Première Épitre aux Corinthiens. EtB. 2.Aufl. Paris: J.Gabalda, 1956.

- (1956b): Saint Paul. Seconde Épître aux Corinthiens. EtB. 2.Aufl. Paris: J.Gabalda, 1956.

Arndt, William F. (1956): Galatians - A Declaration of Christian Liberty. CTM 27 (1956): 673-692.

Attridge, Harold W. (1976): First-Century Cynicism in the Epistles of Heraclitus. HThS 29. Missoula, Montana: Scholars Press, 1976.

Babakos, Antonis M. (1964): Familienrechtliche Verhältnisse auf der Insel Kalymnos im 1.Jahrhundert n.Chr. ZSRG.R 81 (1964): 31-51.

Bachmann, Philipp (1922): Der zweite Brief des Paulus an die Korinther. KNT 8. 4. unveränderte Aufl. Leipzig und Erlangen: A.Deichertsche Verlagsbuchhandlung Dr. Werner Scholl, 1922.

- (1936): Der erste Brief des Paulus an die Korinther. Mit Nachträgen von Ethelbert Stauffer. KNT 7. 4.Aufl. Leipzig: A.Deichertsche Ver-lagsbuchhandlung, 1936.

Bacon, B.W. (1923): The Reading οἷς οὐδέ in Gal. 2,5. JBL 42 (1923): 69-80.

Bader, Bernd (1956-79): Libero. In: Thesaurus linguae Latinae, hg. Con-silium ab academiis societatibusque diversarum nationum electum, Bd. 7,2: 1304-1310. Leipzig: B.G.Teubner, 1956-79.

Balz, Horst R. (1971): Heilsvertrauen und Welterfahrung. Strukturen der paulinischen Eschatologie nach Römer 8,18-39. BEvTh 59. München: Chr.Kaiser, 1971.

Barrett, Charles Kingsley (1957): A Commentary on the Epistle to the Romans. Harper's New Testament Commentaries. New York, Hagerstown, San Francisco und London: Harper & Row, 1957.

- (1968): A Commentary on the First Epistle to the Corinthians. Har-per's New Testament Commentaries. New York und Evanston: Harper & Row, 1968.

- (1973): A Commentary on the Second Epistle to the Corinthians. Harper's New Testament Commentaries. New York, Hagerstown, San Francisco und London: Harper & Row, 1973.

- (1982a): Christianity at Corinth. In: Ders., Essays on Paul, S.1-27. Philadelphia: Westminster Press, 1982.

- (1982b): The Allegory of Abraham, Sarah, and Hagar in the Argument of Galatians. In: Ders., Essays on Paul, S.154-170. Philadelphia: West-minster Press, 1982.

- (1985): Freedom and Obligation. A Study of the Epistle to the Galatians. London: S.P.C.K., 1985.

Bartchy, St. Scott (1973): ΜΑΛΛΟΝ ΧΡΗΣΑΙ: First-Century Slavery and the Interpretation of 1 Corinthians 7:21. Society of Biblical Literature Dissertation Series 11. Missoula, Montana: Society of Biblical Litera-ture, 1973.

Bartelink, G.J.M. (1970): Quelques observations sur παρρησία dans la littérature paléo-chretienne. GLCP 3,1. Nijmegen: Dekker & van de Vegt, 1970.

Barth, Heinrich (+1950): Die Bedeutung der Freiheit bei Epiktet und
Augustin. In: Das Menschenbild im Lichte des Evangeliums. Fest-
schrift zum 60. Geburtstag von Emil Brunner, S.49-64. Zürich:
Zwingli Verlag, 1950.

Bartsch, Hans-Werner (1974): Freiheit und Befreiung im Neuen Testament. Internationale Dialogzeitschrift 7 (1974): 134-144.

- (+1983): Freiheit I. Altes Testament, III. Griechisch-hellenistische
Antike, IV. Freiheit und Befreiung im Neuen Testament. In: TRE 11:
497-498, 505-511.

Bauer, Johannes B. (1959): Uxores circumducere (1 Kor 9,5). BZ N.F.
3 (1959): 94-102.

Bauer, Walter (1971): Griechisch-deutsches Wörterbuch zu den Schriften
des Neuen Testaments und der übrigen urchristlichen Literatur.
Durchgesehener Nachdruck der 5., verbesserten und stark vermehr-
ten Aufl. Berlin und New York: Walter de Gruyter, 1971.

Baumbach, Günther (1967a): Das Freiheitsverständnis in der zelotischen
Bewegung. In: Das ferne und nahe Wort. Festschrift Leonhard Rost
zur Vollendung seines 70.Lebensjahres, hg. Fritz Maass, S.11-18.
BZAW 105. Berlin: Alfred Töpelmann, 1967.

- (1967b): Bemerkungen zum Freiheitsverständnis der zelotischen Bewegung. ThLZ 92 (1967): 257-258.

- (1985): Einheit und Vielfalt der jüdischen Freiheitsbewegung im 1.Jh.
nChr. EvTh 45 (1985): 93-107.

Baumert, Norbert (1984): Ehelosigkeit und Ehe im Herrn. Eine Neuinter-
pretation von 1 Kor 7. Forschung zur Bibel 47. Würzburg: Echter
Verlag, 1984.

Baumgarten, Jörg (1975): Paulus und die Apokalyptik. Die Auslegung
apokalyptischer Überlieferungen in den echten Paulusbriefen. WMANT
44. Neukirchen-Vluyn: Neukirchener Verlag, 1975.

Baur, Ferdinand Christian (1866): Paulus, der Apostel Jesu Christi. Sein
Leben und Wirken, seine Briefe und seine Lehre. Ein Beitrag zu einer
kritischen Geschichte des Urchristenthums. Hg. Eduard Zeller. Bd.1.
2.Aufl. Leipzig: Fues's Verlag (L.W.Reisland), 1866.

Bayer, Erich (+1956): Rezension über: Griechische Freiheit. Wesen und
Werden eines Lebensideals, von M.Pohlenz. HZ 182 (1956): 88-91.

Bear, James Edwin (+1940-41): Christian Liberty and the Christian
Conscience. UTSR 52 (1940-41): 236-257.

Becker, Jürgen (1981): Der Brief an die Galater. In: Jürgen Becker,
Hans Conzelmann und Gerhard Friedrich, Die Briefe an die Galater,
Epheser, Philipper, Kolosser, Thessalonicher und Philemon, S.1-85.
NTD 8. 15., durchgesehene und ergänzte Aufl., 2.Aufl. von Vf. Göt-
tingen: Vandenhoeck & Ruprecht, 1981.

Beinert, Wolfgang (1975): Freiheit durch Jesus Christus. Zugang zu Jesus als dem Christus des Glaubens. StZ 193 (1975): 467-481.

Bellen, Heinz (1965-66): Συναγωγὴ τῶν Ἰουδαίων καὶ Θεοσεβῶν. Die Aussage
einer bosporanischen Freilassungsinschrift (CIRB 71) zum Problem der
"Gottfürchtigen". JAC 8-9 (1965-66): 171-176.

Benckert, Heinrich (+1947-48): Menschenknechtschaft und Christusfreiheit.
EvTh 7 (1947-48): 6-23.

Benoit, Pierre (1937): Le Codex paulinien Chester Beatty. RB 46 (1937): 58-82.

Benveniste, E. (+1936): Liber et liberi. REL 14 (1936): 51-58.

Berger, Klaus (1966): Abraham in den paulinischen Hauptbriefen. MThZ 17 (1966): 47-89.

- (1968): Freiheit I. Schrift. In: SM(D) 2: 71-77.

- (1980): Die impliziten Gegner. Zur Methode des Erschließens von "Gegnern" in neutestamentlichen Texten. In: Kirche. Festschrift für Günther Bornkamm zum 75. Geburtstag, hg. Dieter Lührmann und Georg Strecker, S.373-400. Tübingen: J.C.B.Mohr (Paul Siebeck), 1980.

- (1984a): Exegese des Neuen Testaments. Neue Wege vom Text zur Auslegung. UTB 658. 2., durchgesehene Aufl. Heidelberg: Quelle & Meyer, 1984.

- (1984b): Hellenistische Gattungen im Neuen Testament. In: Aufstieg und Niedergang der römischen Welt. Geschichte und Kultur Roms im Spiegel der neueren Forschung 2: Principat, hg. Hildegard Temporini und Wolfgang Haase, Bd.25,2: 1031-1432, 1831-1885. Berlin und New York: Walter de Gruyter, 1984.

Bernays, Jacob (1869): Die heraklitischen Briefe. Ein Beitrag zur philosophischen und religionsgeschichtlichen Litteratur. Berlin: Wilhelm Hertz, 1869.

- (1879): Lucian und die Kyniker. Mit einer Übersetzung der Schrift Lucians Über das Lebensende des Peregrinus. Berlin: Wilhelm Hertz, 1879.

Berrouard, M.-F. (+1963): Servitude de la loi et liberté de l'evangile selon Saint Irénée. LV(L) 61 (1963): 41-60.

Bertram, Georg (1954): ἀφορμή. In: ThWNT 5: 472-475.

Betz, Hans Dieter (1961): Lukian von Samosata und das Neue Testament. Religionsgeschichtliche und paränetische Parallelen. Ein Beitrag zum Corpus Hellenisticum Novi Testamenti. TU 76. Berlin: Akademie-Verlag, 1961.

- (1972): Der Apostel Paulus und die sokratische Tradition. Eine exegetische Untersuchung zu seiner "Apologie" 2 Korinther 10-13. BHTh 45. Tübingen: J.C.B.Mohr (Paul Siebeck), 1972.

- (1974): Geist, Freiheit und Gesetz. Die Botschaft des Paulus an die Gemeinden in Galatien. ZThK 71 (1974): 78-93.

- (1975): The Literary Composition and Function of Paul's Letter to the Galatians. NTS 21 (1975): 353-379.

- (1977): Paul's Concept of Freedom in the Context of Hellenistic Discussions about the Possibilities of Human Freedom. Protocol Series of the Colloquies of the Center for Hermeneutical Studies in Hellenistic and Modern Culture 26. Berkeley: The Center for Hermeneutical Studies in Hellenistic and Modern Culture, 1977.

- (1979): Galatians. A Commentary on Paul's Letter to the Churches in Galatia. Hermeneia. Philadelphia: Fortress Press, 1979.

Biedermann, Hermenegild M. (1940): Die Erlösung der Schöpfung beim Apostel Paulus. Ein Beitrag zur Klärung der religionsgeschichtlichen Stellung der paulinischen Erlösungslehre. Theologische Diss., Würzburg. Würzburg: Rita-Verlag und -Druckerei der Augustiner, 1940.

Bindemann, Walther (1983): Die Hoffnung der Schöpfung. Römer 8,18-27 und die Frage einer Theologie der Befreiung von Mensch und Natur. NStB 14. Neukirchen-Vluyn: Neukirchener Verlag, 1983.

Bismark, Ernst (1921): Die Freiheit des Christen nach Paulus und die Freiheit des Weisen nach der jüngeren Stoa. Knechtsteden: Missions-Druckerei, 1921.

Bjerkelund, Carl J. (1972): "Nach menschlicher Weise rede ich." Funktion und Sinn des paulinischen Ausdrucks. StTh 26 (1972): 63-100.

Bläser, Peter (1941): Das Gesetz bei Paulus. NTA 19,1.2. Münster: Aschendorffsche Verlagsbuchhandlung, 1941.

- (+1960): Freiheit II. Im Verständnis der Schrift. In: LThK, 2., völlig neu bearbeitete Aufl., Bd.4: 328-331.

Blass, Friedrich und Debrunner, Albert (Blass): Grammatik des neutestamentlichen Griechisch. Bearbeitet von Friedrich Rehkopf. 16. durchgesehene Aufl. Göttingen: Vandenhoeck & Ruprecht, 1984.

Blau, Ludwig (1911): Die jüdische Ehescheidung und der jüdische Scheidebrief. Eine historische Untersuchung. Teil 1. Budapest: Adolf Alkalay & Sohn, 1911.

- (1912): Die jüdische Ehescheidung und der jüdische Scheidebrief. Eine historische Untersuchung. Teil 2. Budapest: Adolf Alkalay & Sohn, 1912.

Bleicken, J. (+1962): Der Begriff der Freiheit in der letzten Phase der römischen Republik. HZ 195 (1962): 1-20.

Blommerde, A.C.M. (1975): Is There an Ellipsis between Galatians 2,3 and 2,4? Bib. 56 (1975): 100-102.

Blunck, Jürgen (1967): Freiheit. In: TBLNT 1: 362-367.

Bömer, Franz (1960): Untersuchungen über die Religion der Sklaven in Griechenland und Rom. Teil 2: Die sogenannte sakrale Freilassung in Griechenland und die (δοῦλοι) ἱεροί. AAWLM.G 1960 Nr.1. Wiesbaden: Franz Steiner, 1960.

- (1961): Untersuchungen über die Religion der Sklaven in Griechenland und Rom. Teil 3: Die wichtigsten Kulte der griechischen Welt. AAWLM.G 1961 Nr.4. Wiesbaden: Franz Steiner, 1961.

Boer, Willis Peter de (1962): The Imitation of Paul. An Exegetical Study. Kampen: J.H.Kok, 1962.

Bonhöffer, Adolf (1911): Epiktet und das Neue Testament. RVV 10. Gießen: Alfred Töpelmann, 1911.

Bonnard, Pierre (1972): L'Épitre de Saint Paul aux Galates. CNT(N) 9. 2., revidierte und ergänzte Aufl. Neuchâtel und Paris: Delachaux et Niestlé, 1972.

Borger, E.A. (1807): Interpretatio epistolae Pauli ad Galatas. Leiden: Haak et socii, 1807.

Bornkamm, Günther (1961): Das urchristliche Verständnis von der Freiheit. Neckarauer Hefte 8. Heidelberg: Evangelischer Verlag Jakob Comtesse, 1961.

- (1966): Die christliche Freiheit. Predigtmeditation über Gal 5,13-15. In: Ders., Das Ende des Gesetzes. Paulusstudien. Gesammelte Aufsätze Bd.1: 133-138. BEvTh 16. 5.Aufl. München: Chr.Kaiser, 1966.

Bornkamm, Günther (1970a): Gesetz und Natur. Röm 2,14-16. In: Ders., Studien zu Antike und Urchristentum. Gesammelte Aufsätze Bd.2: 93-118. BEvTh 28. 3., durchgesehene Aufl. München: Chr.Kaiser, 1970.

- (1970b): Herrenmahl und Kirche bei Paulus. In: Ders., Studien zu Antike und Urchristentum. Gesammelte Aufsätze Bd.2: 138-176. BEvTh 28. 3., durchgesehene Aufl. München: Chr.Kaiser, 1970.

- (1971a): Der Römerbrief als Testament des Paulus. In: Ders., Geschichte und Glaube Teil 2. Gesammelte Aufsätze Bd.4: 120-139. BEvTh 53. München: Chr.Kaiser, 1971.

- (1971b): Die Vorgeschichte des sogenannten Zweiten Korintherbriefes. In: Ders., Geschichte und Glaube Teil 2. Gesammelte Aufsätze Bd.4: 162-194. BEvTh 53. München: Chr.Kaiser, 1971.

Borse, Udo (1972): Der Standort des Galaterbriefes. BBB 41. Köln und Bonn: Peter Hanstein, 1972.

- (1984): Der Brief an die Galater. RNT. Regensburg: Friedrich Pustet, 1984.

Bousset, Wilhelm (1908): Der Brief an die Galater. In: SNT, 2., verbesserte und vermehrte Aufl., Bd.2: 28-72: Göttingen: Vandenhoeck & Ruprecht, 1908.

- (1917): Der Brief an die Galater. Der erste Brief an die Korinther. Der zweite Brief an die Korinther. In: SNT, 3., verbesserte und vermehrte Aufl., Bd.2: 31-223. Göttingen: Vandenhoeck & Ruprecht, 1917.

Bouttier, Michel (1974): La Vie du chrétien en tant que service de la justice pour la sainteté. Romains 6 15-23. In: Battesimo e giustizia in Rom 6 e 8, hg. Lorenzo De Lorenzi, S.127-154. Serie Monografica di "Benedictina", Sezione biblico-ecumenica 2. Rom: Abbazia S.Paolo, 1974.

- (1977): Complexio Oppositorum. Sur les formules de I Cor. xii. 13; Gal. iii. 26-8; Col. iii. 10, 11. NTS 23 (1977): 1-19.

Bovon, François (+1971): Vivre dans la liberté selon le Nouveau Testament. Bulletin du Centre Protestant d'Études 23 (1971): 5-27.

Brandt, Wilhelm (1932): Freiheit im Neuen Testament. Kirche und Erziehung. Pädagogische Schriftenreihe der evangelischen Schulvereinigung 5. München: Chr.Kaiser, 1932.

Braun, Herbert (1971): Die Indifferenz gegenüber der Welt bei Paulus und bei Epiktet. In: Ders., Gesammelte Studien zum Neuen Testament und seiner Umwelt, S.159-167. 3., unveränderte Aufl. Tübingen: J.C.B.Mohr (Paul Siebeck), 1971.

Brinsmead, Bernard Hungerford (1982): Galatians - Dialogical Response to Opponents. Society of Biblical Literature Dissertation Series 65. Chico, California: Scholars Press, 1982.

Brox, Norbert (1966): Paulus und seine Verkündigung. SK 6. München: Kösel-Verlag, 1966.

Bruce, F.F. (1982): The Epistle of Paul to the Galatians. A Commentary on the Greek Text. The New International Greek Testament Commentary. Exeter: Paternoster Press, 1982.

Bruce, F.F. (1984): "Called to Freedom": A Study in Galatians. In: The New Testament Age. Essays in Honor of Bo Reicke, hg. William C. Weinrich, Bd.1: 61-71. Macon, Georgia: Mercer University Press, 1984.

Brunt, John C. (1981): Love, Freedom, and Moral Responsibility: The Contribution of I Cor. 8-10 to an Understanding of Paul's Ethical Thinking. In: Society of Biblical Literature 1981 Seminar Papers, hg. Kent Harold Richards, S.19-33. Society of Biblical Literature Seminar Papers Series 20. Chico, California: Scholars Press, 1981.

Buck, Charles H., Jr. (1950): The Collection for the Saints. HThR 43 (1950): 1-29.

- (1951): The Date of Galatians. JBL 70 (1951): 113-122.

Buckland, W.W. (1908): The Roman Law of Slavery. The Condition of the Slave in Private Law from Augustus to Justinian. Cambridge: At the University Press, 1908.

Büchsel, Friedrich (1933): ἀγοράζω, ἐξαγοράζω. In: ThWNT 1: 125-128.

Bujard, Walter (1973): Stilanalytische Untersuchungen zum Kolosserbrief als Beitrag zur Methodik von Sprachvergleichen. StUNT 11. Göttingen: Vandenhoeck & Ruprecht, 1973.

Bultmann, Rudolf (1910): Der Stil der paulinischen Predigt und die kynisch-stoische Diatribe. FRLANT 13. Göttingen: Vandenhoeck & Ruprecht, 1910.

- (1912): Das religiöse Moment in der ethischen Unterweisung des Epiktet und das Neue Testament. ZNW 13 (1912): 97-110, 177-191.

- (1930): Paulus. In: RGG, 2., völlig neubearbeitete Aufl., Bd.4: 1019-1045.

- (1959/1984): Der Gedanke der Freiheit nach antikem und christlichem Verständnis. Univ. 14 (1959): 1129-1138. Zitiert nach: Ders., Glauben und Verstehen. Gesammelte Aufsätze Bd.4: 42-51. 4.Aufl. Tübingen: J.C.B.Mohr (Paul Siebeck), 1984.

- (1967): Glossen im Römerbrief. In: Ders., Exegetica. Aufsätze zur Erforschung des Neuen Testaments, hg. Erich Dinkler, S.278-284. Tübingen: J.C.B.Mohr (Paul Siebeck), 1967.

- (1968): Die Bedeutung des Gedankens der Freiheit für die abendländische Kultur. In: Ders., Glauben und Verstehen. Gesammelte Aufsätze Bd.2: 274-293. 5., erweiterte Aufl. Tübingen: J.C.B.Mohr (Paul Siebeck), 1968.

- (1976): Der zweite Brief an die Korinther. Hg. Erich Dinkler. KEK Sonderband. Göttingen: Vandenhoeck & Ruprecht, 1976.

- (1984): Theologie des Neuen Testaments. Hg. Otto Merk. UTB 630. 9.Aufl., durchgesehen und ergänzt. Tübingen: J.C.B.Mohr (Paul Siebeck), 1984.

Buri, Fritz (+1939): Clemens Alexandrinus und der paulinische Freiheitsbegriff. Zürich und Leipzig: Max Niehans, 1939.

Burton, Ernest De Witt (1921): A Critical and Exegetical Commentary on the Epistle to the Galatians. ICC. Edinburgh: T. & T.Clark, 1921.

Buscemi, Marcello (+1979): La nostra Libertà in Cristo Gesù. La Libertà nella lettera di S.Paolo ai Galati. TS(I) 55 (1979): 294-301.

Caillemer, E. (1877): Apeleutheroi I-IV. In: Dictionnaire des antiquités grecques et romaines, hg. Ch.Daremberg und Edm.Saglio, Bd.1: 301-302. Paris: Librairie Hachette et Cie, 1877.

Calderini, Aristide (1908): La Manomissione e la condizione dei liberti in Grecia. Mailand: Ulrico Hoepli, 1908.

Cambier, Jules-Marie (+1963): La Liberté chrétienne selon Saint Paul. LV(L) 61 (1963): 5-40.

- (1964): La Liberté chrétienne selon Saint Paul. In: StEv 2, Teil 1: The New Testament Scriptures, hg. F.L.Cross, S.315-353. TU 87. Berlin: Akademie-Verlag, 1964.

- (1967): La Liberté chrétienne dans le Nouveau Testament. Rezension über: Der Begriff der Freiheit im Neuen Testament, von K.Niederwimmer. Bib. 48 (1967): 116-127.

- (1968): L'Espérance et le salut dans Rom. 8, 24. In: Message et mission. Recueil commémoratif du Xe anniversaire de la faculté de théologie, S.77-107. Publications de l'Université Lovanium de Kinshasa 23. Louvain: Éditions Nauwelaerts; Paris: Béatrice-Nauwelaerts, 1968.

- (+1979): Paul de Tarse, un homme libre, nous interpelle aujord'hui. In: Paul de Tarse. Apôtre du notre temps, hg. Lorenzo De Lorenzi, S. 751-794. Série monographique de "Benedictina", Section paulinienne 1. Rom: Abbaye de S.Paul, 1979.

Cameron, A. (1939): Inscriptions relating to Sacral Manumission and Confession. HThR 32 (1939): 143-179.

Campbell, W.S. (1981): Romans iii as a Key to the Structure and Thought of the Letter. NT 23 (1981): 22-40.

Capelle, Guilelmus (1896): De Cynicorum epistulis. Philosophische Diss., Göttingen, 1896.

Cerfaux, Lucien (+1958/1962): Condition chrétienne et liberté selon Saint Paul. In: Structures et liberté. XXVe Anniversaire des Études carmélitaines, S.244-252. EtCarm 38 (1958). Zugänglich auch in: Ders., Recueil Lucien Cerfaux Bd.3: 287-296. EThL.B 18. Gembloux: J. Duculot, 1962.

- (1962): Le Chrétien dans la théologie paulinienne. LeDiv 33. Paris: Les Éditions du Cerf, 1962.

Chilton, B.D. (+1977-78): Galatians 6,15: A Call to Freedom before God. ET 89 (1977-78): 311-313.

Clemen, Carl (1894): Die Einheitlichkeit der paulinischen Briefe an der Hand der bisher mit bezug auf sie aufgestellten Interpolations- und Compilationshypothesen. Göttingen: Vandenhoeck & Ruprecht, 1894.

- (1924): Religionsgeschichtliche Erklärung des Neuen Testaments. Die Abhängigkeit des ältesten Christentums von nichtjüdischen Religionen und philosophischen Systemen. 2., völlig neubearbeitete Aufl. Gießen: Alfred Töpelmann, 1924.

Clifford, M. Francesca (+1967): Aspects of Freedom in the Writings of John and Paul. BiTod 29 (1967): 2035-2039.

Collange, J.-F. (1972): Enigmes de la Deuxieme Epitre de Paul aux Corinthiens. Etude exegetique de 2 Cor. 2:14-7:4. MSSNTS 18. Cambridge: At the University Press, 1972.

Collard, Christopher (1975): Hg. und Kommentator. Euripides. Supplices. 2 Bde. Groningen: Bouma's Boekhuis, 1975.

Conzelmann, Hans (1976): Grundriß der Theologie des Neuen Testaments. EETh 2. 3. durchgesehene Aufl. München: Chr.Kaiser, 1976.

- (1981): Der erste Brief an die Korinther. KEK 5. 12.Aufl., 2., überarbeitete und ergänzte Aufl. vom Vf. Göttingen: Vandenhoeck & Ruprecht, 1981.

Cooper, Eugene J. (1975): Man's Basic Freedom and Freedom of Conscience in the Bible: Reflections on 1 Corinthians 8-10. IThQ 42 (1975): 272-283.

Coreth, E. (1972): Zur Problemgeschichte menschlicher Freiheit. ZKTh 94 (1972): 257-289.

Coune, Michel (1963): Le problème des Idolothytes et l'éducation de la Syneidêsis. RSR 51 (1963): 497-534.

Cramer, J.A. (1841): Hg. Catenæ in Sancti Pauli Epistolas ad Corinthios. Oxford: E typographeo academico, 1841.

- (1842): Hg. Catenæ in Sancti Pauli Epistolas ad Galatas, Ephesios, Philippenses, Colossenses, Thessalonicenses. Oxford: E typographeo academico, 1842.

Cranfield, C.E.B. (1964): St.Paul and the Law. SJTh 17 (1964): 43-68.

- (+1974a) The Freedom of the Christian According to Romans 8.2. In: New Testament Christianity for Africa and the World. Essays in Honour of Harry Sawyerr, hg. Mark E.Glasswell und Edward W.Fasholé-Luke, S.91-98. London: S.P.C.K., 1974.

- (1974b): Some Observations on Romans 8:19-21. In: Reconciliation and Hope. New Testament Essays on Atonement and Eschatology Presented to L.L.Morris on His 60th Birthday, hg. Robert Banks, S.224-230. Grand Rapids, Michigan: William B.Eerdmans, 1974.

- (1977-79): A Critical and Exegetical Commentary on the Epistle to the Romans. ICC. 2 Bde. 2. Druck von Bd.1. Edinburgh: T. & T.Clark, 1977-79.

Crifò, Giuliano (+1958): Su alcuni aspetti della libertà in Roma. Archivio giuridico "Filippo Serafini" 154 (1958): 3-72.

Dalberg-Acton, John Emerich Edward (+1907): The History of Freedom in Antiquity. In: Ders., The History of Freedom and Other Essays, hg. mit Einleitung von John Neville Figgis und Reginald Vere Laurence, S.1-29. London: Macmillan and Co., 1907.

Daube, David (1947): κερδαίνω as a Missionary Term. HThR 40 (1947): 109-120.

- (1956): The New Testament and Rabbinic Judaism. JLCR 2 (1952). London: Athlone Press, University of London, 1956.

Dautzenberg, Gerhard (1969): Der Verzicht auf das apostolische Unterhaltsrecht. Eine exegetische Untersuchung zu 1 Kor 9. Bib. 50 (1969): 212-232.

Davies, Donald M. (1953): Free from the Law. An Exposition of the Seventh Chapter of Romans. Interp. 7 (1953): 156-162.

Deidun, Thomas (+1983): True Freedom. A Scriptural Meditation. Way 23 (1983): 12-21.

Deissmann, G. Adolf (1892): Die neutestamentliche Formel "in Christo Jesu". Marburg: N.G.Elwert, 1892.

- (1923): Licht vom Osten. Das Neue Testament und die neuentdeckten Texte der hellenistisch-römischen Welt. 4., völlig neubearbeitete Aufl. Tübingen: J.C.B.Mohr (Paul Siebeck), 1923.

Delebecque, Édouard (1951): Euripide et la guerre du Péloponnèse. Paris: C.Klincksieck, 1951.

Delhaye, Ph. (+1964): Liberté chrétienne et obligation morale. EThL 40 (1964): 347-361.

Derrett, J. Duncan M. (1970): Law in the New Testament. London: Darton, Longman & Todd, 1970.

DeWitt, Norman Wentworth (1954): St.Paul and Epicurus. Minneapolis: University of Minnesota Press, 1954.

Didier, Georges (1955): Le Salaire du désintéressement (I Cor., IX, 14-27). RSR 43 (1955): 228-251.

Diétrich, Suzanne de (+1952): Captives into Children. The Biblical Doctrine of Freedom. Interp. 6 (1952): 387-398.

Diezinger, Walter (1962): Unter Toten freigeworden. Eine Untersuchung zu Röm. iii-viii. NT 5 (1962): 268-298.

Diller, Hans (1962/1968): Freiheit bei Thukydides als Schlagwort und als Wirklichkeit. Gym. 69 (1962): 189-204. Zitiert nach: Thukydides, hg. Hans Herter, S.639-660. WdF 98. Darmstadt: Wissenschaftliche Buchgesellschaft, 1968.

Dodd, C.H. (1954): The Bible and the Greeks. 2.Druck. London: Hodder & Stoughton, 1954.

Dölger, Franz Joseph (1971): Die Sonne der Gerechtigkeit und der Schwarze. Eine religionsgeschichtliche Studie zum Taufgelöbnis. LWQF 14. 2., um hinterlassene Nachträge des Vf. vermehrte Aufl. Münster: Aschendorffsche Verlagsbuchhandlung, 1971.

Döring, Klaus (1979): Exemplum Socratis. Studien zur Sokratesnachwirkung in der kynisch-stoischen Popularphilosophie der frühen Kaiserzeit und im frühen Christentum. Hermes.E 42. Wiesbaden: Franz Steiner, 1979.

Doty, William G. (1973): Letters in Primitive Christianity. Guides to Biblical Scholarship, New Testament Series. Philadelphia: Fortress Press, 1973.

Doughty, Darrell J. (1965): Heiligkeit und Freiheit. Eine exegetische Untersuchung der Anwendung des paulinischen Freiheitsgedankens in I Kor. 7. Theologische Diss., Göttingen, 1965.

Drane, John W. (1975): Paul. Libertine or Legalist? A Study in the Theology of the Major Pauline Epistles. London: S.P.C.K., 1975.

- (1976): Theological Diversity in the Letters of St.Paul. TynB 27 (1976): 3-26.

- (1980): Why Did Paul Write Romans? In: Pauline Studies. Essays Presented to Professor F.F.Bruce on His 70th Birthday, hg. Donald A.Hagner und Murray J.Harris, S.208-227. Exeter: Paternoster Press; Grand Rapids, Michigan: William B.Eerdmans, 1980.

Dudley, Donald Reynolds (1937): A History of Cynicism. From Diogenes to the 6th Century A.D. 1937. Neudruck. Hildesheim: Georg Olms, 1967.

Dungan, David L. (1971): The Sayings of Jesus in the Churches of Paul. The Use of the Synoptic Tradition in the Regulation of Early Church Life. Oxford: Basil Blackwell, 1971.

Dunn, J.D.G. (1970): 2 Corinthians iii. 17 - 'The Lord Is the Spirit'. JThS N.F. 21 (1970): 309-320.

Dupont, Jacques (1960): Gnosis. La Connaissance religieuse dans les épitres de Saint Paul. DGMFT 2. Serie 40. 2.Aufl. Louvain: E.Nauwelaerts; Paris: J.Gabalda, 1960.

Eadie, John (1869): A Commentary on the Greek Text of the Epistle of Paul to the Galatians. 1869. Neudruck. Grand Rapids, Michigan: Baker Book House, 1979.

Easton, Burton Scott (+1953): Authority and Liberty in the New Testament. AThR 35 (1953): 166-173.

Eckert, Jost (1971): Die urchristliche Verkündigung im Streit zwischen Paulus und seinen Gegnern nach dem Galaterbrief. BU 6. Regensburg: Friedrich Pustet, 1971.

Eckstein, Hans-Joachim (1983): Der Begriff Syneidesis bei Paulus. Eine neutestamentlich-exegetische Untersuchung zum 'Gewissensbegriff'. WUNT 2. Reihe 10. Tübingen: J.C.B.Mohr (Paul Siebeck), 1983.

Ehrenberg, Victor (+1967): Freedom - Ideal and Reality. In: The Living Heritage of Greek Antiquity, hg. European Cultural Foundation, S. 132-146. Den Haag und Paris: Mouton, 1967.

Eid, Volker (+1971): Die Verbindlichkeit der paulinischen Freiheitsbotschaft für die christliche Lebensgestaltung. In: Herausforderung und Kritik der Moraltheologie, hg. Georg Teichtweier und Wilhelm Dreier, S.184-205. Würzburg: Echter Verlag, 1971.

Elert, Werner (1947): Redemptio ab hostibus. ThLZ 72 (1947): 265-270.

Ellul, Jacques (+1951): Le Sens de la liberté chez St.Paul. In: Paulus - Hellas - Oikumene (An Ecumenical Symposium), hg. The Student Christian Association of Greece, S.64-73. Athen: The Student Christian Association of Greece, 1951.

Epp, Eldon J. (1978): Paul's Diverse Imageries of the Human Situation and His Unifying Theme of Freedom. In: Unity and Diversity in New Testament Theology. Essays in Honor of George E.Ladd, hg. Robert A.Guelich, S.100-116. Grand Rapids, Michigan: William B.Eerdmans, 1978.

Erler, Johann Karl (1830): Commentatio exegetica de libertatis Christianae notione, in N.T. libris obvia. Sorau: Fridericus Augustus Julien, 1830.

Esking, Erik (+1956): Fri och frigjord. Det positiva innehallet i frihetstanken hos Paulus. Stockholm: Svenska Kyrkans Diakonistyrelses Bokförlag, 1956.

- (+1962): Freiheit. In: BHH 1: 497-498.

Fabris, Rinaldo (1977): Legge della libertà in Giacomo. RivBib Supplement 8. Brescia: Paideia, 1977.

Faust, Ulrich (+1983): Christo servire libertas est. Zum Freiheitsbegriff des Ambrosius von Mailand. SPS 3. Salzburg und München: Anton Pustet, 1983.

Faw, Chalmer E. (1960): The Anomaly of Galatians. BR 4 (1960): 25-38.

Fee, Gordon D. (1980): Εἰδωλόθυτα Once Again: An Interpretation of 1 Corinthians 8-10. Bib. 61 (1980): 172-197.

Feldman, Louis H. (1968): Hellenizations in Josephus' Portrayal of Man's Decline. In: Religions in Antiquity. Essays in Memory of Erwin Ramsdell Goodenough, hg. Jacob Neusner, S.336-353. SHR 14. Leiden: E.J.Brill, 1968.

Festugière, A.-J. (1947): Liberté et civilisation chez les Grecs. Initiations 14. Paris: Éditions de la Revue des Jeunes, o.J.

Feuillet, André (1976): Le Problème de la liberté dans la première épître aux Corinthiens. In: Humanisme et foi chrétienne. Mélanges scientifiques du centenaire de l'Institut Catholique de Paris, hg. Charles Kannengiesser und Yves Marchasson, S.547-563. [Paris]: Beauchesne, 1976.

Foerster, Werner (1935): ἔξεστιν, ἐξουσία, ἐξουσιάζω, κατεξουσιάζω. In: ThWNT 2: 557-572.

- (1964): Abfassungszeit und Ziel des Galaterbriefes. In: Apophoreta. Festschrift für Ernst Haenchen zu seinem siebzigsten Geburtstag, S. 135-141. BZNW 30. Berlin: Alfred Töpelmann, 1964.

Foucart, George (1896): De libertorum conditione apud Athenienses. Paris: Klinksieck, 1896.

Fraine, J. de (+1968): Freiheit. In: BL, 2., neu bearbeitete und vermehrte Aufl., Sp.492-494.

Frede, Hermann Josef (1964): Altlateinische Paulus-Handschriften. AGLB 4. Freiburg: Herder, 1964.

- (1973): Ein neuer Paulustext und Kommentar. Bd.1: Untersuchungen. AGLB 7. Freiburg: Herder, 1973.

Friedrich, Gerhard (1978a): Das Gesetz des Glaubens Römer 3,27. In: Ders., Auf das Wort kommt es an. Gesammelte Aufsätze zum 70.Geburtstag, hg. Johannes H.Friedrich, S.107-122. Göttingen: Vandenhoeck & Ruprecht, 1978.

- (1978b): Freiheit und Liebe im ersten Korintherbrief. In: Ders., Auf das Wort kommt es an. Gesammelte Aufsätze zum 70.Geburtstag, hg. Johannes H.Friedrich, S.171-188. Göttingen: Vandenhoeck & Ruprecht, 1978.

- (1978c): Ein Tauflied hellenistischer Judenchristen. 1.Thess. 1,9f. In: Ders., Auf das Wort kommt es an. Gesammelte Aufsätze zum 70. Geburtstag, hg. Johannes H.Friedrich, S.236-250. Göttingen: Vandenhoeck & Ruprecht, 1978.

Fritz, Kurt von (1965): Die griechische ΕΛΕΥΘΕΡΙΑ bei Herodot. WSt 78 (1965): 5-31.

Fuchs, Ernst (1949): Die Freiheit des Glaubens. Römer 5-8 ausgelegt. BEvTh 14. München: Chr.Kaiser, 1949.

- (+1958): Freiheit I. Im NT. In: RGG, 3., völlig neu bearbeitete Aufl., Bd.2: 1101-1104.

Furnish, Victor Paul (1984): II Corinthians. AncB 32A. Garden City, New York: Doubleday, 1984.

Gäumann, Niklaus (1967): Taufe und Ethik. Studien zu Römer 6. BEvTh 47. München: Chr.Kaiser, 1967.

Gager, John G. (1972): Moses in Greco-Roman Paganism. Society of Biblical Literature Monograph Series 16. Nashville und New York: Abingdon Press, 1972.

Gale, Herbert Morrison (1964): The Use of Analogy in the Letters of Paul. Philadelphia: Westminster Press, 1964.

Galitis, Georg (1981): Das Wesen der Freiheit. Eine Untersuchung zu 1 Ko 9 und seinem Kontext. In: Freedom and Love. The Guide for Christian Life (1 Co 8-10; Rm 14-15), hg. Lorenzo De Lorenzi, S.127-141. Monographic Series of "Benedictina", Biblical-Ecumenical Section 6. Rom: St Paul's Abbey, 1981.

Gaston, Lloyd (1982): Israel's Enemies in Pauline Theology. NTS 28 (1982): 400-423.

Gayer, Roland (1976): Die Stellung des Sklaven in den paulinischen Gemeinden und bei Paulus. Zugleich ein sozialgeschichtlich vergleichender Beitrag zur Wertung des Sklaven in der Antike. EHS.T 78. Bern: Herbert Lang; Frankfurt: Peter Lang, 1976.

Gelzer, Thomas (1973): Die Verteidigung der Freiheit der Griechen gegen die Perser bei Aischylos und Herodot. In: Freiheit. Begriff und Bedeutung in Geschichte und Gegenwart, hg. André Mercier, S.27-53. Universität Bern, Kulturhistorische Vorlesungen 1971-72. Bern und Frankfurt: Herbert Lang, 1973.

Georgi, Dieter (1964): Die Gegner des Paulus im 2. Korintherbrief. Studien zur religiösen Propaganda in der Spätantike. WMANT 11. Neukirchen-Vluyn: Neukirchener Verlag, 1964.

- (1965): Die Geschichte der Kollekte des Paulus für Jerusalem. ThF 38. Hamburg-Bergstedt: Herbert Reich, 1965.

Gerber, Uwe (1966): Röm. viii 18 ff als exegetisches Problem der Dogmatik. NT 8 (1966): 58-81.

Geyser, A.S. (1953): Paul, the Apostolic Decree and the Liberals in Corinth. In: Studia Paulina in honorem Johannis de Zwaan septuagenarii, S.124-138. Haarlem: De erven F.Bohn, 1953.

Geytenbeek, A.C. van (1963): Musonius Rufus and Greek Diatribe. Übers. B.L.Hijmans, Jr. Wijsgerige Teksten en Studies 8. Bearbeitete Aufl. Assen: Van Gorcum, 1963.

Gibbs, John G. (1971): Creation and Redemption. A Study in Pauline Theology. NT.S 26. Leiden: E.J.Brill, 1971.

Gide, P. (1877): Apostasiou diké. In: Dictionnaire des antiquités grecques et romaines, hg. Ch.Daremberg und Edm.Saglio, Bd.1: 323. Paris: Librairie Hachette et Cie, 1877.

Gieraths, Hans (1950): Knechtschaft und Freiheit der Schöpfung. Eine historisch-exegetische Untersuchung zu Röm 8,19-22. Theologische Diss., Bonn, o.J.

Giese, Ernst (1959): Römer 7 neu gesehen im Zusammenhang des gesamten Briefes. Theologische Diss., Marburg, 1959.

Gigon, Olof (1973): Der Begriff der Freiheit in der Antike. Gym. 80 (1973): 8-56.

Godet, F. (1886): Kommentar zu dem ersten Briefe an die Korinther. Teil 1: Kapitel 1-7. Übers. P. und K.Wunderlich. Hannover: Carl Meyer, 1886.

Goettsberger, J. (1924): Die Hülle des Moses nach Ex 34 und 2 Kor 3. BZ 16 (1924): 1-17.

Goguel, Maurice (1923-26): Introduction au Nouveau Testament. Bibliothèque historique des religions. 4 Bde. Paris: Ernest Leroux, 1923-26.

- (1935): Le Caractère et le rôle de l'élément cosmologique dans la sotériologie paulinienne. RHPhR 15 (1935): 335-359.

- (1951): Le Paulinisme. Théologie de la liberté. RThPh 3. Serie 1 (1951): 93-104, 175-183.

Gomperz, Heinrich (1927): Die Lebensauffassung der griechischen Philosophen und das Ideal der inneren Freiheit. Zwölf gemeinverständliche Vorlesungen mit Anhang: Zum Verständnis der Mystiker. 3. völlig umgearbeitete und erweiterte Aufl. Jena: Eugen Diederichs, 1927.

Goodenough, Erwin Ramsdell (1935): By Light, Light. The Mystic Gospel of Hellenistic Judaism. 1935. Neudruck. Amsterdam: Philo Press, 1969.

- (1968): Paul and the Hellenization of Christianity. Mit A.T.Kraabel. In: Religions in Antiquity. Essays in Memory of Erwin Ramsdell Goodenough, hg. Jacob Neusner, S.23-68. SHR 14. Leiden: E.J. Brill, 1968.

Gräßer, Erich (1955): Freiheit und apostolisches Wirken bei Paulus. EvTh 15 (1955): 333-342.

Graf, Henricus Ernestus (1884): Ad aureae aetatis fabulam symbola. Philosophische Diss., Leipzig. Leipzig: J.B.Hirschfeld, 1884.

Grant, Robert McQueen (1957): The Letter and the Spirit. London: S.P.C.K., 1957.

Grimm, Carl Ludwig Wilibald (1857): Kurzgefasstes exegetisches Handbuch zu den Apokryphen des Alten Testamentes. Lieferung 4: Das zweite, dritte und vierte Buch der Maccabäer. Leipzig: S.Hirzel, 1857.

Grossouw, Willem Karel (1969): De vrijheid van de christen volgens Paulus. TTh 9 (1969): 269-283.

Grundmann, Walter (1974): Das Angebot der eröffneten Freiheit. Zugleich eine Studie zur Frage nach der Rechtfertigungslehre. Cath(M) 28 (1974): 304-333.

Güemes Villanueva, Agapito (1971): La Libertad en San Pablo. Un Estudio sobre la ἐλευθερία paulina. Pamplona: Ediciones Universidad de Navarra, 1971.

Gülzow, Henneke (1969): Christentum und Sklaverei in den ersten drei Jahrhunderten. Bonn: Rudolf Habelt, 1969.

Güttgemanns, Erhardt (1966): Der leidende Apostel und sein Herr. Studien zur paulinischen Christologie. FRLANT 90. Göttingen: Vandenhoeck & Ruprecht, 1966.

Gulin, E.G. (1941): Die Freiheit in der Verkündigung des Paulus. ZSTh 18 (1941): 458-481.

Haenchen, Ernst (1977): Die Apostelgeschichte. KEK 3. 16.Aufl., 7., durchgesehene und verbesserte Aufl. vom Vf. Göttingen: Vandenhoeck & Ruprecht, 1977.

Häring, Bernhard (+1963): Paulinische Freiheitslehre, Gesetzesethik und Situationsethik. In: Studiorum Paulinorum congressus internationalis catholicus 1961 Bd.1: 165-173. AnBib 17. Rom: E pontificio instituto biblico, 1963.

- (+1974): Dimensionen christlicher Freiheit. TGA 17 (1974): 70-79.

Hagge, H. (1876): Die beiden überlieferten Sendschreiben des Apostels Paulus an die Gemeinde zu Korinth. JPTh 2 (1876): 481-531.

Hahn, Ferdinand (1976): Das Gesetzesverständnis im Römer- und Galaterbrief. ZNW 67 (1976): 29-63.

Halter, Hans (1977): Taufe und Ethos. Paulinische Kriterien für das Proprium christlicher Moral. FThSt 106. Freiburg, Basel und Wien: Herder, 1977.

Hanson, A.T. (1980): The Midrash in II Corinthians 3: A Reconsideration. JSNT 9 (1980): 2-28.

Haubeck, Wilfrid (1985): Loskauf durch Christus. Herkunft, Gestalt und Bedeutung des paulinischen Loskaufmotivs. Gießen und Basel: Brunnen Verlag; Witten: Bundes-Verlag, 1985.

Heiligenthal, Roman (1983): Freiheit II/1. Frühjudentum. In: TRE 11: 498-502.

Heinemann, Isaak (1932): Philons griechische und jüdische Bildung. Kulturvergleichende Untersuchungen zu Philons Darstellung der jüdischen Gesetze. Breslau: M. & H.Marcus, 1932.

Heinrici, C.F.Georg (1880): Erklärung der Korinthierbriefe in zwei Bänden. Bd.1: Das erste Sendschreiben des Apostel Paulus an die Korinthier. Berlin: Wilhelm Hertz, 1880.

- (1894): Rezension über: Paulus in Athen, von Ernst Curtius. ThLZ 19 (1894): 207-210.

- (1896): Der erste Brief an die Korinther. KEK 5. 8.Aufl., 3.Aufl. vom Vf. Göttingen: Vandenhoeck & Ruprecht, 1896.

- (1900): Der zweite Brief an die Korinther. KEK 6. 8.Aufl., 3.Aufl. vom Vf. Göttingen: Vandenhoeck & Ruprecht, 1900.

Hengel, Martin (1976): Die Zeloten. Untersuchungen zur jüdischen Freiheitsbewegung in der Zeit von Herodes I. bis 70 n.Chr. Arbeiten zur Geschichte des antiken Judentums und des Urchristentums 1. 2. verbesserte und erweiterte Aufl. Leiden und Köln: E.J.Brill, 1976.

Héring, Jean (1958): La Seconde Épitre de Saint Paul aux Corinthiens. CNT(N) 8. Neuchâtel und Paris: Delachaux & Niestlé, 1958.

- (1959): La Première Épitre de Saint Paul aux Corinthiens. CNT(N) 7. 2., revidierte Aufl. Neuchâtel und Paris: Delachaux & Niestlé, 1959.

Hermann, Ingo (1961): Kyrios und Pneuma. Studien zur Christologie der paulinischen Hauptbriefe. StANT 2. München: Kösel-Verlag, 1961.

Hickling, C.J.A. (1975a): The Sequence of Thought in II Corinthians, Chapter Three. NTS 21 (1975): 380-395.

Hickling, C.J.A. (1975b): Is the Second Epistle to the Corinthians a Source for Early Church History? ZNW 66 (1975): 284-287.

Hirzel, Rudolf (1903): ΑΓΡΑΦΟΣ ΝΟΜΟΣ. ASGW.PH 20, S.1-100. Leipzig: B.G.Teubner, 1903.

Hobein, Hermannus (1895): De Maximo Tyrio quaestiones philologae selectae. Philosophische Diss., Göttingen, 1895.

Hock, Ronald F. (1974): The Working Apostle: An Examination of Paul's Means of Livelihood. Ph.D. Diss., Yale University, 1974; Ann Arbor, Michigan: University Microfilms, 1978.

- (1980): The Social Context of Paul's Ministry. Tentmaking and Apostleship. Philadelphia: Fortress Press, 1980.

Höistad, Ragnar (1948): Cynic Hero and Cynic King. Studies in the Cynic Conception of Man. Philosophische Diss., Uppsala. Lund: Carl Bloms Boktryckeri, 1948.

Hofmann, J.Chr.K. von (1874): Die heilige Schrift neuen Testaments. Teil 2,2: Der erste Brief Pauli an die Korinther. 2. vielfach veränderte Aufl. Nördlingen: C.H.Beck, 1874.

Holsten, Carl (1880): Das Evangelium des Paulus. Teil 1: Die äußere Entwicklungsgeschichte des paulinischen Evangeliums. Abteilung 1: Der Brief an die Gemeinden Galatiens und der erste Brief an die Gemeinde in Korinth. Berlin: G.Reimer, 1880.

Holtz, Traugott (1978): "Euer Glaube an Gott". Zu Form und Inhalt von 1 Thess 1,9f. In: Die Kirche des Anfangs. Festschrift für Heinz Schürmann zum 65.Geburtstag, hg. Rudolf Schnackenburg, Josef Ernst und Joachim Wanke, S.459-488. EThSt 38. Leipzig: St. Benno-Verlag, 1978.

Hommel, Hildebrecht (1984): Das 7.Kapitel des Römerbriefs im Lichte antiker Überlieferung. In: Ders., Sebasmata. Studien zur antiken Religionsgeschichte und zum frühen Christentum Bd.2: 141-173. WUNT 32. Tübingen: J.C.B.Mohr (Paul Siebeck), 1984.

Horsley, Richard A. (1978): Consciousness and Freedom among the Corinthians: 1 Corinthians 8-10. CBQ 40 (1978): 574-589.

Hübner, Hans (1982): Das Gesetz bei Paulus. Ein Beitrag zum Werden der paulinischen Theologie. FRLANT 119. 3.Aufl. Göttingen: Vandenhoeck & Ruprecht, 1982.

Hurd, John Coolidge, Jr. (1968): The Sequence of Paul's Letters. CJT 14 (1968): 189-200.

- (1983): The Origin of 1 Corinthians. Neue Aufl. Macon, Georgia: Mercer University Press, 1983.

Jens, Walter (1956): Libertas bei Tacitus. Hermes 84 (1956): 331-352. Auch in: Prinzipat und Freiheit, hg. Richard Klein, S.391-420. WdF 135. Darmstadt: Wissenschaftliche Buchgesellschaft, 1969.

Jeremias, Joachim (1966): Chiasmus in den Paulusbriefen. In: Ders., Abba. Studien zur neutestamentlichen Theologie und Zeitgeschichte, S.276-290. Göttingen: Vandenhoeck & Ruprecht, 1966.

Jervell, Jacob (1960): Imago Dei. Gen 1,26f. im Spätjudentum, in der Gnosis und in den paulinischen Briefen. FRLANT 76. Göttingen: Vandenhoeck & Ruprecht, 1960.

Jewett, Robert (1971): Paul's Anthropological Terms. A Study of Their Use in Conflict Settings. Arbeiten zur Geschichte des antiken Judentums und des Urchristentums 10. Leiden: E.J.Brill, 1971.

Jonas, Hans (+1965): Augustin und das paulinische Freiheitsproblem. Eine philosophische Studie zum pelagianischen Streit. 2., neubearbeitete und erweiterte Aufl. mit einer Einleitung von James M.Robinson. FRLANT 44. Göttingen: Vandenhoeck & Ruprecht, 1965.

Jones, Peter Rhea (1976): The Liberating and Liberated Lord: A Biblical Essay on Freedom. RExp 73 (1976): 283-292.

Jülicher, Adolf (1917): Der Brief an die Römer. In: SNT, 3., verbesserte und vermehrte Aufl., Bd.2: 223-335. Göttingen: Vandenhoeck & Ruprecht, 1917.

Käsemann, Ernst (1959/1970): Eine paulinische Variation des "amor fati". ZThK 56 (1959): 138-154. Zitiert nach: Ders., Exegetische Versuche und Besinnungen Bd.2: 223-239. 3.Aufl. Göttingen: Vandenhoeck & Ruprecht, 1970.

- (1964/1972): Der gottesdienstliche Schrei nach der Freiheit. In: Apophoreta. Festschrift für Ernst Haenchen zu seinem siebzigsten Geburtstag, S.142-155. BZNW 30. Berlin: Alfred Töpelmann, 1964. Zitiert nach: Ders., Paulinische Perspektiven, S.211-236. 2., durchgesehene Aufl. Tübingen: J.C.B.Mohr (Paul Siebeck), 1972.

- (1980): An die Römer. HNT 8a. 4., durchgesehene Aufl. Tübingen: J.C.B.Mohr (Paul Siebeck), 1980.

Kahrstedt, Ulrich (1934): Staatsgebiet und Staatsangehörige in Athen. Studien zum öffentlichen Recht Athens Teil 1. GöF 4. Stuttgart und Berlin: W.Kohlhammer, 1934.

Kanael, Baruch (1953): The Historical Background of the Coins "Year Four.... of the Redemption of Zion". BASOR 129 (Februar 1953): 18-20.

- (1963): Ancient Jewish Coins and Their Historical Importance. BA 26 (1963): 38-62.

Karris, Robert J. (1973): Rom 14:1-15:13 and the Occasion of Romans. CBQ 35 (1973): 155-178. Auch in: The Romans Debate, hg. Karl P. Donfried, S.75-99. Minneapolis: Augsburg Publishing House, 1977.

Keck, Leander (1974): Der Sohn als Schöpfer der Freiheit. Übers. A. Ahlbrecht. Conc(D) 10 (1974): 189-195.

Kettunen, Markku (1979): Der Abfassungszweck des Römerbriefes. AASF Dissertationes Humanarum Litterarum 18. Helsinki: Suomalainen Tiedeakatemia, 1979.

Keuck, Werner (1961): Dienst des Geistes und des Fleisches. Zur Auslegungsgeschichte und Auslegung von Rm 7,25 b. TThQ 141 (1961): 257-280.

Kittel, Helmuth (1934): Die Herrlichkeit Gottes. Studien zu Geschichte und Wesen eines Neutestamentlichen Begriffs. BZNW 16. Gießen: Alfred Töpelmann, 1934.

Klauck, Hans-Josef (1982): Herrenmahl und hellenistischer Kult. Eine religionsgeschichtliche Untersuchung zum ersten Korintherbrief. NTA N.F. 15. Münster: Aschendorffsche Verlagsbuchhandlung, 1982.

Kleinknecht, H. (1942): νόμος A. Der νόμος in Griechentum und Hellenismus. In: ThWNT 4: 1016-1029.

Kloesel, Hans (1935): Libertas. Philosophische Diss., Breslau. Breslau: R.Nischkowsky, 1935. Zum Teil abgedruckt in: Römische Wertbegriffe, hg. Hans Oppermann, S.120-172. WdF 34. Darmstadt: Wissenschaftliche Buchgesellschaft, 1967.

Klostermann, August (1883): Probleme im Aposteltexte. Gotha: Friedrich Andreas Perthes, 1883.

Klostermann, Erich (1959): Zur Apologie des Paulus Galater 1,10-2,21. In: Gottes ist der Orient. Festschrift für Prof. D. Dr. Otto Eißfeldt DD zu seinem 70.Geburtstag, S.84-87. Berlin: Evangelische Verlagsanstalt, 1959.

Koepp, Wilhelm (1952-53): Die Abraham-Midraschimkette des Galaterbriefes als das vorpaulinische heidenchristliche Urtheologumenon. (Eine religionsgeschichtliche Untersuchung, auch zur Frage des Übergangs vom Rabbinentum zum Christentum). WZ(R).GS 2 (1952-53): 181-187.

Körner, Johannes (+1953): Freiheit im eschatologischen Geschehen. EvTh 13 (1953): 267-272.

Köster, Helmut (1979): 1 Thessalonians - Experiment in Christian Writing. In: Continuity and Discontinuity in Church History. Essays Presented to George Huntston Williams on the Occasion of His 65th Birthday, hg. F.Forrester Church und Timothy George, S.33-44. SHCT 19. Leiden: E.J.Brill, 1979.

-   (1980): Einführung in das Neue Testament im Rahmen der Religionsgeschichte und Kulturgeschichte der hellenistischen und römischen Zeit. GLB. Berlin und New York: Walter de Gruyter, 1980.

Kosnetter, Joh. (+1967): Freiheit. In: BThW, 3., erneut erweiterte und revidierte Aufl., S.416-426.

Kramer, Werner (1963): Christos Kyrios Gottessohn. Untersuchungen zu Gebrauch und Bedeutung der christologischen Bezeichnungen bei Paulus und den vorpaulinischen Gemeinden. AThANT 44. Zürich und Stuttgart: Zwingli Verlag, 1963.

Krauss, Samuel (1922): Synagogale Altertümer. 1922. Neudruck. Hildesheim: Georg Olms, 1966.

Kremer, Jacob (1977): Allen bin ich alles geworden, um jedenfalls einige zu retten (1 Kor 9,22). Bibeltheologische Erwägungen zu dem Thema "Zielgruppen im Heilsdienst der Kirche". In: Zielgruppen. Brennpunkte kirchlichen Lebens, hg. Ludwig Bertsch und Karl-Heinz Rentmeister, S.13-34. Frankfurt: Josef Knecht, 1977.

Krentz, Edgar (1969). Freedom in Christ - Gift and Demand. CTM 40 (1969): 356-368.

Kühl, Ernst (1907): Erläuterung der paulinischen Briefe unter Beibehaltung der Briefform. Bd.1: Die älteren paulinischen Briefe. Gr. Lichterfelde-Berlin: Edwin Runge, 1907.

-   (1911): Neutestamentliche Theologie. ThG 5 (1911): 213-323.

Kümmel, Werner Georg (1958): Rezension über: The Text of the Epistles, von G.Zuntz. ThLZ 83 (1958): 765-769.

Kümmel, Werner Georg (1974): Römer 7 und das Bild des Menschen im Neuen Testament. Zwei Studien. TB 53. München: Chr.Kaiser, 1974.

- (1983): Einleitung in das Neue Testament. 21., erneut ergänzte Aufl. Heidelberg: Quelle & Meyer, 1983.

Kürzinger, Josef (1958): Τύπος διδαχῆς und der Sinn von Röm 6,17f. Bib. 39 (1958): 156-176.

- (1963): Der Schlüssel zum Verständnis von Röm 7. BZ N.F. 7 (1963): 270-274.

Kuss, Otto (1963): Der Römerbrief. Lieferung 2. 2., unveränderte Aufl. Regensburg: Friedrich Pustet, 1963.

Kutsch, Ernst (1978): Neues Testament - Neuer Bund? Eine Fehlübersetzung wird korrigiert. Neukirchen-Vluyn: Neukirchener Verlag, 1978.

Lagrange, M.-J. (1934): Les Papyrus Chester Beatty pour les épitres de S. Paul et l'apocalypse. RB 43 (1934): 481-493.

- (1950a): Saint Paul. Épitre aux Galates. EtB. 7. Tausend. Paris: J.Gabalda, 1950.

- (1950b): Saint Paul. Épitre aux Romains. EtB. 6. Tausend. Paris: J.Gabalda, 1950.

Lake, Kirsopp (1906): Galatians II. 3-5. Exp. 7. Serie 1 (1906): 236-245.

Lake, Kirsopp und Cadbury, Henry J. (1933): The Beginnings of Christianity. Teil 1: The Acts of the Apostles. Hg. F.J.Foakes Jackson und Kirsopp Lake. Bd.4: English Translation and Commentary. 1933. Neudruck. Grand Rapids, Michigan: Baker Book House, 1979.

Lambrecht, Jan (1983): Structure and Line of Thought in 2 Cor 2,14 - 4,6. Bib. 64 (1983): 344-380.

Lana, Italo (+1955): La Libertà nel mondo antico. RFIC 83 (1955): 1-28.

Larsson, Edvin (1962): Christus als Vorbild. Eine Untersuchung zu den paulinischen Tauf- und Eikontexten. Übers. Beatrice Steiner. ASNU 23. Lund: C.W.K.Gleerup; Kopenhagen: Ejnar Munksgaard; Uppsala: Almqvist & Wiksells, 1962.

Laue, Henricus (1921): De Democriti fragmentis ethicis. Philosophische Diss., Göttingen. Lingen, Ems: R. van Acken, 1921.

Le Déaut, R. (1961): Traditions targumiques dans le Corpus Paulinien? (Hebr 11,4 et 12,24; Gal 4,29-30; II Cor 3,16). Bib. 42 (1961): 28-48.

Levy, Ernst (+1961): Libertas und Civitas. ZSRG.R 78 (1961): 142-172.

Liao, Paul S.H. (1979): The Meaning of Galatians 4:21-31. A New Perspective. NEAJT 22-23 (1979): 115-132.

Liddell, Henry George; Scott, Robert und Jones, Henry Stuart (1968): A Greek-English Lexicon with a Supplement. 9.Aufl. Oxford: Clarendon Press, 1968.

Lietzmann, Hans (1969): An die Korinther I.II. Ergänzt von Werner Georg Kümmel. HNT 9. 5., durch einen Literaturnachtrag erweiterte Aufl. Tübingen: J.C.B.Mohr (Paul Siebeck), 1969.

- (1971a): An die Galater. HNT 10. 4.Aufl. Tübingen: J.C.B.Mohr (Paul Siebeck), 1971.

Lietzmann, Hans (1971b): Einführung in die Textgeschichte der Paulusbriefe. An die Römer. HNT 8. 5., unveränderte Aufl. Tübingen: J.C.
B.Mohr (Paul Siebeck), 1971.

Lightfoot, J.B. (1890): St. Paul's Epistle to the Galatians. 10.Aufl. 1890.
Neudruck. Lynn, Massachusetts: Hendrickson Publishers, 1981.

Lincoln, Andrew T. (1981): Paradise Now and Not Yet. Studies in the
Role of the Heavenly Dimension in Paul's Thought with Special Reference to His Eschatology. MSSNTS 43. Cambridge: Cambridge University Press, 1981.

Lindars, Barnabas (1984): Slave and Son in John 8:31-36. In: The New
Testament Age. Essays in Honor of Bo Reicke, hg. William C. Weinrich, Bd.1: 271-286. Macon, Georgia: Mercer University Press, 1984.

Lipsius, Richard Adelbert (1892): Briefe an die Galater, Römer, Philipper.
HC 2,2. 2. verbesserte Aufl. Freiburg: J.C.B.Mohr (Paul Siebeck),
1892.

Little, Joyce A. (1984): Paul's Use of Analogy: A Structural Analysis of
Romans 7:1-6. CBQ 46 (1984): 82-90.

Loane, Marcus L. (1968): The Hope of Glory. An Exposition of the Eighth
Chapter in the Epistle to the Romans. London: Hodder and Stoughton,
1968.

Lohse, Eduard (1963): Märtyrer und Gottesknecht. Untersuchungen zur
urchristlichen Verkündigung vom Sühntod Jesu Christi. FRLANT 64.
2., durchgesehene und erweiterte Aufl. Göttingen: Vandenhoeck &
Ruprecht, 1963.

- (1973): ὁ νόμος τοῦ πνεύματος τῆς ζωῆς. Exegetische Anmerkungen zu Röm
8,2. In: Neues Testament und christliche Existenz. Festschrift für Herbert Braun zum 70.Geburtstag, hg. Hans Dieter Betz und Luise
Schottroff, S.279-287. Tübingen: J.C.B.Mohr (Paul Siebeck), 1973.
Auch in: Ders., Die Vielfalt des Neuen Testaments. Exegetische Studien zur Theologie des Neuen Testaments, S.128-136. Göttingen:
Vandenhoeck & Ruprecht, 1982.

- (1976): Zur Analyse und Interpretation von Röm. 8, 1-17. In: The
Law of the Spirit in Rom 7 and 8, hg. Lorenzo De Lorenzi, S.129-
146. Monographic Series of "Benedictina", Biblical-Ecumenical Section
1. Rom: St Paul's Abbey, 1976.

Lovejoy, Arthur O. und Boas, George (1935): Primitivism and Related
Ideas in Antiquity. Mit ergänzenden Beiträgen von W.F.Albright und
P.E.Dumont. Contributions to the History of Primitivism. 1935. Neu-
druck. New York: Octagon Books, 1973.

Lübtow, Ulrich von (+1953): Blüte und Verfall der römischen Freiheit.
Betrachtungen zur Kultur- und Verfassungsgeschichte des Abend-
landes. Breviarium litterarum 5. Berlin: Erich Blaschker, 1953.

Lüdemann, Gerd (1980): Paulus, der Heidenapostel. Bd.1: Studien zur
Chronologie. FRLANT 123. Göttingen: Vandenhoeck & Ruprecht, 1980.

- (1983a): Paulus, der Heidenapostel. Bd.2: Antipaulinismus im frühen
Christentum. FRLANT 130. Göttingen: Vandenhoeck & Ruprecht, 1983.

- (1983b): Paulus und das Judentum. TEH 215. München: Chr.Kaiser,
1983.

Lührmann, Dieter (1965): Das Offenbarungsverständnis bei Paulus und in paulinischen Gemeinden. WMANT 16. Neukirchen-Vluyn: Neukirchener Verlag, 1965.

- (1975): Wo man nicht mehr Sklave oder Freier ist. Überlegungen zur Struktur frühchristlicher Gemeinden. WuD 13 (1975): 53-83.

- (1978): Der Brief an die Galater. ZBK NT 7. Zürich: Theologischer Verlag, 1978.

Lütgert, Wilhelm (1908): Freiheitspredigt und Schwarmgeister in Korinth. Ein Beitrag zur Charakteristik der Christuspartei. BFChTh 12,3. Gütersloh: C.Bertelsmann, 1908.

- (1909a): Die Irrlehrer der Pastoralbriefe. BFChTh 13,3. Gütersloh: C.Bertelsmann, 1909.

- (1909b): Die Vollkommenen im Philipperbrief und Die Enthusiasten in Thessalonich. BFChTh 13,6. Gütersloh: C.Bertelsmann, 1909.

- (1911): Amt und Geist im Kampf. Studien zur Geschichte des Urchristentums. BFChTh 15,4.5. Gütersloh: C.Bertelsmann, 1911.

- (1913): Der Römerbrief als historisches Problem. BFChTh 17,2. Gütersloh: C.Bertelsmann, 1913.

- (1919): Gesetz und Geist. Eine Untersuchung zur Vorgeschichte des Galaterbriefes. BFChTh 22,6. Gütersloh: C.Bertelsmann, 1919.

Luther, Martin (1520/1897): Von der Freiheit eines Christenmenschen. 1520. In: D.Martin Luthers Werke. Kritische Gesammtausgabe Bd.7: 20-38. Weimar: Hermann Böhlaus Nachfolger, 1897.

Luz, Ulrich (1967): Der alte und der neue Bund bei Paulus und im Hebräerbrief. EvTh 27 (1967): 318-336.

- (1968): Das Geschichtsverständnis des Paulus. BEvTh 49. München: Chr.Kaiser, 1968.

- (1969): Zum Aufbau von Röm. 1 - 8. ThZ 25 (1969): 161-181.

Lyall, Francis (1970-71): Roman Law in the Writings of Paul - The Slave and the Freedman. NTS 17 (1970-71): 73-79.

- (1984): Slaves, Citizens, Sons. Legal Metaphors in the Epistles. Grand Rapids, Michigan: Zondervan, Academie Books, 1984.

Lyonnet, Stanislas (+1953): Liberté chrétienne et loi nouvelle. Rom: Pontificio Istituto Biblico, 1953.

- (1961): L'Emploi paulinien de ἐξαγοράζειν au sens de "redimere" est-il attesté dans la littérature grecque? Bib. 42 (1961): 85-89.

- (+1962): St. Paul. Liberty and Law. Rom: Pontificio Istituto Biblico, 1962.

Macgregor, William Malcolm (1931): Christian Freedom. 2.Aufl. London: Hodder & Stoughton, 1931.

Mack (1833): Ueber das Elend, die Sehnsucht und die Hoffnung der Creatur. Erklärung der Stelle im Briefe Pauli an die Römer Cap. VIII. V. 16-25. ThQ (1833): 601-638.

MacMullen, Ramsay (1981): Paganism in the Roman Empire. New Haven und London: Yale University Press, 1981.

McNamara, Martin (1966): The New Testament and the Palestinian Targum to the Pentateuch. AnBib 27. Rom: Pontifical Biblical Institute, 1966.

Malan, F.S. (1981): Bound to Do Right. Neotestamentica 15 (1981): 118-138.

Malherbe, Abraham J. (1970): "Gentle as a Nurse". The Cynic Background to I Thess ii. NT 12 (1970): 203-217.

- (1978): Pseudo Heraclitus, Epistle 4: The Divinization of the Wise Man. JAC 21 (1978): 42-64.

- (1983): Self-Definition among Epicureans and Cynics. In: Jewish and Christian Self-Definition. Bd.3: Self-Definition in the Greco-Roman World, hg. Ben F.Meyer und E.P.Sanders, S.46-59, 192-197. Philadelphia: Fortress Press, 1983.

Maly, Karl (1967): Mündige Gemeinde. Untersuchungen zur pastoralen Führung des Apostels Paulus im 1. Korintherbrief. Theologische Diss., Würzburg. Stuttgart: Verlag Katholisches Bibelwerk, 1967.

Manson, T.W. (1940): St. Paul in Ephesus: (2) The Problem of the Epistle to the Galatians. BJRL 24 (1940): 59-80.

Marrow, Stanley B. (1982): Parrhēsia and the New Testament. CBQ 44 (1982): 431-446.

Mata, Juan Abelardo (1982): Gálatas 5,13-14. El ser amados nos hace libres para amar. Estudios Teológicos (Guatemala) 9 (1982): 69-118.

Mattern, Lieselotte (1966): Das Verständnis des Gerichtes bei Paulus. AThANT 47. Zürich und Stuttgart: Zwingli Verlag, 1966.

Maurer, Christian (1956): Grund und Grenze apostolischer Freiheit. Exegetisch-theologische Studie zu 1. Korinther 9. In: Antwort. Karl Barth zum siebzigsten Geburtstag, S.630-641. Zollikon-Zürich: Evangelischer Verlag, 1956.

Mayer, Leo Ary (1966): A Bibliography of Jewish Numismatics. Jerusalem: Magnes Press, The Hebrew University, 1966.

Mayer-Maly, Theo (+1955): Zur Rechtsgeschichte der Freiheitsidee in Antike und Mittelalter. Österreichische Zeitschrift für öffentliches Recht N.F. 6 (1955): 399-428.

Mayser, Edwin (1934): Grammatik der griechischen Papyri aus der Ptolemäerzeit mit Einschluß der gleichzeitigen Ostraka und der in Ägypten verfaßten Inschriften. Bd.2,2: Satzlehre. Berlin und Leipzig: Walter de Gruyter, 1934.

Meeks, Wayne A. (1967): The Prophet-King. Moses Traditions and the Johannine Christology. NT.S 14. Leiden: E.J.Brill, 1967.

- (1982): "And Rose up to Play": Midrash and Paraenesis in 1 Corinthians 10:1-22. JSNT 16 (1982): 64-78.

Merk, Otto (1969): Der Beginn der Paränese im Galaterbrief. ZNW 60 (1969): 83-104.

Merklein, Helmut (1984): Die Einheitlichkeit des ersten Korintherbriefes. ZNW 75 (1984): 153-183.

Merx, Adalbert (1911): Die vier kanonischen Evangelien nach ihrem ältesten bekannten Texte. Teil 2, Hälfte 2, Erläuterung: Das Evangelium des Johannes nach der syrischen im Sinaikloster gefundenen Palimpsesthandschrift. Hg. Julius Ruska. Berlin: Georg Reimer, 1911.

Meshorer, Ya'akov (1967): Jewish Coins of the Second Temple Period. Übers. I.H.Levine. Chicago: Argonaut, 1967.

Meyer, Heinrich August Wilhelm (1870): Kritisch exegetisches Handbuch über den Brief an die Galater. KEK 7. 5., verbesserte und vermehrte Aufl. Göttingen: Vandenhoeck & Ruprecht, 1870.

Michaelis, W. (1942): μιμέομαι, μιμητής, συμμιμητής. In: ThWNT 4: 661-678.

Michel, Otto (1946): Der antike und der christliche Freiheitsbegriff. Univ. 1 (1946): 1-17.

- (1963): Der Brief an die Römer. KEK 4. 12.Aufl., 3., neubearbeitete und erweiterte Aufl. vom Vf. Göttingen: Vandenhoeck & Ruprecht, 1963.

Michl, Johann (+1950): Freiheit und Bindung. Eine zeitgemäße Frage im Lichte des Neuen Testamentes. München: J.Pfeiffer, 1950.

Mitton, C.Leslie (1953-54): Romans vii. Reconsidered. ET 65 (1953-54): 78-81, 99-103, 132-135.

Momigliano, Arnaldo (1951): Rezension über: Libertas as a Political Idea at Rome during the Late Republic and Early Principate, von Ch. Wirszubski. JRS 41 (1951): 146-153.

- (1971): La Libertà di parola nel mondo antico. RSIt 83 (1971): 499-524.

Morrow, Glenn R. (1939): Plato's Law of Slavery in Its Relation to Greek Law. Illinois Studies in Language and Literature 25,3. Urbana, Illinois: The University of Illinois Press, 1939.

Moule, C.F.D. (1959): An Idiom Book of New Testament Greek. 2.Aufl. Cambridge: At the University Press, 1959.

Moulton, James Hope und Milligan, George (1930): The Vocabulary of the Greek Testament Illustrated from the Papyri and Other Non-Literary Sources. 1930. Neudruck. Grand Rapids, Michigan: William B.Eerdmans, 1980.

Moxnes, Halvor (1980): Theology in Conflict. Studies in Paul's Understanding of God in Romans. NT.S 53. Leiden: E.J.Brill, 1980.

Muehsam, Alice (1966): Coin and Temple. A Study of the Architectural Representation on Ancient Jewish Coins. Near Eastern Researches 1. Leiden: E.J.Brill, 1966.

Müller, Karlheinz (1969): Anstoß und Gericht. Eine Studie zum jüdischen Hintergrund des paulinischen Skandalon-Begriffs. StANT 19. München: Kösel-Verlag, 1969.

Müller, Michael (1926): Freiheit. Über Autonomie und Gnade von Paulus bis Clemens von Alexandrien. ZNW 25 (1926): 177-236.

Muller, Herbert J. (1962): Freedom in the Ancient World. London: Secker & Warburg, 1962.

Munck, Johannes (1954): Paulus und die Heilsgeschichte. AJut.T 6. Aarhus: Universitetsforlaget; Kopenhagen: Ejnar Munksgaard, 1954.

Murphy-O'Connor, Jerome (1978): Freedom or the Ghetto (I Cor., VIII, 1-13; X, 23-XI, 1). RB 85 (1978): 543-574. Auch in: Freedom and Love. The Guide for Christian Life (1 Co 8-10; Rm 14-15), hg. Lorenzo De Lorenzi, S.7-38. Monographic Series of "Benedictina", Biblical-Ecumenical Section 6. Rom: St Paul's Abbey, 1981.

- (1983): St. Paul's Corinth. Texts and Archaeology. Good News Studies 6. Wilmington, Delaware: Michael Glazier, 1983.

Mußner, Franz (1976): Theologie der Freiheit nach Paulus. QD 75. Freiburg, Basel und Wien: Herder, 1976.

Mußner, Franz (1981): Der Galaterbrief. HThK 9. 4.Aufl. Freiburg, Basel und Wien: Herder, 1981.

Nardoni, Enrique (+1968): El Concepto de libertad en San Pablo. RevBib 30 (1968): 143-145.

Nebe, Gottfried (1983): 'Hoffnung' bei Paulus. Elpis und ihre Synonyme im Zusammenhang der Eschatologie. StUNT 16. Göttingen: Vandenhoeck & Ruprecht, 1983.

Nestle, Dieter (1967): Eleutheria. Studien zum Wesen der Freiheit bei den Griechen und im Neuen Testament. Teil 1: Die Griechen. HUTh 6. Tübingen: J.C.B.Mohr (Paul Siebeck), 1967.

- (1972): Freiheit. In: RAC 8: 269-306.

Neuenschwander, Ulrich (1954): Das Verständnis der christlichen Freiheit bei Paulus. SThU 24 (1954): 104-112.

Neugebauer, Fritz (1961): In Christus. ΕΝ ΧΡΙΣΤΩΙ. Eine Untersuchung zum Paulinischen Glaubensverständnis. Göttingen: Vandenhoeck & Ruprecht, 1961.

Neuhäusler, E. (1959): Ruf Gottes und Stand des Christen. Bemerkungen zu 1 Kor 7. BZ N.F. 3 (1959): 43-60.

Niederwimmer, Kurt (1966): Der Begriff der Freiheit im Neuen Testament. TBT 11. Berlin: Alfred Töpelmann, 1966.

- (+1970): Die Freiheit des Gnostikers nach dem Philippusevangelium. Eine Untersuchung zum Thema: Kirche und Gnosis. In: Verborum Veritas. Festschrift für Gustav Stählin zum 70.Geburtstag, hg. Otto Böcher und Klaus Haacker, S.361-374. Wuppertal: Theologischer Verlag Rolf Brockhaus, 1970.

- (+1980): ἐλεύθερος, κ.τ.λ. In: Exegetisches Wörterbuch zum Neuen Testament, hg. Horst Balz und Gerhard Schneider, Bd.1: 1052-1058. Stuttgart, Berlin, Köln und Mainz: W.Kohlhammer, 1980.

Nygren, Anders (1959): Der Römerbrief. Übers. Irmgard Nygren. 3., unveränderte Aufl. Göttingen: Vandenhoeck & Ruprecht, 1959.

Oepke, Albrecht [und Rohde, Joachim] (1984): Der Brief des Paulus an die Galater. Bearbeitet von Joachim Rohde. ThHK 9. 5.Aufl. Berlin: Evangelische Verlagsanstalt, 1984.

O'Neill, J.C. (1972): The Recovery of Paul's Letter to the Galatians. London: S.P.C.K., 1972.

Oostendorp, Derk William (1967): Another Jesus. A Gospel of Jewish-Christian Superiority in II Corinthians. Kampen: J.H.Kok, 1967.

Orchard, Bernard (1942): A Note on the Meaning of Galatians ii. 3-5. JThS 43 (1942): 173-177.

- (1944): A New Solution of the Galatians Problem. BJRL 28 (1944): 154-174.

- (1945): The Problem of Acts and Galatians. CBQ 7 (1945): 377-397.

- (1973): The Ellipsis between Galatians 2,3 and 2,4. Bib. 54 (1973): 469-481.

- (1976): Once Again the Ellipsis between Gal. 2,3 and 2,4. Bib. 57 (1976): 254-255.

- (1979): Ellipsis and Parenthesis in Ga 2:1-10 and 2 Th 2:1-12. In: Paul de Tarse. Apôtre du notre temps, hg. Lorenzo De Lorenzi, S.

249-258. Série monographique de "Benedictina", Section paulinienne
1. Rom: Abbaye de S. Paul, 1979.

Osiek, Carolyn (+1980): Galatians: Paul's Gospel of Freedom. BiTod 18
(1980): 82-88.

Osten-Sacken, Peter von der (1975): Römer 8 als Beispiel paulinischer
Soteriologie. FRLANT 112. Göttingen: Vandenhoeck & Ruprecht, 1975.
- (1981): Geist im Buchstaben. Vom Glanz des Mose und des Paulus.
EvTh 41 (1981): 230-235.

Oyen, H. van (1968): Rezension über: Der Begriff der Freiheit im Neuen
Testament, von K.Niederwimmer. ZEE 12 (1968): 316-317.

Pastor Ramos, Federico (1975): ¿Libertad o esclavitud cristiana en Pablo?
Rom 6, 15-23. In: Homenaje a Juan Prado. Miscelanea de estudios
biblicos y hebraicos, hg. L.Alvarez Verdes und E.J.Alonso Hernandez,
S.443-463. Madrid: Consejo superior de investigaciones cientificas,
1975.
- (1977): La Libertad en la carta a los Gálatas. Estudio exegético-teoló-
gico. Publicaciones de la Universidad Pontificia Comillas Madrid, Serie
1, Estudios 9, Teología 1,6. Madrid: eapsa, 1977.
- (+1981): San Pablo como pensador original sobre la libertad. In:
Quaere Paulum. Miscelanea homenaje a monseñor doctor Lorenzo Turrado,
S.173-180. Bibliotheca Salmanticensis Estudios 39. Salamanca: Universidad Pontificia, 1981.

Paulsen, Henning (1974): Überlieferung und Auslegung in Römer 8.
WMANT 43. Neukirchen-Vluyn: Neukirchener Verlag, 1974.
- (1980): Einheit und Freiheit der Söhne Gottes - Gal 3,26-29. ZNW 71
(1980): 74-95.

Pax, Elpidius (1962): Der Loskauf. Zur Geschichte eines neutestamentlichen Begriffes. Anton. 37 (1962): 239-278.

Pesch, Rudolf (1974): Jesus, ein freier Mann. Conc(D) 10 (1974): 182-
188.

Pesch, Wilhelm (1963): Der Sonderlohn für die Verkündiger des Evange-
liums (1 Kor 3,8. 14f. und Parallelen). In: Neutestamentliche Aufsätze.
Festschrift für Prof. Josef Schmid zum 70.Geburtstag, hg. J.Blinzler,
O.Kuss und F.Mußner, S.199-206. Regensburg: Friedrich Pustet, 1963.

Peterson, Erik (1929): Zur Bedeutungsgeschichte von Παρρησία. In: Rein-
hold-Seeberg-Festschrift. Bd.1: Zur Theorie des Christentums, hg.
Wilhelm Koepp, S.283-297. Leipzig: A.Deichertsche Verlagsbuchhandlung Dr.Werner Scholl, 1929.

Plummer, Alfred (1915): A Critical and Exegetical Commentary on the
Second Epistle of St Paul to the Corinthians. ICC. Edinburgh: T. &
T.Clark, 1915.

Pohlenz, Max (1955): Griechische Freiheit. Wesen und Werden eines Lebensideals. Heidelberg: Quelle & Meyer, 1955.

Pope, R.Martin (1936): Studies in the Language of St. Paul. London:
Epworth Press, 1936.

Popkes, Wiard (1967): Christus Traditus. Eine Untersuchung zum Begriff
der Dahingabe im Neuen Testament. AThANT 49. Zürich und Stuttgart: Zwingli Verlag, 1967.

Provence, Thomas E. (1982): "Who Is Sufficient for These Things?" An Exegesis of 2 Corinthians ii 15-iii 18. NT 24 (1982): 54-81.

Quenum, Alfred G. (1981a): La Liberté chrétienne: L'Enseignement de l'Apôtre Paul dans ses Lettres aux Galates et aux Romains. ED 34 (1981): 267-286.

- (1981b): L'Être nouveau du chrétien, fondement de sa liberté. ED 34 (1981): 393-408.

Radin, Max (1927): Freedom of Speech in Ancient Athens. AJP 48 (1927): 215-230.

Rädle, Herbert (1969): Untersuchungen zum griechischen Freilassungswesen. Philosophische Diss., München, 1969.

Räisänen, Heikki (1980a): Paul's Theological Difficulties with the Law. In: Studia Biblica 1978, Bd.3, hg. E.A.Livingstone, S.301-320. JSNT Supplement 3. Sheffield: JSOT Press, 1980.

- (1980b): Das 'Gesetz des Glaubens' (Röm. 3.27) und das 'Gesetz des Geistes' (Röm. 8.2). NTS 26 (1980): 101-117.

- (1980c): Legalism and Salvation by the Law. Paul's Portrayal of the Jewish Religion as a Historical and Theological Problem. In: Die Paulinische Literatur und Theologie, hg. Sigfred Pedersen, S.63-83. Teologiske Studier 7. Århus: Forlaget Aros; Göttingen: Vandenhoeck & Ruprecht, 1980.

- (1983): Paul and the Law. WUNT 29. Tübingen: J.C.B.Mohr (Paul Siebeck), 1983.

Ramazzotti, Bruno (+1958): La Libertà Cristiana. Note di teologia del N.T. RivBib 6 (1958): 50-82.

- (+1960-61): L'Autore della libertà cristiana. RivBib 8 (1960): 289-303; 9 (1961): 1-18, 209-220.

Ramsay, William M. (1900): A Historical Commentary on St. Paul's Epistle to the Galatians. 1900. Neudruck. Grand Rapids, Michigan: Baker Book House, 1979.

- (1907): The Cities of St. Paul. Their Influence on His Life and Thought. The Cities of Eastern Asia Minor. 1907. Neudruck. Grand Rapids, Michigan: Baker Book House, 1979.

Rauer, Max (1923): Die "Schwachen" in Korinth und Rom nach den Paulusbriefen. BSt(F) 21,2.3. Freiburg: Herder, 1923.

Reicke, Bo (1955-56): Freiheit und Einheit nach dem Neuen Testament. LR 5 (1955-56): 2-11.

Reifenberg, A. (1947): Ancient Jewish Coins. 2., bearbeitete Aufl. Jerusalem: Rubin Mass, 1947.

Rengstorf, Karl Heinrich (1935): δοῦλος, κ.τ.λ. In: ThWNT 2: 264-283.

- (1951): Zu Gal. 5,1. ThLZ 76 (1951): 659-662.

Resch, Alfred (1906): Hg. Agrapha. Außercanonische Schriftfragmente. 2., völlig neu bearbeitete und vermehrte Aufl. TU N.F. 15,3.4. Leipzig: J.C.Hinrichs, 1906.

Ricci, Seymour de (1904): A Latin Deed of Manumission (A.D. 221). PSBA 26 (1904): 145-152, 185-196.

Richard, Earl (1981): Polemics, Old Testament, and Theology. A Study of II Cor., III, 1 - IV, 6. RB 88 (1981): 340-367.

Richardson, Peter (1979): Paul's Ethic of Freedom. Philadelphia: Westminster Press, 1979.

Richter, G. (1962): Freiheit II. Biblisch. In: HThG 1: 398-403.

Rissi, Mathias (1969): Studien zum Zweiten Korintherbrief. Der alte Bund - Der Prediger - Der Tod. AThANT 56. Zürich: Zwingli Verlag, 1969.

Robertson, Archibald und Plummer, Alfred (1914): A Critical and Exegetical Commentary on the First Epistle of St Paul to the Corinthians. ICC. 2.Aufl. Edinburgh: T. & T.Clark, 1914.

Robertson, Archibald Thomas (1923): A Grammar of the Greek New Testament in the Light of Historical Research. 4., korrigierte Aufl. 1923. Neudruck. Nashville: Broadman Press, 1934.

Robinson, D.W.B. (1964): The Circumcision of Titus, and Paul's "Liberty". ABR 12 (1964): 24-42.

Roth, Cecil (1962): The Historical Implications of the Jewish Coinage of the First Revolt. IEJ 12 (1962): 33-46.

Ru, G. de (1967): Over vrijheid. Wageningen: H.Veenman & Zonen, o.J.

Rudolph, Kurt (1980): Die Gnosis. Wesen und Geschichte einer spätantiken Religion. 2., durchgesehene und ergänzte Aufl. Göttingen: Vandenhoeck & Ruprecht, 1980.

Russell, Kenneth C. (1968): Slavery as Reality and Metaphor in the Pauline Letters. Rom: Catholic Book Agency, 1968.

Saake, Helmut (1973): Konstitutionsprobleme in Römer 7,22-8,3. SO 48 (1973): 109-114.

Sand, Alexander (1971): Gesetz und Freiheit. Vom Sinn des Pauluswortes: Christus, des Gesetzes Ende. ThGl 61 (1971): 1-14.

Sanday, William und Headlam, Arthur C. (1902): A Critical and Exegetical Commentary on the Epistle to the Romans. ICC. 5.Aufl. Edinburgh: T. & T.Clark, 1902.

Saß, Gerhard (1941): Zur Bedeutung von δοῦλος bei Paulus. ZNW 40 (1941): 24-32.

Sawyer, William Thomas (1968): The Problem of Meat Sacrificed to Idols in the Corinthian Church. Th.D. Diss., Southern Baptist Theological Seminary, 1968; Ann Arbor, Michigan: University Microfilms, o.J.

Sayre, Farrand (1948): The Greek Cynics. Baltimore: J.H.Furst, 1948.

Scaria, K.J. (1980): Law and Freedom in St Paul. Bible Bhashyam 6 (1980): 265-288.

Scarpat, Giuseppe (1964): Parrhesia. Storia del termine e delle sue traduzioni in Latino. Brescia: Paideia, 1964.

Schade, Hans-Heinrich (1984): Apokalyptische Christologie bei Paulus. Studien zum Zusammenhang von Christologie und Eschatologie in den Paulusbriefen. Göttinger Theologische Arbeiten 18. 2., überarbeitete Aufl. Göttingen: Vandenhoeck & Ruprecht, 1984.

Schaefer, Hans (+1957): Politische Ordnung und individuelle Freiheit im Griechentum. HZ 183 (1957): 5-22. Auch in: Hans Freyer, Herbert Grundmann, Kurt v. Raumer und Hans Schaefer, Das Problem der Freiheit im europäischen Denken von der Antike bis zur Gegenwart, S.5-22. Beiträge zur europäischen Geschichte 1. München: R.Oldenbourg, 1958.

Schaefer, Hans (1962): προστάτης. In: PRE Supplementband 9: 1287-1304.

Scharlemann, Martin H. (1978): Of Surpassing Splendor. An Exegetical Study of 2 Corinthians 3:4-18. Concordia Journal 4 (1978): 108-117.

Schelkle, Karl Hermann (1959): Paulus. Lehrer der Väter. Die altkirchliche Auslegung von Römer 1-11. 2.Aufl. Düsseldorf: Patmos-Verlag, 1959.

- (+1970): Theologie des Neuen Testaments. Bd.3: Ethos. KBANT. Düsseldorf: Patmos-Verlag, 1970.

- (+1975): Freiheit als Evangelium. Zum Thema Freiheit in Bibel und Kirche. ThQ 155 (1975): 87-96.

Schenk, Wolfgang (1969): Der 1. Korintherbrief als Briefsammlung. ZNW 60 (1969): 219-243.

Schlatter, Adolf (1914): Die korinthische Theologie. BFChTh 18,2. Gütersloh: C.Bertelsmann, 1914.

- (1934): Paulus der Bote Jesu. Eine Deutung seiner Briefe an die Korinther. Stuttgart: Calwer Vereinsbuchhandlung, 1934.

Schlier, Heinrich (1935): ἐλεύθερος, ἐλευθερόω, ἐλευθερία, ἀπελεύθερος. In: ThWNT 2: 484-500.

- (1949): Über das vollkommene Gesetz der Freiheit. In: Festschrift Rudolf Bultmann zum 65.Geburtstag überreicht, S.190-202. Stuttgart und Köln: W.Kohlhammer, 1949. Auch in: Ders., Die Zeit der Kirche. Exegetische Aufsätze und Vorträge, S.193-206. 5.Aufl. Freiburg, Basel und Wien: Herder, 1972.

- (1954): παρρησία, παρρησιάζομαι. In: ThWNT 5: 869-884.

- (1971a): Der Brief an die Galater. KEK 7. 14.Aufl., 5.Aufl. vom Vf. Göttingen: Vandenhoeck & Ruprecht, 1971.

- (1971b): Zur Freiheit gerufen. Das paulinische Freiheitsverständnis. In: Ders., Das Ende der Zeit. Exegetische Aufsätze und Vorträge Bd.3: 216-233. Freiburg, Basel und Wien: Herder, 1971.

- (+1977): Über die christliche Freiheit. GuL 50 (1977): 178-193.

- (1979): Der Römerbrief. HThK 6. 2.Aufl. Freiburg, Basel und Wien: Herder, 1979.

Schmauch, Werner (1935): In Christus. Eine Untersuchung zur Sprache und Theologie des Paulus. NTF 1. Reihe 9. Gütersloh: C.Bertelsmann, 1935.

Schmid, Wilhelm und Stählin, Otto (1940): Geschichte der griechischen Literatur. Teil 1: Die klassische Periode der griechischen Literatur. Bd.3: Die griechische Literatur zur Zeit der attischen Hegemonie nach dem Eingreifen der Sophistik, erste Hälfte. HAW 7,1,3. München: C.H.Beck, 1940.

Schmiedel, Paul Wilh. (1892): Die Briefe an die Thessalonicher und an die Korinther. HC 2,1. 2., verbesserte und vermehrte Aufl. Freiburg: J.C.B.Mohr (Paul Siebeck), 1892.

Schmithals, Walter (1963): Paulus und Jakobus. FRLANT 85. Göttingen: Vandenhoeck & Ruprecht, 1963.

- (1965): Paulus und die Gnostiker. Untersuchungen zu den kleinen Paulusbriefen. ThF 35. Hamburg-Bergstedt: Herbert Reich, 1965.

- (1969): Die Gnosis in Korinth. Eine Untersuchung zu den Korintherbriefen. FRLANT 66. 3., bearbeitete und ergänzte Aufl. Göttingen: Vandenhoeck & Ruprecht, 1969.

Schmithals, Walter (1973): Die Korintherbriefe als Briefsammlung. ZNW 64 (1973): 263-288.

- (1980): Die theologische Anthropologie des Paulus. Auslegung von Röm 7,17-8,39. Kohlhammer Taschenbücher 1021. Stuttgart, Berlin, Köln und Mainz: W.Kohlhammer, 1980.

Schmitt, Johanna (1921): Freiwilliger Opfertod bei Euripides. Ein Beitrag zu seiner dramatischen Technik. RVV 17,2. Gießen: Alfred Töpelmann, 1921.

Schmitz, Otto (1910): Die Opferanschauung des späteren Judentums und die Opferaussagen des Neuen Testamentes. Eine Untersuchung ihres geschichtlichen Verhältnisses. Tübingen: J.C.B.Mohr (Paul Siebeck), 1910.

- (1923): Der Freiheitsgedanke bei Epiktet und Das Freiheitszeugnis des Paulus. Ein religionsgeschichtlicher Vergleich. NTF 1. Reihe 1. Gütersloh: C.Bertelsmann, 1923.

Schnackenburg, Rudolf (+1968): Christliche Freiheit nach Paulus. In: Ders., Christliche Existenz nach dem Neuen Testament. Abhandlungen und Vorträge Bd.2: 33-49. München: Kösel-Verlag, 1968.

- (1973): Befreiung nach Paulus im heutigen Fragehorizont. In: Erlösung und Emanzipation, hg. Leo Scheffczyk, S.51-68. QD 61. Freiburg, Basel und Wien: Herder, 1973.

Schoeps, Hans-Joachim (1959): Paulus. Die Theologie des Apostels im Lichte der jüdischen Religionsgeschichte. Tübingen: J.C.B.Mohr (Paul Siebeck), 1959.

Schürmann, Heinz (1971): Die Freiheitsbotschaft des Paulus - Mitte des Evangeliums? Cath(M) 25 (1971): 22-62. Auch in: Taufe und neue Existenz, hg. Erdmann Schott, S.21-52. Berlin: Evangelische Verlagsanstalt, 1973.

Schulz, Anselm (1962): Nachfolgen und Nachahmen. Studien über das Verhältnis der neutestamentlichen Jüngerschaft zur urchristlichen Vorbildethik. StANT 6. München: Kösel-Verlag, 1962.

Schulz, Siegfried (1958): Die Decke des Moses. Untersuchungen zu einer vorpaulinischen Überlieferung in II Cor 3,7-18. ZNW 49 (1958): 1-30.

Schwank, Benedikt (+1970): Christliche Freiheit nach dem Galaterbrief. Vortrag beim Theologischen Seminar über Gewissen - Liebe - Freiheit. EuA 46 (1970): 381-390.

Schwantes, Heinz (1962): Schöpfung der Endzeit. Ein Beitrag zum Verständnis der Auferweckung bei Paulus. AzTh 1. Reihe 12. Stuttgart: Calwer Verlag, o.J.

Schwartz, Eduard (1919): Charakterköpfe aus der antiken Literatur. 2. Reihe. 3.Aufl. Leipzig und Berlin: B.G.Teubner, 1919.

Schweizer, Eduard (1962): Erniedrigung und Erhöhung bei Jesus und seinen Nachfolgern. AThANT 28. 2. stark umgearbeitete Aufl. Zürich: Zwingli Verlag, 1962.

Schwenn, Friedrich (1915): Die Menschenopfer bei den Griechen und Römern. RVV 15,3. Gießen: Alfred Töpelmann, 1915.

Schwyzer, Eduard (1950): Griechische Grammatik auf der Grundlage von Karl Brugmanns griechischer Grammatik. Bd.2: Syntax und syntaktische Stilistik. Vervollständigt und hg. Albert Debrunner. HAW 2,1,2. München: C.H.Beck, 1950.

Seesemann, Heinrich (1937): Die Bedeutung des Chester-Beatty Papyrus für die Textkritik der Paulusbriefe. ThBl 16 (1937): 92-97.

Semler, Johann Salomo (1779): Paraphrasis epistolae ad Galatas. Magdeburg: Carol. Hermann. Hemmerde, 1779.

Sevenster, J.N. (1961): Paul and Seneca. NT.S 4. Leiden: E.J.Brill, 1961.

Siber, Peter (1971): Mit Christus leben. Eine Studie zur paulinischen Auferstehungshoffnung. AThANT 61. Zürich: Theologischer Verlag, 1971.

Sieffert, Friedrich (1869): Bemerkungen zum paulinischen Lehrbegriff, namentlich über das Verhältniß des Galaterbriefs zum Römerbrief. JDTh 14 (1869): 250-275.

- (1899): Der Brief an die Galater. KEK 7. 9.Aufl., 4.Aufl. vom Vf. Göttingen: Vandenhoeck & Ruprecht, 1899.

Sisti, A. (1964): Dal servizio del peccato al servizio di Dio (Rom. 6,19-23). BeO 6 (1964): 119-127.

Smith, Morton (1973): Clement of Alexandria and a Secret Gospel of Mark. Cambridge, Massachusetts: Harvard University Press, 1973.

Smolders, D. (1958): L'Audace de l'apôtre selon Saint Paul. Le Thème de la parrêsia. CMech N.F. 28 (1958): 16-30, 117-133.

Smyth, Herbert Weir (1956): Greek Grammar. Bearbeitet von Gordon M. Messing. Cambridge, Massachusetts: Harvard University Press, 1956.

Soden, Hans Freiherr von (1931/1982): Sakrament und Ethik bei Paulus. Zur Frage der literarischen und theologischen Einheitlichkeit von 1 Kor. 8 - 10. In: Rudolf Otto-Festgruß. Heft 1: Zur biblischen Theologie, S.1-40. MThSt 1. Gotha: Leopold Klotz, 1931. Zitiert nach: Das Paulusbild in der neueren deutschen Forschung, hg. Karl Heinrich Rengstorf, S.338-379. WdF 24. 3., unveränderte Aufl. Darmstadt: Wissenschaftliche Buchgesellschaft, 1982.

Spicq, Ceslaus (1960): La Liberté selon le Nouveau Testament. ScEc 12 (1960): 229-240.

- (1964): Charité et liberté selon le Nouveau Testament. 2.Aufl. Paris: Les Éditions du Cerf, 1964.

Staab, Karl (1933): Hg. Pauluskommentare aus der griechischen Kirche. NTA 15. Münster: Aschendorffsche Verlagsbuchhandlung, 1933.

Stanley, David (1975): Freedom and Slavery in Pauline Usage. Way 15 (1975): 83-98.

Stegemann, Ekkehard (1986): Der Neue Bund im Alten. Zum Schriftverständnis des Paulus in II Kor 3. ThZ 42 (1986): 97-114.

Steinmann, Alphons (1911): Paulus und die Sklaven zu Korinth. 1. Kor. 7,21 aufs neue untersucht. In: Verzeichnis der Vorlesungen am Königlichen Lyceum Hosianum zu Braunsberg im Winter-Semester 1911/12, S. II-IV, 1-78. Braunsberg: Heynes Buchdruckerei (G.Riebensahm), 1911.

Steinmetz, Franz-Josef (1972): Libres pour aimer. La Liberté du chrétien selon le Nouveau Testament. Christus 19 (1972): 378-391.

Stowers, Stanley Kent (1981): The Diatribe and Paul's Letter to the Romans. Society of Biblical Literature Dissertation Series 57. Chico, California: Scholars Press, 1981.
- (1984): Paul's Dialogue with a Fellow Jew in Romans 3:1-9. CBQ 46 (1984): 707-722.
Straaten, Modestus van (1972): What Did the Greeks Mean by Liberty? I. The Hellenic Period. Thêta-Pi 1 (1972): 105-127.
- (1974): What Did the Greeks Mean by Liberty? II. Plato and Aristotle. Thêta-Pi 3 (1974): 123-144.
- (+1977): Menschliche Freiheit in der stoischen Philosophie. Gym. 84 (1977): 501-518.
Strack, Hermann L. und Billerbeck, Paul (Str-B): Kommentar zum Neuen Testament aus Talmud und Midrasch. 6 Bde. München: C.H.Beck, 1922-61.
Stylow, Armin U. (1972): Libertas und liberalitas. Untersuchungen zur innenpolitischen Propaganda der Römer. Philosophische Diss., München. München: Werner Blasaditsch, 1972.
Suhl, Alfred (1975): Paulus und seine Briefe. Ein Beitrag zur paulinischen Chronologie. StNT 11. Gütersloh: Gütersloher Verlagshaus Gerd Mohn, 1975.
Surkau, Hans-Werner (1938): Martyrien in jüdischer und frühchristlicher Zeit. FRLANT 54. Göttingen: Vandenhoeck & Ruprecht, 1938.
Tannehill, Robert C. (1967): Dying and Rising with Christ. A Study in Pauline Theology. BZNW 32. Berlin: Alfred Töpelmann, 1967.
Thalheim, Th. (1912): Freigelassene. In: PRE 7: 95-100.
Theißen, Gerd (1975a): Legitimation und Lebensunterhalt: ein Beitrag zur Soziologie urchristlicher Missionare. NTS 21 (1975): 192-221. Auch in: Ders., Studien zur Soziologie des Urchristentums, S.201-230. WUNT 19. 2., erweiterte Aufl. Tübingen: J.C.B.Mohr (Paul Siebeck), 1983.
- (1975b): Die Starken und Schwachen in Korinth. Soziologische Analyse eines theologischen Streites. EvTh 35 (1975): 155-172. Auch in: Ders., Studien zur Soziologie des Urchristentums, S.272-289. WUNT 19. 2., erweiterte Aufl. Tübingen: J.C.B.Mohr (Paul Siebeck), 1983.
- (1983): Psychologische Aspekte paulinischer Theologie. FRLANT 131. Göttingen: Vandenhoeck & Ruprecht, 1983.
Theobald, Michael (1982): Die überströmende Gnade. Studien zu einem paulinischen Motivfeld. Forschung zur Bibel. Würzburg: Echter Verlag, 1982.
Thrall, Margaret E. (1962): Greek Particles in the New Testament. Linguistic and Exegetical Studies. NTTS 3. Leiden: E.J.Brill, 1962.
Thüsing, Wilhelm (1969): Per Christum in Deum. Studien zum Verhältnis von Christozentrik und Theozentrik in den paulinischen Hauptbriefen. NTA N.F. 1. 2., durchgesehene und durch ein Vorwort ergänzte Aufl. Münster: Aschendorffsche Verlagsbuchhandlung, 1969.
Thyen, Hartwig (1970): Studien zur Sündenvergebung im Neuen Testament und seinen alttestamentlichen und jüdischen Voraussetzungen. FRLANT 96. Göttingen: Vandenhoeck & Ruprecht, 1970.
Tinsley, Ernest John (1960): The Imitation of God in Christ. An Essay on

the Biblical Basis of Christian Spirituality. LHD. Philadelphia: Westminster Press, 1960.

Treves, Piero (1933): Demostene e la libertà greca. Biblioteca di cultura
moderna. Bari: Gius. Laterza & figli, 1933.

Trummer, Peter (1975): Die Chance der Freiheit. Zur Interpretation des
μᾶλλον χρῆσαι in 1 Kor 7,21. Bib. 56 (1975): 344-368.

Tuñí Vancells, José O. (1973): La Verdad os hará libres. Jn 8,32. Libera-
ción y libertad del creyente en el cuarto evangelio. Barcelona: Editorial
Herder, 1973.

Ulonska, Herbert (1963): Die Funktion der alttestamentlichen Zitate und
Anspielungen in den paulinischen Briefen. Theologische Diss., Münster, 1963.

Unnik, W.C. van (1961-62): The Christian's Freedom of Speech in the
New Testament. BJRL 44 (1961-62): 466-488. Auch in: Ders., Sparsa
Collecta. The Collected Essays of W.C. van Unnik Teil 2: 269-289.
NT.S 30. Leiden: E.J.Brill, 1980.

- (1962): De semitische achtergrond van ΠΑΡΡΗΣΙΑ in het Nieuwe Testament. MNAW.L N.F. 25,11. Amsterdam: Noord-hollandsche uitgevers
maatschappij, 1962. Englische Übersetzung in: Ders., Sparsa Collecta.
The Collected Essays of W.C. van Unnik Teil 2: 290-306. NT.S 30.
Leiden: E.J.Brill, 1980.

- (1963): "With Unveiled Face", An Exegesis of 2 Corinthians iii 12-18.
NT 6 (1963): 153-169. Auch in: Ders., Sparsa Collecta. The Collected
Essays of W.C. van Unnik Teil 1: 194-210. NT.S 29. Leiden: E.J.
Brill, 1973.

- (1974): Josephus' Account of the Story of Israel[']s Sin with Alien
Women in the Country of Midian (Num. 25:1ff.). In: Travels in the
World of the Old Testament. Studies Presented to Professor M.A.
Beek on the Occasion of His 65th Birthday, hg. M.S.H.G.Heerma van
Voss, Ph. H.J.Houwink ten Cate und N.A. van Uchelen, S.241-261.
SSN 16. Assen: Van Gorcum, 1974.

Urbach, Efraim Elimelech (1964): The Laws regarding Slavery as a Source
for Social History of the Period of the Second Temple, the Mishnah and
Talmud. 1964. Neudruck. Ancient Economic History. New York: Arno
Press, 1979.

Vielhauer, Philipp (1976): Gesetzesdienst und Stoicheiadienst im Galater-
brief. In: Rechtfertigung. Festschrift für Ernst Käsemann zum 70.
Geburtstag, hg. Johannes Friedrich, Wolfgang Pöhlmann und Peter
Stuhlmacher, S.543-555. Tübingen: J.C.B.Mohr (Paul Siebeck); Göt-
tingen: Vandenhoeck & Ruprecht, 1976. Auch in: Ders., Oikodome.
Aufsätze zum Neuen Testament Bd.2, hg. Günter Klein, S.183-195.
TB 65. München: Chr.Kaiser, 1979.

- (1978): Geschichte der urchristlichen Literatur. Einleitung in das
Neue Testament, die Apokryphen und die Apostolischen Väter. GLB.
1975. Durchgesehener Nachdruck. Berlin und New York: Walter de
Gruyter, 1978.

Vischer, Rüdiger (1965): Das einfache Leben. Wort- und motivgeschicht-
liche Untersuchungen zu einem Wertbegriff der antiken Literatur.
SAW 11. Göttingen: Vandenhoeck & Ruprecht, 1965.

Vögtle, Anton (1970): Das Neue Testament und die Zukunft des Kosmos. KBANT. Düsseldorf: Patmos-Verlag, 1970.

Vogels, H.J. (1933): Der Codex Claromontanus der paulinischen Briefe. In: Amicitiæ Corolla. A Volume of Essays Presented to James Rendel Harris, D.Litt. on the Occasion of His Eightieth Birthday, hg. H.G. Wood, S.274-299. London: University of London Press, 1933.

Walser, Gerold (+1955): Der Kaiser als Vindex Libertatis. Hist. 4 (1955): 353-367.

Walton, Francis R. (1955): The Messenger of God in Hecataeus of Abdera. HThR 48 (1955): 255-257.

Warnach, W. (+1972): Freiheit I.II. In: HWP 2: 1064-1083.

Weber, Ernestus (1887): De Dione Chrysostomo Cynicorum sectatore. Philosophische Diss., Leipzig. Leipzig: I.B.Hirschfeld, 1887.

Wedell, Hans (1950): The Idea of Freedom in the Teaching of the Apostle Paul. AThR 32 (1950): 204-216.

Weder, Hans (+1982): ELEUTHERIA und Toleranz. In: Glaube und Toleranz. Das theologische Erbe der Aufklärung, hg. Trutz Rendtorff, S.243-254. Gütersloh: Gütersloher Verlagshaus Gerd Mohn, 1982.

Weiß, Johannes (1902): Die christliche Freiheit nach der Verkündigung des Apostels Paulus. Ein Vortrag. Göttingen: Vandenhoeck & Ruprecht, 1902.

- (1908): Die Aufgaben der Neutestamentlichen Wissenschaft in der Gegenwart. Göttingen: Vandenhoeck & Ruprecht, 1908.

- (1910): Der erste Korintherbrief. KEK 5. 9.Aufl., 1.Aufl. vom Vf. 1910. Neudruck. Göttingen: Vandenhoeck & Ruprecht, 1977.

- (1917): Das Urchristentum. Nach dem Tode des Verfassers hg. und am Schlusse ergänzt von Rudolf Knopf. Göttingen: Vandenhoeck & Ruprecht, 1917.

Weizsäcker, Carl (1876): Ueber die älteste Römische Christengemeinde. JDTh 21 (1876): 248-310.

Wendland, Heinz-Dietrich (1980): Die Briefe an die Korinther. NTD 7. 15.Aufl. Göttingen: Vandenhoeck & Ruprecht, 1980.

Wengst, Klaus (1973): Christologische Formeln und Lieder des Urchristentums. StNT 7. 2.Aufl. Gütersloh: Gütersloher Verlagshaus Gerd Mohn, 1973.

Westermann, William Linn (1945): Slave Maintenance and Slave Revolts. CP 40 (1945): 1-10.

- (1948): The Freedmen and the Slaves of God. PAPS 92 (1948): 55-64.

- (1955): The Slave Systems of Greek and Roman Antiquity. Memoirs of the American Philosophical Society 40. Philadelphia: The American Philosophical Society, 1955.

Wettstein, Johann Jakob (1752): Hg. und Kommentator. Ἡ ΚΑΙΝΗ ΔΙΑΘΗΚΗ. Novum Testamentum Graecum. Bd.2. 1752. Neudruck. Graz: Akademische Druck- und Verlagsanstalt, 1962.

White, John Lee (1972): The Form and Function of the Body of the Greek Letter: A Study of the Letter-Body in the Non-Literary Papyri and in Paul the Apostle. Society of Biblical Literature Dissertation Series 2. 2., korrigierte Aufl. Missoula, Montana: Scholars Press, 1972.

Wickert, Lothar (1949): Der Prinzipat und die Freiheit. In: Symbola Colo-
niensia Iosepho Kroll sexagenario, S.111-141. Köln: Balduinus Pick,
1949. Auch in: Prinzipat und Freiheit, hg. Richard Klein, S.94-135.
WdF 135. Darmstadt: Wissenschaftliche Buchgesellschaft, 1969.

Wieneke, Joseph (1931): Hg. und Kommentator. Ezechielis Iudaei poetae
Alexandrini fabulae quae inscribitur ΕΞΑΓΩΓΗ fragmenta. Münster:
Ex officina Aschendorffiana, 1931.

Wikenhauser, Alfred und Schmid, Josef (1973): Einleitung in das Neue
Testament. 6., völlig neu bearbeitete Aufl. Freiburg, Basel und Wien:
Herder, 1973.

Wilckens, Ulrich (1980): Der Brief an die Römer. Teilband 2: Röm 6-11.
EKK 6,2. Zürich, Einsiedeln und Köln: Benziger Verlag; Neukirchen-
Vluyn: Neukirchener Verlag, 1980.

Wilder, Amos N. (+1960-61): Eleutheria in the New Testament and Religious
Liberty. ER 13 (1960-61): 409-420.

Williams, Sam K. (1975): Jesus' Death as Saving Event. The Background
and Origin of a Concept. Harvard Dissertations in Religion 2. Missoula,
Montana: Scholars Press, 1975.

Willis, Wendell Lee (1985): Idol Meat in Corinth. The Pauline Argument in
1 Corinthians 8 and 10. Society of Biblical Literature Dissertation
Series 68. Chico, California: Scholars Press, 1985.

Windisch, Hans (1970): Der zweite Korintherbrief. Hg. Georg Strecker.
KEK 6. 9.Aufl., 1.Aufl. vom Vf. 1924. Neudruck. Göttingen: Vandenhoeck & Ruprecht, 1970.

Windischmann, Friedrich (1843): Erklärung des Briefes an die Galater.
Mainz: Kirchheim, Schott und Thielmann, 1843.

Wirgin, Wolf und Mandel, Siegfried (1958): The History of Coins and Sym-
bols in Ancient Israel. New York: Exposition Press, 1958.

Wirszubski, Ch. (1950): Libertas as a Political Idea at Rome during the
Late Republic and Early Principate. 1950. Neudruck. Cambridge: At
the University Press, 1960.

Wolf, Ernst (+1949-50): Libertas christiana und libertas ecclesiae. EvTh
9 (1949-50): 127-142.

Wolff, Christian (1982): Der erste Brief des Paulus an die Korinther.
Teil 2: Auslegung der Kapitel 8-16. ThHK 7,2. Berlin: Evangelische
Verlagsanstalt, 1982.

Wolter, Michael (1978): Rechtfertigung und zukünftiges Heil. Untersuchungen zu Röm 5,1-11. BZNW 43. Berlin und New York: Walter de Gruyter,
1978.

Wong, Emily (1985): The Lord Is the Spirit (2 Cor 3,17a). EThL 61
(1985): 48-72.

Wrede, William (1907): Paulus. RV 1. Reihe 5.6. 2.Aufl. Tübingen:
J.C.B.Mohr (Paul Siebeck), 1907.

Wuellner, Wilhelm (1979): Greek Rhetoric and Pauline Argumentation. In:
Early Christian Literature and the Classical Intellectual Tradition in
honorem Robert M.Grant, hg. William R.Schoedel und Robert L.Wilken,
S.177-188. ThH 53. Paris: Éditions Beauchesne, 1979.

Yadin, Yigael (1965): The Excavation of Masada - 1963/64. Preliminary
Report. IEJ 15 (1965): 1-120.

Yadin, Yigael (1967): Masada. Der letzte Kampf um die Festung des Herodes. Übers. Eva und Arne Eggebrecht. Hamburg: Hoffmann und
Campe, 1967.

Zahn, Theodor (1922): Der Brief des Paulus an die Galater. Durchgesehen von Friedrich Hauck. KNT 9. 3.Aufl. Leipzig und Erlangen: A.
Deichertsche Verlagsbuchhandlung Dr. Werner Scholl, 1922.

- (1925): Der Brief des Paulus an die Römer. Durchgesehen von Friedrich Hauck. KNT 6. 3.Aufl. Leipzig und Erlangen: A.Deichertsche
Verlagsbuchhandlung Dr. Werner Scholl, 1925.

Zuntz, Günther (1953): The Text of the Epistles. A Disquisition upon
the Corpus Paulinum. SchL 1946. London: Oxford University Press,
1953.

- (1955): The Political Plays of Euripides. Manchester: Manchester University Press, 1955.

9 Indices

9.1 Quellen

9.1.1 Inschriften

CIJ

683	32, 163 A 38.41, 164 A 42
684	32, 163 A 41
731	32

CIL

Bd. 3, 1 Nr. 1079	163 A 34

CIRB

70	32, 163 A 38
1127	164 A 42

MAMA

Bd. 4 Nr. 279	164 A 46

Paton und Hicks

29	32

RIJG

S. 250 Nr. 14	164 A 46
S. 291-292	165 A 60
S. 301 Nr. 36	166 A 60, 211 A 217

SGDI

1694	34, 163 A 37, 211 A 217
1695	202 A 94
1723	32, 34
1724	202 A 94
1938	202 A 94
1951	202 A 94
1952	202 A 94
2015	163 A 37
2016	202 A 94
2116	30-31, 162 A 31
2172	165 A 60
2251	165 A 60

9.2 Papyri

BGU

Bd. 4 Nr. 1141	211 A 218
Bd. 7 Nr. 1564	163 A 34

DJD

Bd. 2 Nr. 19	219 A 53

Papyri Graecae magicae

12	188 A 196

Tebtunis Papyri

5	163 A 35

9.3 Griechische und lateinische Autoren

Anthologia Graeca

7, 553	210 A 198

Antiphon

Fr 44, A, 4, 1-8	93, 207 A 158

Apuleius
Metamorphoses

11, 15	33, 92, 159 A 7

Aristides

3, 668	191 A 223
3, 671	60

Aristoteles
Politica

1, 5, 1254b	203 A 124
5, 9, 1310a	201 A 94
6, 2, 1317b	155 A 91, 201 A 94

Athenaeus

13, 590d	34, 35

Briefe, Kynische
Diogenes

7, 1	59, 104

Troades

    1100-1103   178 A 157

De vita beata

    15,7   159 A 7

Sophokles

   Trachiniae

     52-53   37

     62-63   37

    Fr 940   37

Stobaios

    3,2,38   37

    3,13,32   191 A 223

    3,13,47   64

    3,13,59   191 A 227

Strabon

    17,1,8   199 A 61

SVF

    Bd.1 S.59-60   185 A 187

    Bd.3 S.87   221 A 68

    Bd.3 S.186-187   185 A 187

Tacitus

   Annales

    2,50,3   219 A 54

    4,27,1   103

   Dialogus de oratoribus

    40,2   79

   Historiae

    4,73,3   201 A 83

Thukydides

    1,8,3   224 A 107

    1,69,1   199 A 53

    1,82,3   199 A 60

    1,90,2   211 A 219

    1,124,3   199 A 53

    2,35-46   155 A 91

    3,10,3   199 A 59, 201 A 92, 211 A 218

    3,70,3   199 A 59

    4,61,5   199 A 60

    4,64,5   201 A 92

    4,85,1   199 A 53

    4,114,3   199 A 53, 211 A 218

    4,126,6   199 A 60

    5,77,2   199 A 60

    6,34,6   199 A 50

    6,76,4   199 A 53.59

    7,66,2   199 A 59

    8,43,3   199 A 53

Xenophon

   Apologia

    16   47

   Memorabilia

    1,2,5-7   46

    1,2,6   47

    1,5,6   47

    1,6,5   47

9.1.4 Altes Testament

1.Mose

    4,10   177 A 152

    21 LXX   84

    25,1-2   86

    25,6   88

    25,18   88

    42,9-34 LXX   199 A 50

2.Mose

    13,21   168 A 74

    32,6   39

    33,7   189 A 206

    34,29-35   61

    34,31 LXX   189 A 206

1,20	131
1,23	224 A 114
1,25	131
2,9-12	52
2,14-15	93-94, 208 A 161
2,15	180 A 163
3,5	215 A 24
3,8	111, 115, 116, 117, 123, 135, 152 A 64, 213 A 6.10, 216 A 34.36
3,9	52
3,22	196 A 24
3,24	164 A 44
4,1	85
4,23-24	167 A 73
5,12-21	122
5,13	94
5,20	110
6-8	110
6	111, 117, 118, 213 A 9, 216 A 38
6,1	110-111, 116, 123, 135, 213 A10, 216 A 34
6,3	215 A 32
6,6	31
6,11-13	215 A 32
6,13	112
6,14	118
6,15-22	216 A 37
6,15	110-111, 112, 115, 116, 117, 123, 135, 213 A 10, 215 A 30, 216 A 34
6,16ff	116
6,16-23	118
6,16-22	122, 155 A 88
6,16-18	214 A 22
6,16	112
6,17	112
6,18ff	117

6,18-22	29, 110-117, 123, 125, 129, 135, 136, 139, 141, 161 A 18
6,18	13, 28, 110, 112, 113, 147 A 3, 214 A 22
6,19-22	112
6,19	112, 113, 116, 214 A 22, 215 A 24
6,20	99, 110, 112, 113, 147 A 3
6,21-22	204 A 133
6,22	28, 29, 110, 112, 114, 125, 147 A 3, 161 A 17, 214 A 22
6,23	216 A 38
7-8	63
7	122, 208 A 164, 219 A 59
7,1-6	118, 121, 122, 216 A 37.38
7,1-3	217 A 43
7,1	118-119
7,2-3	118, 119-122, 129, 136, 217 A 44, 218 A 46.53
7,2	118, 119, 120, 122, 135
7,3	110, 118-122, 123-124, 136, 139, 140, 147 A 3, 155 A 88, 217 A 44
7,4-6	118
7,4	118, 119, 217 A 43
7,5-6	122
7,6	29, 63, 93, 110, 119, 122, 219 A 56
7,7ff	122
7,7-25	122, 123, 148 A 11
7,7	94
7,8	211 A 222
7,11	211 A 222
7,14-25	123, 126, 136, 145
7,15	123
7,16	123, 126
7,17	123
7,19	123
7,20	123

7,21-25	220 A 66	9,3	85
7,21	220 A 66	9,5	85
7,22	126	9,6	170 A 81
7,23-24	122	9,8	85
7,23	123, 125, 126, 219 A 59	9,14	163 A 37
7,25-8,1	219 A 59	9,24	52, 103
7,25	122, 125, 126, 219 A 59	9,30	196 A 24
8	17, 219 A 59, 222 A 81	10,1-4	190 A 214
8,1ff	122-123	10,12	52
8,1-2	63	11,5	170 A 81
8,1	122, 123	11,13	223 A 81
8,2ff	122	11,25	170 A 81
8,2-4	141	12,3	210 A 202
8,2	52, 63, 66, 110, 122-126, 127, 128, 129, 135, 136, 139, 145, 147 A 3, 198 A 45, 219f A 66, 221 A 72	12,11	29, 161 A 17
		14-15	39, 215 A 30
		14,1-15,13	39-40
8,3-4	123, 220 A 66	14	39, 182 A 169
8,3	126, 198 A 45	14,1-9	39
8,12-17	130, 134	14,3	39
8,13	129	14,4	40
8,14-17	129	14,8	39
8,15	66, 113, 114, 130, 223 A 91	14,10-12	40
8,17	129, 222 A 81	14,13-23	39
8,18-27	134	14,13	39
8,18	134, 204 A 133, 222 A 81	14,15	39
8,19-22	223 A 86	14,16	54, 181 A 165
8,20-21	131, 224 A 101	14,18	29, 161 A 17
8,20	131	14,20	39
8,21	64, 66, 90, 91, 96, 99, 108, 110, 114, 129-135, 136, 137, 139, 141, 142, 143, 147 A 3, 225 A 121	14,21	39
		14,22	55
		15	40
8,22	204 A 133, 223 A 86	15,1-9	39
8,23	31, 164 A 44, 225 A 116	15,2	39
8,24	98	15,3-4	40
8,26-27	222 A 81	15,3	47, 52, 175 A 124
8,30	103	15,4	40
9-11	170 A 81	15,8-12	40

8,3	39, 101	9,2	43, 181 A 168
8,4-8	39	9,3-5	43
8,4-7	55	9,3	38, 43, 181 A 168
8,4-6	43, 44	9,4-23	43
8,4	58, 101, 182 A 171	9,4-5	43-44
8,5	182 A 171	9,4	39, 44
8,6	39	9,5	39
8,7-13	39	9,6-23	40, 44, 57
8,7-12	40, 43	9,6-14	43
8,7	54, 58, 183 A 177	9,6	39, 40, 43, 179 A 157
8,8	39	9,7-23	43
8,9-13	169 A 80, 170 A 84	9,7-14	43
8,9	38, 39, 44, 58, 59, 157 A 4	9,7-12	43
8,10-13	54	9,7-10	40
8,10	39, 58, 169 A 80, 182 A 175, 183 A 177	9,7	39, 41, 210 A 202
8,11	39	9,8-11	40
8,12	167 A 74	9,8-10	41
8,13-9,1	56	9,8	215 A 24
8,13	38, 39, 40, 42, 56, 166 A 64.66, 169 A 80, 181 A 168	9,9-10	170 A 89
9-10	42	9,10	167 A 73
9,1-10,13	169 A 80	9,11-12	41
9,1ff	171 A 100	9,12	38, 39, 41, 42, 43, 45, 166 A 65, 170 A 91
9	29, 38, 39, 40, 42-44, 46, 47, 50, 52, 53, 55, 166 A 63, 171 A 100, 175 A 124, 178 A 157	9,13-15	43
		9,13-14	41
9,1-23	38, 40, 42, 166 A 63	9,13	39, 41
9,1-18	38, 43, 166 A 63.64, 170 A 84	9,14	41
9,1-16	166 A 63	9,15-23	41, 42
9,1-6	43	9,15-18	43, 170 A 91
9,1-5	40, 44	9,15-16	45
9,1-3	43	9,15	41, 45
9,1-2	43	9,16-18	42
9,1	27, 38, 40, 43, 44-45, 53, 56-57, 58, 64, 68, 77, 81, 91, 102, 108, 115, 139, 142, 144, 147 A 3, 166 A 64.66, 171 A 100.101, 173 A 117, 181 A 168, 182 A 169	9,16-17	180 A 158
		9,17-18	171f A 107
		9,17	45, 171f A 107
		9,18-27	166 A 63
		9,18	39, 43, 46, 171 A 107

9,19ff	42
9,19-23	39, 42, 43, 57, 74, 166 A 64
9,19-22	47, 48, 58, 168 A 78, 174 A 123, 174f A 124, 179 A 157
9,19	27, 38, 43, 44, 45-48, 53, 64, 68, 77, 91, 102, 104, 108, 139, 140, 142, 144, 147 A 3, 163 A 37, 170 A 84, 171 A 101, 173 A 117, 174 A 121.122
9,20-22	46, 174 A 122
9,20-21	52
9,20	52, 173 A 117
9,21	52
9,22	38, 46, 173 A 117
9,23	42, 168 A 78, 169 A 80, 170 A 80
9,24-27	41, 42, 43, 44, 166 A 63, 168 A 78
9,24	41
9,25	41, 224 A 114
9,26-27	41, 168 A 78
9,27	41, 42, 168 A 78
10,1ff	42
10	40, 42, 82 , 169 A 80
10,1-22	38, 39, 40, 41, 42, 58, 166 A 62.63, 168 A 74.76.78, 169f A 80
10,1-14	41
10,1-13	169 A 80, 202 A 98
10,1-12	167 A 74
10,1-11	40
10,1-10	187 A 194
10,1-5	41, 168 A 74
10,6-7	41
10,7	41
10,8	41
10,9	41
10,10	41, 188 A 201
10,11	40, 41
10,12	40, 41
10,13	40, 41
10,14-22	169 A 80

10,14	41
10,15-22	41
10,15	41
10,16-20	41
10,18	85
10,19-20	54
10,19	39
10,21-22	41
10,22	39, 166 A 62, 169 A 80
10,23-11,1	38, 41, 166 A 62, 169f A 80
10,23-26	41
10,23-24	39
10,23	39, 54, 59, 169 A 80, 184 A 179
10,25-33	166 A 63
10,25-26	53
10,25	180 A 159
10,26	180 A 159
10,27-31	53
10,27-30	41
10,27	41, 181 A 165
10,28-30	41
10,28-29	55
10,28	41, 54, 55
10,29-30	181 A 165
10,29	27, 29, 38, 44, 53-55, 56, 64, 68, 77, 81, 91, 102, 108, 130, 139, 140, 142, 144, 147 A 3, 181 A 165.166, 182 A 169, 183f A 178, 225 A 121
10,30	55, 216 A 34
10,31-11,1	41, 47, 174f A 124
10,31-33	39, 181 A 165
10,32-33	47
10,32	52, 54, 180 A 162.163
11,1	47-48, 52
11,2	210 A 202

11,23	168 A 74
11,30	157 A 2
12,2	183 A 177
12,7-31	180 A 158
12,13	21, 27, 28, 52, 85, 138, 147 A 3, 161 A 18, 223 A 91
14,22	216 A 39
15	192 A 237
15,3-5	182 A 171
15,20	168 A 74
15,32	26
15,33	224 A 110
15,42-44	224 A 115
15,42-43	132
15,42	132, 223 A 91
15,43	132
15,50	90, 132, 223 A 91
15,53	224 A 114
15,54	224 A 114
16,1-4	156 A 2
16,1	25, 26
16,2	163 A 37
16,5-9	158 A 9
16,8	168 A 74
16,10	210 A 202
16,12	157 A 2
16,22	215 A 30

2Kor

1,1-2,13	186 A 193
1,8-10	158 A 9
1,8-9	26
1,15-16	158 A 9
1,17	163 A 37
1,19	157 A 2
2,12-13	158 A 9
2,14-7,4	61, 186 A 193

2,14-16	61
2,15	192 A 237
2,16	61
2,17	61, 188 A 202
3	61, 63, 82, 203 A 126, 223 A 86
3,1-2	61
3,1	192 A 237
3,2ff	93
3,3	61
3,5-6	210 A 202
3,6ff	63
3,6	61, 86, 190 A 214
3,7-18	61, 187 A 194
3,11-12	62-63, 66, 91
3,12ff	64, 65-66
3,12-18	63, 66, 191f A 231
3,12-13	190 A 217
3,12	62, 64, 65, 66, 187 A 196, 190 A 214
3,13-16	62
3,13	62, 189 A 204
3,14-16	190 A 214
3,14-15	188 A 199, 189 A 204
3,14	62, 188 A 199, 189 A 204. 214
3,15	188 A 199, 189 A 204
3,16	62, 64, 190 A 217
3,17-18	66, 223 A 91
3,17	15, 27, 61-67, 68, 77, 91, 108, 114, 139, 140, 143, 144, 147 A 3, 158 A 11, 186 A 193, 187 A 194, 189f A 214, 190 A 217, 212 A 232, 225 A 121
3,18	62, 64, 190 A 214. 217, 191 A 231
4,1ff	61, 62, 190 A 214
4,2	65, 188 A 202
4,5	174 A 122

3,16	160 A 9
3,17	86, 92, 203 A 126
3,18	85
3,19–21	92
3,19–20	95, 100, 127
3,20	92, 101, 108
3,22	211 A 211
3,23ff	100
3,23–25	211 A 211
3,24	85
3,25	85
3,26–29	211 A 211
3,26–28	85, 160 A 9
3,26	160 A 9
3,28	21, 28, 52, 70, 76, 85, 138, 147 A 3, 160 A 9, 161 A 18, 192 A 1
3,29	129, 160 A 9
4	203 A 123
4,1–7	33, 222 A 79
4,3	100, 211 A 211
4,4–7	129
4,5–6	85
4,5	85
4,8ff	100
4,8–9	100, 101, 108
4,9	100, 101, 202 A 113, 211 A 211
4,17	78
4,19	96
4,20	26
4,21ff	84
4,21–31	14, 70, 82–92, 96, 97, 99, 105, 107, 108, 113, 115, 126, 127, 142, 145, 155 A 88, 203 A 126, 204 A 128
4,21–30	83
4,21–26	202 A 113
4,21	85, 202 A 113
4,22–23	85, 87, 88, 108, 138
4,22	70, 85, 147 A 3, 203 A 126
4,23	70, 85, 147 A 3
4,24–27	83
4,24	70, 86, 87, 89, 91, 94, 96, 100, 127, 203 A 126
4,25–26	90, 91, 223 A 91
4,25	70, 87, 88, 205 A 136.137
4,26–28	85
4,26	70, 87, 89, 96, 108, 130, 134, 135, 137, 139, 142, 143, 147 A 3, 204 A 133, 205 A 137
4,27	84, 89
4,28–30	84
4,28	84, 85, 203 A 126
4,29–30	84
4,29–5,1	66
4,29–31	209 A 170
4,29–30	209 A 170
4,29	205 A 134
4,30–31	87, 203 A 126
4,30	70, 83, 84, 86, 91, 147 A 3, 204 A 128
4,31	70, 84, 85, 86, 91, 147 A 3, 204 A 128, 209 A 170, 223 A 91
5,1–13	193 A 2
5,1	31, 44, 52, 64, 70, 85, 92, 96–102, 104, 105, 107, 108, 113, 114, 147 A 3, 223 A 91
5,2ff	96, 97, 211 A 212
5,2–4	72, 87, 158 A 3
5,2	96, 100
5,4	96
5,6	96
5,8	102
5,9	210 A 202
5,10	196 A 20
5,12	102, 106, 202 A 113, 211 A 212.213

Plummer, A. 188 A 200, 201 A 81, vgl.
auch Robertson und Plummer

Pohlenz, M. 5, 16, 48, 150 A 44.45,
153 A 74, 155 A 90.91, 175 A 128.130,
192 A 240, 201 A 90.93, 202 A 94, 203 A 124

Pope, R.M. 191 A 232

Popkes, W. 178 A 155

Provence, T.E. 188 A 199, 190 A 214

Quenum, A.G. 148 A 10, 149 A 26

Radin, M. 190 A 218

Rädle, H. 165 A 56, 165f A 60, 166 A 61

Räisänen, H. 127, 157 A 4, 207 A 160,
208 A 161.166, 219 A 64, 220 A 66, 221 A 72,
222 A 75-77

Ramsay, W.M. 76, 149f A 30, 197 A 36,
198 A 46, 200 A 76, 202 A 95.100,
204 A 130, 209 A 174

Rauer, M. 183 A 177

Reicke, B. 13, 19, 148 A 13, 161 A 18

Reifenberg, A. 205 A 139

Rengstorf, K.H. 97, 161 A 17, 164 A 49,
209 A 175.177-179, 210 A 207

Resch, A. 174 A 123

Ricci, S. de 165 A 58

Richard, E. 187 A 194, 191 A 231

Richardson, P. 14, 149 A 20, 150 A 37.38,
150f A 45, 154 A 78, 181 A 165

Richter, G. 148 A 10

Rissi, M. 187 A 194, 188 A 199.201,
189 A 212

Robertson, A. und A.Plummer 45,
159 A 5, 161 A 15, 162 A 20, 163 A 37,
171 A 101.106, 172 A 109.115,
173 A 117.118, 180 A 159, 182 A 173

Robertson, A.T. 181 A 167, 189 A 205

Robinson, D.W.B. 74, 76, 197 A 37.38-39,
198 A 46

Roth, C. 205 A 139

Ru, G. de 175 A 126

Rudolph, K. 154 A 80, 182 A 169

Russell, K.C. 155 A 87

Saake, H. 219 A 59

Sand, A. 148 A 10.11, 150 A 37

Sanday, W. und A.C.Headlam 214 A 22,
216 A 37

Saß, G. 161 A 16, 164 A 49

Sawyer, W.T. 183 A 177

Sayre, F. 206f A 154

Scaria, K.J. 148 A 10

Scarpat, G. 187 A 196, 190 A 218.219,
191 A 221.226.228

Schade, H.-H. 158 A 5

Schaefer, H. 165 A 60

Schaller, B. 205 A 138

Scharlemann, M.H. 189 A 213

Schelkle, K.H. 216 A 40

Schenk, W. 166 A 63.64.65.66

Schlatter, A. 159 A 6.7, 183 A 178

Schlier, H. 76, 113, 120, 148 A 10,
174 A 124, 187 A 196, 190 A 218,
191 A 221.227, 196 A 20.26, 197 A 40.41,
199 A 50, 200 A 77.78, 204 A 128.130,
205 A 136.138, 210 A 192.203.204.209,
211 A 223.225, 212 A 232.234, 213 A 11,
214 A 20.22, 218 A 47, 219 A 60,
224 A 104, 225 A 119.121

Schmauch, W. 198 A 45

Schmid, W. und O.Stählin 50,
175 A 140, 176 A 142.143

Schmiedel, P.W. 44-45, 160 A 8,
171 A 105, 189 A 209

Schmithals, W. 43, 63, 64, 66, 152 A 59,
154 A 80, 166 A 62.63.64.66, 168 A 78,
170 A 85-86, 171 A 101, 181 A 168,
182 A 169, 186 A 193, 187 A 194,
189 A 211, 189f A 214, 190 A 215-217,
197 A 37, 200 A 62.65, 217 A 42,
219 A 63, 222 A 81

Schmitt, J. 50, 175 A 135.137,
176 A 141.145-147

Schmitz, O. 15, 18, 150 A 34,
153 A 76, 177 A 154, 178 A 155,
192 A 240

Schnackenburg, R. 150 A 40

Göttinger Theologische Arbeiten (GTA)
Herausgegeben von Georg Strecker

Eine Auswahl

26 Friedrich-Wilhelm Horn
Glaube und Handeln in der Theologie des Lukas

2., durchges. Aufl. 1986. 400 Seiten, kart.

25 Georg Strecker (Hg.). Das Land Israel in biblischer Zeit

Jerusalem-Symposium 1981 der Hebräischen Universität und der
Georg-August-Universität mit einem Vorwort von Universitäts-
präsident Prof. Dr. N. Kamp. 1983. VIII,223 Seiten, kart.

23 Fritz Krotz. Die religionspädagogische Neubesinnung

Zur Rezeption der Theologie K. Barths in den Jahren 1924 bis
1933. 1982. 268 Seiten, kart.

22 James Richmond. Albrecht Ritschl

Eine Neubewertung. 1982. 268 Seiten, kart.

21 Hans-Joachim Sonne
Die politische Theologie der Deutschen Christen

Einheit und Vielfalt deutsch-christlichen Denkens, dargestellt
anhand des Bundes für deutsche Kirche, der Thüringer Kirchen-
bewegung "Deutsche Christen" und der Christlich-deutschen Bewegung. 1982. 278 Seiten, kart.

20 Heinz-Hermann Brandhorst
Lutherrezeption und bürgerliche Emanzipation

Studien zum Luther- und Reformationsverständnis im deutschen
Vormärz (1815-1848) unter besonderer Berücksichtigung Ludwig
Feuerbachs. 1981. 311 Seiten, kart.

19 Hartwig Keute. Reformation und Geschichte

Kaspar Hedio als Historiograph. 1980. 423 Seiten, kart.

18 Hans-Heinrich Schade
Apokalyptische Christologie bei Paulus

Studien zum Zusammenhang von Christologie und Eschatologie
in den Paulusbriefen. 2., überarb. Aufl. 1984. 358 Seiten, kart.

Vandenhoeck & Ruprecht in Göttingen und Zürich

Forschungen zur Religion und Literatur des Alten und Neuen Testaments

123 Gerd Lüdemann
Paulus, der Heidenapostel

Band I: Studien zur Chronologie. 301 Seiten, Leinen

Der Autor unternimmt den Versuch, denselben methodischen Grundsatz auf die Chronologie des Paulus anzuwenden, der bei der Rekonstruktion der Theologie des Apostels längst anerkannt ist: nämlich ausschließlich die Primärquellen zugrundezulegen. Die Arbeit befindet sich vorwiegend in einem Dialog mit demjenigen Zweig neutestamentlicher Wissenschaft, der diesem Grundsatz zuneigt, und läßt weitgehend die Ansätze unberücksichtigt, die den Verfasser für einen Paulusbegleiter halten.

„G. Lüdemann legt eine Studie vor, der der Paulusforscher wegen ihrer Substanz Beachtung schenken muß. Der Autor hat mit seinem kritischen Engagement das Problembewußtsein geschärft."
Theologische Literaturzeitung

„Der Versuch, die paulinische Chronologie allein aus den echten Paulinen zu gewinnen, ist ein berechtigtes Anliegen. Dem Verfasser gelingt es in hervorragender Weise, die Indizien so zusammenzustellen, daß sie beweiskräftig werden. Das Buch ist in vielerlei Weise anregend. Man liest es mit Gewinn."
Ordenskorrespondenz

131 Gerd Theißen
Psychologische Aspekte paulinischer Theologie

419 Seiten, Leinen und kartonierte Studienausgabe

Am Beispiel paulinischer Texte zeigen die Untersuchungen, daß der urchristliche Glaube darauf zielt, menschliches Verhalten und Erleben tiefgreifend zu verändern.
Methodisch erweist sich, daß eine ruhig voranschreitende und disziplinierte psychologische Exegese möglich ist, indem einerseits historisch-kritische Forschung durch verschiedene psychologische Ansätze vertieft, andererseits psychologische Forschung in einer von ihr oft vernachlässigten historischen Dimension getrieben wird.
Schließlich will das Buch ein Beitrag zu dem von vielen Mißverständnissen belasteten Gespräch zwischen Theologie und Psychologie sein.

Vandenhoeck & Ruprecht in Göttingen und Zürich